Introduction aux théories des tests

en psychologie et en sciences de l'éducation

Méthodes en sciences humaines

Collection dirigée par Jean-Marie De Ketele,
Jean-Marie Van der Maren et Marie Duru-Bellat

ALBARELLO L., *Apprendre à chercher (4ᵉ éd.)*

ALBARELLO L., *Choisir l'étude de cas comme méthode de recherche*

ALBARELLO L., BOURGEOIS É., GUYOT J.-L., *Statistique descriptive*

ANIS J., *Texte et ordinateur. L'écriture réinventée ?*

ARCAND R., BOURBEAU N., *La communication efficace*

BRESSOUX P., *Modélisation statistique appliquée aux sciences sociales (2ᵉ éd.)*

CISLARU G., CLAUDEL Ch., VLAD M., *L'écrit universitaire en pratique (2ᵉ éd.)*

COLSON J., *Le dissertoire*

COSNEFROY L., *Méthodes de travail et démarches de pensée*

CRÊTE J., IMBEAU L. M., *Comprendre et communiquer la science*

DEFAYS J.-M., *Principes et pratiques de la communication scientifique et technique*

DE KETELE J.-M., ROEGIERS X., *Méthodologie du recueil d'informations (5ᵉ éd.)*

DÉPELTEAU FR., *La démarche d'une recherche en sciences humaines (2ᵉ éd.)*

ENGLEBERT A., *Le mémoire sur ordinateur*

FOX W., *Statistiques sociales*

GUAY J.-H., *Statistiques en sciences humaines avec R. Sciences sociales et psychologie*

GOMEZ F., *Le mémoire professionnel*

HOTTOIS G., *Penser la logique (2ᵉ éd.)*

HOWELL D. C., *Méthodes statistiques en sciences humaines*

JONES R. A., *Méthodes de recherche en sciences humaines*

JUCQUOIS G., *Rédiger, présenter, composer (2ᵉ éd.)*

JUCQUOIS G., VIELLE C., *Le comparatisme dans les sciences de l'homme*

LAVEAULT D., GRÉGOIRE J., *Introduction aux théories des tests (3ᵉ éd.)*

LEJEUNE CHR., *Manuel d'analyse qualitative. Analyser sans compter ni classer*

LEMIEUX V., OUIMET M., *L'analyse structurale des réseaux sociaux*

LENOBLE-PINSON M., *La rédaction scientifique*

LESSARD-HÉBERT M., GOYETTE G., BOUTIN G., *La recherche qualitative. Fondements et pratiques*

MACE G., PÉTRY FR., *Guide d'élaboration d'un projet de recherche en sciences sociales (4ᵉ éd.)*

MÉOT A., *Introduction aux statistiques inférentielles*

MILES B. M., HUBERMAN A. M., *Analyse des données qualitatives (2ᵉ éd.)*

PIRET A., NIZET J., BOURGEOIS E., *L'analyse structurale*

SCHNEDECKER C., *Lire, comprendre, rédiger des textes théoriques*

THIRY P., *Notions de logique (3ᵉ éd.)*

VAN DER MAREN J.-M., *Méthodes de recherche pour l'éducation (2ᵉ éd.)*

VAN DER MAREN J.-M., *La recherche appliquée pour les professionnels. Éducation, (para)médical, travail social (3ᵉ éd.)*

Méthodes en sciences humaines

Introduction aux théories des tests

en psychologie et en sciences de l'éducation

3e édition

Dany Laveault
Jacques Grégoire

de boeck
supérieur

Pour toute information sur notre fonds et les nouveautés dans votre domaine de spécialisation, consultez notre site web : **www.deboecksuperieur.com**

© De Boeck Supérieur s.a., 2014
Fond Jean Pâques, 4 - 1348 Louvain-la-Neuve

3e édition
2e tirage 2016

Imprimé en Belgique

Dépôt légal :
Bibliothèque nationale, Paris : février 2014
Bibliothèque royale de Belgique, Bruxelles : 2014/0074/163

ISSN 1373-0231
ISBN 978-2-8041-7075-2

AVANT-PROPOS

La troisième édition de cet ouvrage nous fournit l'occasion d'en souligner la longé-vité, mais surtout d'exprimer tous nos remerciements aux 6 000 lecteurs et plus qui l'ont lu, qui l'ont utilisé comme manuel de cours ou comme ouvrage de référence. D'abord paru en 1997 sous un titre quelque peu différent, *Introduction aux théories des tests en sciences humaines*, il devait être réédité en 2002 sous le même titre que maintenant. Le choix du titre initial avait mal servi l'ouvrage. Dans les librairies et les bibliothèques, l'ouvrage avait été placé avec d'autres titres en sciences humaines, loin de la psychologie et de l'éducation où il trouvait vraiment sa place par sa métho-dologie, mais aussi par les exemples servant à en illustrer les principaux concepts.

Nous présentons aussi nos remerciements pour l'aide que plusieurs lecteurs et utilisateurs nous ont apportée en nous signalant les erreurs qui se sont retrouvées, malgré tous nos efforts, dans les premières éditions. Un remerciement tout particulier à l'équipe de traduction de la version portugaise *Introduçao às teorias dos testes em ciências humana* parue en 2002 chez Porto Editora. Quoi de mieux qu'une traduction pour soulever des questions sur le sens, la formulation et trouver les mots justes ? La deuxième édition parue en français la même année a pu tirer parti de ce feed-back portugais et indirectement la version actuelle. Cette troisième édition devrait donc être, en plus d'une mise à jour nécessaire, une version épurée de ces fautes initiales.

Un long chemin a donc été parcouru depuis les notes de cours du premier auteur invité comme professeur visiteur en mesure et évaluation à l'Université libre de Bruxelles. Ces notes de cours ont été révisées et complétées, dans leurs dimensions édumétrique et surtout psychométrique, par le deuxième auteur. Le plan du livre, dès lors, a pris sa forme actuelle si ce n'est de l'ordre d'apparition de certains chapitres. Nous avons toujours conservé une section de révision des notions statistiques de base afin de fournir au lecteur tous les prérequis nécessaires à une compréhension des notions de base, tout en limitant à l'essentiel l'exposé de ces notions.

Sept ans se sont écoulés entre la première et la deuxième édition. Après 17 ans, une troisième édition s'imposait d'autant plus que la deuxième édition avait déjà été réimprimée. Des correctifs, des mises à jour et l'ajout de développements récents, tant dans le domaine de la théorie classique des scores que des modèles de réponse aux items, rendaient cette troisième édition encore plus nécessaire. Mais aussi certaines notions fondamentales ne changent pas et cet ouvrage, d'abord voulu comme un manuel de cours et d'introduction, est devenu avec le temps un ouvrage de référence fréquemment cité dans des publications scientifiques. Cette deuxième vocation, l'ouvrage la doit principalement à ses nombreuses références primaires aux articles de base et aux ouvrages fondamentaux en psychométrie. Bref, cet ouvrage d'introduction est progressivement devenu un ouvrage de référence grâce à sa large couverture des principales notions. C'est pourquoi il nous a paru si important d'accompagner la troisième édition d'un index sujets ainsi que de glossaires français-anglais et anglais-français étant donné que les principales références sont anglo-saxonnes. Cet accès en français à des notions principalement développées en anglais est sans doute une autre raison de la seconde vocation de cet ouvrage.

Ce livre est également le résultat d'une collaboration de longue date amorcée entre les deux auteurs en 1991 lors du colloque international de Montebello organisé par le premier auteur et intitulé « Théories modernes de la mesure : enjeux et perspectives ». C'est sans doute à l'occasion de ce colloque tenu en français et en anglais que nous sont apparues clairement à tous les deux l'importance et l'urgence de rendre accessible en français tout ce savoir acquis sur les théories des tests dans le monde anglo-saxon. Après plus de vingt ans, un ouvrage en français sur les théories des tests conserve toute sa pertinence.

Les tests, tant en éducation qu'en psychologie, prennent de plus en plus d'importance dans nos sociétés modernes. L'impact social des évaluations à grande échelle dans les pays industrialisés de même que lors des évaluations internationales en est sans doute le témoignage le plus éloquent. Cette présence accrue de l'évaluation dans nos sociétés suscite parfois des réactions émotives, telle que la fameuse crainte associée au « teach to the test ». Face à de telles craintes, les questions de la validité des inférences que nous faisons à partir des résultats aux tests ainsi que des arguments employés pour les appuyer seront toujours de mise. Mais la faute du « teach to the test » n'incombe pas uniquement aux tests. Ces pratiques sont d'abord et avant tout de mauvaises pratiques pédagogiques dont on ne saurait attribuer la responsabilité entièrement au domaine du testing.

Enfin, la présence accrue de méthodologies mixtes de recherche en psychologie et en éducation, combinant données quantifiables et données qui le sont plus difficilement ou pas du tout, sont une autre raison de l'existence de ce livre. Tout n'est pas quantifiable ou ne mérite pas de l'être, mais ce qui pourrait l'être mérite que l'on s'y intéresse correctement. La mesure n'est pas une nécessité, mais à la « dictature des chiffres » nous opposons l'autorité que la mesure peut apporter à l'étude scientifique en éducation et en psychologie. L'autorité de la mesure ne vient pas des chiffres eux-mêmes, ni des données quantifiables. Elle s'appuie sur une utilisation appropriée des modèles théoriques des tests ainsi que sur la justesse des inférences que nous en retirons. Cet ouvrage montre que c'est possible et propose les méthodologies appropriées pour y parvenir.

Dany Laveault et Jacques Grégoire

SOMMAIRE

CHAPITRE 1

LA CONSTRUCTION D'UN INSTRUMENT DE MESURE

1. Le processus de construction d'un test

La construction d'un test en psychologie ou en éducation est un processus de longue haleine. Cinq étapes principales peuvent être distinguées dans ce processus. Cette section se limite à une brève présentation de chacune de ces étapes. Les premières étapes seront analysées plus en détail dans les sections suivantes du présent chapitre. Les autres feront l'objet des chapitres 4 à 7.

1RE ÉTAPE : LA DÉTERMINATION DES UTILISATIONS PRÉVUES DU TEST

La première question que doit se poser la personne désireuse de construire un test concerne les fonctions que ce dernier devra remplir. À quoi va-t-il servir ? Par exemple, un test de mathématique peut avoir pour fonction de sélectionner des sujets, de diagnostiquer des difficultés d'apprentissage ou encore de déterminer si un élève maîtrise les compétences attendues en fin d'année scolaire. De même, un questionnaire d'anxiété peut être utilisé pour recruter des personnes possédant certaines caractéristiques de personnalité ou pour évaluer l'effet d'un médicament anxiolytique. Le plus souvent, un même test ne peut remplir toutes ces fonctions. En effet, les usages prévisibles d'un test déterminent profondément ses caractéristiques. En particulier, une distinction nette doit être tracée entre les tests normés et les tests critériés. Les *tests normés* visent à discriminer les sujets appartenant à la population pour laquelle est construit le test. Ces tests peuvent, par exemple, nous procurer des informations sur le degré d'anxiété d'un sujet par rapport au niveau de l'anxiété dans l'ensemble de la population. Il en va de même pour le niveau de compétence en mathématique ou pour tout autre caractéristique que l'on souhaite mesurer. Par contre, les *tests critériés* ont pour fonction d'évaluer si un sujet possède ou non certaines caractéristiques prises comme référence. Par exemple, pour remplir correctement une certaine fonction professionnelle, le niveau d'anxiété du sujet ne dépasse-t-il pas un seuil déterminé ? Ou encore, le sujet possède-t-il les compétences en mathématiques nécessaires pour aborder un programme d'études donné ?

Le choix de construire un test normé ou un test critérié conditionne la méthodologie utilisée. Des techniques particulières doivent être appliquées pour obtenir des tests possédant les propriétés métriques spécifiques dont on a besoin.

La distinction entre test normé et test critérié n'est pas la seule qui puisse être faite. Dans le domaine éducatif, il existe de profondes différences entre les tests destinés à l'évaluation certificative et ceux utilisés pour l'évaluation formative ou l'évaluation diagnostique. Un *test certificatif* doit couvrir l'ensemble d'un programme scolaire. Un tel test est habituellement centré sur les performances. Il doit en effet permettre de vérifier si l'élève est capable de réaliser les tâches que l'on attend de lui en fin d'apprentissage. Par contre, un *test diagnostique* est généralement beaucoup plus ciblé. Son but est de comprendre le sens d'une performance. Par exemple, il ne s'agit plus, comme avec un test certificatif, de simplement vérifier si un élève peut additionner correctement deux nombres décimaux, mais de comprendre pourquoi certains élèves présentent des difficultés pour réaliser de telles additions. L'information que l'on désire recueillir ne se limite plus à la performance, mais concerne les capacités cognitives sous-jacentes à ces performances. Pour atteindre cet objectif, il est nécessaire d'utiliser un test qui s'appuie sur un modèle des processus mis en jeu pour réaliser des additions avec des décimaux. Un tel modèle permet d'éclairer les difficultés rencontrées par les élèves et, le cas échéant, de mettre en oeuvre des actions remédiatives. Ainsi, les propriétés d'un test diagnostique sont nécessairement très différentes de celles d'un test certificatif. Ces deux types d'outils doivent, par conséquent, être conçus de manière spécifique en s'appuyant sur une méthodologie adaptée.

Il est possible d'opérer d'autres distinctions entre les fonctions que peuvent remplir les tests. Comme nous venons de le voir, ces fonctions déterminent la nature du test à construire et, par conséquent, la méthodologie à utiliser pour élaborer un tel outil. On ne peut donc éluder une réflexion approfondie sur l'usage auquel on destine un test. Au point de départ du travail de construction, un choix doit toujours être opéré entre différentes fonctions possibles. Il est illusoire de vouloir créer un test « généraliste » qui ambitionne de répondre à tous les besoins des praticiens. Dans la section 2, cette question sera approfondie dans le cas du développement d'un test d'acquis scolaires.

2ᴱ ÉTAPE : LA DÉFINITION DE CE QUE L'ON SOUHAITE MESURER

Habituellement, le point de départ d'un test est un objectif relativement vague et général : « évaluer la compréhension en lecture à l'école primaire », « apprécier le développement social de 3 à 6 ans », « diagnostiquer les troubles de la mémoire », « sélectionner du personnel de bureau », etc. Ces intentions sont encore beaucoup trop vagues pour permettre réellement de débuter la construction d'un test. Elles nécessitent un travail d'approfondissement des concepts et d'opérationnalisation de ceux-ci. En d'autres termes, il s'agit de définir avec précision les caractéristiques psychologiques ou éducatives que le test devra mesurer. Sur base de cette définition, des items pourront alors être construits. Cette première étape est donc cruciale. Nous verrons dans le chapitre 4 que la validation du contenu du test repose sur ce travail préalable de définition de ce que l'on veut mesurer.

Mais comment passer d'une intention vague à la définition opérationnelle d'un concept ? Selon les domaines, plusieurs méthodes peuvent être utilisées :

1. *La définition des objectifs pédagogiques et la construction d'un tableau de spécifications.* Lorsqu'il s'agit d'évaluer des apprentissages scolaires, la démarche

la plus fréquente consiste à préciser les performances que les élèves devront démontrer à un moment donné de leur apprentissage. De nombreux outils ont été développés pour permettre une opérationnalisation suffisante de ces objectifs. Le tableau de spécifications est un de ces outils permettant de déterminer les divers types de comportements attendus relativement à un contenu disciplinaire. La section 2 du présent chapitre présente en détail la construction d'un tableau de spécifications ainsi que d'autres méthodes permettant de préciser les caractéristiques que doit évaluer un test d'acquis scolaire.

2. *L'analyse de contenu d'entretiens.* Lorsque le praticien n'a pas d'idées précises à propos des caractéristiques permettant de discriminer les individus qui seront évalués par le test, il est intéressant de commencer par interroger des personnes appartenant à la population visée par ce test. L'interview, libre ou semistructurée, permet de recueillir un grand nombre d'informations qui seront sélectionnées et classées au moyen d'une analyse de contenu. Par exemple, Hunt et McKenna (1992) ont procédé de la sorte pour mettre au point un questionnaire de qualité de vie destiné à des patients dépressifs. Cinq psychiatres ont interviewé 30 patients dépressifs à propos de différentes facettes de leur vie quotidienne. Une analyse de contenu des entretiens a permis de mettre en évidence un certain nombre de propositions caractéristiques, permettant d'apprécier la qualité de vie des patients dépressifs. Ces propositions ont ensuite servi à construire les items du questionnaire.

3. *L'observation directe des comportements.* Dans certains cas, plutôt que d'interroger les personnes, il est préférable de les observer dans leur milieu de vie ou de travail. Cette méthode a été utilisée par Binet pour construire le tout premier test d'intelligence de l'histoire. Au début de ce siècle, Binet ne pouvait s'appuyer que sur un modèle rudimentaire et vague de l'intelligence. Dès 1900, il commença donc à observer les handicapés mentaux adultes de l'Asile Sainte-Anne et les enfants d'une école d'un quartier populaire de Paris afin de mettre en évidence les comportements permettant de distinguer les individus sans handicap intellectuel des individus handicapés mentaux. Les items de l'échelle métrique d'intelligence de 1905 sont issus de ce travail d'observation.

4. *La méthode des incidents critiques.* L'origine de cette méthode est attribuée à Flanagan (1954). Elle est particulièrement utile pour construire des outils d'évaluation des performances professionnelles. Elle consiste à demander à des responsables de décrire des situations de travail où les employés sous leurs ordres ont agi de manière particulièrement efficace ou, au contraire, inefficace. Partant de cette description, certains comportements « critiques » peuvent être mis en évidence et servir à construire des échelles d'évaluation.

5. *La référence à un modèle théorique.* À la différence des autres méthodes, celle-ci ne part pas de l'expérience, mais d'un modèle de la réalité construit au cours de recherches antérieures. Depuis le début des années 1980, les développements de la psychologie cognitive ont conduit à la création de nombreux modèles théoriques utilisables par les constructeurs de tests. Des tests destinés au diagnostic des troubles de la lecture ont, par exemple, été créés sur base de modèles décrivant les processus impliqués dans l'activité de lecture (p.ex. de Partz, 1994 ; Mousty & al., 1994). D'autres outils ont également été construits en référence à des modèles théoriques pour évaluer des caractéristiques aussi diverses que le calcul, la motivation, la mémoire.

3ᴱ ÉTAPE : LA CRÉATION DES ITEMS

Il y a près de cinquante ans, Georges Gallup, fondateur du célèbre institut de sondage du même nom, affirmait (1947, p. 383) : « *Trop d'attention a été accordée à la constitution des échantillons et trop peu à la création des questions [...] Des différences dans la construction des questions conduisent souvent à des résultats qui présentent de plus grandes variations que celles habituellement observées en fonction des différentes techniques d'échantillonnage* ». Cette constatation garde toute son actualité et peut être généralisée aux questions construites pour les tests psychologiques et les tests d'acquis scolaires. Souvent, les praticiens ne suivent aucune méthodologie pour construire les items. Ayant en tête ce qu'ils souhaitent mesurer, ils se fient à leur intuition pour produire les questions. Pourtant, il est indispensable d'avoir un projet et un plan précis avant de se lancer dans la production d'items :

1. *Quel format d'items choisir ? Pourquoi ?* Le choix d'un format ne doit pas être arbitraire. Il découle d'un ensemble de contraintes concernant les objectifs du test et les conditions matérielles de création, de passation et de cotation de celui-ci. En conséquence, il n'y a pas de bon format d'item dans l'absolu. Un format est bon s'il est adéquat au but et à la situation d'évaluation. La section 3 du présent chapitre aborde de manière détaillée la question du choix du format d'item et des règles de construction de différents formats de questions fermées et ouvertes.

2. *Quel doit être le niveau de difficulté des items ?* Le choix du niveau de difficulté des items dépend de l'objectif du test. Ce niveau variera selon que le test est normé ou critérié, certificatif ou formatif. En d'autres termes, c'est la nature des informations que l'on désire recueillir qui doit déterminer le niveau de difficulté des items à produire.

3. *Combien faut-il créer d'items ?* Le nombre d'items à créer dépend de plusieurs facteurs. Le premier facteur est la durée du test. Selon que l'on souhaite un test court, pouvant être passé en 10 minutes, ou un test diagnostique se déroulant sur plusieurs séances d'examen, le nombre d'items à créer variera considérablement. Un second facteur à prendre en compte est le niveau désiré de fidélité du test. Un test long sera généralement plus fidèle qu'un test court (voir chapitre 3). Par ailleurs, si le test comporte plusieurs sous-scores, il sera nécessaire d'assurer la fidélité de ceux-ci en prévoyant suffisamment d'items dans chacune des sous-échelles du test. Enfin, un dernier facteur à prendre en considération est l'élimination, quasi inévitable, de certains items après leur évaluation par des experts et leur mise à l'essai. Si l'on veut que la version finale du test contienne assez d'items, il faudra donc en créer plus que le strict nécessaire. Si, par exemple, le test final doit contenir 20 items, on en créera 30 et l'on retiendra les 20 meilleurs de ceux-ci. Habituellement, un surplus de 30 à 50 % d'items est nécessaire pour éviter de ne pas avoir un nombre suffisant d'items après la mise à l'essai.

4ᴱ ÉTAPE : L'ÉVALUATION DES ITEMS

Une définition précise de ce que l'on souhaite mesurer et une méthodologie rigoureuse de construction des items sont des conditions nécessaires, mais non suffisantes pour obtenir des items valides et fiables. Pour garantir les propriétés métriques des items, une évaluation minutieuse de ceux-ci doit également être réalisée. Deux démarches complémentaires sont habituellement suivies pour réaliser cette tâche.

1. *Une évaluation des items par des juges.* Ceux-ci sont chargés d'apprécier la conformité des items aux exigences définies lors de la seconde étape du processus de construction du test. Les méthodes d'évaluation des items par des juges sont détaillées dans la section 2 du chapitre 4 consacré à la validité.

2. *La réalisation d'une mise à l'essai des items* suivie d'une analyse qualitative et quantitative des résultats. La mise à l'essai complète l'appréciation des items par des juges. Cette dernière évaluation reste en effet subjective malgré la rigueur méthodologique avec laquelle elle peut être réalisée. La mise à l'essai permet de recueillir des données empiriques, directement de la population à laquelle est destiné le test.

La mise à l'essai consiste à faire passer tous les items à un échantillon de la population. Cet échantillon ne doit pas nécessairement être représentatif (voir chapitre 6 pour une discussion de cette notion) ni de très grande taille. Sa taille dépend en fait de l'hétérogénéité de la population visée par le test et de la grandeur de la population de référence. Par exemple, si un questionnaire de stress est destiné à évaluer uniquement des pilotes d'avion, une mise à l'essai sur un échantillon de 50 pilotes permettra généralement une évaluation satisfaisante des items, car la population des pilotes d'avion est plus homogène et de plus petite taille que la population en général. Par contre, si la population est plus hétérogène, un échantillon de 200 à 300 personnes peut être nécessaire pour réaliser une mise à l'essai valable. Par exemple, la mise à l'essai des items de la version française du WISC-III (Wechsler Intelligence Scale for Children – version 3) a été réalisée sur un échantillon de 220 enfants. Ce test est destiné à évaluer tous les enfants français entre 6 et 16 ans. Dans ce cas, l'échantillon du prétest doit être de plus grande taille, car il doit inclure des enfants des deux sexes, de différents âges et de différents milieux sociaux. On ne vise toutefois pas à ce qu'un tel échantillon soit parfaitement représentatif de la population. Il doit avant tout refléter l'hétérogénéité de celle-ci. Un échantillon trop homogène risque en effet de masquer certains items problématiques. Par exemple, si les items d'un questionnaire de dépression destiné à des personnes âgées sont prétestés sur un échantillon qui ne comprend que des retraités possédant un diplôme d'études supérieures, certains problèmes risquent de passer inaperçus. L'inclusion de personnes âges possédant le seul diplôme d'études primaires aurait permis de mettre en évidence des questions dont le vocabulaire trop complexe peut entraîner des erreurs de compréhension.

Les résultats d'une mise à l'essai sont analysés d'un point de vue tant qualitatif que quantitatif. En particulier, les commentaires des sujets à propos des items peuvent se révéler précieux pour comprendre des résultats aberrants et pour remédier à certains problèmes de formulation des questions. De même, les problèmes de manipulation du matériel, d'enregistrement des réponses, de temps de passation, de cotation des réponses peuvent être repérés à cette occasion. Ces problèmes, en apparence mineurs, doivent retenir toute l'attention du constructeur car ils peuvent diminuer considérablement la validité des résultats d'un test. C'est, par exemple, le cas d'un espace trop petit pour noter les réponses ou d'un livret de test difficile à manipuler.

En plus de ces vérifications qualitatives, la mise à l'essai permet de réaliser différentes analyses statistiques des résultats. Celles-ci sont détaillées dans le chapitre 5 consacré à l'analyse des items. Ces analyses portent, entre autres, sur la difficulté des items, leur discrimination, leur fonctionnement différentiel. Sur base de ces analyses et des observations qualitatives, les meilleurs items seront finalement sélectionnés et serviront à construire la version définitive du test.

5ᴱ ÉTAPE : LA DÉTERMINATION DES PROPRIÉTÉS MÉTRIQUES DU TEST DÉFINITIF

Une fois les meilleurs items sélectionnés et la version définitive du test constituée, il reste à déterminer les propriétés métriques de ce test. Les propriétés qui doivent retenir l'attention du constructeur varient en fonction de la nature du test. S'il s'agit d'un test normé, il sera nécessaire d'établir des normes et de présenter celles-ci selon une échelle aisément compréhensible par les praticiens. S'il s'agit d'un test critérié, il faudra préciser des scores de référence utiles. Par ailleurs, si les résultats du test doivent être mis en relation avec ceux d'autres tests, il y aura lieu de mettre en équivalence les échelles de mesure concernées. Les techniques nécessaires pour déterminer les normes, les scores de référence et les équivalences sont présentées en détail dans le chapitre 6.

Par ailleurs, une investigation approfondie de la validité et de la fidélité des résultats de la version finale du test devra toujours être réalisée. Le constructeur doit rassembler des preuves de la validité des inférences permises par les résultats au test. Par exemple, s'il propose aux praticiens de calculer et d'interpréter différents sous-scores au test, il sera nécessaire de prouver la pertinence de tels sous-scores quant à l'interprétation qui en est faite (American Psychological Association, 1999, p. 20). Les fondements et la méthodologie de telles études de validité sont explicités dans le chapitre 4. Il faut souligner que l'évaluation de la validité des résultats à un test n'est pas du seul ressort du constructeur. Elle est partagée par l'utilisateur du test. En fait, la validité n'est jamais une qualité acquise une fois pour toutes. Chaque nouvelle inférence qu'un praticien veut réaliser à partir des résultats d'un test doit faire l'objet d'une validation spécifique. Par exemple, si un test de mémoire a été créé pour évaluer les compétences mnésiques des enfants et des adolescents, la pertinence de l'usage de ce test avec des adultes devra être démontrée sur base de données empiriques.

Le constructeur devra également apporter des informations à propos de la fidélité des résultats. Il peut choisir parmi une variété d'indicateurs tels que le coefficient de fidélité et les autres mesures liées à celui-ci et nécessaires aux praticiens, telles que l'erreur de mesure de scores, les intervalles de confiance, l'erreur de mesure des différences entre scores, etc. Les techniques nécessaires pour calculer ces valeurs relatives à la fidélité sont présentées de manière détaillée dans le chapitre 3.

Lorsqu'un test n'est pas réservé au seul usage de son constructeur, mais est destiné à être diffusé, la rédaction d'une documentation destinée aux utilisateurs est nécessaire (American Educational Research Association, 1999, pp. 67-70). Cette documentation doit présenter les données métriques citées ci-dessus (normes, coefficient de fidélité…) ainsi que les bases théoriques du test, les fonctions pour lesquelles il a été créé et les qualifications requises pour pouvoir l'utiliser et en interpréter correctement les résultats. Le constructeur d'un test n'a pas seulement une responsabilité méthodologique, il doit également assumer une responsabilité éthique. L'instrument qu'il a créé va en effet servir à évaluer des personnes et à prendre des décisions à leur propos. Les informations communiquées dans le manuel doivent permettre de garantir un usage correct du test dans le respect des principes déontologiques.

Au-delà des difficultés pratiques et devant les enjeux élevés entourant l'utilisation des tests, l'utilisateur et le constructeur de tests ont le devoir de se conformer à un certain nombre de règles déontologiques et à posséder des standards éthiques élevés. En plus des références déjà mentionnées, il existe plusieurs autres références en ce domaine, notamment un numéro spécial de la revue *Mesure et évaluation en éducation (1997)* totalement consacré à ces questions dans le domaine de l'éducation. Pour une perspective plus générale concernant l'éthique de l'agir évaluationnel, Hadji (2012) aborde plusieurs questions philosophiques formant la base d'une éthique en évaluation.

2. La construction d'un test d'acquis scolaires

2.1 DÉFINITION DES FONCTIONS DU TEST

Dans l'enseignement, les tests sont appelés à jouer plusieurs rôles. L'instrument de mesure sera construit différemment selon la fonction à laquelle on le destine. Voici quelques usages courants des instruments de mesure en contexte scolaire :

1. dresser un bilan des acquis de l'élève ;
2. prendre une décision sur la promotion de l'élève ;
3. sélectionner les élèves selon certaines caractéristiques particulières afin de former des groupes ;
4. identifier les aspects de la résolution d'un problème source de difficultés ;
5. identifier les transferts qui ont ou n'ont pas eu lieu ;
6. préparer une révision de la matière à partir des points pour lesquels certains élèves éprouvent des difficultés ;
7. faire prendre conscience aux élèves de certains points majeurs de la matière.

Cette liste n'est pas exhaustive. Elle illustre simplement deux grands ensembles de situations où les tests jouent un rôle important en situation scolaire :

a) *l'évaluation sommative* (situations 1, 2 et 3) ;
b) *l'évaluation formative* (situations 4, 5, 6 et 7).

Dans le premier cas, on cherche à construire un instrument de mesure qui permette d'évaluer un échantillon de toute la matière enseignée. Un bon bilan nécessite un échantillonnage du contenu qui soit exhaustif et représentatif. Pour ce faire, une mesure fondée sur les objectifs d'apprentissage est nécessaire.

Dans le second cas, on cherche à construire un outil qui permette une prise d'information focalisée et compréhensive. En fait, l'intérêt n'est pas de couvrir toute la matière, mais un aspect bien particulier de celle-ci. Alors que plusieurs objectifs peuvent être couverts dans un bilan, l'évaluation formative peut ne porter que sur un seul objectif. L'évaluation formative a pour fonction de fournir à l'enseignant et à l'élève une information pertinente sur le déroulement des apprentissages. C'est pourquoi l'enseignant veut contrôler plusieurs aspects de la tâche qu'il soumet à l'élève pour tester la stabilité des apprentissages dans différents contextes ou situations d'apprentissage. C'est ce qu'une mesure critériée lui permet d'accomplir.

Le tableau 1.1 décrit les différentes catégories de prise d'information que l'on rencontre en situation d'apprentissage scolaire. Les qualités de l'instrument de mesure doivent s'accorder avec le type d'information recherchée et les buts poursuivis. Dans bien des cas, une simple interrogation orale peut suffire. Dans des situations plus complexes où l'on doit articuler un plan d'intervention, cette prise d'information devra être complète pour rendre possible l'élaboration de stratégies d'enseignement adaptées (évaluation formative). Mais tout dépend de ce que l'on entend par information complète. Dans le cas d'un bilan (évaluation sommative), elle signifie que l'instrument de mesure couvre la totalité ou à tout le moins une grande partie des contenus scolaires

Tableau 1.1 — Fonctions de l'évaluation et qualités attendues
des instruments de mesure

But de l'évaluation	Qualités souhaitées des mesures	Procédure
Obtenir une rétroaction, observer	Informatives	Échanges spontanés, interrogations par essai-erreur
Faire un bilan, certifier	Représentatives et fidèles	Définition des objectifs et tableau de spécifications
Remédier aux difficultés, aider	Informatives, pertinentes et précises	Construction de tests critériés

visés par les objectifs d'apprentissage à évaluer. Dans le cas d'une évaluation formative (ou diagnostique), elle signifie que l'instrument de mesure couvre l'apprentissage
dans sa continuité, telle que manifestée par l'acquisition progressive des processus
d'apprentissage en jeu. Dans les sections suivantes, la méthodologie utilisée pour
construire des instruments sommatifs (§ 2.2) et diagnostiques (§ 2.3) sera détaillée.

2.2 L'ÉVALUATION SOMMATIVE

2.2.1 La mesure fondée sur les objectifs

Pour dresser un bilan représentatif des apprentissages des élèves, il faut que celui-ci
reflète les objectifs du programme d'études et de l'enseignement en salle de classe.
Les programmes d'études comportent généralement plusieurs catégories d'objectifs.
Ceux-ci peuvent être regroupés selon leur spécificité (objectif global, général, spécifique) ou selon leur position dans une séquence d'apprentissage (objectif intermédiaire
ou terminal). Quelle que soit la catégorie à laquelle il appartient, l'objectif possède
des caractéristiques essentielles et des caractéristiques accessoires (tableau 1.2).

Lors de la rédaction d'un objectif, les deux caractéristiques essentielles sont :

• un verbe d'action et un seul ;
• un contenu (complément d'objet) et un seul.

Le verbe d'action doit décrire un comportement observable directement (p.ex.
cocher, souligner, écrire, lancer, etc.) ou indirectement (p.ex. identifier, choisir, etc.).
Il ne doit y avoir qu'un seul verbe par objectif, sinon les attentes exprimées peuvent donner lieu à interprétation. Prenons l'exemple de l'objectif suivant : « *Identifier et nommer les capitales provinciales du Canada* ». La présence de deux verbes
rend confuses les attentes en ce qui concerne les apprentissages des élèves. Sera-t-on

Tableau 1.2 — Formulation des objectifs d'apprentissage

	Obligatoire		Optionnel
Verbe	• un seul verbe • un verbe d'action • doit décrire un comportement univoque	Contexte	• ce qui est ou n'est pas disponible
Contenu	• un seul contenu par objectif • doit être un élément ou un sous-élément d'un programme	Critères d'évaluation	• condition d'acceptation de la performance • seuil de performance

satisfait lorsque l'élève saura nommer les capitales du Canada ou encore lorsqu'il pourra les identifier à partir d'une liste ou d'une carte géographique ? Pour considérer cet objectif comme atteint, faudra-t-il que l'élève manifeste les deux comportements (identifier et nommer) ou un seul des deux (identifier ou nommer) ? L'objectif manque de précision, non seulement à cause de l'ambiguïté créée par la présence de deux verbes, mais aussi parce que l'on ignore tout des conditions de réalisation de la performance et du seuil de réussite permettant de déterminer quand l'objectif peut être considéré comme atteint. Pour accroître la spécificité des objectifs, on ajoutera généralement les composantes suivantes à l'objectif :

- le contexte dans lequel sera réalisée la performance attendue ;
- le critère d'acceptation de la performance ;
- le seuil d'acceptation de la performance.

On ne s'attend pas à retrouver ces caractéristiques accessoires parmi les objectifs généraux. Par contre, elles sont essentielles à des objectifs dits spécifiques. La figure 1.1 fournit un exemple d'un objectif spécifique comportant toutes ces composantes accessoires.

Le contexte décrit dans quelles conditions l'élève réalisera sa performance et ce qui sera à sa disposition. Dans le cas de l'exemple de la figure 1.1, il s'agit d'un atlas. Dans le cas d'autres objectifs, il pourrait s'agir d'une calculatrice (mathématiques), d'un dictionnaire ou d'une grammaire (français langue maternelle ou langue seconde). Le critère d'acceptation de la performance décrit le niveau de qualité de la performance attendue. Dans l'exemple, les coordonnées devront être relevées avec une précision d'un degré. Une erreur supérieure à un degré invaliderait la réponse en entier. Enfin, le seuil de réussite fournit un critère quantitatif pour considérer l'objectif comme atteint. Il établit combien de fois l'élève doit répéter sa performance au critère d'acceptation fixé pour que l'on considère qu'il maîtrise le contenu de l'objectif. Les seuils les plus courants oscillent généralement entre 80 % et 100 %. Dans le cas de l'objectif de la figure 1.1, ce seuil est de 90 %. Qu'est-ce qui constituerait un seuil de réussite acceptable pour l'objectif « *identifier les capitales provinciales du Canada ?* », 80 % ? 90 % ? Cela pourrait dépendre des élèves à qui s'adresse cet objectif et du programme d'études de ces élèves : le seuil pourrait être moindre pour des élèves belges que pour des élèves canadiens, par exemple.

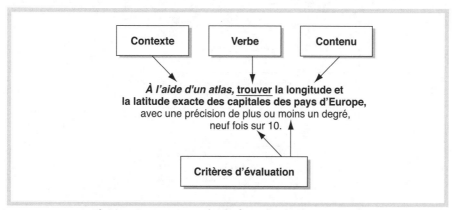

Figure 1.1 — Exemple de formulation d'un objectif

Il existe plusieurs façons de déterminer un seuil de réussite. Cette question sera abordée plus en détail dans le chapitre 6, section 4. Pour l'instant, mentionnons que les composantes accessoires des objectifs sont parfois précisées dans les programmes d'études en fonction des niveaux d'enseignement. Si elles ne sont pas précisées, elles peuvent souvent être déduites à partir d'informations complémentaires (p.ex. les directives provenant des autorités scolaires) et à partir du jugement professionnel des enseignants. Le contexte, le seuil et les conditions d'acceptation de la performance sont également des moyens de graduer les attentes en termes d'exigences et d'établir une progression dans les apprentissages. Ils permettent d'assurer une certaine continuité dans l'enseignement par objectif.

2.2.2 Le modèle de Deno et Jenkins et les taxonomies d'objectifs

Les objectifs spécifiques nous permettent de préciser la forme que prendront l'évaluation des apprentissages et les attentes que nous avons envers les élèves. Toutefois, ils sont peu pratiques pour considérer un programme d'études dans son ensemble. Lorsqu'il s'agit de planification à long terme de l'enseignement et d'intégration des matières, les objectifs spécifiques peuvent devenir encombrants. L'intérêt doit alors se porter sur l'organisation des grandes parties de la matière et sur le niveau global d'approfondissement des apprentissages visés.

Deno et Jenkins (1969) ont élaboré un modèle qui tient compte de la spécificité nécessaire des objectifs à différents niveaux d'intervention. La figure 1.2 décrit les quatre niveaux (A à D) du modèle, allant de l'objectif global à la tâche d'examen. Il s'agit d'un modèle hiérarchique où chaque niveau supérieur contient les objectifs des niveaux inférieurs.

Le niveau A est celui des *objectifs globaux*. Il sert à préciser les choix politiques, institutionnels, les grandes lignes du projet éducatif et de la mission de l'enseignement.

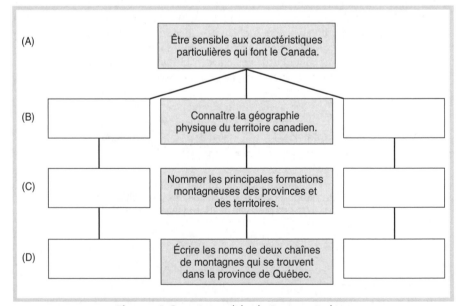

(A)   Être sensible aux caractéristiques particulières qui font le Canada.

(B)   Connaître la géographie physique du territoire canadien.

(C)   Nommer les principales formations montagneuses des provinces et des territoires.

(D)   Écrire les noms de deux chaînes de montagnes qui se trouvent dans la province de Québec.

Figure 1.2 — Le modèle de Deno et Jenkins

Le niveau B cherche à préciser les objectifs globaux en situant le degré d'approfondissement des capacités (au niveau cognitif) ou le degré d'intériorisation (au niveau affectif) des attentes de l'objectif : c'est le niveau des *objectifs généraux*. Il ne s'agit pas à ce niveau d'indiquer de façon précise les attentes vis-à-vis des élèves. Il s'agit plutôt d'une première indication du degré d'approfondissement visé, tant au niveau cognitif qu'au niveau affectif. Les objectifs généraux sont particulièrement utiles pour dresser les grandes lignes d'un programme d'études et articuler entre eux des objectifs qui peuvent, par leur nature et leur contenu, être forts différents. Au niveau C, les intentions se précisent à un point tel qu'on peut y indiquer les conditions précises d'évaluation : catégorie de comportements attendus, contenus précis, conditions de réalisation de la performance et conditions d'acceptation de la performance. C'est le niveau des *objectifs dits spécifiques*. Enfin, au niveau D, on retrouve les *tâches d'examen* de même que les situations entraînant l'observation de performances complexes. C'est le niveau le plus spécifique des quatre niveaux du modèle. Ce n'est pas à proprement parler un objectif, mais, comme le mentionne Ebel (1956), la tâche est la meilleure manière de connaître comment se traduisent les objectifs pédagogiques dans les faits.

Le modèle de Deno et Jenkins permet de catégoriser les objectifs en fonction de leur spécificité, mais aussi en fonction de leur rôle dans un programme d'études. Les objectifs spécifiques (niveau C) permettent de préciser ce qui sera évalué. Les objectifs généraux (niveau B) articulent les différents contenus d'un programme d'études et précisent les processus visés par chaque grande catégorie d'apprentissage.

C'est au niveau B qu'interviennent les taxonomies d'objectifs généraux. On distingue trois grandes catégories taxonomiques :

1. objectifs cognitifs (Bloom, Engelhart, Furst, Hill, & Krathwohl, 1956 ; Anderson, Krathwohl, Airasian, Cruikshank, Mayer, Pintrich, & Wittrock, 2001) ;

2. objectifs affectifs (Krathwohl, Bloom, & Masia, 1964) ;

3. objectifs psychomoteurs (Harrow, 1972).

Dans le cas des objectifs cognitifs, l'objectif général permet de définir de manière suffisamment précise les connaissances et capacités visées par le programme d'études. La taxonomie des objectifs cognitifs de Bloom fait la distinction entre six niveaux d'habileté et d'acquisition de connaissances. Ces six niveaux hiérarchiques sont décrits à la figure 1.3 (connaissances) et à la figure 1.4 (habiletés). La taxonomie des objectifs cognitifs joue ainsi un double rôle :

1. au niveau des programmes d'études ;

2. au niveau de l'évaluation des apprentissages.

Au niveau des programmes d'études, la taxonomie apporte plus de rigueur dans la définition de ce que l'on entend généralement par « connaissance », « compréhension », etc. De plus, elle permet de s'assurer que les attentes vis-à-vis des apprentissages des élèves sont conformes à leurs capacités et à leur développement cognitif. On peut ainsi établir une progression des habiletés intellectuelles impliquées dans l'apprentissage de mêmes contenus, mais à des niveaux scolaires différents. Par exemple, *« établir une classification du contenu de son herbier à partir d'un modèle fourni par l'enseignant »* constitue un objectif cognitif différent de celui qui consiste à *« élaborer une classification originale du contenu de son herbier à partir des échantillons de plantes recueillies »*. Le premier objectif porte sur l'application du modèle de l'enseignant (Figure 1.4, catégorie 3.00), alors que le second repose davantage sur la synthèse (élaboration d'un plan d'action, Figure 1.4, catégorie 5.20).

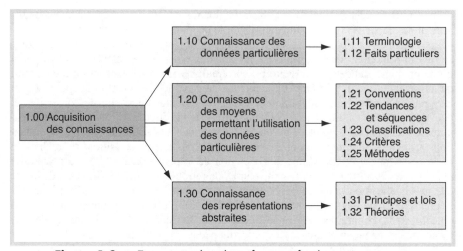

Figure 1.3 — Taxonomie des objectifs cognitifs : les connaissances

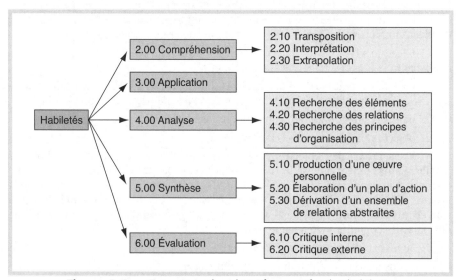

Figure 1.4 — Taxonomie des objectifs cognitifs : les habiletés

Au niveau de l'évaluation des apprentissages, la taxonomie permet de s'assurer que les processus cognitifs activés lors de l'apprentissage seront mesurés lors de l'examen. Bloom et ses collaborateurs ont élaboré leur taxonomie après avoir constaté que les examens produits par les enseignants portaient habituellement sur la seule restitution des connaissances. Selon Bloom, Engelhart, Furst, Hill, & Krathwohl (1956), il était important de mesurer autre chose que les processus de pensée faisant intervenir principalement la mémorisation. Malheureusement, quelque trente années plus tard, Bloom (1984) constatait que la situation n'avait guère changé et que peu d'enseignants s'efforçaient de mesurer les capacités supérieures. Une mise à jour de la taxonomie de Bloom et al. a été réalisée par Anderson & Krathwohl (2001), mais celle-ci tarde à s'implanter dans les milieux de l'éducation. Elle est mieux adaptée à l'évaluation de performances complexes ou autres manifestations de l'acquisition de compétences. La version originale, moins complexe, demeure cependant encore largement utilisée malgré les lacunes que la mise à jour a voulu corriger et les changements apportés par une approche par compétences dans la plupart des programmes d'études.

Les objectifs généraux ont également une incidence directe sur l'interprétation des objectifs spécifiques et, par ricochet, sur l'évaluation des apprentissages. Prenons une situation concrète assez répandue. Supposons que nous demandions à un étudiant de « *fournir un exemple de renforcement positif* ». S'il s'agit d'un objectif de connaissance, il suffira à l'étudiant de répéter un exemple qu'il a entendu en classe ou lu dans le manuel obligatoire du cours. Si, par contre, il s'agit d'un objectif de compréhension, nous nous attendons à ce que l'étudiant fournisse un exemple original. La réitération d'un exemple connu ne serait pas suffisante pour parler de compréhension. De ce dernier exemple, nous pouvons conclure qu'une même tâche peut être employée pour mesurer des niveaux taxonomiques fort différents. La condition d'acceptation de la performance permet dans ce cas-ci de s'assurer que la question d'examen mesure bien le niveau taxonomique qu'elle est censée mesurer. Pour que les choses soient claires pour l'élève, il faudra que l'énoncé de la question soit sans équivoque à propos de cette condition d'acceptation. Par exemple : « *Écrivez un exemple original de renforcement positif. Les exemples du manuel de cours ou du professeur ne seront pas acceptés* ».

2.2.3 Objectifs terminaux et objectifs intermédiaires

Dans un autre ordre d'idée, il est parfois nécessaire d'aborder l'articulation des objectifs dans la séquence d'apprentissage. La taxonomie des objectifs permet de décrire une hiérarchisation des processus cognitifs, mais cette articulation est fort générale. De plus, le type de relation décrite par la taxonomie des objectifs se limite à l'inclusion. D'autres relations entre objectifs d'apprentissage sont possibles.

Lorsque l'on souhaite préciser l'enchaînement de plusieurs objectifs dans un programme d'études, on peut distinguer les objectifs terminaux des objectifs intermédiaires. L'objectif terminal décrit la finalité ultime d'un apprentissage, son point d'arrivée. L'objectif intermédiaire énumère les étapes nécessaires qui doivent jalonner le cheminement de l'élève du point de départ au point d'arrivée. Sans la maîtrise de ces jalons, la maîtrise de l'objectif terminal est compromise. Par contre, lorsque l'objectif terminal est atteint, on peut conclure que les objectifs intermédiaires ont été maîtrisés.

Les objectifs terminaux conviennent particulièrement à l'évaluation sommative. Ils permettent de couvrir une grande variété de contenus. De plus, il est normal qu'un bilan porte sur les apprentissages complétés plutôt que sur ceux qui sont en voie de réalisation. Enfin, lorsqu'il s'agit d'établir un bilan, il est généralement trop tard pour se demander à quel moment de l'apprentissage l'étudiant a éprouvé des difficultés. Par contre, cette dernière information peut être utile dans le cas d'une évaluation formative ou encore de ce qu'il est convenu d'appeler une évaluation « microsommative » (Scallon, 1992). Afin de mieux comprendre les raisons d'une difficulté au niveau d'un objectif terminal, il peut alors être utile de s'assurer que tous les prérequis sont bien maîtrisés. Le degré de maîtrise de chaque objectif intermédiaire peut nous renseigner sur les moyens de corriger une difficulté.

2.2.4 *Échantillonnage des items et tableau de spécification*

Certains instruments de mesure, en particulier les examens, doivent être administrés à période fixe afin de dresser un bilan des apprentissages de l'élève. Cette évaluation ne répond à aucun besoin particulier de la part de l'enseignant ou de l'élève, mais elle correspond à une exigence administrative. Ceci ne signifie pas que l'enseignant ne soit pas intéressé de temps à autre à effectuer un bilan des apprentissages de ses élèves pour son propre compte. Mais ce bilan se ferait probablement de façon fort différente. Par exemple, l'enseignant pourrait décider d'éliminer de tels bilans les items qu'il considère comme réussis depuis longtemps par une grande majorité des élèves. Pour certifier un cycle d'apprentissage, cependant, la couverture de la matière devra être exhaustive, même si elle porte sur des points pour lesquels l'enseignant est déjà assez bien informé.

Le bilan, qu'il corresponde à une exigence administrative ou pas, se doit d'être représentatif. Ce qui est représentatif peut différer selon l'usage qui sera fait du bilan en question. Lorsqu'il s'agit de certification cependant, cette définition doit être stricte. L'enseignant a peu de marge de manœuvre quant à l'univers des situations qu'il peut échantillonner pour son examen. Afin d'assurer la comparabilité des résultats entre classes, les enseignants de cinquième primaire, par exemple, devront tirer leurs questions d'examen d'un même ensemble. Ce ne seront pas les mêmes questions, mais elles devraient, dans la mesure du possible, constituer des ensembles parallèles facilement comparables et congruents avec le programme d'études commun à tous les élèves.

L'échantillonnage est l'un des outils à la disposition de l'enseignant pour construire son instrument de mesure. Tout comme l'échantillonnage des sujets (voir chapitre 6, section 2.2.2), l'échantillonnage des questions peut prendre plusieurs formes :

1. Échantillonnage aléatoire simple. Chaque question a une chance égale d'être choisie.
2. Échantillonnage stratifié. Le test entier comporte des questions appartenant à un objectif dans une proportion qui correspond à l'importance de cet objectif dans la matière à couvrir.
3. Échantillonnage par grappes. L'échantillonnage, dans ce cas, ne se fait pas par question, mais par objectif, car le nombre d'objectifs à couvrir est extrêmement grand.
4. Échantillonnage hiérarchique. L'échantillonnage se fait en deux étapes : (a) d'abord les objectifs et ensuite (b) les questions à l'intérieur des objectifs.

Ces méthodes d'échantillonnage sont décrites au moyen des quatre schémas de la figure 1.5. La méthode aléatoire simple signifie que chaque item a une chance égale d'être choisi. La méthode stratifiée est également une méthode aléatoire. Elle est particulièrement utilisée lorsque le nombre d'items à choisir au départ est relativement faible et que l'on veut s'assurer que les items se retrouveront dans notre échantillon dans les mêmes proportions que dans le domaine d'où ils ont été tirés. Par exemple, si 33 % des exercices faits en classe ont porté sur la physiologie et 50 % sur l'anatomie, l'examen devrait refléter cette distribution. La méthode par grappes et la méthode hiérarchique impliquent une sélection des objectifs. Lorsqu'un objectif n'est pas choisi au hasard, aucun item lié à cet objectif ne se retrouve dans l'examen. Dans la méthode par grappes, tous les items touchés par les objectifs choisis seront retenus. Dans la méthode hiérarchique, un choix au hasard des items parmi les objectifs déjà choisis permettra

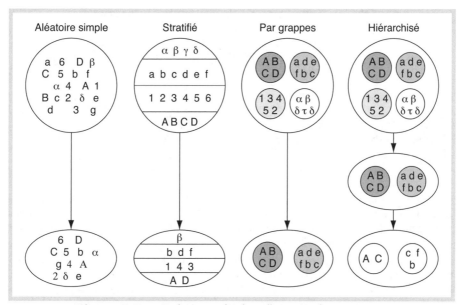

Figure 1.5 — Techniques d'échantillonnage des questions

d'en restreindre le nombre total. Cette dernière méthode d'échantillonnage des items s'avère particulièrement utile lorsque le contenu de la matière à couvrir est fort vaste.

Il est important de noter que seules les deux premières techniques d'échantillonnage permettent, avec un nombre suffisamment grand d'items, d'échantillonner toute la matière. Avec les deux derniers types d'échantillonnage, certaines parties de la matière seront nécessairement omises. Cet inconvénient n'est pas majeur lorsqu'il s'agit d'un examen qui fait suite à une série d'examens partiels. Cette méthode d'échantillonnage est caractéristique des examens de fin d'année. Par contre, les bilans plus fréquents (fin d'étape) ne peuvent omettre complètement un objectif.

Le tableau de spécifications est un moyen utilisé depuis longtemps pour s'assurer que l'échantillonnage des questions d'examen est véritablement représentatif de la situation qui a prévalu en salle de classe ou encore des exigences décrites dans le programme d'études. Il prend généralement la forme d'un tableau de contingence à double entrée, la première étant constituée du contenu, la seconde du niveau taxonomique des objectifs mesurés. Un grand soin est pris pour que la proportion des items d'examen corresponde étroitement à l'importance relative du contenu et du niveau taxonomique du programme d'études. Le tableau 1.3 présente un exemple de tableau de spécifications pour un examen de géographie.

Le tableau de spécifications correspond à un échantillonnage stratifié. Dans l'exemple de l'examen de géographie du tableau 1.3, la stratification s'est effectuée en tenant compte du contenu (géographie humaine, politique ou physique) ainsi que du niveau taxonomique (connaissance, compréhension). En principe, la répartition des items d'examen selon ces deux caractéristiques doit refléter l'importance consacrée en classe, en termes de temps d'étude ou d'enseignement. Si 10 % du temps en classe a été consacré à la compréhension de la géographie politique, 10 % des 50 questions d'examen (5 questions) devraient porter sur cette matière. À défaut de

Tableau 1.3 — Exemple de tableau de spécifications :
nombre et pourcentage d'items dans chaque catégorie

	Niveau taxonomique		Total
	Connaissance	Compréhension	
Géographie humaine	10 = 20 %	5 = 10 %	15 = 30 %
Géographie politique	10 = 20 %	5 = 10 %	15 = 30 %
Géographie physique	10 = 20 %	10 = 20 %	20 = 40 %
Total	30 = 60 %	20 = 40 %	50 = 100 %

trouver autant de questions, il est toujours possible d'ajuster la pondération de l'examen de manière à rendre plus représentatif le score total. Plutôt que cinq questions d'un point chacune, ce pourrait être une question de deux points et une autre de trois points sur la géographie politique.

D'autres caractéristiques que le niveau taxonomique ou le contenu peuvent être employées pour établir un tableau de spécification. Le type de production (convergente ou divergente), le format d'items (choix de réponses ou réponse élaborée) peuvent également entrer en considération. Néanmoins, l'exemple précédent est sans doute plus représentatif de ce qui se passe en contexte scolaire. En effet, l'organisation habituelle des programmes d'études favorise plutôt ce genre de stratification.

2.3 L'ÉVALUATION CRITÉRIÉE

2.3.1 Définition

La mesure critériée regroupe un ensemble de procédures permettant une prise d'information détaillée à propos de l'apprentissage d'un sujet. Ces procédures ont en commun de mieux définir et de mieux contrôler les critères quantitatifs et qualitatifs de la performance, tels que :

- les aspects de la présentation d'une tâche ;
- les conditions de réalisation d'une tâche ;
- les niveaux d'exigence pour la réalisation d'une tâche.

La mesure critériée permet d'affiner la prise d'information de l'enseignant à propos des apprentissages de ses élèves et le rend ainsi plus apte à comprendre les raisons de leurs difficultés. La planification de l'enseignement en est dès lors facilitée. Plusieurs techniques de spécification de domaine permettent de construire des instruments de mesure critériée. Voici une liste de techniques que nous allons présenter de manière détaillée :

- l'objectif enrichi ;
- l'analyse des concepts ;
- la théorie des facettes.

Il existe plusieurs autres techniques de mesure critériée (Roid et Haladyna, 1982). Chacune se réfère à une conception particulière de ce qu'est un instrument de mesure. Il est donc nécessaire de se familiariser avec plusieurs de ces techniques si l'on veut être capable d'employer adéquatement la mesure critériée dans une grande variété de situations didactiques.

L'objectif spécifique donne souvent lieu à une telle marge d'interprétation dans la rédaction des tâches d'examen qu'il devient difficile de considérer celles-ci comme appartenant au même domaine. Prenons l'exemple de l'objectif spécifique suivant : « *À l'aide de la règle, mesurer les dimensions d'une figure géométrique* ». Plusieurs situations fort différentes peuvent être construites pour vérifier la maîtrise de cet objectif. Considérons les facteurs qui peuvent intervenir :

- le type de figure géométrique : parallélogramme, triangle, cercle ;
- la nature de la dimension : explicite (le côté d'un carré, d'un triangle) ou implicite (la diagonale d'un carré ou la hauteur d'un triangle dans certains cas) ;
- l'orientation de la figure dans l'espace plan ;
- les caractéristiques particulières de la figure : le type de quadrilatère (carré, rectangle, losange, parallélogramme, trapèze) ; le type de triangle (équilatéral, isocèle, rectangle, scalène, etc.) ;
- la quantité et le type d'information fournis au départ.

Dans le cas du triangle, on peut imaginer une diversité de situations mettant en oeuvre cette tâche. La figure 1.6 présente une série d'items basés sur le même objectif. Tous ces items sont parfaitement congruents avec l'objectif de départ, mais, de manière évidente, chaque item fait intervenir des capacités fort différentes, selon le type de triangle choisi.

L'item 1 porte sur un triangle pour lequel une hauteur et une base sont déjà tracées sans indiquer quel segment de droite est en fait la base et quel segment est la hauteur. Un tel exercice permet de déterminer si l'élève différencie la base de la hauteur et s'il sait prendre ses mesures de manière adéquate. L'item 2 laisse le soin à l'élève d'identifier lui-même base et hauteur. Toutefois, ce triangle ne présente pas de difficulté particulière comme les deux qui suivront. Il serait difficile de généraliser que l'élève sait mesurer la base et la hauteur d'un triangle à partir d'items comme le n° 3. Celui-ci présente un cas particulier de triangle : le triangle rectangle. Dans ce triangle, deux bases et deux hauteurs correspondent à l'un des deux côtés de l'angle droit. Ce type d'exercice présente une difficulté particulière qui permet de mesurer le degré de

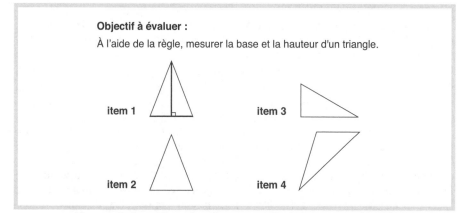

Objectif à évaluer :
À l'aide de la règle, mesurer la base et la hauteur d'un triangle.

item 1   item 3

item 2   item 4

Figure 1.6 — Exemples d'items se référant au même objectif

généralisation des notions de base et de hauteur. L'item 4 présente un triangle scalène dans lequel une des bases se situera à l'extérieur du triangle. Il est important de soumettre à l'élève des exemples de ce type pour s'assurer que l'objectif d'apprentissage est atteint dans toutes les situations, notamment celles où la hauteur ne se situe pas à l'intérieur du triangle. Si les élèves ont été habitués à prendre des mesures uniquement sur des figures telles que celles des items 1 et 2, les items 3 et 4 risquent de les dérouter. Par contre, s'ils ont été amenés à véritablement comprendre les concepts de base et de hauteur, ce changement des caractéristiques du contenu ne devrait pas être source de difficultés particulières et ils devraient facilement généraliser leurs apprentissages.

Il existe donc différentes façons de concevoir des tâches mesurant l'atteinte de l'objectif « *À l'aide de la règle, mesurer la base et la hauteur d'un triangle* ». Certaines mettent l'accent sur l'action de mesurer (la base et la hauteur étant identifiées au départ), d'autres sur la compréhension des concepts (trouver la base et la hauteur à mesurer). L'interprétation des résultats est donc susceptible de changer selon le type de situation à laquelle on expose l'élève et selon les conditions dans lesquelles s'est effectué l'apprentissage.

2.3.2 L'objectif enrichi

C'est sans doute la technique la plus facile à apprendre, une fois que l'on connaît bien la mesure fondée sur les objectifs. Élaborée par Popham (« *amplifed objectives* »), cette technique de spécification de domaine a pour but de pallier les limites de l'objectif spécifique en en fournissant une description enrichie. L'objectif enrichi permet de réduire les possibilités d'interprétation en définissant l'objectif avec plus de rigueur. Popham (1980) a défini l'objectif enrichi en distinguant trois parties principales :

1. l'énoncé de l'objectif ;
2. un exemple d'item incluant :
   - une directive ;
   - un exemple.
3. un complément d'information sur :
   - l'examen (ce que l'élève aura à faire lors du test, la nature du stimulus) ;
   - les choix de réponses ;
   - les critères de correction.

La figure 1.7 présente un exemple d'objectif enrichi qui permet de mieux spécifier le domaine des apprentissages et de mettre de l'ordre dans les différentes situations décrites par les items 1 à 4 de la figure 1.6.

À partir de l'objectif enrichi décrit à la figure 1.7, le praticien de l'évaluation peut rédiger un grand nombre de questions. Chacune de ces questions appartiendra au même domaine et il sera possible d'obtenir une mesure absolue et précise de la maîtrise de l'objectif. Supposons en effet qu'un praticien de l'évaluation prépare 10 items à partir de la définition précédente de l'objectif enrichi. Il n'y a pas de raison de supposer que le test ainsi construit sera plus facile ou plus difficile que celui construit par un autre enseignant à partir de la même description. De plus, si un élève réussit 80 % des items de ce domaine, il n'y a aucune raison de supposer qu'il ne pourra atteindre le même score avec un autre échantillon d'items tirés du même domaine, tel que spécifié par l'objectif enrichi. L'objectif enrichi nous permet donc de nous prononcer avec une plus grande assurance sur le degré de maîtrise et de non-maîtrise d'un

Objectif : À l'aide d'une règle, mesurer la longueur de la base et de la hauteur d'un triangle.

Exemple d'items :
Voici une série de triangles. Sous chaque triangle, indiquez la longueur de la base et la hauteur en millimètres. La base est le côté du triangle tracé en gras.

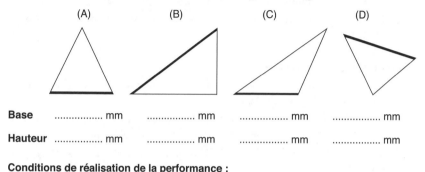

(A) (B) (C) (D)

Base .... mm .... mm .... mm .... mm

Hauteur .... mm .... mm .... mm .... mm

Conditions de réalisation de la performance :
1. les triangles sont quelconques ;
2. les triangles sont diversement orientés ;
3. la base est tracée en gras ;
4. le côté désignant la base est déterminé au hasard ;
5. la hauteur n'est pas identifiée ;
6. le sujet dispose d'une règle graduée en centimètres et en millimètres.

Critères de cotation :
1. le sujet inscrit sa réponse sur la ligne prévue à cet effet ;
2. la réponse du sujet doit être exacte à 1 millimètre près.

Figure 1.7 — Exemple d'un objectif enrichi

objectif. En effet, lorsque différents échantillons d'items servant à mesurer la maîtrise de l'élève sont tirés d'un domaine aussi précisément défini qu'un objectif enrichi, les chances de variation d'un échantillon à un autre sont réduites au minimum.

2.3.3 L'analyse de concepts

Lorsqu'il s'agit de mesurer la maîtrise d'un concept, le praticien peut souhaiter déterminer le degré de discrimination que le sujet réussit à atteindre entre le concept étudié et les concepts voisins. Il peut aussi chercher à déterminer dans quelle mesure l'apprentissage d'un nouveau concept contribue à changer la représentation initiale du sujet ou encore une représentation erronée (ou pré-concept). Le praticien peut également vouloir déterminer à quel point le sujet est capable de généraliser un concept appris à l'ensemble des situations auxquelles il peut s'appliquer.

Dans le cas précis de la hauteur d'un triangle, plusieurs facteurs peuvent contribuer à ce qu'un élève ait une mauvaise représentation du concept. C'est pourquoi il est important qu'il soit capable de faire la différence entre les caractéristiques essentielles et les caractéristiques accessoires du concept étudié. L'analyse de concepts contribue à spécifier un domaine d'items servant à tester l'apprentissage de l'élève. Le tableau 1.4 présente un exemple d'analyse du concept « hauteur d'un triangle ».

Tableau 1.4 — Exemple d'analyse du concept « hauteur d'un triangle »

Caractéristiques essentielles

1. C'est un segment de droite
2. Il relie un sommet du triangle au côté opposé (base)
3. Il fait un angle droit avec le côté opposé à l'un des sommets du triangle

Caractéristiques accessoires

1. Le segment de droite peut être (1) intérieur au triangle, (2) extérieur au triangle, (3) un de ses côtés
2. L'orientation d'un triangle n'a aucun effet sur sa hauteur ; la base peut être (1) horizontale, (2) verticale, ou (3) oblique
3. Le type de triangle : (1) équilatéral, (2) isocèle, (3) rectangle, ou (4) scalène

L'analyse des concepts comporte quatre parties :
1. la définition des caractéristiques essentielles ;
2. la définition des caractéristiques accessoires ;
3. une série d'exemples et de contre-exemples tirés de l'enseignement ;
4. une série d'exemples et de contre-exemples pour l'évaluation (similaires à ceux de l'enseignement).

L'analyse des concepts permet de s'assurer que les items porteront sur des situations similaires à celles vues dans l'enseignement : l'alignement entre l'évaluation et l'enseignement est ainsi assuré. Elle permet aussi, si l'enseignant le désire, de spécifier un ensemble de situations, légèrement différentes de celles vues en classe, afin de vérifier s'il y a généralisation des apprentissages. Mais il doit s'agir là d'un objectif bien particulier. Il n'est pas équitable de mesurer ce genre d'habileté sauf si l'enseignant a présenté en classe certaines des généralisations possibles à l'aide d'autres exemples et contre-exemples.

Comme on peut le constater à partir de l'exemple précédent, l'analyse des concepts fait plus que préciser le domaine des items. Elle permet aussi d'envisager certaines erreurs conceptuelles qui peuvent être fort utiles lorsqu'il s'agit de rédiger des leurres pour des questions à choix multiples. Ainsi, l'analyse des leurres permet d'identifier de manière plus précise le type de difficulté de l'élève. Cette caractéristique particulière de l'analyse des concepts lui confère un avantage certain sur l'objectif enrichi pour l'évaluation diagnostique ou l'évaluation formative (Haladyna, 2004).

2.3.4 *La théorie des facettes*

Guttman (1969) a élaboré la *théorie des facettes* afin d'exercer un meilleur contrôle sur les caractéristiques des items. La théorie des facettes a d'abord été employée pour la mesure des attitudes, mais depuis, son usage a été généralisé à la mesure des apprentissages.

La spécification d'un domaine d'items à l'aide de la théorie des facettes est analogue au choix d'un plan d'observation lors d'une recherche expérimentale. Le praticien choisit les facettes d'intérêt en fonction de ses objectifs et détermine pour chaque facette un certain nombre de conditions ou valeurs que la facette peut prendre. Le croisement de plusieurs facettes donne lieu à un grand nombre de possibilités d'items dont les résultats permettront de déterminer la maîtrise ou la non-maîtrise d'une capacité selon les situations. Plusieurs profils de performance pourront ainsi être mis au point.

Le tableau 1.5 présente un exemple de test d'arithmétique (opération d'addition) construit selon des facettes. Il illustre le domaine d'items d'addition défini selon trois facettes :

1. la présentation horizontale ou verticale de l'addition ;
2. l'ordre de grandeur des nombres (2, 3 ou 4 chiffres) ;
3. le type d'addition (avec ou sans retenue).

Comme il y a deux valeurs possibles de la facette 1, trois valeurs possibles dans la facette 2 et deux dans la facette 3, il y a $(2 \times 3 \times 2) = 12$ combinaisons en tout. Le tableau 1.5 ne présente qu'un seul exemple d'item pour chaque interaction des différents éléments des trois facettes. On peut s'imaginer cependant la facilité qu'il y a à construire des items critériés équivalents sur base des facettes de ce tableau à double entrée.

Ce modèle de spécification de domaine est très pratique lorsque l'on souhaite établir un profil des performances d'un sujet dans différentes situations. Il est alors possible d'identifier le ou les éléments de la ou des facettes qui posent des difficultés au sujet. Le tableau 1.6 présente des exemples de profils que l'on peut déduire de la spécification de domaine du tableau 1.5.

Tableau 1.5 — Domaine d'items d'addition défini selon trois facettes

Opération d'addition		Présentation verticale	Présentation horizontale
nombres à deux chiffres	sans retenue	11 + 34	81 + 12 = ...
	avec retenue	47 + 29	27 + 75 = ...
nombres à trois chiffres	sans retenue	252 + 127	523 + 110 = ...
	avec retenue	173 + 451	815 + 105 = ...
nombres à quatre chiffres	sans retenue	1342 + 2113	1177 + 2122 = ...
	avec retenue	1578 +8112	8722 + 1281 = ...

Tableau 1.6 — Profils de performance basés sur l'analyse des facettes

	2 chiffres	3 chiffres	4 chiffres	total
avec retenue	......./2	......./2	......./2	......./6
sans retenue	......./2	......./2	......./2	......./6
total	......./4	......./4	......./4	......./12

En regroupant les résultats par facettes ou combinaisons de facettes, il est possible de mettre en évidence plusieurs profils de performance. L'un en fonction de l'ordre de grandeur de l'addition regroupe quatre items. L'autre selon le type d'algorithme (avec ou sans retenue) regroupe 6 items. Si un élève réussissait 6 items sur 6 « sans retenue » et 2 items sur 6 « avec retenue », on pourrait conclure à une difficulté au niveau de l'application de l'algorithme de retenue. De plus, on pourrait affirmer que la capacité d'additionner des nombres « sans retenue » s'est généralisée à tous les nombres entiers, quel que soit leur ordre de grandeur.

Le praticien pourrait pousser plus loin l'analyse du résultat des additions avec retenue. Les deux additions réussies ont-elles une caractéristique en commun ? S'il s'avère que, dans les deux cas, il s'agit de nombres à deux chiffres, alors le problème se pose non au niveau de l'algorithme d'addition avec retenue, mais au niveau de sa généralisation à des situations où plus d'une retenue est possible. En effet, avec des nombres à trois et quatre chiffres, il est possible qu'il y ait deux retenues et même trois retenues. Cette facette du problème ne fait pas partie de la spécification du domaine d'items. Si elle se révélait pertinente, elle pourrait être incluse dans un nouvel instrument de mesure.

La spécification de domaine au moyen de facettes et l'étude des profils de performance permettent d'obtenir une mesure fort pertinente dans le contexte d'une évaluation diagnostique ou formative. La théorie des facettes sert également dans le cas d'études de généralisabilité à déterminer à quel point les résultats à un test sont stables à l'intérieur d'un univers de généralisation prédéfini (voir section 7 du chapitre 3).

3. Les formats d'items

3.1 Formats d'items pour les tests cognitifs

3.1.1 Typologie des formats d'items

La classification des formats d'items varie d'un auteur à l'autre. Le tableau 1.7 présente une taxonomie classique distinguant essentiellement les questions ouvertes et les questions fermées. Les premières demandent aux répondants de produire la réponse. Les secondes demandent de faire un choix parmi un certain nombre d'alternatives déjà données. Comme nous le verrons dans le § 3.1.2, les formats fermés ont été développés pour répondre à un certain nombre de problèmes liés aux exigences de la théorie classique des scores. La nécessité de réduire la part de l'erreur dans la variance du score total a en effet conduit à standardiser au maximum les modalités

Tableau 1.7 — Typologie des formats d'items

Questions fermées	Questions ouvertes
• Questions à choix multiples • Questions « vrai-faux » • Questions d'appariement	• Questions à réponse brève • Questions à réponse narrative • Questions demandant une performance

de passation et de cotation des items. Aux yeux du grand public, les questions fermées sont d'ailleurs étroitement liées à la notion de test. Elles véhiculent avec elles un certain nombre de représentations, souvent fausses, qui appellent une mise au point.

Au sein des questions fermées, certaines distinctions plus fines peuvent être faites en fonction du type de choix demandé aux sujets. Les *questions à choix multiples*, comme leur nom l'indique, demandent de réaliser un choix parmi plusieurs options. Ces questions comprennent deux parties : *une amorce* (ou prémisse), qui présente le problème, suivie de plusieurs *alternatives* (choix, options…) qui sont autant de solutions possibles au problème posé. Outre la solution correcte, les alternatives comprennent des solutions incorrectes, appelées *leurres*. Le nombre d'alternatives peut varier, mais il est souvent limité à quatre choix.

EXEMPLE :

De quelle propriété d'une distribution la variance est-elle une caractéristique ?
A. dispersion.
B. tendance centrale.
C. relation.
D. localisation.

Les *questions « vrai-faux »* sont, quant à elles, plus simples dans leur présentation puisqu'elles comportent une seule proposition dont le sujet doit évaluer la véracité. Pour répondre, celui-ci doit entourer son choix « VRAI » ou « FAUX » (ou parfois, « OUI-NON », ou encore, « D'ACCORD-PAS D'ACCORD »).

EXEMPLE :

Un item possède un indice de discrimination de 0,8. Cela signifie que les sujets les plus performants réussiront cet item.

        VRAI   FAUX

Enfin, les *questions d'appariement* sont une forme dérivée des questions à choix multiples. Au lieu de construire quatre questions à choix multiples (ou plus encore), il peut être plus économique de ne retenir que les amorces de ces questions et les solutions correctes à celles-ci et de demander aux sujets de mettre correctement en relation les quatre amorces, appelées prémisses (colonne A de l'exemple), et les quatre réponses (colonne B).

EXEMPLE :

La colonne A contient une liste de poèmes de la période romantique. La colonne B contient une série d'auteurs français de cette période. Associez chacun de ces poèmes avec son auteur. Pour ce faire, notez en face du poème, la lettre qui correspond au nom de son auteur.

Colonne A	Colonne B
.... 1. Le lac	A. Victor Hugo
.... 2. À Villequier	B. Alfred de Musset
.... 3. Ballade à la lune	C. Alfred de Vigny
.... 4. La mort du loup	D. Alphonse de Lamartine

Bien que rangées parmi les questions ouvertes, les *questions à réponse brève* possèdent souvent des caractéristiques proches de celles des questions fermées. Certains auteurs les qualifient d'ailleurs de questions « objectives » (p.ex. Ebel & Frisbie, 1991, p. 179). En effet, elles demandent aux sujets de fournir un mot, une phrase ou un nombre qui peut être évalué comme correct ou incorrect, sans qu'intervienne la subjectivité du correcteur. Les exemples suivants illustrent bien le caractère objectif de telles questions.

EXEMPLE :

A. Qui a découvert le vaccin contre la rage ?...

B. Combien de jours y a-t-il dans une année ?..

C. Quelle est l'aire, en cm^2, d'un triangle dont la hauteur est de 16 cm et la base de 8 cm ?...............

La correction des questions à réponse courte n'est pas toujours aussi « objective » que dans les exemples précédents. Certaines questions exigent un jugement du correcteur à propos de la qualité de la réponse. Par exemple, si la question est : « Donnez un synonyme du mot *aimable* », la réponse se réduira à un seul mot, mais sa qualité devra être appréciée par le correcteur. Dans un cas comme celui-ci, une certaine variabilité entre correcteurs peut être observée, ce qui diminue la fidélité des résultats à une telle question. Les problèmes liés à la subjectivité des correcteurs sont toutefois nettement plus importants avec les *questions à réponse narrative* ou *à développement*. De telles questions offrent une grande liberté de réponse aux répondants. Ils peuvent en effet décider de la manière d'aborder le problème posé, du type d'information à utiliser, de la façon d'organiser leur réponse et de l'accent à mettre sur les différentes parties de celle-ci. Les questions à réponse narrative sont, par conséquent, bien adaptées pour évaluer la capacité d'un sujet à organiser, à intégrer et à exprimer ses idées. Malheureusement, la richesse de l'information ainsi recueillie se paie par une complexité et une subjectivité accrues au moment de la cotation.

EXEMPLE :

A. Comparez les conceptions de l'apprentissage de Piaget et de Skinner.

B. Comment Spitz explique-t-il les angoisses dites « du 8e mois » ?

C. Décrivez les étapes essentielles du développement au cours du stade sensori-moteur.

Les questions, ouvertes ou fermées, qui ont été présentées jusqu'ici se caractérisent par le rôle essentiel qu'y joue le langage, que ce soit au niveau des stimuli présentés au sujet, des processus mentaux que celui-ci met en œuvre et des réponses qu'il produit. Pour leur part, les *questions de performance* font intervenir le langage à un degré nettement moindre. Elles demandent en effet aux personnes évaluées de réaliser une action où le langage peut être totalement absent (jouer un morceau de musique, construire un puzzle, dessiner des formes géométriques, etc.). Par nature, ces questions sont « ouvertes » puisque l'évalué doit produire la réponse. Elles font souvent intervenir un matériel plus ou moins standardisé afin de permettre des comparaisons et d'avoir un certain contrôle sur les critères d'évaluation des productions. Les questions de performance sont particulièrement intéressantes pour évaluer certaines compétences cognitives et certaines compétences professionnelles.

Plusieurs compétences typiques d'une profession ne peuvent être correctement évaluées qu'à travers les performances des sujets. Comment, par exemple, évaluer un musicien autrement que par une performance musicale ? Les performances demandées peuvent être identiques à celles produites dans le cadre professionnel ou artistique, comme dans le cas de la performance musicale. Elles peuvent aussi reposer sur une situation professionnelle simulée. Par exemple, on peut demander à un candidat cadre d'entreprise de planifier une journée fictive à partir d'un ensemble de contraintes données par l'examinateur. Lorsque l'objectif est d'évaluer des compétences professionnelles, l'accent est mis soit sur la performance manifeste du sujet, soit sur la production résultant de sa performance. Le psychologue d'entreprise désire en effet vérifier si, par exemple, un candidat au poste d'agent de bureau peut dactylographier correctement une lettre et effectuer sans erreur un classement de documents. Il ne s'intéresse pas aux processus mentaux qu'utilise le candidat pour parvenir au résultat. Par contre, dans les domaines cliniques et éducatifs, les questions de performance servent avant tout de révélateur de certaines caractéristiques cognitives et l'évaluation des processus en jeu pour réaliser une performance ou une production prend alors toute son importance. Par exemple, dans le cas particulier de tests psychologiques cliniques, la reproduction de dessins à l'aide de cubes colorés (cubes de Kohs) peut servir à évaluer les capacités de raisonnement spatial. De même, la reproduction différée de dessins géométriques procure des données utiles sur le fonctionnement de la mémoire. Ici, la production n'a pas de valeur intrinsèque, elle ne sert que d'indicateur de capacités cognitives inaccessibles à l'observation directe. De tels items de performance sont surtout utilisés lorsque l'accès au langage est limité (jeunes enfants, sujets maîtrisant mal la langue de l'examinateur, adultes atteints de lésions cérébrales, etc.) ou lorsque la composante verbale de la compétence cognitive visée est réduite (p.ex. l'organisation de l'espace, la coordination oculomanuelle, etc.).

3.1.2 Question fermée ou question ouverte ?

Le choix entre des questions ouvertes ou des questions fermées est souvent déterminé par les a priori plus que par une réelle connaissance de leurs propriétés respectives. De nombreux praticiens rejettent viscéralement les questions fermées, accusées de réduire l'apprentissage à une simple accumulation de connaissances, de négliger les compétences cognitives les plus élevées, d'encourager le « bachotage »… Certaines de ces critiques sont certes fondées, mais la plupart ne témoignent que du manque d'information de leurs auteurs.

En fait, il n'y a pas lieu de décider dans l'absolu de choisir entre des questions ouvertes ou des questions fermées. Aucun format n'est le meilleur « en général ». Le problème doit être posé en d'autres termes. La véritable question est en effet : « *quand faut-il utiliser tel ou tel format d'item ? »*. C'est en fonction des objectifs du test et de ses conditions d'application qu'un format peut être considéré comme le plus adéquat. Dans certains cas, des questions fermées seront plus appropriées, alors que dans d'autres cas des questions ouvertes seront plus pertinentes. Avant de choisir un format d'items, le praticien doit envisager les différentes contraintes qui doivent être prises en compte. Le choix final correspondra au meilleur équilibre entre ces différentes contraintes. Celles-ci peuvent être rangées en quatre catégories que nous allons détailler.

A. LES CAPACITÉS COGNITIVES À MESURER

Les questions fermées ont la réputation de ne permettre de tester que les niveaux les plus bas de la taxonomie des objectifs cognitifs de Bloom (voir § 2.2.2). En particulier, de nombreux praticiens croient que les questions fermées n'évaluent que les connaissances et non les capacités cognitives. Ils confondent en fait l'usage qui est généralement fait de ce type de questions et les possibilités effectives offertes par celles-ci. En réalité, tous les niveaux de capacité cognitive peuvent être évalués avec des questions fermées. De ce point de vue, les questions à choix multiples et les questions d'appariement offrent un potentiel rarement exploité. Les deux exemples suivants illustrent cette possibilité d'évaluer des capacités de haut niveau au moyen de questions fermées (d'après Wiersma & Jurs, 1990, p. 53) :

EXEMPLE :

1. Si *a* et *b* sont des nombres entiers et que *a* est plus petit que *b*, le rapport $(a + 5)/(b + 5)$ est toujours :
   A. égal à un
   B. plus grand que un
   C. plus petit que un
   D. un nombre négatif

2. Lequel de ces processus ressemble le plus à la transformation de la glace en eau ?
   A. la dissolution d'un cube de sel dans l'eau
   B. la fusion du minerai de fer dans un haut fourneau
   C. la combustion du bois en fumée et en cendres
   D. l'inspiration de l'oxygène et l'expiration du dioxyde de carbone

---

Comme on peut le voir, les possibilités offertes par les questions fermées sont plus larges qu'on ne le pense habituellement. Leurs limites sont celles de l'imagination de leur créateur. En fait, ce que mesurent les questions fermées est déterminé plus par leur contenu que par leur format. Toutefois, il faut reconnaître que, par leur nature, certaines capacités ne peuvent être mesurées par des questions fermées. Il est évident que les capacités dactylographiques, de même qu'une foule d'habiletés psychomotrices nécessitant de l'adresse, ne peuvent être évaluées qu'au moyen d'une observation directe de la performance. De même, pour apprécier les capacités de rédaction d'un étudiant, il conviendra de lui demander de produire un texte écrit.

D'une manière générale, lorsque l'évaluation veut prendre en compte la structuration et l'expression de la pensée, l'usage de questions ouvertes est nécessaire.

B. LES CONDITIONS MATÉRIELLES DE L'ÉVALUATION

Les contraintes matérielles, tant au niveau de la préparation du test que de son administration, doivent également être prises en compte lors du choix du format des questions. Ces contraintes concernent le temps, l'espace et le matériel. Le temps de préparation des questions fermées est généralement beaucoup plus long que celui des questions ouvertes. En effet, la présentation de plusieurs possibilités de réponses demande un travail de conception particulièrement délicat. Ce problème sera abordé plus en détail dans les § 3.1.3 à 3.1.5. Par contre, le temps de mise au point des questions fermées est souvent compensé par la brièveté du temps de cotation. Il suffit en effet de comparer les codes correspondant aux choix du sujet à ceux d'un tableau de référence. De plus en plus, les systèmes de lecture optique de protocoles permettent d'automatiser cette tâche. Outre leur vitesse (une centaine de protocoles peuvent être lus en quelques minutes), ces systèmes réduisent considérablement les risques d'erreur de codage et de transcription des résultats. Les codes lus au moyen de numériseurs peuvent être enregistrés dans une base de données à partir de laquelle des calculs de scores et des grilles de résultats peuvent être produits très rapidement.

Au contraire, les questions ouvertes prennent un temps de correction nettement plus long et leur numérisation en vue d'un codage est très limitée avec la technologie actuelle. C'est particulièrement le cas des questions demandant une réponse narrative. Ces dernières ont également comme inconvénient de demander beaucoup de temps au moment de la passation. Comme le font remarquer Ebel et Frisbie (1991), dans certains cas, les sujets passent plus de temps à rédiger leur réponse qu'à réfléchir au problème posé. Le temps de production des réponses narratives a pour conséquence de limiter l'échantillonnage et l'étendue des connaissances qu'il est possible de tester en une seule séance. Il est alors nécessaire de prévoir plusieurs moments pour le testing, ce qui n'est pas toujours possible.

Enfin, certaines contraintes matérielles doivent retenir l'attention du constructeur de test. Dans le cadre des évaluations scolaires ou des examens de recrutement, le test doit souvent être administré collectivement dans une classe ou une salle prévue à cet effet. Des questions demandant des interventions répétées de l'examinateur (p.ex. pour présenter du matériel ou pour poser des questions complémentaires) doivent alors être évitées. De même, le déplacement hors du local d'examen, la manipulation d'objets divers (p.ex. dictionnaire, pièces de puzzle, etc.) sont difficilement réalisables.

C. LES FONCTIONS ASSIGNÉES AU TEST

L'usage qui sera fait des résultats au test pèse aussi lourdement sur le choix du format des questions. Les tests dont les résultats sont utilisés pour la certification ou la sélection doivent, le plus souvent, prendre en compte d'importantes contraintes de temps de passation et de correction. De plus, ces tests doivent avoir une fidélité particulièrement élevée. En effet, ils débouchent généralement sur une décision, sans que d'autres prises d'information soient possibles. La mesure doit donc être très précise. Pour la même raison, le contenu de ces tests doit couvrir une étendue suffisante du domaine de compétence visé. Ces différentes contraintes font que des questions fermées sont généralement choisies pour ce type de test. Leur temps de passation et de correction est court, ce qui permet de poser de nombreuses questions couvrant largement le domaine visé. De même, leur fidélité est bien contrôlée du fait de la standardisation des modalités de passation et du peu d'interprétation devant intervenir dans la correction. Il n'est donc pas étonnant de retrouver un grand nombre de questions fermées dans les évaluations à grande échelle et les tests internationaux de rendement scolaire (p. ex. TIMMS, PISA, PIRLS).

Les contraintes des tests à visée formative ou diagnostique sont différentes. Le temps est moins contraignant. De plus, les prises d'information peuvent être régulières, ce qui diminue les exigences de fidélité et d'étendue du domaine couvert par les questions. Si cette couverture est trop étroite ou si l'erreur de mesure est trop importante, une évaluation ultérieure permettra souvent de corriger l'appréciation portée sur la personne évaluée. C'est ce qui se passe régulièrement en milieu scolaire. Ce qui pourrait être interprété comme un échec lors d'une épreuve ou d'une activité mal construite (question ambiguë, critères de correction inadéquats, etc.) peut être nuancé par les évaluations suivantes. L'usage de questions ouvertes est souvent préféré dans les tests diagnostiques ou formatifs car elles ont la réputation de permettre un recueil d'information plus riche et plus approfondi à propos des compétences des sujets. Cette réputation doit toutefois être nuancée. Les questions fermées, en particulier les items à choix multiples, peuvent elles aussi fournir des informations diagnostiques très intéressantes. Si les distracteurs ont été choisis avec soin, une analyse des erreurs peut être réalisée sur l'ensemble du test. Par ailleurs, la validité des questions ouvertes ne doit pas être envisagée indépendamment de leur fidélité. Si les résultats d'une question à réponse narrative sont entachés par une importante erreur, cela signifie que l'épreuve a mesuré autre chose que ce qui était visé. Autrement dit, sa validité est ipso facto affaiblie. La subjectivité de la correction est ici en cause. Trop souvent, les correcteurs n'ont pas de critère de correction suffisamment précis. Ils sont alors facilement influencés par des aspects de surface de la réponse non pertinents pour les objectifs du test (propreté, lisibilité, style d'écriture, ordre de correction, effet de halo, etc.). Les répondants risquent également de bluffer dans les questions à réponse narrative. Ils masquent alors leur ignorance de l'essentiel en développant exagérément certains points de détail qu'ils connaissent relativement bien. Leur réponse est alors sensée, mais non pertinente.

Dans certains cas, la modalité de réponse peut avoir une valeur formative. Proposer aux élèves de rédiger leurs réponses les oblige à structurer leur pensée et à exprimer leurs idées dans une forme linguistiquement correcte. En ce sens, l'usage de questions ouvertes peut avoir une valeur pédagogique.

D. LES RISQUES LIÉS À LA SUGGESTION DE RÉPONSES

Un des problèmes essentiels des questions fermées est de suggérer des réponses. Cette suggestion peut avoir des conséquences indésirables qui doivent bien être évaluées par le constructeur d'un test. La plus importante est le risque de répondre au hasard *(guessing)*. S'il s'agit d'une question « vrai-faux », le sujet a une chance sur deux de répondre correctement de cette manière. S'il s'agit d'une réponse à choix multiples, la probabilité variera suivant le nombre d'alternatives proposées. Pour cette raison, les questions à choix multiples sont souvent préférées aux questions « vrai-faux ». L'impact du hasard est alors réduit. À condition que les leurres soient également plausibles, la probabilité de réussir une question à choix multiples comprenant quatre alternatives n'est que de 1/4. Une façon de réduire l'impact du hasard est de pénaliser les erreurs. Par exemple, on accordera 2 points pour une réponse correcte,

0 point pour une réponse omise, mais on retirera 1 point si la réponse choisie est erronée. Cette manière de coter, à condition d'avoir été annoncée aux répondants à l'avance, conduit ceux-ci à préférer l'omission plutôt que le choix de réponses au hasard. Une autre manière d'éviter le risque de réussite par chance est de recourir à des questions ouvertes à réponse brève. Par exemple, au lieu de demander de choisir entre quatre réponses possibles à un problème mathématique, un espace blanc peut être laissé pour inscrire la réponse. Dans ce cas, la question ouverte est aussi objective que la question fermée, mais l'influence du hasard est considérablement réduite. De plus, la validité apparente (voir chapitre 4, section 2) est supérieure. En effet, les sujets ont souvent une meilleure perception de la validité d'une question ouverte que d'une question fermée, même si les deux évaluent la même capacité.

L'impact du choix aléatoire des réponses ne doit toutefois pas être surestimé. En effet, on observe fréquemment que les sujets les plus faibles obtiennent des résultats inférieurs à ceux qu'ils auraient pu obtenir en choisissant leurs réponses au hasard. En d'autres termes, la stratégie du choix aléatoire n'est pas appliquée systématiquement par les sujets faibles. Au contraire, ceux-ci tentent malgré tout de répondre en s'appuyant sur certains indices de surface et tombent ainsi dans les pièges tendus par le constructeur du test.

Un dernier problème lié à la présentation des réponses est de suggérer des solutions fausses. Le sujet risque ainsi de mémoriser une réponse erronée. Ce problème a fait l'objet de nombreuses recherches qui relèvent l'importance de ce risque en début d'apprentissage (Leclercq, 1986). L'élève dont les connaissances sont en construction est en effet plus susceptible de retenir une réponse fausse qu'un élève dont les connaissances sont déjà bien structurées. La présentation des réponses risque également de surévaluer certains sujets, particulièrement si les questions portent sur des connaissances. En effet, un sujet dont l'apprentissage est inachevé et encore mal structuré peut être incapable de produire une réponse correcte alors qu'il peut reconnaître celle-ci parmi des leurres. Ce risque de surévaluation peut cependant être réduit en fonction de la qualité des leurres. Le premier exemple ci-dessous comprend des leurres qui peuvent être éliminés facilement par un sujet qui possède des connaissances historiques superficielles. Ces leurres sont en effet des réponses très peu plausibles. Par contre, dans le second exemple, une plus grande maîtrise des connaissances est nécessaire pour pouvoir choisir la réponse correcte.

EXEMPLE :

1. Quelle période correspond au règne personnel de Louis XIV ?
   A. 1515 à 1545
   B. 1661 à 1715
   C. 1789 à 1804
   D. 1814 à 1830

2. Quelle période correspond au règne personnel de Louis XIV ?
   A. 1661 à 1705
   B. 1661 à 1715
   C. 1638 à 1681
   D. 1653 à 1715

3.1.3 *Construire des questions à choix multiples*

Nous avons vu plus haut qu'une question à choix multiples est composée d'une amorce, qui pose le problème, suivie de plusieurs alternatives comprenant la solution correcte et des leurres. Une troisième composante de toute question à choix multiples n'avait pas encore été mentionnée : les consignes. Celles-ci décrivent la tâche demandée, la modalité de réponse et les règles de cotation. Une grande attention doit être accordée à la rédaction des consignes. En effet, tous les répondants ne sont peut-être pas familiers avec le format « choix multiples ». Il est donc nécessaire d'expliciter ce qui est attendu d'eux et comment ils doivent répondre. Même avec des sujets habitués à ce type de format d'item, il est utile de préciser clairement comment répondre. De nombreux problèmes sont ainsi évités au moment de la cotation (p.ex. plusieurs réponses choisies, réponses fausses indiquées au lieu de la réponse correcte). Enfin, les informations données à propos des principes de notation des réponses font partie d'une relation transparente et honnête avec les sujets. Elles permettent à ceux-ci d'ajuster leur comportement en fonction de ce qui est attendu d'eux. Ceci est particulièrement important lorsque, par l'attribution d'une note négative aux réponses fausses, on veut décourager les répondants de répondre au hasard (voir § 3.1.2).

La rédaction des questions à choix multiples de bonne qualité est une tâche complexe qui demande une excellente connaissance du domaine visé et des techniques de construction d'items. Pour rédiger une bonne question à choix multiples, quelques **règles de base** devraient être respectées :

1. Avoir une conception précise des connaissances et des capacités cognitives qui doivent être évaluées par les questions. De nombreuses questions sont mal rédigées simplement parce que leurs auteurs éprouvent de la difficulté à définir précisément ce qu'ils veulent mesurer. Ils ont alors tendance à rédiger des items demandant un simple rappel de connaissances. Ce sont en effet les questions à choix multiples les plus faciles à construire.

2. Clarifier au maximum la question en séparant nettement les informations à utiliser (p.ex., un texte documentaire ou les données d'un problème mathématique) et la question posée.

EXEMPLE :

« Lorsque nous regardons le monde dans sa globalité, il est clair que le problème du développement économique est le plus important ».
Comment faut-il considérer cette phrase ?

A. un jugement de valeur

B. une conclusion scientifique

C. un fait établi

D. une analogie

Par ailleurs, plutôt que de répéter certaines informations dans les alternatives, il vaut mieux les regrouper dans l'amorce. Les deux exemples suivants illustrent la clarification qui peut être apportée en rassemblant plusieurs informations dans l'amorce.

EXEMPLES :

1. Christophe Colomb :
   A. a atteint le Nouveau-Monde à la recherche de richesses.
   B. voulait établir une colonie sur les côtes de l'Amérique du Sud.
   C. navigua jusqu'au Nouveau-Monde pour fuir les persécutions religieuses.
   D. espérait atteindre les côtes de l'Orient par l'est.

2. Quel était le principal objectif du voyage de Christophe Colomb vers le Nouveau-Monde ?
   A. la recherche de richesses
   B. l'établissement d'une colonie en Amérique du Sud
   C. la fuite des persécutions religieuses
   D. l'atteinte des côtes de l'Orient

3. Le choix des distracteurs est un problème crucial. Ceux-ci doivent être suffisamment vraisemblables sans quoi les sujets risquent de trouver les réponses correctes par simple élimination des alternatives invraisemblables (voir ci-dessus la question concernant le règne de Louis XIV). Une manière de procéder consiste à repérer les erreurs habituelles des élèves dans le domaine concerné. Dans l'exemple suivant, le choix *a* est une erreur d'opération (multiplication au lieu de division) ; le choix *b* est une inversion du mauvais nombre et le choix *d* est également une erreur d'opération (addition au lieu de division).

EXEMPLE :

1/4 : 2/3 =
A. 1/6
B. 8/3
C. 3/8
D. 11/12

Les alternatives peuvent aussi être des choix naturels. Par exemple, en néerlandais, un substantif peut être masculin, féminin ou neutre. Ces trois genres constitueront des alternatives naturelles dans une question portant sur le genre de substantifs néerlandais. De même, « présent, imparfait, futur » représentent des alternatives naturelles pour des questions portant sur les temps des verbes. Une autre manière de procéder pour trouver des distracteurs plausibles est de réfléchir aux éléments appartenant à la même catégorie que la réponse correcte (p.ex. des animaux appartenant à la catégorie des félins si la réponse correcte est « chat ») ou qui sont naturellement associés à cette réponse (p.ex. « bougie », « batterie »… si la réponse correcte est « ampoule »).

Dans la rédaction des alternatives, il y a lieu d'éviter les termes vagues (p.ex. « parfois », « certain », « un peu », etc.) et les formulations négatives. Ils sont une source d'ambiguïté et de complexité sans rapport avec ce qu'il faut mesurer et ils risquent d'affaiblir la validité de la question. Par exemple, d'un sujet à l'autre, le terme « parfois » est associé à une fréquence d'événements très variable. La réponse choisie peut, par conséquent, différer en fonction de l'interprétation donnée à ce terme.

Quelques alternatives non classiques sont parfois utilisées dans les questions à choix multiples : « aucune des propositions », « toutes les propositions », « les propositions A et C » et ainsi de suite. Elles doivent être employées avec précaution. Certains praticiens les utilisent à mauvais escient lorsqu'ils ne trouvent pas d'autres alternatives. Les sujets repèrent vite un tel procédé et tendent à éliminer d'office cette alternative. Toutefois, bien utilisées, elles permettent de recueillir des informations intéressantes sur la qualité des apprentissages (voir Leclercq, 1986, pour une discussion détaillée).

Par ailleurs, quelques erreurs fréquentes doivent être évitées lors de la rédaction d'une question à choix multiples. Certains sujets peuvent en effet développer une véritable capacité *(« test wiseness » en anglais)* à utiliser ces vices de construction des questions pour repérer la réponse correcte parmi les distracteurs. Ils parviennent ainsi à obtenir des scores parfois élevés à des tests portant sur des domaines dont ils n'ont aucune connaissance. Les erreurs de construction les plus courantes sont :

1. L'indication de la réponse correcte par une caractéristique grammaticale. Le pluriel et le genre des articles sont des indices fréquents. Ces indices peuvent être éliminés assez aisément en reformulant la question.

EXEMPLE :

La tarentule est une :

A. mammifère

B. reptile

C. poisson

D. araignée

---

2. La différence de longueur et de complexité des alternatives constitue un indice facile à repérer par les sujets clairvoyants. La solution est de construire des distracteurs dont la forme est plus proche de la réponse correcte.

EXEMPLE :

Comment s'effectue la fécondation chez les scorpions ?

A. par contact

B. de manière indirecte par l'intermédiaire du spermatophore

C. par pénis et coït

D. par les pattes

---

3. La répétition d'un même terme (ou partie de celui-ci) dans l'amorce et la réponse correcte est également un indice. Certains sujets répondent alors sur base des seules associations verbales. Une solution à ce problème est parfois difficile à trouver avec un format fermé. Par contre, une réponse ouverte brève permet aisément d'éliminer l'indice verbal.

EXEMPLE :

Quel genre d'ornement a été particulièrement développé par les Arabes ?
A. les palmettes
B. les feuilles d'acanthe
C. les arabesques
D. les fleurs de lotus

3.1.4 *Construire des questions « vrai-faux »*

Nous avons vu dans la section 3.1.1 que les questions « vrai-faux » sont des propositions dont le sujet est invité à évaluer la véracité. Ces questions sont plus simples à créer que les questions à choix multiples puisque le problème de la construction de distracteurs vraisemblables est éliminé. Plus exactement, le problème se retrouve uniquement dans la production des propositions fausses. Pour être efficaces, celles-ci ne peuvent être écartées sur base du seul bon sens ou d'indices de surface. Le jugement concernant leur fausseté doit nécessiter une réelle connaissance de la matière à évaluer.

Avec des questions « vrai-faux », il est plus difficile d'évaluer des capacités cognitives de haut niveau. Toutefois, la complexité des opérations cognitives que ces questions permettent d'apprécier est souvent plus élevée qu'on ne le pense. Trop de praticiens se contentent de créer des questions qui ne demandent que le rappel de connaissances stéréotypées. Dans les pires cas, ces connaissances ne concernent que des détails triviaux. De telles questions offrent une image morcelée et anecdotique du savoir. Pourtant, bien construites, ces questions permettent d'apprécier si un élève a réellement compris les connaissances essentielles qui lui ont été enseignées. Les trois questions suivantes permettent d'évaluer différents niveaux de connaissance du principe d'Archimède (d'après Ebel & Frisbie, 1991). La première proposition demande le seul rappel d'une connaissance livresque. La seconde suppose une capacité de reformuler le principe étudié. Enfin, la troisième proposition fait appel à la capacité d'appliquer les connaissances apprises.

EXEMPLES :

1. Un corps plongé dans un liquide subit une poussée verticale de bas en haut égale au poids du liquide déplacé.
   Vrai – Faux

2. Si un objet possédant un certain volume est entouré d'un liquide ou d'un gaz, la force de bas en haut qui s'exerce sur lui est égale au poids du même volume de liquide ou de gaz.
   Vrai – Faux

3. Lorsqu'ils sont immergés dans l'eau, un centimètre cube d'aluminium et un centimètre cube de fer subissent une même force de bas en haut.
   Vrai – Faux

Une des difficultés de la construction de questions « vrai-faux » est que le jugement les concernant doit être tranché. La proposition est soit vraie, soit fausse. Sa véracité ne peut être l'objet de variation ou de discussion. Ce problème est important car il sous-tend l'équité et la légitimité de la mesure qui sera faite à l'aide de ces questions. Il est en effet inacceptable de mesurer un degré de compétence à partir de jugements qui ne sont en réalité que des opinions. De même, il est fondé de contester les résultats d'un test composé de questions dont les réponses correctes ne sont pas défendables. Les deux exemples suivants sont des illustrations de propositions inadéquates pour un format « vrai-faux ».

EXEMPLES :

1. Le poids d'un nuage de pluie est léger.
   Vrai – Faux
2. Le mérite est un facteur important influençant le salaire des employés.
   Vrai – Faux

Dans la formulation des questions « vrai-faux », il faut généralement éviter des déterminants comme « tous », « toujours », « aucun » ou « jamais ». Lorsque ces déterminants sont utilisés, la réponse correcte à la question est habituellement « faux ». En effet, il est rare qu'une affirmation ne souffre aucune exception. Il est vraisemblable que, dans un cas au moins, l'affirmation soit fausse. Dans le premier exemple ci-dessous, on ne peut exclure qu'un guerrier sioux ait manqué de courage. Par conséquent, la proposition doit être considérée comme fausse. Par contre, le second exemple est un cas, peu fréquent, où l'usage de « tous » est indiqué.

EXEMPLE :

1. Tous les Sioux étaient des guerriers courageux.
   Vrai – Faux
2. Tous les hydrates de carbone contiennent de l'oxygène, du carbone et des atomes d'hydrogène.
   Vrai – Faux

Les négations sont souvent une source de confusion dans les questions « vrai-faux », surtout lorsque le choix est entre « oui » et « non ». Si, par exemple, la proposition est *« il ne faut pas dépasser la vitesse de 60 km/heure en ville »*, le sujet peut entourer la réponse « non » parce qu'il pense que *« non, il ne faut effectivement pas dépasser la vitesse de 60 km/heure en ville »*. L'alternative « vrai-faux » réduit un tel risque de confusion, sans pour autant le faire disparaître. Par conséquent, il est préférable de toujours formuler les questions de manière affirmative.

Dans l'ensemble d'un test, il est préférable d'avoir un peu plus de propositions fausses que de propositions vraies. Les propositions fausses permettent de mieux discriminer les sujets faibles des sujets forts (Barker & Ebel, 1981) que les propositions vraies. En effet, en cas de doute, les sujets sont plus enclins à accepter les propositions présentées qu'à les refuser. Cette inclination est appelée *la tendance à l'acquiescement*. Par conséquent, au lieu d'inclure dans le test un même nombre de propositions vraies et fausses, comme le recommandent certains auteurs (p.ex. Wiersma & Jurs, 1990), il vaut mieux respecter un rapport de deux propositions fausses pour une proposition vraie afin d'obtenir un score total au test qui soit plus discriminatif (Ebel & Frisbie, 1991).

3.1.5 Construire des questions d'appariement

Ce format de question est utilisé moins couramment que les deux précédents. Rappelons qu'il se présente sous forme de deux colonnes. La première comprend les prémisses et la seconde les réponses. Les réponses doivent être associées à chacune des prémisses. Ce format a l'avantage de permettre l'évaluation de nombreuses connaissances en une seule question. Outre ce caractère économique, les questions d'appariement ont également l'avantage de ne pas nécessiter la création de distracteurs. Par contre, la cotation est un peu plus complexe. En effet, elle ne se fait pas au niveau de l'ensemble de la question, mais pour chaque appariement. Par conséquent, si une question demande de réaliser quatre appariements, il faudra attribuer quatre scores aux réponses à cette question.

Une bonne question d'appariement doit être homogène. Si le contenu est trop hétérogène, les sujets risquent de trouver des indices leur permettant de répondre correctement tout en ayant très peu de connaissance du domaine évalué. L'exemple suivant est un cas de question trop hétérogène à laquelle il est possible de répondre avec un peu de bon sens, mais sans aucune connaissance spécifique.

EXEMPLE :

.... 1. Ville de la province du Hainaut   A. la Meuse

.... 2. Fleuve traversant la province de Liège   B. Félicien Rops

.... 3. Artiste célèbre de la province de Namur   C. le bois

.... 4. Industrie de la province du Luxembourg   D. Binche

---

Pour éviter ce problème, une question d'appariement doit avoir un contenu homogène, c'est-à-dire se référant à un seul concept ou à une seule classe. On peut comparer de ce point de vue l'exemple précédent à celui qui suit.

EXEMPLE :

La première colonne contient une liste de provinces belges. La seconde colonne contient une série de noms de villes. Associez chacune de ces villes avec la province à laquelle elle appartient.

.... 1. Province du Hainaut   A. Huy

.... 2. Province de Liège   B. Binche

.... 3. Province de Namur   C. Neufchâteau

.... 4. Province du Luxembourg   D. Dinant

Les deux exemples précédents proposent autant de réponses qu'il y a de prémisses. Une telle correspondance est déconseillée. En effet, il suffit que le sujet connaisse trois réponses correctes pour trouver automatiquement la quatrième. Pour éviter ce problème, il est recommandé de construire des questions asymétriques : soit par excès de prémisses, soit par excès de réponses. Il est également possible d'utiliser une même réponse pour plusieurs prémisses.

EXEMPLE :

La première colonne contient une liste d'événements qui se produisent dans la vie quotidienne. La seconde colonne contient une série de termes scientifiques qui décrivent ces
événements. Indiquez devant chaque événement le terme qui lui correspond.

.... 1. La glace fond   A. L'expansion

.... 2. Les vêtements sèchent   B. La condensation

.... 3. Les nuages se forment   C. La fusion

.... 4. La pluie tombe   D. L'évaporation

                                          E. La précipitation

                                          F. La radiation

3.1.6 *Construire des questions ouvertes*

Les réponses ouvertes sont souvent choisies pour des raisons de validité. Dans certains
cas, il est évident que les questions ouvertes mesurent mieux certaines compétences
que ne le font les questions fermées. De plus, les sujets ont parfois une perception
positive des questions ouvertes qui leur permettent de développer leurs idées et de
détailler le raisonnement qui les a conduits à la réponse. Nous avons déjà vu plus
haut que trois formes de questions ouvertes peuvent être utilisées : (1) les questions
à réponse brève, (2) les réponses narratives et (3) les réponses qui demandent la production d'une performance observable. Dans cette section nous allons détailler les
deux premières formes de questions ouvertes.

Les *questions à réponse brève* sont assez proches des questions fermées. Elles
ne sont dites ouvertes que parce que la réponse n'est pas donnée et que le répondant
doit donc la produire. Mais leur cotation peut être aussi objective que celle des questions fermées lorsqu'une seule réponse correcte est possible, comme c'est le cas des
questions à réponse courte. L'intervention de la subjectivité du correcteur est alors
nulle. Ceci est vrai pour autant que la question ait été bien construite. Il n'est pas
toujours simple de créer des questions dont la réponse est unique et tient en un seul
mot ou en un seul nombre. Pour parvenir à un tel résultat, il est préférable de commencer par penser à la réponse puis d'élaborer une question qui doit déboucher sur
cette réponse. Pour éviter toute variabilité au moment de la correction, il est également important de préciser dans la question certaines caractéristiques qui doivent être
présentes dans la réponse. Ainsi, lorsque la réponse attendue est numérique, il faudra
annoncer dans la question la précision du résultat attendu (nombre de décimales de
précision) et l'éventuelle unité de mesure (centimètre, litre…) à mentionner dans la
réponse. Plusieurs erreurs de construction doivent également être évitées. Il ne faut
pas donner des indices à propos de la réponse correcte dans la formulation de la question. En particulier, les espaces prévus pour noter les réponses doivent être de même
longueur pour toutes les questions d'un même test. Il est fréquent que les sujets infè-
rent la réponse exacte en se basant sur l'espace laissé pour répondre.

Parfois, plusieurs réponses courtes sont regroupées sous un même problème.
Par exemple, il peut s'agir de la description des symptômes d'un malade suivie de
questions relatives au diagnostic, au pronostic et au traitement. Les questions peuvent
être totalement indépendantes les unes des autres, mais elles peuvent aussi être liées

comme dans l'exemple précédent. L'étudiant qui échoue à la première question sur le diagnostic ne peut donner les réponses attendues aux questions suivantes portant sur le pronostic ou le traitement. S'il ne pose pas un diagnostic correct, il ne peut en effet proposer le traitement adapté. Généralement, de telles questions emboîtées devraient être évitées car elles défavorisent indûment les sujets qui échouent aux premières questions, ce qui n'est pas le cas pour les sujets qui échouent aux dernières questions. Par exemple, si on demande à un élève de mesurer la hauteur et la base d'un triangle, puis d'en calculer l'aire, une erreur de mesurage entraînera *ipso facto* l'erreur du calcul de l'aire, même si l'élève connaît la formule de l'aire du triangle et est capable de l'utiliser correctement. Dans ce cas, on risque de conclure erronément que cet élève est incapable de calculer correctement l'aire d'un triangle, alors qu'il manque seulement de précision lorsqu'il mesure des longueurs. Dans certains cas toutefois, les questions emboîtées sont tout à fait justifiées. L'exemple issu du domaine médical en est une bonne illustration. L'étudiant en médecine à qui l'on présente un tel ensemble de questions doit nécessairement toutes les réussir. En effet, il n'est pas admissible qu'un médecin ne réponde que partiellement aux problèmes qui se posent à lui : le patient est soigné correctement ou non. Il serait discutable d'accorder des points à un étudiant qui propose un traitement correct pour soigner une maladie sur la base d'un diagnostic erroné.

Les *questions à réponse narrative* apparaissent, quant à elles, comme les prototypes des réponses ouvertes. Elles sont bien adaptées pour évaluer des compétences de haut niveau comme la résolution de problèmes complexes, l'intégration des connaissances, l'esprit critique et la créativité. Ces questions sont souvent perçues comme plus faciles à construire que les autres formats de question. En fait, quelques règles devraient être respectées pour leur création si l'on veut éviter certains déboires au moment de la cotation. En particulier, il est nécessaire de donner aux répondants des informations précises et complètes à propos de ce qui est attendu d'eux. De nombreux problèmes surgissent au moment de la correction de réponses narratives simplement parce que les sujets ont interprété différemment la question posée. C'est pourquoi, lorsque les conditions le permettent, il est préférable de transmettre au candidat à l'avance les critères de correction et la grille d'évaluation descriptive qui servira à le noter. Lorsqu'il n'y pas suffisamment de transparence dans la notation et les critères de notation, qui faut-il blâmer : le constructeur de la question ou l'examiné ? Puisque le constructeur est souvent celui qui corrige, il lui est facile d'attribuer toute erreur d'interprétation à l'examiné : « il n'a rien compris à ce qu'on lui demandait ! ».

Enfin, les termes utilisés dans la rédaction des questions devraient toujours faire référence aux capacités cognitives que l'on souhaite évaluer : « expliquer… », « comparer… », « interpréter… », « critiquer… », « évaluer… ». Si l'on désire limiter les réponses à une certaine longueur ou obliger les sujets à respecter une certaine structure, il est possible de proposer des *questions à réponse contrainte* (Gronlund, 1991, p. 76). Dans ce cas, la question contient un certain nombre de directives concernant la forme de la question. Par contre, les *questions à réponse développée* laissent toute liberté aux répondants quant à la longueur et à la structuration de leur réponse. Une telle latitude permet plus de créativité et une approche plus large du problème posé, mais elle est source de complexité au moment de la correction surtout si le constructeur de tests n'a fait aucun effort de transparence au niveau des critères d'évaluation.

EXEMPLES DE QUESTIONS À RÉPONSE CONTRAINTE :

1. Expliquez en une demi-page, les avantages des questions ouvertes.
2. Un professeur de sciences veut, au moyen d'un test papier-crayon, évaluer les aptitudes de ses élèves à interpréter des données scientifiques.
   - Décrivez les étapes que devrait suivre ce professeur.
   - Donnez des arguments pour justifier chacune de ces étapes.

EXEMPLE DE QUESTION À RÉPONSE DÉVELOPPÉE :

Vous êtes professeur de sciences. Planifiez de manière complète une évaluation sommative des acquisitions de vos élèves. Détaillez chacune des procédures que vous pensez suivre, les instruments que vous souhaitez utiliser et les raisons de vos différents choix.

3.2 FORMATS D'ITEMS POUR LES QUESTIONNAIRES

L'évaluation de traits de personnalité, d'attitudes, d'intérêts, de valeurs fait appel à certains formats d'items particuliers. Dans le cas de la personnalité, des questions ouvertes demandant une performance sont souvent utilisées. Les *techniques projectives* en sont l'illustration la plus connue. Ces techniques consistent en un ou plusieurs stimuli (images, figurines, propositions…) à partir desquels le participant est invité à produire des associations verbales, un récit, un dessin ou une construction. Ces productions sont considérées comme des manifestations de la structure profonde de la personnalité d'un individu. L'information recueillie de la sorte est souvent riche, mais difficile à coter. Des systèmes précis de cotation ont été mis au point pour certaines techniques projectives, en particulier pour le test de Rorschach (p.ex. Exner, 1974). Ces systèmes demandent une bonne formation des correcteurs et leur application rigoureuse prend beaucoup de temps. Ils garantissent toutefois une fidélité et une validité satisfaisantes des résultats, pour autant que les praticiens les respectent, ce qui n'est pas toujours le cas. Une étude faite par Exner et Exner (1972) auprès de 750 membres de la *Society for Personality Assessment* et de l'*American Psychological Association* révèle en effet une grande diversité de pratiques de cotation du Rorschach. Vingt pour cent des praticiens avouent ne faire aucune cotation objective et interpréter les réponses subjectivement sur base de leur expérience personnelle. Et quatre praticiens sur cinq reconnaissent personnaliser leur cotation. Par ailleurs, la majorité des autres techniques projectives reposent sur une standardisation insuffisante des modalités de passation et de cotation. Il en résulte des problèmes sérieux de fiabilité et de validité des résultats qu'elles permettent de recueillir (Klopfer & Taulbee, 1976).

Les questionnaires en auto-passation et les échelles de cotation (questionnaires remplis par un observateur et non par le sujet lui-même) sont nettement plus standardisés que les tests demandant une performance. La validité et la fidélité de leurs résultats sont, par conséquent, mieux assurées. Toutefois, nous verrons plus loin que les questionnaires présentent également certaines faiblesses spécifiques qui peuvent réduire la validité des résultats qu'ils permettent de recueillir. Trois formats d'items sont habituellement utilisés dans les questionnaires : les *items dichotomiques*, les *items catégoriels bipolaires* et les *items à choix forcé*. Nous allons en détailler les caractéristiques.

3.2.1 *Les items dichotomiques*

Un item dichotomique est constitué d'une proposition par rapport à laquelle le sujet doit exprimer son accord ou son désaccord. Le choix peut être entre « d'accord-pas d'accord », « oui-non », « vrai-faux » ou toutes autres paires de catégories opposées.

EXEMPLES :

1. J'ai peu d'appétit   OUI – NON
2. J'aime parler avec les personnes de mon entourage   OUI – NON
3. Je n'ai aucun projet   OUI – NON
4. J'ai envie de mourir   OUI – NON

La construction d'items dichotomiques est, en apparence, assez simple. Ce format soulève pourtant plusieurs problèmes dont certains sont difficiles à résoudre. Le premier problème tient à la formulation des propositions. Dans l'exemple ci-dessus, une des propositions est formulée de manière négative (« *je n'ai aucun projet* »). Cette formulation complexifie la tâche du répondant. Doit-il répondre « *NON, je n'ai aucun projet* » ou « *OUI, je n'ai aucun projet* » ? Le premier choix correspond à une formulation plus naturelle que celle qui correspond au second choix. Pourtant, le sujet qui est d'accord avec la proposition doit choisir « *OUI* ». L'utilisation des modalités de réponse « vrai-faux » ou « d'accord-pas d'accord » peut réduire ce problème.

Un second problème est lié au caractère tranché du choix demandé au sujet. Si la formulation de l'item est trop vague, il peut hésiter à choisir une des alternatives. Par exemple, si la proposition est « *je suis une personne relativement inquiète* », l'interprétation du terme « *relativement* » peut varier et entraîner un choix qui dépend de cette interprétation. Par conséquent, de tels termes doivent être évités afin que les choix proposés soient identifiés de manière claire et identique par tous les sujets.

Un troisième problème posé par les items dichotomiques découle du phénomène de *désirabilité sociale*. De nombreux sujets ont en effet tendance à masquer leur véritable choix et à sélectionner, au contraire, le choix opposé par ce que ce dernier est plus valorisé socialement. Cette tendance peut découler d'un refus des sujets de se voir tels qu'ils sont et/ou d'une crainte du regard que le psychologue peut porter sur eux. Des propositions telles que « *je suis grossier* », « *je ne pense qu'à moi* » ou « *j'aime la violence* » risquent ainsi de faire l'objet d'un choix négatif même si elles correspondent effectivement aux caractéristiques des sujets concernés. Pour éviter ce biais dû à la désirabilité sociale, on cherche généralement à créer des propositions moins transparentes. Elles doivent être des indicateurs valides tout en étant acceptables socialement. Par ailleurs, certains questionnaires incluent des items spécialement destinés à repérer l'impact de la désirabilité sociale. Par exemple, le *Minnesota Multiphasic Personality Inventory* (MMPI) comprend 15 propositions que quasi tous les sujets admettent comme vraies, tout en les considérant peu flatteuses. Un item comme « *mes manières de table ne sont pas toujours aussi bonnes à la maison qu'elles ne le sont en compagnie* » peut raisonnablement être considéré comme peu flatteur tout en étant vrai pour tout le monde. Pourtant, certaines personnes répondent systématiquement « *NON* » à de telles propositions. Ces personnes démontrent ainsi l'influence qu'a la désirabilité sociale sur leurs choix. On peut en déduire que les réponses à l'ensemble des items du questionnaire ont été biaisées par ce facteur. Malheureusement, l'usage de tels items pour diagnostiquer l'impact de la désirabilité sociale n'est réellement efficace qu'avec des sujets peu subtils. La majorité des individus ne se laissent généralement pas abuser par ces items. De plus, le diagnostic est fait après coup. La validité des résultats au questionnaire est alors mise en question sans qu'il soit possible de l'améliorer. Nous verrons plus loin que les items à choix forcé peuvent constituer une solution à ce problème.

Un dernier problème posé par les items dichotomiques concerne le calcul du score global. Généralement, les réponses aux items sont cotées 1 ou 0. La valeur 1 indique la présence de la caractéristique mesurée et la valeur 0 son absence. En fonction des propositions, une réponse « OUI » peut donc être cotée 1 ou 0. Revenons à l'exemple des quatre propositions ci-dessus qui servent à évaluer la dépression. Répondre « OUI » à la première est un signe de dépression et doit donc être coté 1. Par contre, répondre « OUI » à la seconde proposition indique une humeur normale et doit être coté 0. Le plus souvent, le résultat total est calculé en additionnant les scores aux différents items. Par conséquent, chaque item a un poids identique dans le score total. Cette façon de faire a l'avantage de la simplicité. Sa pertinence est toutefois discutable. Tous les items n'indiquent pas un même degré du trait mesuré. Par exemple, une réponse positive à l'item « j'ai peu d'appétit » n'indique pas une même intensité de dépression qu'une réponse positive à l'item « j'ai envie de mourir ». Une solution à ce problème consiste à pondérer les résultats des items et d'accorder ainsi un poids plus grand aux items en fonction de l'intensité du trait qu'ils permettent de révéler. La procédure la plus ancienne pour pondérer les scores aux items a été proposée par Thurstone (1928). Cette procédure est appelée *la technique des intervalles approximativement égaux* (« *equal-appearing interval technique* »). Elle consiste à placer chaque item sur le continuum à mesurer et à définir une échelle approximative d'intervalles, généralement appelée « échelle de Thurstone ». Bien qu'encore décrite dans plusieurs ouvrages récents (p.ex. Dane, 1990), la procédure de Thurstone a surtout une valeur historique. Elle est avantageusement remplacée par les procédures développées dans le cadre des *modèles de réponse à l'item* (Hambleton & Swaminathan, 1985, pp. 115-120 ; voir également le chapitre 7).

3.2.2 *Les items catégoriels bipolaires*

Face à certaines propositions, il est possible de donner des réponses plus nuancées que « *d'accord* » ou « *pas d'accord* ». Des catégories intermédiaires peuvent être définies entre ces deux pôles. L'ensemble des choix constitue des catégories ordonnées. Celles-ci forment ce que l'on appelle une *échelle de Likert*. Le nombre de catégories peut varier, mais se limite généralement à cinq, comme l'a d'ailleurs suggéré Likert (1932). Ces catégories sont : « *en total désaccord* », « *pas d'accord* », « *neutre* », « *d'accord* », « *en total accord* ». D'autres termes équivalents peuvent être utilisés. Chaque catégorie se voit attribuer respectivement le score 0, 1, 2, 3 et 4.

EXEMPLES :

« L'étude des statistiques est nécessaire à la formation du psychologue »

pas du tout d'accord ☐   pas d'accord ☐   neutre ☐   d'accord ☐   tout à fait d'accord ☐

« J'ai des difficultés à m'endormir »

jamais ☐   rarement ☐   parfois ☐   souvent ☐   très souvent ☐

Comme les items dichotomiques, les items catégoriels bipolaires sont sensibles à l'influence de la désirabilité sociale. Mais ils soulèvent aussi des problèmes spécifiques comme la tendance à donner une réponse centrale. Pour contrecarrer cette tendance, on peut choisir de limiter le nombre de catégories à quatre. Par ailleurs, les items catégoriels bipolaires sont plus complexes à construire que les items dichotomiques. La définition des différentes catégories de réponses n'est pas toujours simple. Leur nombre et leur gradation peuvent poser problème.

3.2.3 Les items à choix forcé

Ce format a été créé pour tenter de résoudre un des problèmes posés par les formats précédents : l'influence de la désirabilité sociale sur le choix de la réponse. Le principe du choix forcé consiste à présenter simultanément au sujet plusieurs items (des phrases, des qualificatifs…) et à lui demander de choisir parmi ceux-ci celui qui lui correspond le mieux et/ou celui qui lui correspond le moins. Les items entre lesquels le sujet doit choisir possèdent un même degré de désirabilité sociale. On postule que si le sujet doit choisir l'item qui lui correspond le moins entre deux items peu désirables socialement, son choix sera généralement sincère. On formule le même postulat lorsque le sujet doit choisir l'item qui lui correspond le mieux entre deux items également désirables socialement. La technique du choix forcé permet un rééquilibrage des scores car elle oblige le sujet à faire des choix qu'il aurait esquivés si les items avaient été présentés dans un format classique. On évite ainsi une dépression des scores liés aux items peu désirables socialement et une inflation des scores liés aux items désirables socialement.

Il existe plusieurs variantes dans la présentation des items à choix forcé. La présentation la plus simple consiste à proposer des paires d'items qui chacun mesure un des pôles d'une échelle bipolaire et à demander au sujet de choisir l'item qui lui correspond le mieux (ou le moins). Mais la présentation la plus courante des items à choix forcé est sous la forme d'ensembles de quatre items appelés des *tétrades*.

La construction des tétrades peut se faire de différentes manières. Une première technique consiste à réunir dans une même tétrade deux indicateurs valides d'un trait et deux indicateurs non valides de ce même trait. Un des deux indicateurs valides est désirable socialement alors que l'autre ne l'est pas. Il en va de même pour les deux indicateurs non valides. Les sujets sont invités à choisir dans la tétrade la caractéristique qui leur correspond le mieux et celle qui leur correspond le moins. Pour chaque tétrade, les sujets doivent donc donner deux réponses. L'exemple suivant est une illustration d'une telle tétrade :

EXEMPLE :

	Me correspond le plus	Me correspond le moins
6. irritable	☐	☐
7. fiable	☐	☐
8. communicatif	☐	☐
9. sans gêne	☐	☐

La création de ce type de tétrade se fait en plusieurs étapes. La première étape consiste à observer ou à interviewer des personnes qui possèdent le trait à mesurer à un degré très élevé ou très faible. Sur la base de ce recueil d'informations, des indicateurs du trait sont produits. Il s'agit de qualificatifs, de substantifs ou de courtes phrases qui sont associés à l'absence ou à la présence du trait. La validité de ces termes est ensuite évaluée par des experts et par le calcul d'un index de validité (voir chapitre 4). Sur la base de ces évaluations, des paires d'indicateurs sont constituées. Toutes comprennent un indicateur valide et un indicateur non valide de même niveau de désirabilité. On veille à constituer des paires d'indicateurs également désirables et d'autres également indésirables. Une fois ces paires réalisées, on peut alors construire des tétrades en groupant chaque fois une paire d'éléments désirables et une paire d'éléments non désirables. Dans l'exemple ci-dessus, « fiable » et « communicatif » sont deux caractéristiques également désirables socialement. La première s'est révélée être un indicateur valide de l'extraversion lors d'études préliminaires, mais pas la seconde. Quant à « sans gêne » et « irritable », il s'agit de caractéristiques également indésirables. La première est un indicateur valide de l'extraversion, mais pas la seconde.

Un sujet qui a tendance à se présenter sous un jour trop favorable a autant de chance de choisir un indicateur valide qu'un indicateur non valide. Lorsqu'il choisit un qualificatif désirable, mais non valide, ce choix n'influence pas le score total. En réalité, ce choix a pour effet de déprimer le score à l'une des échelles du test. Il empêche en effet un autre choix, valide celui-là, qui aurait pu augmenter le score à cette échelle. L'impact de la désirabilité est dès lors réduit. Le même phénomène se produit lorsqu'un sujet tend systématiquement à se dévaloriser.

Une autre technique de construction des tétrades, plus simple que la précédente, a été utilisée par Gordon (1951). Elle consiste à grouper dans une même tétrade des items mesurant quatre variables différentes. Deux de ces items sont désirables socialement et les deux autres sont peu désirables socialement, comme dans l'exemple ci-dessous :

EXEMPLE :

	Me correspond le plus	Me correspond le moins
1. est attentif aux autres	☐	☐
2. s'énerve facilement	☐	☐
3. est exigeant avec lui-même	☐	☐
4. se décourage vite	☐	☐

Le sujet est invité à choisir l'item qui lui ressemble le plus et celui qui lui ressemble le moins. La cotation des réponses est pondérée. On attribue deux points à l'item qui correspond le plus au sujet, zéro point à l'item qui lui correspond le moins et un point à chacun des deux items qui n'ont pas été choisis. Cette pondération s'explique par le fait que le sujet a implicitement ordonné tous les items. Les items choisis occupent les positions extrêmes alors que ceux qui n'ont pas été choisis occupent une position intermédiaire.

Bien qu'assez attractifs en apparence, les items à choix forcé peuvent soulever de sérieux problèmes d'interprétation des scores (Hicks, 1970). C'est particulièrement le cas lorsque le test est ipsatif. Le terme *ipsatif* a été proposé par Cattell (1944) pour désigner les tests dans lesquels la valeur du score à une variable dépend de la valeur des scores aux autres variables. Dans ce cas, la comparaison des scores est purement intra-individuelle. Aucune comparaison interindividuelle n'est possible. Cette situation peut se présenter avec les items à choix forcé lorsque l'on attribue un point à l'item choisi et zéro point aux autres. Dans ce cas, l'élévation du score à une échelle va de pair avec une diminution des scores aux autres échelles. La somme des scores aux différentes échelles reste, par conséquent, toujours constante.

Pour illustrer ce phénomène, nous allons prendre l'exemple d'un test mesurant deux variables, l'anxiété et la dépression, chacune au moyen de deux items (tableau 1.8). Dans le format à choix forcé, ces items sont présentés par paire, dont un item évalue l'anxiété et l'autre la dépression. Dans chacune des deux paires proposées, le sujet doit choisir l'item qui lui correspond le mieux. Dans notre exemple, le sujet a choisi dans chaque paire l'item qui mesure l'anxiété. Comme un choix est coté un point, le score du sujet en anxiété est égal à 2. Quant à son score en dépression, il est nécessairement égal à 0 puisque le choix des items mesurant l'anxiété a empêché toute obtention de points en dépression. Le score de 2 en anxiété et de 0 en dépression sont des mesures ipsatives et nous pouvons seulement affirmer que le premier score est supérieur au second. Par contre, nous ne pouvons pas comparer ces scores à ceux de la population de référence puisque le score de 0 en dépression dépend du score en anxiété. Pour pouvoir comparer le score en dépression du sujet à celui de la population, il est nécessaire de mesurer la dépression indépendamment de l'anxiété. Pour ce faire, il suffit de présenter les mêmes questions dans un format qui n'entraîne pas l'ipsativité des scores. Dans notre exemple, les quatre mêmes items sont présentés dans un format bipolaire à trois possibilités de choix. Ces choix sont cotés 0, 1 ou 2. Dans ce format, les réponses à un item sont indépendantes des réponses aux autres items, ce qui permet une évaluation plus nuancée du même sujet. On constate en effet

Tableau 1.8 — Exemple de réponses aux mêmes questions présentées dans le format « choix forcé » et dans le format « bipolaire ».

Questions au format « choix forcé »			
1. a. Je suis inquiet	☒	2. a. Je suis triste	☐
b. Je manque d'appétit	☐	b. J'ai peur de mal faire	☒
Score brut en anxiété : 2		Score brut en dépression : 0	

Questions au format « bipolaire »
1. Je suis inquiet Jamais ☐   Parfois ☐   Souvent ☒
2. Je manque d'appétit Jamais ☐   Parfois ☒   Souvent ☐
3. Je suis triste Jamais ☐   Parfois ☒   Souvent ☐
4. J'ai peur de mal faire Jamais ☐   Parfois ☐   Souvent ☒
Score brut en anxiété : 4   Score brut en dépression : 2

que si le score du sujet reste élevé en anxiété, son score en dépression est à présent supérieur à zéro. Cet exemple illustre clairement l'impact possible du choix d'un format d'item sur les scores et leur interprétation.

Tous les items à choix forcé ne produisent pas nécessairement des mesures ipsatives. Si, par exemple, les items d'une paire représentent les deux pôles d'une même variable, le choix du sujet n'influencera le score que de cette seule variable. Ce choix n'aura aucun impact sur les autres variables. D'ailleurs, la somme des scores aux différentes variables ne sera pas constante. Dans ce cas, les scores obtenus à chacune des échelles pourront être comparés à ceux de la population. Ces scores seront normatifs et non ipsatifs.

Enfin, les items à choix forcés peuvent produire des mesures *partiellement ipsatives*. C'est le cas de l'Inventaire de Personnalité de Gordon dont un exemple de tétrade a été donné plus haut. En pondérant les choix comme le propose Gordon, on évite que la somme des scores aux différentes variables soit une constante. On introduit ainsi une certaine variabilité interindividuelle des scores. Toutefois, la pondération des scores ne supprime pas leur interdépendance. Cette interdépendance aura un impact inévitable sur les corrélations entre les items, ce qui mettra en question les analyses factorielles réalisées sur la base de telles corrélations. Les mesures partiellement ipsatives doivent, par conséquent, être interprétées avec discernement. Leur usage reste malgré tout intéressant car elles se sont révélées efficaces pour réduire la tromperie et leur validité prédictive est apparue, dans certains cas, relativement élevée.

4. L'adaptation et l'utilisation de tests dans plusieurs langues et cultures[1]

Il est parfois nécessaire de construire de multiples versions d'un test que l'on doit administrer en plusieurs langues. Deux options se présentent alors au constructeur de test :

1. Le constructeur de test peut choisir de concevoir et assembler plusieurs tests en différentes langues, s'assurant que chaque test, peu importe la langue dans laquelle il est rédigé, est construit selon des spécifications similaires. Le concepteur s'assurera ainsi que le contenu de chaque test se fonde sur le même échantillonnage du contenu et qu'il n'y a pas de différences importantes quant à la manière de répondre aux questions.

2. Le constructeur pourra également opter pour la traduction d'un seul et même test en plusieurs langues en s'assurant que la traduction ne change ni la difficulté du test ni aucune de ses autres qualités d'instrument de mesure. Lorsque la traduction ne suffit pas à assurer l'élaboration de tests équivalents, le constructeur devra prendre les moyens nécessaires pour « adapter » le test en fonction des caractéristiques linguistiques et culturelles des populations de sujets auxquelles il s'adresse.

---

[1] La présente étude a été écrite sous contrat pour *l'Office de la qualité de la responsabilité en éducation* (OQRE). Les opinions exprimées sont celles des auteur(e)s et ne sont pas nécessairement celles de l'OQRE. Plusieurs des notions de cette section sont expliquées dans les autres chapitres du livre. Si celles-ci vous posent des difficultés, il est recommandé de prendre connaissance de cette section une fois que vous aurez terminé la lecture des autres chapitres.

L'adaptation des tests se situe entre la simple traduction de tests déjà existants et la conception de nouveaux tests dans une autre langue qui donneront des résultats équivalents à ceux du test d'origine. La traduction ne se préoccupe pas de l'effet de la transposition de questions d'examen dans une autre langue sur la mesure des habiletés. La conception de nouveaux tests, quant à elle, consiste à développer simultanément des versions similaires de tests dans au moins deux langues en se fondant sur un certain nombre de règles à respecter (p.ex. le programme d'études).

Hambleton (1999, p. 3) définit l'adaptation de test de la manière suivante : *L'adaptation d'un test comporte plusieurs décisions qui consistent d'abord à déterminer si le test pourrait mesurer le même concept dans une culture et une langue différentes, puis à choisir les traducteurs et les modifications à apporter à la préparation du test qui doit être utilisé dans une autre langue, jusqu'à, en fin de processus, modifier le test et vérifier son équivalence dans la version adaptée.*

L'adaptation de tests possède plusieurs avantages. Sireci (in Hambleton, 1999, p. 2) en identifie au moins trois :

1. Lorsque les connaissances et les habiletés à évaluer sont les mêmes, l'adaptation permet de s'assurer que le contenu et la structure du test sont relativement les mêmes d'une langue à l'autre.

2. Il peut être plus efficace d'adapter un test déjà existant que de développer de nouveaux tests dans l'autre langue : la rédaction, la révision, la mise à l'essai des tests prennent beaucoup de temps et nécessitent beaucoup d'efforts.

3. L'adaptation d'un test constitue dans bien des cas un moyen bien plus simple de démontrer l'équivalence d'épreuves administrées dans des langues différentes.

Mais l'adaptation des tests ne va pas également sans difficulté. Hambleton (1999, p. 3) regroupe en trois grandes catégories les sources d'erreur et d'invalidité liées à l'adaptation des tests :

1. les différences linguistiques et culturelles ;

2. les problèmes techniques et les difficultés méthodologiques ;

3. l'interprétation des résultats.

Il faut cependant noter que ces sources d'erreur ne sont pas uniquement l'apanage de l'adaptation des tests, mais qu'elles se retrouvent également au niveau de la traduction et de la conception. Dans la traduction, ces sources d'invalidité sont tout simplement ignorées car l'on assume que la traduction des items, si elle est bien faite, donnera lieu à des items non biaisés. Dans la conception de tests, on tente de créer des tests équivalents en développant des formes similaires du test dans des langues différentes. Cependant, il y a peu de moyens de vérifier l'absence de biais dans ce contexte.

L'assemblage ou développement de formes similaires d'un même test en plusieurs langues est préférable lorsque la distance culturelle est telle que l'adaptation est impossible ou rendue excessivement difficile. Jensen (1980, in Beller, Gafni & Hanani, 1999, p. 1) a introduit le concept de *bornes culturelles* d'un test (« cultural reducedness ») dans les termes suivants : « distance culturelle sur laquelle un test conserve en grande partie les mêmes propriétés psychométriques de fidélité, validité, de corrélation item-total et d'ordre de difficulté des items ».

4.1 Équivalence des tests adaptés

Trois types d'équivalences peuvent être envisagés dans l'adaptation d'un test. Le type d'équivalence recherché possède un impact direct sur la façon d'élaborer les versions en différentes langues d'un test. Van de Vijver & Tanzer (1997) distinguent les trois catégories suivantes :

1. *Équivalence conceptuelle.* Elle signifie que le même concept est mesuré dans chaque population, peu importe si la mesure du concept se fonde ou non sur des instruments de mesure identiques. L'équivalence conceptuelle serait démontrée si des tests de langues différentes possédaient les caractéristiques suivantes :

   a) L'erreur de mesure (estimée par le coefficient de cohérence interne ou alpha de Cronbach) associée au score total de chaque test est la même pour toutes les versions du test.

   b) La validité des instruments de mesure, telle que mesurée par différents critères, est la même pour toutes les versions. Par exemple, dans le cas d'un test d'habileté en lecture, on pourrait s'assurer qu'il y a une corrélation similaire entre la réussite au test et un critère externe, telle que les résultats scolaires, quelle que soit la langue dans laquelle le test d'habileté en lecture est rédigé. On ne devrait pas observer de différences de corrélations, que le test soit rédigé en russe, en allemand ou en italien. Un autre critère pourrait être la validité prédictive du test envers le taux de réussite aux études secondaire et post-secondaire. L'habileté à lire, telle que mesurée par chacune des versions du test de lecture, devrait prédire avec la même précision la réussite à des études supérieures, peu importe la langue dans laquelle le test a été rédigé.

   c) L'étude des corrélations entre les mesures obtenues aux différentes versions du test et des mesures similaires (validité convergente) ou différentes (validité discriminante) devrait démontrer les mêmes patrons de corrélations (Cronbach et Meehl, « nomological network », 1955).

   d) Une analyse factorielle confirmatoire devrait indiquer que les versions du test comportent le même nombre de facteurs et que les items de chacune des versions se regroupent de la même façon.

2. *Équivalence d'unité de mesure.* Ce niveau d'équivalence est obtenu lorsque les échelles de mesure de chaque version du test possèdent les mêmes unités, mais que leurs points d'origine respectifs – la position du zéro sur l'échelle de mesure – ne peuvent être déterminés de manière absolue.

3. *Équivalence scalaire.* Ce niveau d'équivalence est obtenu lorsque les résultats à chaque version du test possèdent les mêmes unités de mesure et les mêmes origines.

L'équivalence conceptuelle est le niveau d'équivalence requis pour assurer un minimum d'équité entre les populations visées par les différentes versions du test. Si elle ne permet pas de comparer les résultats obtenus aux deux versions du test, elle permet de s'assurer que les deux versions mesurent les mêmes habiletés, par exemple, des habiletés en mathématiques. Cependant, il n'est pas possible avec ce genre d'équivalence de déterminer si les versions sont de même difficulté et par conséquent de comparer les résultats obtenus aux deux versions.

Pour obtenir une équivalence d'unité de mesure ou une équivalence scalaire, le choix doit se porter sur des versions adaptées. Cependant, la recherche d'une équivalence scalaire est fort complexe et suppose que toutes les sources possibles de biais ont été contrôlées, ce qui est fort difficile et onéreux. Van de Vijver & Tanzer (1997, p. 267) résument ainsi les possibilités, mais aussi les limites de l'adaptation :

> *D'un point de vue statistique, les adaptations sont les moins commodes. Il n'est pas possible d'effectuer des comparaisons directes parce qu'elles ne peuvent se fonder sur le même instrument. On pourrait restreindre la comparaison des scores aux seuls items communs dans tous les groupes culturels. Mais ceci ne peut constituer une solution entièrement satisfaisante parce que le reste des items est laissé de côté. De plus, lorsque l'ensemble d'items communs est petit, ceux-ci ne parviennent pas à couvrir adéquatement toute l'étendue du concept et la comparaison des scores sera affectée par une faible validité écologique et une faible généralisabilité à des mesures plus appropriées du concept. Heureusement, il existe des techniques statistiques, comme la théorie de la réponse à l'item (e.g., Hambleton & Swaminathan, 1985 ; Hambleton, Swaminathan & Rogers, 1991), qui facilitent la comparaison des traits ou capacités d'une personne même lorsque les items d'un instrument ne sont pas tout à fait identiques. Lorsque de telles techniques sont employées, l'équivalence scalaire demeure réalisable. Si l'on souhaite étudier l'équivalence conceptuelle, le recours aux modèles d'équation structurale peut également être envisagé (cf. Byrne, 1989, 1994). L'analyse factorielle confirmatoire permet de vérifier la qualité des structures factorielles malgré le recours à des stimuli qui ne sont pas semblables dans des groupes différents (Byrne, Shavelson, & Muthén, 1989).*

En résumé et dit simplement, il existe deux conditions minimales prérequises pour espérer atteindre l'équivalence scalaire :

- il doit y avoir deux versions du même test dont une grande proportion des items sont communs : il s'agit d'items traduits et adaptés ;
- les items communs sont administrés à des échantillons représentatifs des populations d'intérêt : habituellement il s'agit de sujets de chaque groupe linguistique.

Pour parvenir à obtenir l'équivalence scalaire dans de telles conditions, il faut s'assurer de contrôler toutes les principales sources de biais. Or, celles-ci sont nombreuses et font intervenir toute une série de dispositifs, tant avant, pendant, qu'après l'administration des versions dans les différentes langues du test que l'on souhaite adapter.

4.1.1 *Différences culturelles/linguistiques affectant les scores*

L'adaptation de tests doit prendre en compte les différences culturelles et linguistiques pouvant affecter les résultats. Voici quelques exemples de facteurs de différences culturelles/linguistiques auxquels il faut porter attention :

- *Équivalence des concepts.* Le concept mesuré (p.ex. le degré de proactivité) doit posséder la même signification dans les langues qui ont servi à traduire le test, même si les comportements en jeu diffèrent à cause des différences culturelles associées à chaque langue.

- *Format du test.* Il faut vérifier qu'il n'y a aucune différence entre les sujets des différents groupes linguistiques quant à leur degré de familiarité avec un certain type d'items (choix de réponse, réponse ouverte).

- *Limite de temps.* Les textes traduits dans une autre langue peuvent être plus longs. Lorsque le test est de durée limitée, les derniers items pourraient être biaisés du fait qu'ils ne peuvent être terminés faute de temps. Il faut s'assurer que tous les répondants, peu importe la langue dans laquelle le test a été administré, ont, à compétences égales, les mêmes possibilités de terminer le test.

4.1.2 *Facteurs techniques et méthodologiques*

Hambleton (1999) identifie cinq catégories de facteurs pouvant affecter la validité des résultats de tests adaptés :

- *Le test lui-même.* En préparant les spécifications du test, le constructeur doit éviter le choix de certains formats d'items, de stimuli, de mots de vocabulaire, de structures de phrase qui peuvent être plus difficiles à traduire que d'autres.

- *Le choix et la formation des traducteurs.* Le traducteur devra de préférence bien connaître la langue, mais aussi la culture de la population dans laquelle le test est traduit. Le traducteur doit également connaître la matière sur laquelle le test va porter et être au courant des situations qui, dans le cas de questions à choix multiples, pourraient constituer des indices pour les élèves particulièrement habiles à passer des tests (« test wiseness »). Comme il peut être difficile de trouver des traducteurs possédant une telle combinaison de compétences, il faut assurer une certaine formation au traducteur (sur la construction de tests par exemple) ou encore confier la traduction à une équipe, comprenant une personne experte de la matière du test et une autre, sensibilisée aux problèmes de rédaction de questions de tests.

- *Le procédé de traduction.* Il peut s'agir d'une *traduction unidirectionnelle* (« forward translation » : de la langue source à la langue cible) ou d'une *traduction bidirectionnelle* (« backward translation » : de la langue source à la langue cible et de la langue cible à la langue source). Dans le cas de la traduction unidirectionnelle, il est préférable de confier la traduction à au moins deux traducteurs et de s'assurer que les différences de traduction qui surviennent seront ensuite discutées afin d'éviter les biais. Dans le cas de la traduction bidirectionnelle, la comparaison des versions de langue source (celle avant et celle après la traduction) devrait permettre de déceler de possibles biais. La principale difficulté avec la seconde méthode vient de ce que la comparaison de l'efficacité de la traduction dans la langue cible s'effectue en comparant deux versions de la langue source (originale et traduite), sans considération directe de la langue cible. Par exemple, pour comparer l'efficacité de la traduction française d'un test source rédigé en anglais, ce sont deux tests anglais qui seront comparés : le test source et le test anglais traduit à partir de la version française du test source. Une telle méthode, même si elle permet d'identifier des erreurs de traduction, n'est pas tout à fait étanche. Un traducteur « conservateur » pourrait présenter des traductions très littérales, donc peu adaptées au génie de chaque langue et satisfaire malgré tout aux exigences de la traduction bidirectionnelle. Plutôt que de traduire en deux phrases en français, une phrase longue, mais tout à fait acceptable en anglais, il pourra opter pour la traduction en une seule phrase en français. Or, une telle traduction ne posera pas nécessairement de difficultés majeures lors d'une traduction bidirectionnelle, mais elle pourrait être plus difficilement compréhensible par les lecteurs de langue française moins familiers avec le type de construction syntaxique utilisée par le traducteur.

- *Recours aux jugements d'experts pour adapter les tests.* Tous les procédés de traduction nécessitent que la version traduite soit revue par une personne habituée au style d'écriture des répondants visés afin d'aplanir toute difficulté inutile de langage. (voir aussi Beller et al., 1999, pp. 5-6 et pp. 10-13). Ceci est particulièrement indiqué dans le cas des populations pour lesquelles il existe d'importantes particularités dialectales (p.ex. les Franco-Ontariens et les Acadiens au Canada).

- *Les protocoles d'analyse de données pour établir l'équivalence.* Il existe plusieurs protocoles expérimentaux pour établir l'équivalence entre les résultats obtenus à plusieurs traductions du même test. Sireci (1997) identifie les trois suivants : (1) l'utilisation de groupes unilingues indépendants pour chaque version ; (2) l'utilisation de groupes unilingues appariés sur un critère externe quant au trait mesuré ; (3) l'utilisation de groupes bilingues. Chacun de ces devis possède ses avantages et ses inconvénients. Dans le cas du protocole pour groupes appariés, la principale difficulté consiste à trouver un critère d'appariement valide pour les deux groupes. Dans le cas du devis pour groupes bilingues, les principales difficultés viennent de ce que les individus bilingues ne sont pas nécessairement représentatifs des groupes unilingues et qu'ils peuvent différer grandement entre eux quant à leur niveau de bilinguisme. Selon Hambleton (1999), le protocole des groupes unilingues indépendants semble celui qui convient le mieux à condition de s'appuyer sur les modèles de réponse à l'item afin d'identifier clairement les items démontrant un fonctionnement différentiel (voir chapitre 5, section 7).

4.1.3 *Facteurs affectant l'interprétation des résultats*

Plusieurs facteurs peuvent affecter l'interprétation des résultats obtenus au moyen de tests adaptés. Les deux facteurs suivants ont été identifiés par Hambleton (1999) en rapport avec les enquêtes internationales sur le rendement :

- *La similarité des programmes d'études.* L'interprétation des résultats ne saurait avoir de sens que pour la portion des tests qui porte sur des aspects similaires du curriculum. Une étude détaillée des programmes d'études est essentielle pour bien comprendre les résultats.

- *La motivation.* L'interprétation des résultats doit tenir compte de la façon dont les élèves sont motivés à répondre aux tests. L'intérêt qu'ils éprouvent pour un texte à lire ou pour le sujet d'une composition écrite peut avoir une influence sur l'engagement cognitif de l'élève dans la tâche et sur sa persistance à l'effort. Il peut être utile de savoir si les versions traduites d'un même texte sont aussi intéressantes pour chacun des groupes.

4.1.4 *Soins à apporter à la traduction*

La traduction pose un défi particulier au niveau de l'adaptation. Beller et al. (1999, p. 9) identifie une série de caractéristiques souhaitables de la traduction de textes :

> *Pour traduire un texte, l'accent doit être mis sur les points suivants : la précision de la traduction, la préservation de la fluidité, de la richesse et du génie de la langue en employant des concepts familiers dans la langue cible, tout en demeurant cohérent avec l'usage des termes apparaissant dans le texte (...) L'une des critiques du testing transculturel veut qu'un texte traduit ne puisse véhiculer le même sens et préserver le même niveau de difficulté que le texte d'origine.*

International Test Commission (2010, p. 2) a formulé une série de règles qui nous guident quant aux meilleures procédures à suivre dans ce contexte. Nous retenons en particulier les lignes directrices suivantes :

- D.1 Les constructeurs/éditeurs de tests devraient s'assurer que le processus d'adaptation prend pleinement en considération les différences culturelles et linguistiques des populations pour lesquelles les versions adaptées du test sont prévues. Nous avons déjà parlé de ces mesures dans la section portant sur les facteurs techniques et méthodologiques.

- D.2 Les constructeurs/éditeurs de tests devraient fournir tout renseignement permettant de démontrer que la langue utilisée dans la formulation des directives, des critères et des items aussi bien que dans le manuel d'accompagnement, est appropriée à toutes les populations de cultures et de langues pour lesquelles le test a été développé.

En rapport avec la ligne directrice D.2, il est important de s'assurer de l'équivalence des textes traduits au moyen des indicateurs suivants : (1) difficulté des mots ; (2) lisibilité ; (3) usage grammatical ; et (4) style d'écriture et ponctuation.

Allalouf, Hambleton et Sireci (1999) ont par ailleurs identifié quatre sources de fonctionnement différentiel (FDI en abrégé – en anglais DIF pour *Differential Item Functionning*) pouvant se produire dans la traduction d'items. Celles-ci peuvent également s'appliquer à la traduction de textes :

- *Changement dans la difficulté des mots et des phrases.* Par exemple, si certains mots sont plus fréquemment employés dans une langue que dans une autre, la compréhension de lecture s'en trouve changée dans le test traduit.

- *Changement au niveau du contenu.* Le sens d'un mot peut être différent, non seulement à cause d'un problème de traduction, mais aussi parce qu'un mot peut avoir plus d'un sens dans l'une des langues.

- *Changement au niveau du format.* Lorsqu'un mot ne possède aucun équivalent dans l'autre langue, il faut alors employer plusieurs mots pour décrire le même mot dans l'autre langue.

- *Différences quant à la pertinence culturelle.* Certains textes, même correctement traduits, peuvent ne pas avoir la même pertinence ou susciter le même intérêt dans un groupe linguistique. Tel qu'indiqué par Ercikan (1999, p. 2) : « *Une bonne traduction doit refléter non seulement le sens de l'item source, mais aussi préserver la même pertinence, le même intérêt intrinsèque et la même familiarité du contenu de l'item ; sinon, ce que l'item mesure risque d'être altéré* ».

4.2 Lignes directrices pour l'adaptation de tests

Afin d'éviter toute source de biais dans l'évaluation au moyen de tests adaptés, les professionnels de la mesure et de l'évaluation en psychologie et en éducation ont formulé un certain nombre de standards à respecter. Les deux règles suivantes, tirées des « Normes de pratique du testing en psychologie et en éducation » (Institut de recherches psychologiques, 2003, 118-119) et traduites des « *Standards for Educational and Psychological Testing* » (American Educational Research Association, American Psychological Association, National Council on Measurement in Education (1999) sont particulièrement importants pour l'adaptation des tests :

- Standard 9.7. Lorsque le test est traduit d'une langue à une autre, les méthodes utilisées pour établir l'équivalence de la traduction devraient être décrites. Des preuves empiriques et logiques devraient être fournies concernant la fidélité et la validité des inférences faites à partir des scores aux tests traduits pour l'usage prévu auprès du groupe linguistique évalué.

- Standard 9.9. Lorsque des versions d'un test en plusieurs langues sont supposées être comparables, les concepteurs du test devraient présenter la preuve de leur comparabilité.

En 2010, l'*International Test Commission* rendait publique une nouvelle édition de ses lignes directrices concernant l'adaptation des tests en éducation et en psychologie. Ces lignes directrices constituent le plus important document concernant l'adaptation des tests. Elles sont trop nombreuses pour être énumérées ici, mais elles sont devenues une référence incontournable pour tout ce qui concerne l'adaptation de tests.

4.3 Étapes à suivre

S'inspirant de la première version des lignes directrices de l'*International Test Commission*, Hambleton, Sireci et Robin (1999) ont décrit une séquence de huit étapes dans l'adaptation de tests :

1. S'assurer de la pertinence de l'examen pour toutes les populations visées.
2. Déterminer si une traduction est souhaitable.
3. Choisir et former les traducteurs.
4. Traduire et adapter l'examen.
5. Réviser la version adaptée de l'examen.
6. Conduire une mise à l'essai de la version adaptée.
7. Conduire une étude exhaustive de la version adaptée.
8. Documenter chacune des étapes de développement de la version adaptée.

Il faut noter que certaines de ces étapes se retrouvent également dans le développement de formes équivalentes au moyen de l'assemblage de questions. L'étape 8, portant sur la documentation des étapes de développement des versions assemblées, est particulièrement importante dans un contexte où seule l'équivalence conceptuelle des deux versions assemblées peut être clairement démontrée.

4.4   Indicateurs de qualité de l'adaptation

Beller et al. (1999, pp. 10-13) a identifié une série d'indicateurs de la qualité d'une adaptation. Elle a appliqué ces indicateurs avec succès aux versions multilingues d'un test israélien d'entrée à l'Université. Ces indicateurs sont les suivants :

1. *Effet différentiel des réponses au hasard.* Ceci se produit, notamment, lorsque tous les élèves n'ont pas le temps de terminer le test ou lorsque, pour des raisons culturelles, certains élèves sont portés à répondre au hasard. Par exemple, ceci pourrait se produire si les élèves d'un groupe linguistique choisissaient de répondre au hasard aux dernières questions du test par manque de temps, la version traduite du test dans leur langue étant légèrement plus longue ou exprimée dans une langue plus difficile.

2. *Analyse d'items et fonctionnement différentiel.* Les items de chaque version devraient être équivalents en termes de difficulté, de discrimination et de fidélité. De plus, la probabilité de réussir chaque item ne devrait pas être différente, à niveau égal d'habileté, pour des élèves s'exprimant dans des langues différentes. Si, pour une raison ou l'autre (notamment de traduction), une question s'avère plus difficile ou plus facile pour les sujets d'un groupe en particulier de même niveau d'habileté que les sujets d'autres groupes, alors il y a fonctionnement différentiel de l'item (FDI). Le FDI est abordé en détail dans le chapitre 5 section 7 et dans le chapitre 7, section 6.1.

3. *Fidélité.* Les résultats calculés à partir de versions adaptées devraient présenter la même fidélité de cohérence interne (telle que calculée par l'alpha de Cronbach), autrement dit, la même erreur aléatoire de mesure.

4. *Équivalence conceptuelle.* Celle-ci peut être démontrée de plusieurs manières : analyse factorielle (exploratoire et confirmatoire), modèles structuraux linéaires ou par l'étude des réseaux nomologiques.

5. *Validité.* La validité concomitante et la validité prédictive devraient être les mêmes, peu importent les versions des tests employées.

6. *Biais au niveau du test.* Le terme « biais » fait référence à une erreur systématique dans la validité conceptuelle et prédictive associée à l'appartenance à un groupe particulier. C'est le cas si une version adaptée s'avère systématiquement plus difficile chez les garçons d'un des groupes linguistiques du fait du thème choisi dans les questions du test.

4.5   Traduction ou adaptation ?

L'adaptation de tests en plusieurs langues offre donc une alternative à l'assemblage de tests en plusieurs langues ou à la simple traduction. Peu importe la procédure choisie ou la méthodologie privilégiée, il est important que le processus soit bien documenté et transparent. Si les résultats doivent servir à comparer des groupes culturellement et linguistiquement différents, il est important de démontrer que de telles comparaisons sont possibles et que les versions traduites, adaptées ou assemblées en parallèle autorisent de telles comparaisons. Comme nous venons de le voir, les exigences à satisfaire pour développer des tests métriquement équivalents sont complexes et si la plus grande prudence s'impose dans la comparaison de résultats de groupes, elle s'impose encore plus lorsqu'il s'agit de comparer des résultats individuels.

5. Conclusion

Comme nous l'avons souligné au début de ce chapitre, la création des items est un moment crucial dans la construction d'un test. La qualité de ce travail détermine la valeur de l'instrument dans son ensemble. Pourtant, depuis plus de cinquante ans, les chercheurs ont concentré beaucoup plus leur attention sur l'étude des propriétés métriques des items que sur la méthodologie de leur construction. Par conséquent, la création des items reste le plus souvent basée sur l'intuition et le bon sens. Les praticiens comptent alors sur les analyses statistiques ultérieures pour débusquer les mauvais items. S'ils ont de la chance, les items posséderont dans leur majorité les propriétés voulues et ils pourront rapidement passer à la phase suivante du travail de mise au point du test. Mais, souvent, les items faibles seront trop nombreux. Il sera alors nécessaire, soit de créer un certain nombre de nouveaux items, soit de reconstruire l'ensemble des items selon de nouveaux principes. Cette situation est coûteuse en temps et en énergie. Une économie substantielle serait réalisée en apportant plus de soin à la création de l'ensemble initial d'items. Dans le présent chapitre, nous avons indiqué quelques-unes des pistes méthodologiques permettant de garantir une certaine qualité des items. Il ne s'agit cependant pas de recettes miraculeuses. Toute personne qui a eu l'occasion de construire un test sait que des items apparemment bien construits peuvent réserver de mauvaises surprises sur le terrain. Mais un travail de création méthodique permet de limiter au maximum le nombre des items défectueux. La mise à l'essai jouera, quant à elle, un rôle de contrôle de qualité en nous révélant les inévitables faiblesses de quelques items. Dans le chapitre 5, nous aborderons en détail les différentes techniques statistiques permettant d'évaluer les items et de repérer leurs éventuels défauts.

CHAPITRE 2

LES SCORES ET LEUR DISTRIBUTION

Toute discipline scientifique aspire à mesurer et à décrire de la manière la plus précise possible les phénomènes qu'elle étudie. C'est le cas de la psychologie et de l'éducation, particulièrement lorsqu'il s'agit d'avoir recours à des tests pour rendre compte d'une caractéristique, d'un trait particulier chez une personne. C'est ici qu'entrent en jeu les notions de mesure et de statistiques nécessaires au traitement et à l'analyse des données. La quantification des variables individuelles n'est cependant pas aussi simple qu'il y paraît. Les traitements que nous pouvons réaliser sur les nombres dépendent de la nature des mesures et la description des résultats doit tenir compte des diverses propriétés de ceux-ci.

Ce chapitre propose une double incursion dans le domaine des nombres : la première dans le domaine de la *mesure* et la seconde en *statistique descriptive*. Toutes deux sont nécessaires pour bien comprendre la nature des résultats numériques que nous obtenons en notant les réponses à un test. De plus, la statistique descriptive permet de mieux rendre compte de la distribution des résultats. Peut-on additionner deux résultats à des tests différents ? Comment savoir si un groupe de personnes est homogène ? La distribution des résultats obtenus permet-elle de différencier facilement les individus ? Voilà autant de questions auxquelles la mesure et la statistique descriptive essaient de répondre.

Dans ce chapitre, nous nous pencherons principalement sur les meilleurs moyens de décrire une distribution de résultats. Ces notions sont essentielles avant d'aborder les chapitres suivants. Ceux et celles qui possèdent déjà de solides notions de statistiques descriptives pourront passer directement à la lecture du chapitre 3.

1. Les types d'échelles de mesure

Le principal intérêt d'avoir recours à un système de nombres pour effectuer les mesures en psychologie et en éducation, c'est de pouvoir se servir de leurs propriétés arithmétiques. Toutefois, avant de pouvoir effectuer une quelconque opération sur les valeurs mesurées, il faut pouvoir démontrer qu'elles correspondent à une certaine réalité, bref que cette opération est valide et qu'elle est isomorphe au système de nombres utilisé. Par exemple, deux personnes ayant chacune un quotient intellectuel de 60 ne sont pas nécessairement capables de résoudre des problèmes qu'une seule personne au quotient intellectuel de 120 serait en mesure de solutionner. Dans ce cas-ci, nous ne pouvons pas prétendre que 60+60 = 120.

Les échelles de mesure nous permettent de déterminer quelles opérations et quelles transformations sont possibles sur les nombres. Plus l'échelle de mesure est simple, plus ces opérations sont limitées. Plus elle est complexe, plus les opérations permises sont nombreuses. Bref, en étant bien conscients des caractéristiques, mais aussi des limites des échelles de mesure, nous sommes mieux préparés à utiliser les propriétés des systèmes de nombres.

Prenons un exemple courant. Nous avons l'habitude dans les compétitions sportives de nommer les joueurs par leur numéro de dossard. Ces nombres ne constituent qu'un moyen pratique d'identifier un joueur : un nom serait trop long à écrire et ne pourrait être lisible de loin. Un nombre à deux chiffres peut être imprimé avec une police en gros caractères, ce qui permet de bien identifier un joueur. Ces nombres ont tout au plus une valeur *nominale*. Il ne viendrait à l'idée de personne de les additionner ou d'en calculer la moyenne. Il en va de même des numéros de carte de crédit, d'immatriculation, de sécurité sociale.

À la base de tout travail d'administration de tests se trouve une opération de mesure. Nous employons des tests pour obtenir des informations quantitatives à propos de caractéristiques ou de traits des personnes évaluées. Pour que cette quantification ait un sens, il est crucial que les caractéristiques que l'on souhaite mesurer soient définies de manière opérationnelle. Par définition opérationnelle, il faut comprendre l'ensemble des opérations qui permettent d'obtenir une valeur caractérisant de manière valide une propriété qui nous intéresse.

Lorsque nous mesurons une caractéristique ou un trait, nous supposons que cette caractéristique ou ce trait possède une certaine permanence, une certaine stabilité. Par exemple, la mesure de la température interne du corps ne serait d'aucune utilité diagnostique chez les êtres humains si, comme chez les reptiles, elle devait changer constamment. Si l'intelligence n'était pas un trait relativement stable, nous ne serions pas intéressés à la mesurer. Lorsque nous mesurons une caractéristique, nous postulons que l'opération de mesure la laisse inchangée. Mesurer un bureau n'accroît pas la longueur de celui-ci. Cependant, avec les êtres humains, une certaine prudence s'impose. Demander à quelqu'un en thérapie de prendre en note le nombre de cigarettes qu'il fume en une journée peut sensibiliser cette personne à un point tel qu'elle en vienne à changer spontanément son comportement. Parallèlement, lorsque nous administrons un questionnaire, nous supposons que le fait de répondre aux questions ne change pas la personne qui y répond. Toutefois, ce postulat n'est pas toujours réaliste : il se peut qu'une personne apprenne en répondant à un test et qu'ainsi les questions soient réussies différemment. Il est possible qu'un test portant sur les habitudes alimentaires sensibilise une personne au point que celle-ci réponde différemment à un traitement diététique. C'est ce que nous appelons l'*effet de l'opération de mesure*.

Dans la grande majorité des situations, nous postulons que les facteurs précédents affectent peu ou pas notre opération de mesure. Il est alors légitime de se servir de la mesure comme d'un indicateur valable d'une caractéristique ou d'un trait que nous avons défini à un niveau théorique ou conceptuel. Toutefois, nos exigences concernant la mesure peuvent être fort différentes. Au minimum, nous pouvons nous contenter d'une mesure qui ne consisterait qu'à « nommer » ou à « identifier » une caractéristique particulière à partir d'un certain nombre de propriétés communes. Au maximum, nous pouvons souhaiter obtenir une mesure qui possède tous les attributs d'un système de nombres et qui nous permette d'effectuer sur ces nombres l'ensemble des opérations arithmétiques. En d'autres termes, nous pouvons choisir d'utiliser des échelles de mesure dont les propriétés sont très variées.

Stevens (1946) a identifié quatre échelles principales de mesure fréquemment utilisées en sciences humaines et en sciences physiques :

- l'échelle *nominale* ;
- l'échelle *ordinale* ;
- l'échelle *d'intervalles* ;
- l'échelle *proportionnelle* (aussi appelée *« de rapport »*).

1.1 L'ÉCHELLE NOMINALE

C'est la plus élémentaire des formes de mesure. Comme son nom l'indique, elle consiste essentiellement à *« nommer »* les caractéristiques mesurées. Elle est donc essentiellement qualitative et permet de regrouper dans un même ensemble les observations possédant au moins une caractéristique commune.

Par exemple, si dans un service de soins psychologiques nous regroupons en classes ou en catégories du DSM-IV (*American Psychiatric Association*, 1995), les profils diagnostiques de toutes les personnes qui consultent, nous pourrons dresser un tableau de fréquences ou d'effectifs par catégorie clinique comme le suivant :

- Cyclothymie : 23
- Dépression majeure : 18
- Dysthymie : 3

En statistique, ce type de mesure se présente sous forme de fréquences d'observations appartenant à une même classe. Dans l'exemple précédent, la fréquence des patients consultant pour une dépression majeure est de 18, alors que pour une dysthymie cette fréquence n'est que de 3.

1.2 L'ÉCHELLE ORDINALE

Cette échelle de mesure consiste à mettre en rang les observations, d'où son nom *« échelle ordinale »*. Cette échelle est très répandue en éducation et en psychologie. Par exemple, lorsque les élèves d'un groupe-classe sont mis en rang selon leur score total ou lorsque l'on peut placer en série différentes catégories, qu'elles soient militaires (sergent, colonel, général) ou professionnelles (ingénieur junior, ingénieur senior), nous réalisons une mesure en catégories ordinales.

1.3 L'ÉCHELLE D'INTERVALLES

Dans cette échelle de mesure, il existe une unité constante de mesure de sorte que l'intervalle entre chaque valeur de l'échelle est le même. Cette échelle possède les mêmes propriétés que l'échelle ordinale, mais permet en plus de considérer que les intervalles ou écarts entre les valeurs ne changent en aucun point de l'échelle.

Avec une échelle d'intervalles, il devient possible d'affirmer qu'un écart de 10 entre un score de 40 et un score de 50 à un test est équivalent à un écart de 10 entre un score de 83 et un score de 93. De telles affirmations sont parfois difficiles à soutenir avec les scores des tests que nous employons en éducation et en psychologie, mais l'usage veut que nous agissions dans nos calculs comme si c'était vraiment le cas.

L'échelle d'intervalles possède une limite importante du point de vue métrique : elle ne possède pas de point d'origine absolu ou, si l'on préfère, aucun véritable zéro. Obtenir zéro à un test d'intelligence ne signifie pas que l'on mesure le « vide » d'intelligence. Cette valeur est donc purement arbitraire, comme c'est le cas du zéro dans l'échelle de température que nous utilisons quotidiennement. En degrés centigrades de l'échelle Celsius, la valeur zéro correspond au point de congélation de l'eau au niveau de la mer. Il aurait pu tout aussi bien s'agir du point d'ébullition de l'eau ou de toute autre convention. À titre d'exemple, la valeur 0 de l'échelle Fahrenheit ne correspond pas au point de congélation : sur cette échelle il se situe à 32. En plus d'avoir des points d'origine différents, les échelles Celsius et Fahrenheit possèdent une autre différence : l'unité de mesure de température est différente. Un changement d'une unité centigrade correspond à un changement de 1,8 unité à l'échelle Fahrenheit.

1.4 L'ÉCHELLE PROPORTIONNELLE

On retrouve dans cette échelle de mesure toutes les propriétés d'une échelle à intervalles égaux avec, en plus, un véritable point d'origine, le zéro. Rarement possible en éducation, parfois en psychologie, elle est surtout l'apanage des sciences physiques où les mesures de masse, poids, volume sont constituées d'intervalles égaux et possèdent un véritable zéro. En effet, zéro litre signifie absence de volume, tout comme zéro kilogramme représente une masse nulle. Il existe une échelle proportionnelle de mesure de température : c'est l'échelle des degrés Kelvin, possédant un véritable zéro (correspondant à – 273,15 °C).

Cette échelle mérite de s'appeler « proportionnelle » ou « de rapport » car, du fait de son point d'origine absolu, la quantité « 80 litres » représente bien le double de « 40 litres ». Par contre, on ne peut affirmer qu'un résultat de 120 sur une échelle d'intelligence représente une intelligence deux fois supérieure à un résultat de 60. Dans ce dernier cas, nous sommes plutôt en présence d'une échelle d'intervalles.

1.5 UTILITÉ ET PROPRIÉTÉS DES ÉCHELLES DE MESURE

Psychologues et éducateurs sont partagés quant à la valeur à accorder aux résultats numériques d'un test ou d'un instrument de mesure. Pour certains, le score total est tout au plus une échelle de mesure ordinale. En attribuant le même nombre de points à chaque item d'un test, nous créons l'illusion d'une échelle d'intervalles. Mais est-ce vraiment le cas ? Par exemple, on peut se demander si une personne qui a obtenu un score d'intérêt de 40 par rapport à une autre qui a obtenu un score de 30 manifeste le même écart d'intérêt qu'une personne ayant obtenu 15 par rapport à une autre ayant reçu un 5. Pour affirmer cela, il faudrait mesurer l'intérêt sur une échelle à intervalles égaux.

Pour de nombreux praticiens, il y a cependant de nombreux avantages à utiliser les nombres, tant que nous ne perdons pas de vue que nous opérons sur des valeurs et non sur les réalités qu'elles symbolisent. Dès que, dans un test, nous attribuons arbitrairement un point par question réussie, nous agissons comme s'il s'agissait d'items ayant chacun une importance égale. L'utilisation d'une échelle à intervalles égaux est alors cohérente avec cette procédure, même si elle n'est pas nécessairement conforme à la réalité sous-jacente (Lord, 1953c, p. 751).

Le tableau 2.1 résume les propriétés des échelles de mesure ainsi que les transformations possibles sur ces échelles. Il est important de retenir que les propriétés d'une échelle plus simple sont comprises à l'intérieur d'une échelle plus complexe. Par exemple, toutes les opérations et les transformations sur une échelle ordinale sont possibles à l'intérieur d'échelles d'intervalles ou d'échelles proportionnelles, mais pas à l'intérieur d'échelles nominales.

Comme l'indique le tableau 2.1, une *échelle nominale* ne permet qu'une seule opération : l'équivalence. Tous les éléments d'une même classe sont considérés comme équivalents et l'extension de la classe, ou « *fréquence* », est la seule statistique que l'on puisse calculer. La seule transformation possible est la correspondance terme à terme : si pour des raisons de terminologie, on préfère utiliser la catégorie diagnostique « *psychotique* » plutôt que « *schizophrène* », ou encore la catégorie « *troubles graves de comportement* » plutôt que « *inadapté socio-affectif* », la correspondance est possible si et seulement si celle-ci s'applique à tous les éléments de l'ensemble sans exception.

L'*échelle ordinale* permet d'établir la relation « *plus grand que* » et « *plus petit que* » entre les observations. Elle permet donc d'élaborer des séries. Des transformations sont possibles sur une échelle ordinale, tant et aussi longtemps que nous préservons l'ordre : un tel type de transformation est dit « monotone ». À titre d'exemple, prenons la question d'attitude suivante :

EXEMPLE :

Si vous pouviez disposer d'un programme informatique facile d'usage pour vous aider à évaluer vos élèves, quel service souhaiteriez-vous qu'il vous rende ? Cochez la case appropriée.

1. enregistrer et classer mes propres questions

beaucoup   ☐   ☐   ☐   ☐   ☐   pas du tout

Dans cette échelle de Likert, il importe peu que « *beaucoup* » corresponde à 5, à 4 ou à 10. Ce qui est important, c'est que *beaucoup* corresponde à la valeur la plus élevée (ou la plus faible). Si « *beaucoup* » vaut 5, on peut attribuer aux échelons suivants les valeurs 4, 3, 2 et 1. Ceci signifie que la catégorie « *pas du tout* » se voit

Tableau 2.1 — Opérations et transformations admissibles des échelles de mesure

	Opérations admissibles	Transformations possibles
Échelle nominale	=	Correspondance 1 à 1.
Échelle ordinale	< >	Monotone.
Échelle à intervalles égaux	+ − × ÷	Linéaire.
Échelle proportionnelle	0	Multiplicative.

attribuer un point. Si l'on souhaite que cette dernière corresponde à un zéro arbitraire, on peut opter pour une échelle dont la série de valeurs correspondantes serait
4, 3, 2, 1, 0. De cette manière, le point médian de l'échelle correspond à la valeur
« 2 » ce qui représente exactement la moitié de « 4 », ce qui n'était pas le cas avec
une échelle 5, 4, 3, 2, 1. Toutefois, cette précision n'est qu'apparente. On pourrait
tout aussi bien justifier l'échelle 10, 7, 5, 3, 0 si nous constatons que les gens ont
tendance à choisir les valeurs médianes et si nous souhaitions accorder plus d'importance aux choix extrêmes. Cette transformation est toujours monotone, même si elle
change les intervalles entre les catégories de réponses.

L'*échelle d'intervalles* est sans doute, avec l'échelle proportionnelle, la plus
attrayante. Elle permet en effet de réaliser toutes les opérations arithmétiques sur les
unités de mesure, car celles-ci sont égales. Grâce à ces opérations, il sera possible de
calculer des indicateurs statistiques utiles tels que la moyenne et la variance. Lorsque
l'on décide de transformer une telle échelle, il faut préserver l'égalité des intervalles
et tenir compte du caractère arbitraire du point d'origine. C'est pourquoi seule une
transformation linéaire est possible dans le cas d'échelles d'intervalles. La transformation linéaire prend la forme de l'équation suivante :

$$Y = aX + k \tag{2.1}$$

Une illustration de ce genre de transformation est la transformation des degrés Celsius en degrés Fahrenheit, selon l'équation suivante :

$$F = 1{,}8C + 32 \tag{2.2}$$

Dans l'équation (2.2), la valeur de la constante multiplicative *a* est égale à *1,8*.
Elle représente le nombre d'unités de degrés Fahrenheit dans un degré Celsius. La
constante additive *k* constitue une correction du point d'origine arbitraire : le point
de congélation est *0* en degrés Celsius et *32* en degrés Fahrenheit. De telles transformations linéaires sont fort répandues en éducation et en psychologie lorsque nous
désirons transformer les résultats bruts à un test en une échelle simplifiée. Ces transformations sont discutées en détail dans le chapitre 6, section 2.3.

L'*échelle proportionnelle* permet d'effectuer toutes les opérations arithmétiques sur les intervalles entre les valeurs et sur les valeurs elles-mêmes. Pour transformer les valeurs d'une échelle proportionnelle, il suffit de la multiplier par une
constante. Par exemple, comme il existe un véritable 0 dans toutes les monnaies,
la transformation n'a pas à tenir compte du caractère arbitraire de l'origine. Dans
l'équation (2.1), *k = 0* ce qui revient à poser :

$$Y = aX \tag{2.3}$$

Ce type de transformation est « *multiplicative* ». Par exemple, si un dollar canadien
(1,00 $CND) vaut 0,75 euro, on peut trouver le nombre d'euros correspondant à une
somme exprimée en dollars canadiens en effectuant la multiplication suivante :

$$\text{EUROS} = 0{,}75 \times \text{\$CND} \tag{2.4}$$

Nous effectuons également une transformation multiplicative lorsque nous multiplions par deux les résultats d'un test calculés sur 50 pour les exprimer sur 100 ou
en pourcentage (%).

En résumé, il est important de connaître les propriétés de l'échelle de mesure
employée afin de déterminer le type de transformation qu'il est possible d'effectuer
sur les résultats ainsi que le type de traitement statistique, *paramétrique* ou *non paramétrique* (voir Annexe 1, section 5). Enfin, les échelles de mesure exercent également

une influence sur la manière dont nous pouvons décrire une distribution de résultats, ce qui fait l'objet de la section qui suit.

2. Caractéristiques d'une distribution

Lorsque nous sommes en présence d'un ensemble de résultats, que ce soient les scores à un test, les notes d'un examen ou une série d'autres mesures de grandeurs, nous cherchons habituellement à les résumer et à les représenter graphiquement de manière à saisir l'essentiel de l'information numérique. Une représentation graphique souvent utilisée est l'*histogramme*. La figure 2.1 illustre un tel graphique où des scores ont été regroupés en catégories d'une étendue de 20 points. On peut constater que la distribution des résultats n'est pas parfaitement symétrique. Un grand nombre de valeurs se situent entre 40 et 60 et quelques valeurs seulement s'en éloignent. Les valeurs ont donc tendance à se regrouper vers cette catégorie (40-60) et se dispersent lentement vers les extrémités.

L'observation de cet histogramme nous permet déjà de percevoir de manière intuitive plusieurs caractéristiques essentielles d'une distribution de scores. Ces caractéristiques constituent autant d'indicateurs statistiques que nous allons analyser en détail dans cette section et dans la section 3.

2.1 VALEURS DE TENDANCE CENTRALE

Lorsque nous sommes en présence d'une série de résultats, nous souhaitons habituellement la caractériser au moyen d'indicateurs décrivant la distribution. L'indicateur le mieux connu et sans doute le plus utilisé est la moyenne.

En théorie, la moyenne se définit comme étant l'*espérance mathématique* d'un ensemble de valeurs. C'est donc la valeur qui constitue la meilleure prédiction pour chaque valeur individuelle. En effet, si l'on fait la somme des écarts à la moyenne, l'on obtient toujours 0. On peut dès lors représenter la moyenne μ de la façon suivante :

$$\mu = \varepsilon(X) \tag{2.5}$$

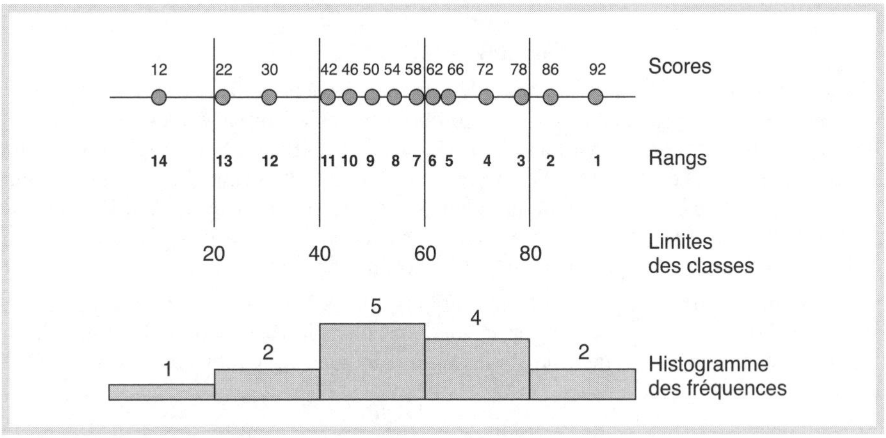

Figure 2.1 — Exemple d'une distribution de fréquences et d'un histogramme

Par exemple, si quelqu'un avait connaissance de la moyenne des résultats avant un examen, il ferait la plus petite erreur de prédiction en attribuant ce score moyen à chacun des répondants. C'est ce qu'illustre l'exemple suivant :

	1	2	3	4	5	Valeurs observées
–	3	3	3	3	3	– Valeurs prédites = moyenne
	– 2	– 1	0	+1	+2	Somme des écarts au carré = 0

En pratique, la moyenne $\overline{X}$ est toutefois mieux connue par sa procédure de calcul. L'équation suivante nous indique que pour calculer une moyenne d'une distribution de scores, il faut additionner chacune des valeurs de la distribution et en diviser la somme par le nombre de valeurs n.

$$\overline{X} = \frac{\sum X}{n} \tag{2.6}$$

Les deux autres valeurs de tendance centrale les plus employées sont le mode et la médiane. Observez les deux séries de valeurs suivantes :

Série A : 1 3 3 3 5

Série B : 1 2 3 4 5

Ces deux séries possèdent la même moyenne, mais dans le cas de la série A, l'un des scores apparaît beaucoup plus fréquemment. Ce score le plus fréquent d'une distribution est ce que nous appelons le *mode*. Dans la série A, le mode vaut 3. Comme toutes les valeurs ont la même fréquence dans la série B, il n'y a pas de mode.

Le calcul du mode est relativement simple. Dans une première étape, il faut calculer la fréquence de tous les scores. Le score dont la fréquence est la plus élevée constitue le mode. Par exemple, dans le cas des données de la figure 2.1, le mode correspond à l'intervalle de scores entre 40 et 60 (fréquence = 5). Le point milieu de cet intervalle étant 50, nous dirons que le mode de cette distribution vaut 50.

Voici deux nouvelles séries. Ces deux séries sont séparées au centre par le même score de 3.

Série A : 1 2 3 4 5

Série B : 1 2 3 4 15

Nous dirons que ces deux séries possèdent la même *médiane*. En effet, dans les deux cas, la valeur 3 sépare chaque série de nombres en deux moitiés égales : il y a autant de scores au-dessus qu'en dessous de 3 dans les deux séries. Par contre, la moyenne de la série B est beaucoup plus élevée. Elle tient compte non seulement de la position des nombres, mais aussi de leur grandeur ou poids relatif dans la distribution. La moyenne de la série A est égale à 3, alors que celle de la série B est égale à 5. Cette différence est imputable à une seule valeur extrême, le score 15.

Pour calculer la médiane, il faut d'abord placer les données en rangs. Ensuite, il faut calculer le rang occupé par la médiane dans la distribution. Le rang de la médiane est fourni par l'équation suivante où n indique le nombre de données mises en rang :

$$\text{rang}_{\text{méd.}} = \frac{1 + n}{2} \tag{2.7}$$

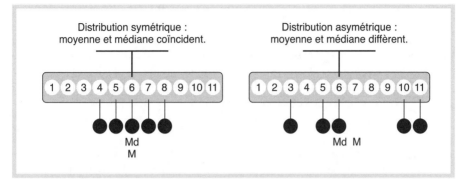

Figure 2.2 — Illustration d'un centre de position et d'un centre d'équilibre
sur une balance à fléau

Dans la figure 2.1, la médiane occupe le rang (1+14)/2, soit le rang 7,5. La médiane correspond donc au score qui se situe entre celui qui occupe le rang 7 (54) et celui qui occupe le rang 8 (58). Par intrapolation, nous prendrons le point milieu entre ces deux scores et dirons que la médiane vaut 56.

Ces propriétés différentes de la moyenne et de la médiane font que la médiane est considérée comme le « *centre de position* » alors que la moyenne est le « *centre de gravité* » d'une distribution de scores. Les propriétés particulières de ces deux valeurs de tendance centrale nous sont fort utiles lorsque nous devons apprécier le degré de symétrie d'une distribution de scores. En effet, lorsque la moyenne et la médiane coïncident, la distribution est généralement symétrique. Par contre, lorsqu'il y a un écart entre la moyenne et la médiane, il y a asymétrie dans la distribution des résultats.

La figure 2.2 utilise deux balances pour illustrer le phénomène de la symétrie (à gauche) et de l'asymétrie (à droite). Dans la première balance, les poids sont suspendus également de part et d'autre du centre de position. Le fléau de la balance est en équilibre, car le centre de position et le centre de gravité coïncident. Dans la seconde balance, un poids est déplacé à une extrémité. Pour rétablir l'équilibre, il faut déplacer le pivot de la balance vers le centre de gravité. Tous, dans notre enfance, nous avons connu ce phénomène de la bascule où, pour jouer avec un enfant plus lourd ou plus léger, il fallait déplacer le pivot de la bascule. Moyenne et médiane d'une distribution symbolisent le même phénomène dans une distribution de scores. La moyenne est influencée par le poids relatif de chaque score, alors que le point milieu (situé à 6 dans la figure 2.2) n'est pas influencé par les autres valeurs.

2.2 AUTRES VALEURS IMPORTANTES D'UNE DISTRIBUTION DE SCORES

En plus des valeurs du mode, de la médiane et de la moyenne, d'autres scores occupent des positions intéressantes à l'intérieur d'une distribution. Il s'agit des *quartiles* qui divisent une distribution de scores en quatre parties égales, des *déciles* et des *centiles* qui divisent une distribution respectivement en 10 et 100 parties égales. Tout comme la médiane, ce sont des valeurs de position qui requièrent que nous placions les données en rang.

Ces valeurs de position permettent de situer rapidement une personne par rapport à un groupe de référence. Obtenir un résultat de 19/25 peut signifier plusieurs choses. Informer une personne qu'elle est la trentième de son groupe ne lui apprend rien si elle ignore combien de personnes ont été évaluées. En effet, occuper le trentième rang sur 100 est loin de représenter une performance comparable à celle qui consisterait à occuper le trentième rang sur 1000. Si, par contre, nous savons que le score 19 occupe le rang centile 82, alors nous savons que pour chaque tranche de 100 personnes évaluées, 82 obtiennent un score inférieur ou égal à 19.

Le rang centile RC d'un score est donné par la formule suivante :

$$RC = \frac{fc + 0{,}5f}{N} \times 100 \qquad (2.8)$$

où fc représente le nombre de personnes ayant obtenu moins que le score et f représente le nombre de personnes ayant obtenu un score égal à celui dont on cherche le rang centile. N représente le nombre de scores de la distribution.

En guise d'exemple, calculons le rang centile du score 30 de la distribution de scores de la figure 2.1. Deux personnes ont obtenu moins de 30 et une seule a obtenu exactement 30. Par conséquent, $fc = 2$ et $f = 1$. En substituant ces valeurs dans la formule précédente, nous trouvons :

$$RC = \frac{(2 + 0{,}5 \times 1)}{14} = \frac{2{,}5}{14} \cong 18$$

La valeur obtenue est arrondie à l'entier le plus proche. Un rang centile de 18 signifie donc que 18 % des sujets ont obtenu un score inférieur ou égal à 30.

La mise en rangs centiles correspond au besoin de rapporter à une échelle pratique – dans ce cas-ci de rangs – les scores d'une distribution. Ce genre de transformation est semblable à celle que nous effectuons lorsque nous ramenons un score à une échelle de pourcentages. Un score de 10 sur 15 correspond à un pourcentage de 67 % alors qu'un score de 10 sur 20 correspond à 50 %. Dans le cas du calcul des centiles, il ne faut pas oublier que ce n'est pas une transformation du score qui est en jeu, mais une transformation de son rang.

À partir du rang centile, il est possible de déterminer d'autres points intéressants au sein d'une distribution. Les quartiles 1, 2 et 3, par exemple, sont les valeurs des scores qui correspondent aux rangs centiles 25, 50 et 75. Les déciles 1, 2 et suivants correspondent aux centiles 10, 20 et suivants. La médiane correspond au rang centile 50 ou si l'on préfère au décile 5 ou encore au quartile 2.

2.3 VALEURS DE DISPERSION

Nous avons cependant besoin d'autres valeurs en plus de la tendance centrale pour définir de façon précise une distribution de scores. Observons les deux séries de scores suivantes :

Série A : 1 2 3 4 5

Série B : 2 2 3 4 4

Même si les deux séries ont la même moyenne et la même médiane, la dispersion des résultats n'est pas la même. Le moyen le plus simple de s'en rendre compte est de calculer la différence entre le maximum et le minimum de chaque série. L'écart est de 4 dans la série A et de 2 dans la série B. Pour être tout à fait rigoureux, il faudrait tenir compte de l'étendue entourant chaque valeur discrète. Le véritable minimum n'est pas 1, mais sa borne inférieure sur une échelle continue, soit 0,5.

De même pour le maximum, la valeur supérieure de la borne du score 5 est 5,5. Une première valeur de dispersion d'une série de scores nous est donc donnée par l'*étendue (E),* que nous calculons de la manière suivante pour les raisons énoncées précédemment :

$$E = (\text{Max} - \text{Min}) \qquad (2.9)$$

L'étendue de la série A vaut donc 5 (soit 5,5 – 0,5). Toutefois, cette valeur n'est pas très précise comme indice de dispersion. Elle ne tient compte que des scores extrêmes, ce qui n'est pas très représentatif. Dans l'exemple suivant, les séries A et B ont les mêmes valeurs de tendance centrale (moyenne, médiane) et les mêmes étendues.

Série A : 1 2 3 4 5

Série B : 1 1 3 5 5

Pourtant, ces deux séries présentent des dispersions différentes. Dans la série « A », les valeurs 2 et 4 s'écartent moins de la valeur de tendance centrale que les valeurs 1 et 5. Dans la série « B », les valeurs sont plus extrêmes, bien que réparties de manière symétrique de part et d'autre de la moyenne.

En supposant que ces valeurs soient des mesures d'intervalles, pouvons-nous calculer un indice numérique de la dispersion autour de la moyenne ? La somme des écarts à la moyenne serait en apparence toute indiquée. Elle n'est cependant d'aucune utilité puisque, comme nous l'avons déjà démontré, cette somme vaut 0. En élevant les valeurs des écarts au carré, il est possible d'obtenir une somme non nulle car les valeurs négatives élevées au carré deviennent positives. En divisant cette somme des écarts au carré par le nombre total de valeurs, nous obtenons une valeur moyenne de dispersion qui n'est pas influencée par le nombre d'écarts. Cet indice de dispersion se nomme la *variance*. Le tableau 2.2 en fournit un exemple de calcul.

L'ensemble des opérations nécessaires au calcul de la variance trouve sa traduction symbolique dans l'équation suivante :

$$s^2 = \frac{\sum (X - \overline{X})^2}{n} \qquad (2.10)$$

où X représente les scores observés, $\overline{X}$ représente la moyenne des scores et n le nombre total de scores. La lettre s élevée au carré est, par convention, la façon dont

Tableau 2.2 — Exemple de calcul de la variance

	1	2	3	4	5	Valeurs observées
–	3	3	3	3	3	– Moyenne
	– 2	– 1	0	1	+2	Écarts à la moyenne
	4 +	1 +	0 +	1 +	4	Écarts à la moyenne au carré
			10			Somme des écarts au carré
			$\frac{10}{5} = 2$			Moyenne des écarts au carré = Variance

on symbolise la variance. Elle nous rappelle que la variance est un indice de dispersion qui s'exprime en unités au carré. C'est pourquoi il est parfois préférable d'utiliser l'écart type *s* qui exprime la dispersion dans le même système d'unités que la moyenne. L'écart type n'est autre que la racine carrée de la variance :

$$s = \sqrt{\frac{\sum (X - \bar{X})^2}{n}} \tag{2.11}$$

Il arrive que dans le calcul de l'écart type et de la variance, nous divisions la somme des écarts au carré par *n-1* plutôt que par *n*. Cette situation se produit chaque fois que nous désirons estimer la valeur de dispersion de la population plutôt que de calculer la valeur de dispersion de notre seul échantillon. Cette différence dans le calcul de la variance et de l'écart type ne change pas beaucoup les valeurs lorsque le nombre d'observations impliquées est relativement grand, mais lorsque la valeur de *n* est petite, la correction peut être importante. Quoique les notions d'inférence statistique ne soient expliquées qu'en Annexe 1, disons simplement que l'on voudra diviser la somme des carrés par *n* − 1 chaque fois que nous voulons obtenir une valeur « conservatrice » de la dispersion. Bref, chaque fois que l'on désire une estimation prudente de la dispersion d'un échantillon et chaque fois que nous cherchons à déterminer la dispersion des résultats non pas seulement de notre échantillon, mais de tout échantillon similaire de même taille, il est approprié de diviser par *n* − 1. Autrement, la division par *n* est adéquate pour décrire la dispersion des données de l'échantillon en présence.

L'écart type de la population estimé à partir de l'échantillon, $\hat{s}$, (notez l'accent circonflexe sur le *s* pour signifier qu'il s'agit d'une estimation de la valeur de la population) se définit donc ainsi :

$$\hat{s} = \sqrt{\frac{\sum (X - \bar{X})^2}{n - 1}} \tag{2.12}$$

En plus de l'écart type et de la variance, il existe un autre indicateur pratique de la dispersion des résultats qui tient compte de la position des valeurs plutôt que de leur grandeur relative. Cet indice de dispersion convient particulièrement à des mesures ordinales : c'est l'*intervalle semi-interquartile*. Il s'agit en fait de calculer l'étendue entre deux positions particulièrement significatives autour de la médiane : le premier et le troisième quartile. Comme l'illustre la figure 2.3, l'étendue entre le troisième et le premier quartile nous donne une indication de la dispersion de 50 % des valeurs autour de la médiane.

Tout comme la médiane, les quartiles ne sont pas influencés par le poids des valeurs extrêmes. Substituez 9 à 12 et 30 à 25 dans l'exemple précédent et l'intervalle interquartile ne change pas. Cette mesure est donc principalement utile pour juger de la dispersion des scores à proximité de la médiane. Toutefois, cet indice de dispersion est moins représentatif que l'écart type puisqu'il est calculé à partir de la moitié des scores seulement. Par convention, c'est la moitié de l'étendue de l'intervalle interquartile qui sert d'indice de dispersion. L'équation décrivant la procédure de calcul de l'intervalle semi-interquartile est la suivante :

$$I = \frac{Q_3 - Q_1}{2} \tag{2.13}$$

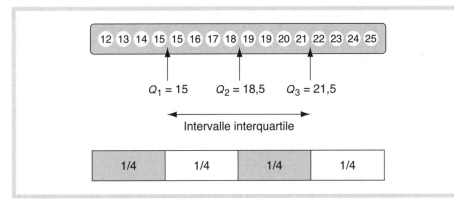

Figure 2.3 — Illustration de l'intervalle semi-interquartile d'une distribution

Dans cette dernière équation, l'intervalle semi-interquartile I est calculé en divisant par deux l'écart entre le troisième quartile Q_3 et le premier quartile Q_1. Lorsque l'écart entre le premier quartile et la médiane est différent de l'écart entre le troisième quartile et la médiane, c'est le signe d'une accumulation des scores d'un côté ou de l'autre de la médiane.

Pour calculer la valeur de l'intervalle semi-interquartile de l'exemple de la figure 2.3, nous devons substituer les valeurs du troisième et du premier quartile dans l'équation (2.13). La valeur du premier quartile est 15, celle du troisième quartile est 21,5 (valeur médiane entre 21 et 22). Nous obtenons alors le résultat suivant :

$$I = \frac{21{,}5 - 15}{2} = 3{,}25 \tag{2.14}$$

2.4 Valeurs d'asymétrie

Les valeurs de tendance centrale et de dispersion nous permettent de décrire avec précision une distribution de scores. Mais là encore, d'importantes informations nous manquent pour décrire complètement la distribution des résultats. L'une de ces informations a trait au degré d'asymétrie. Observez bien les deux séries suivantes :

Série A : 1 1 5 9 9

Série B : 1 1 5 8 10

Ces deux séries de scores ont la même moyenne (5), et la même variance (13). Pourtant, la distribution des résultats est symétrique dans la série A, alors qu'elle est asymétrique dans le cas de la série B. Nous avons besoin d'un nouvel indicateur qui nous renseigne sur le degré d'asymétrie d'une distribution de résultats.

La procédure la plus simple pour estimer le degré d'asymétrie d'une distribution est de comparer les valeurs de la moyenne et de la médiane. Lorsque la moyenne est plus grande ou plus petite que la médiane, c'est le signe évident d'une asymétrie des résultats. Prenez en considération les deux séries de données suivantes :

Série C : 3 4 5 6 7

Série D : 1 2 7 7 8

Dans les deux séries, les moyennes sont identiques (5). Cependant, la médiane de la série D est supérieure à celle de la série C. La médiane pour C est de 5, alors que la valeur de la médiane en D est 7. Lorsque la moyenne est inférieure à la médiane, nous parlons d'*asymétrie négative*. Dans le cas où elle est supérieure à la médiane, nous parlons d'*asymétrie positive*. Par contre, lorsque médiane et moyenne coïncident, on ne peut pas conclure qu'il y a nécessairement symétrie. Dans les séries A et B précédentes, médiane et moyenne sont égales sans pour autant que les deux distributions soient symétriques.

Une asymétrie négative est le signe d'un entassement des valeurs au-dessus de la moyenne et d'un nombre réduit de valeurs beaucoup plus petites. Une asymétrie positive est le signe d'un entassement des valeurs plus petites et d'un petit nombre de valeurs très élevées. La figure 2.4 représente les formes caractéristiques de chacune de ces distributions.

L'observation de la figure 2.4 permet de constater l'étalement des scores à l'une des extrémités de chaque distribution asymétrique. On peut donc compter sur l'observation de la distribution des résultats pour évaluer l'asymétrie d'une distribution de scores. Cette façon de procéder demeure toutefois approximative, tout comme la comparaison des valeurs de la moyenne et de la médiane. On peut être plus précis en calculant plusieurs indices numériques d'asymétrie. L'un des ces indices met à profit l'écart entre la médiane Md et la moyenne $\overline{X}$ dans une distribution asymétrique :

$$A = \frac{3(\overline{X} - Md)}{s} \tag{2.15}$$

Dans cette équation, s symbolise l'écart type et A la valeur d'asymétrie recherchée.

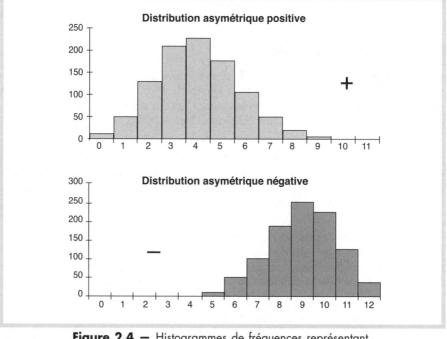

Figure 2.4 — Histogrammes de fréquences représentant des distributions asymétriques

Un autre indice met à profit l'étalement des scores autour de la médiane. Plus la distribution est asymétrique plus il y aura une grande différence entre l'étendue des scores $Q_3 - Md$ et $Q_1 - Md$. C'est ce qu'illustre la figure 2.5.

On y constate un étalement des valeurs faibles et un regroupement des valeurs au-dessus de la moyenne. La distribution de fréquences de la figure 2.5 a été découpée exactement en quatre parties, chaque partie étant noircie par un ton de gris différent. Comme il y a en tout 48 sujets, chaque partie en différents tons de gris rend compte des résultats de 12 sujets. On constate que les 12 premiers sujets (scores inférieurs au premier quartile) ont obtenu des résultats entre 1 et 4 (étendue de 4). Les 12 sujets suivants, qui ont obtenu un score entre le premier et le deuxième quartile, sont beaucoup moins dispersés : leurs scores s'étendent entre 5 et 6 (étendue de 2). Entre le deuxième quartile et le troisième quartile, l'étendue des scores n'est plus que de 1 car 12 des 48 sujets ont obtenu le même score de 7. Comme on peut le constater sur cette figure, une asymétrie négative va se traduire par un plus grand étalement des valeurs sous la médiane et par une concentration des valeurs au-dessus.

Ces propriétés des étendues interquartiles ont donné lieu à un autre procédé de calcul de l'asymétrie, particulièrement approprié dans le cas de données ordinales. Ce procédé est plus précis que celui décrit dans (2.15) car il fait intervenir davantage de données (80 % au lieu de 50 %) et qu'il n'est pas sensible à la valeur relative des scores extrêmes. Au lieu de limiter la mesure de la dispersion autour de la médiane aux quartiles 1 et 3, ce procédé l'étend au centile 10 et au centile 90 de manière à inclure un plus grand nombre de valeurs. Le même raisonnement s'applique tout comme dans l'exemple de la figure 2.5. Il est toutefois relativement simple à calculer une fois que l'on dispose des valeurs du centile 90 (C_{90}) et du centile 10 (C_{10}) :

$$A = \frac{C_{90} + C_{10}}{2} - C_{50} \tag{2.16}$$

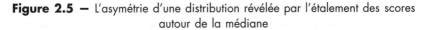

Figure 2.5 — L'asymétrie d'une distribution révélée par l'étalement des scores autour de la médiane

La valeur la plus rigoureuse de calcul de l'asymétrie est sans doute celle qui tient compte de la totalité des valeurs. L'asymétrie est alors obtenue de la façon suivante :

$$A = \frac{n}{(n-1)(n-2)} \sum \left(\frac{X_j - \overline{X}}{s} \right)^3 \qquad (2.17)$$

où $s = \sqrt{\dfrac{\sum (X - \overline{X})^2}{n-1}}$

Cette valeur d'asymétrie vaut 0 lorsque la distribution est symétrique. Elle prend des valeurs négatives ou positives d'autant plus élevées que le degré d'asymétrie est prononcé dans un sens ou l'autre de la distribution des résultats.

2.5 VALEURS DE VOUSSURE DE LA DISTRIBUTION

On pourrait croire que les valeurs de tendance centrale, de dispersion et d'asymétrie suffisent à caractériser une distribution. Ce serait oublier une autre caractéristique de la distribution des résultats qui nous renseigne sur le degré d'homogénéité des scores. Visuellement, cette quatrième caractéristique se présente comme le degré de voussure plus ou moins prononcé de la distribution des résultats. Il est possible de calculer un indicateur numérique de ce degré de voussure ou d'aplatissement : la *kurtose*. Observez les deux séries de scores suivantes :

Série A : 3 3 4 5 6 7 7

Série B : 2 5 5 5 5 5 8

Ces deux séries ont mêmes moyennes, mêmes médianes, mêmes variances et elles sont toutes deux symétriques. Pourtant, elles sont manifestement différentes. Dans la série A, les valeurs sont dispersées sur toute l'étendue des scores de la distribution. Cette étendue n'est pas aussi grande que celle de la série B, mais dans la série A, presque toutes les valeurs contribuent à la dispersion des résultats (sauf le 5). Dans la série B, le même score se répète souvent et la variance des résultats n'est imputable qu'à deux cas extrêmes (les valeurs 2 et 8).

La kurtose mesure le degré d'aplatissement d'une distribution. On en distingue trois types et la figure 2.6 fournit une illustration de chacune :

- la distribution *leptokurtique*, élancée, concentrant un grand nombre de scores près de la moyenne ;
- la distribution *platykurtique*, aplatie, se caractérisant par un étalement des scores ;
- la distribution *mésokurtique*, représentant une situation intermédiaire entre les deux précédentes.

La figure 2.7 montre comment l'on peut avoir une idée du degré de voussure d'une distribution en calculant le rapport de deux étendues significatives. La première étendue porte sur l'intervalle semi-interquartile et nous renseigne sur le degré de dispersion des scores près de la moyenne. La seconde porte sur l'intervalle entre C_{90} et C_{10} et est davantage influencée par les valeurs extrêmes. Lorsqu'une distribution est leptokurtique, la première étendue est très petite par rapport à la seconde. Par contre, lorsque les valeurs sont fortement étalées, le rapport entre les deux étendues s'accroît. La formule suivante décrit un premier mode de calcul de la kurtose n'utilisant que

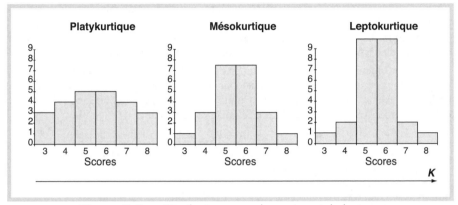

Figure 2.6 — Distributions en ordre croissant de kurtose

les valeurs de position des scores. Cette formule est particulièrement adéquate dans le cas de mesures ordinales :

$$K = \frac{\left(C_{75} - C_{25}\right)/2}{C_{90} - C_{10}} \tag{2.18}$$

En substituant dans l'équation (2.18) les valeurs correspondantes de la figure 2.7, nous obtenons :

$$K = \frac{\left(6,5 - 4,5/2\right)}{\left(8,5 - 2,5\right)} = \frac{1}{6} = 0,1667$$

Une distribution est considérée comme mésokurtique lorsque la valeur de K est voisine de 0,2632. Elle sera considérée comme leptokurtique lorsque $K < 0,2632$ et comme platykurtique lorsque $K > 0,2632$. Le principal avantage de cette formule est de permettre de se faire rapidement une idée du degré de voussure d'une distribution

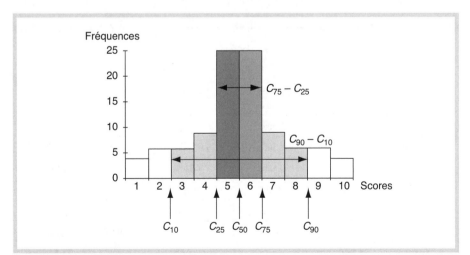

Figure 2.7 — Calcul de la kurtose à partir des rangs (quartiles et déciles) d'une distribution

à partir du calcul de quatre valeurs importantes de rangs centiles. Dans le cas de la figure 2.7, la valeur K est nettement inférieure à 0,2632 et indique une distribution leptokurtique. Ceci nous confirme ce que nous pouvions déjà observer : la nature élancée et clairement leptokurtique de la distribution des résultats.

Pour obtenir une estimation plus précise de l'aplatissement d'une distribution, on peut, tout comme nous l'avons fait pour le calcul de l'asymétrie faire intervenir toutes les valeurs de la distribution et tenir compte de leur importance relative. Le calcul de la kurtose s'effectue alors de la manière suivante :

$$K = \left\{ \frac{n(n+1)}{(n-1)(n-2)(n-3)} \sum \left(\frac{X_j - \overline{X}}{s} \right)^4 \right\} - \frac{3(n-1)^2}{(n-2)(n-3)} \qquad (2.19)$$

où $s = \sqrt{\dfrac{\sum (X - \overline{X})^2}{n-1}}$

Notez bien que la valeur de kurtose fournie par l'équation (2.19) n'est pas sur la même échelle que celle de l'équation (2.18). Dans le cas de l'équation (2.19), une

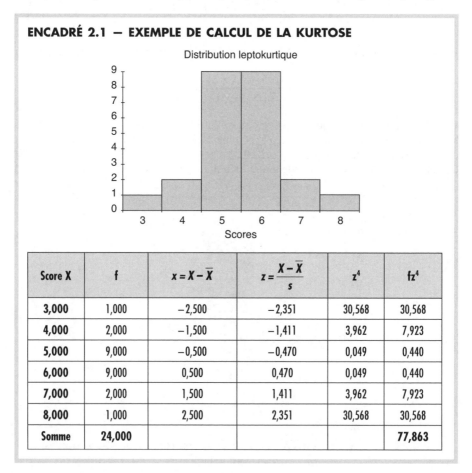

ENCADRÉ 2.1 — EXEMPLE DE CALCUL DE LA KURTOSE

Distribution leptokurtique

Score X	f	$x = X - \overline{X}$	$z = \dfrac{X - \overline{X}}{s}$	z^4	fz^4
3,000	1,000	−2,500	−2,351	30,568	30,568
4,000	2,000	−1,500	−1,411	3,962	7,923
5,000	9,000	−0,500	−0,470	0,049	0,440
6,000	9,000	0,500	0,470	0,049	0,440
7,000	2,000	1,500	1,411	3,962	7,923
8,000	1,000	2,500	2,351	30,568	30,568
Somme	24,000				77,863

distribution est considérée comme mésokurtique lorsque $K = 0$. Lorsque $K > 0$, elle est leptokurtique et lorsque $K < 0$, elle est platykurtique. L'encadré 2.1 fournit un exemple de calcul de la kurtose à partir de l'équation (2.19). En substituant les valeurs numériques de l'encadré 2.1 aux variables de l'équation (2.19) nous trouvons une valeur calculée de la kurtose de 0,96, ce qui confirme le caractère leptokurtique de la distribution. Voici comment ce résultat a été obtenu en substituant les valeurs de l'encadré 2.1 dans l'équation 2.19 :.

$$K = \left\{ \frac{25 \times 24}{23 \times 22 \times 21} \times 77,863 \right\} - \frac{3 \times 23^2}{22 \times 21}$$

$$K = \left\{ \frac{600}{10\ 626} \times 77,863 \right\} - \frac{1\ 587}{462}$$

$$K = 4,3966 - 3,4351 = 0,962$$

2.6 Autres méthodes de représentation graphique des données

Jusqu'ici, nous nous sommes restreints à un seul mode de présentation des données : l'histogramme des fréquences. Cette méthode de présentation graphique est adéquate dans la mesure où nous n'avons pas d'objection particulière à regrouper les données en catégories. L'histogramme de fréquences nous fournit alors un aperçu rapide de la distribution des résultats.

Lorsque nous voulons retenir les valeurs individuelles des données, le *diagramme en feuilles* constitue une alternative à l'histogramme des fréquences. Tout comme l'histogramme, il repose sur un dénombrement des valeurs. Il existe plusieurs variantes de ce type de diagramme, mais pour l'essentiel il est constitué de *tiges* et de *feuilles*. Les tiges sont choisies pour regrouper les valeurs par tranches (de 10, de 100, etc.) sur lesquelles se greffent les feuilles en unités plus petites. La figure 2.8 représente un diagramme en feuilles typique.

Le diagramme en feuilles de la figure 2.8 se présente comme un histogramme que l'on aurait choisi de présenter horizontalement, couché sur son ordonnée Y. On reconnaît rapidement une distribution symétrique des résultats. Les tiges sont constituées des dizaines que l'on a séparées en deux : les dizaines associées aux valeurs 0 à 4 (1* 2* 3* 4* et 5*) et les dizaines associées aux valeurs 5 à 9 (1. 2. 3. 4. 5.). L'avantage de ce mode de présentation est de conserver les valeurs individuelles. C'est ainsi que nous réalisons qu'il n'y a ni valeur 46, ni valeur 48, ni valeurs de 51 à 53. Il est facile avec ce graphique de calculer toutes les valeurs de position. Sachant qu'il y a 69 valeurs, la médiane occupera donc le rang 35 [(69+1) / 2 = 35]. Comme les données sont déjà mises en ordre, il n'y a qu'à remonter d'une extrémité ou l'autre du diagramme jusqu'à la valeur dont le rang est 35 pour découvrir que la médiane est 33. Le même procédé permet de retrouver aussi rapidement les autres valeurs importantes de position telles que les quartiles, déciles ou autres.

Parfois, nous ne sommes pas intéressés par l'ensemble des valeurs individuelles d'une distribution. C'est le cas lorsque la dispersion des valeurs constitue notre principale préoccupation, en particulier celle des valeurs extrêmes. Dans de tels cas, le *diagramme en boîte* constitue une alternative au diagramme en feuilles ou à l'histogramme de fréquences. Le diagramme en boîte illustre la dispersion des

Tige	Feuilles	Fr.
1*	00	2
1.	55666	5
2*	01122334	8
2.	55566667899	11
3*	011112333333444	15
3.	556666699999	12
4*	12222444	8
4.	57799	5
5*	04	2
5.	9	1

Figure 2.8 — Diagramme en feuilles

données autour de la médiane ainsi qu'aux extrémités. La boîte rectangulaire est définie à chaque extrémité par le premier et le troisième quartile *(Q₃ et Q₁)*, et le trait à l'intérieur de la boîte représente la médiane. La boîte est prolongée à chaque extrémité par des traitillés ou *moustaches* au-delà desquels se situent les valeurs extrêmes ou aberrantes.

La définition des valeurs extrêmes peut varier d'un auteur à l'autre. C'est pourquoi les diagrammes en boîte peuvent être différents selon les programmes de calcul. Une définition répandue, due à Tukey (1977), veut que l'on considère comme aberrantes toutes valeurs situées au-delà d'une étendue appelée « saut » équivalant à *1,5* fois l'intervalle interquartile en dessous de Q_1 ou au-dessus de Q_3. De plus, les moustaches sont prolongées de part et d'autre de la boîte jusqu'à la valeur la plus petite et jusqu'à la valeur la plus grande comprise à l'intérieur du « saut ». Les valeurs à l'extérieur de cette étendue seront considérées comme des cas extrêmes et seront représentées par un symbole particulier, tel un astérisque (*).

La figure 2.9 présente le diagramme en boîte des données de la figure 2.5. Les extrémités de la boîte sont bien situées aux valeurs de $Q_1 = 4,5$ et de $Q_3 = 7,5$. Le trait intérieur représentant la médiane correspond bien à la valeur 6,5. L'intervalle interquartile vaut 3 ($Q_3 - Q_1 = 7,5 - 4,5 = 3$) et l'étendue du saut sera par conséquent égale à 1,5 × 3 = 4,5. Les valeurs extrêmes seront donc situées au-dessus de la valeur Q_3 plus un saut de 4,5 et au-dessous de la valeur de Q_1 moins un saut de 4,5. On définit ainsi comme extrêmes les valeurs supérieures à $Q_3 + 4,5$ = *7,5 + 4,5 = 12* ou inférieures à $Q_1 - 4,5 = 4,5 - 4,5 = 0$. Quant aux moustaches, elles s'étendent de la plus petite valeur à la plus grande valeur des données comprises entre 0 et 12 : soit entre 1 et 9, car il n'y a aucune valeur plus grande que 9 ou plus petite que 1.

Le diagramme en boîte de la figure 2.9 réussit bien à capter l'essence de la distribution des résultats. On voit clairement que la distribution est asymétrique négative et qu'elle ne comporte aucune valeur extrême. L'asymétrie est évidente au centre de la distribution, car la médiane ne se situe pas exactement au milieu de la boîte. Elle est également visible par l'étalement des moustaches, plus marqué vers les valeurs faibles.

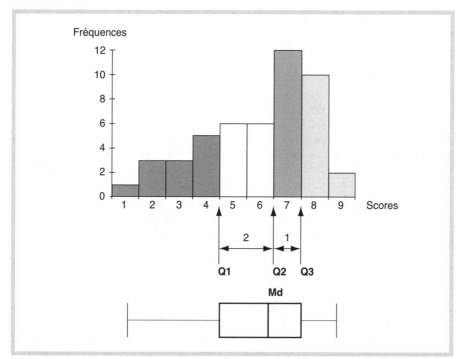

Figure 2.9 — Diagramme en boîte et histogramme de fréquences correspondant

Malgré ses avantages, le diagramme en boîte possède un inconvénient de taille : il ne permet pas de différencier les distributions possédant plus d'un mode. La représentation de l'étalement des valeurs autour de la médiane peut contribuer à voiler l'existence d'un second mode, comme c'est le cas d'une distribution bimodale. Seul un histogramme de fréquences ou un diagramme en feuilles pourrait nous révéler l'existence de plus d'un mode. Comme cette situation ne se produit que rarement, le diagramme en boîte demeure particulièrement attrayant par sa simplicité. Il faut toutefois être sensible à cette limite et au fait que des programmes différents de calcul peuvent définir autrement les valeurs extrêmes.

2.7 SYNTHÈSE ET APPLICATION

En résumé, pour tirer vraiment profit de l'étude d'une distribution de fréquences, nous avons besoin de calculer quatre valeurs qui nous permettent de la caractériser :

1. Une valeur de *tendance centrale* : c'est un indice de la valeur vers laquelle tend l'ensemble des résultats.

2. Une valeur de *dispersion* des résultats : c'est un indice du degré d'écart des résultats à la valeur de tendance centrale.

3. Une valeur de *symétrie :* cet indice permet de déterminer si les résultats se distribuent également de part et d'autre de la valeur de tendance centrale.

4. Un indice de *kurtose* : cet indice permet de déterminer si une proportion importante des résultats se regroupe autour de la valeur de tendance centrale ou si

les résultats sont dispersés de manière plus ou moins égale dans l'ensemble de la distribution.

Pour calculer ces valeurs, il faut tenir compte de la nature de l'échelle de mesure des résultats puisque celle-ci limite les opérations et les transformations que l'on peut effectuer sur les nombres. Le tableau 2.3 présente un résumé de ces principaux indicateurs pour chaque échelle de mesure.

Il est important de déterminer si les caractéristiques d'une distribution de résultats correspondent bien à l'usage projeté. Dans bien des cas, une distribution normale, symétrique et mésokurtique, fera l'affaire. Elle représente en effet une situation intermédiaire entre des cas extrêmes d'asymétrie et de voussure. Pourtant, il existe des situations où l'on préférerait obtenir un autre type de distribution afin de pouvoir mieux discriminer entre certains individus appartenant à une catégorie bien précise.

Dans les situations extrêmement compétitives de sélection, une distribution asymétrique positive est généralement préférable. Pour accorder un emploi par voie de concours, nous sommes intéressés par une distribution de fréquences où la plupart des participants auront des résultats très faibles et où un très petit nombre de personnes auront des résultats élevés s'étalant sur la plus grande étendue possible de scores. C'est en donnant un test très difficile que l'on parvient généralement à obtenir une distribution asymétrique positive.

Parfois, comme dans les institutions scolaires, nous sommes intéressés à identifier le petit groupe d'élèves qui ne possèdent pas les pré-requis nécessaires d'apprentissage ou encore qui éprouvent des difficultés. Dans ce cas, nous aurons plutôt tendance à donner un examen très facile, qui sera réussi par l'ensemble des élèves et que ceux-là mêmes qui éprouvent des difficultés échoueront. Un tel examen est fort susceptible de présenter une distribution asymétrique négative.

L'asymétrie nous permet d'accroître la discrimination à une seule extrémité d'une distribution. Dans le cas d'une évaluation-bilan, il peut être nécessaire de discriminer également aux deux extrémités d'une distribution. Par exemple, lorsqu'un psychologue utilise un test d'intelligence, il est intéressé d'obtenir le maximum de discrimination possible à chaque extrémité : autant parmi les valeurs très basses qui peuvent servir au classement en institution que parmi les valeurs très élevées qui peuvent décider d'une promotion ou d'un cheminement scolaire particulier. C'est dans ce genre de situation qu'il est préférable d'obtenir une distribution symétrique des résultats.

Le degré de voussure d'une distribution nous informe sur le degré de discrimination que l'on peut escompter sur l'ensemble d'une distribution et en particulier, au centre de celle-ci. Une distribution leptokurtique est le signe de résultats homogènes

Tableau 2.3 — Les quatre caractéristiques d'une distribution selon l'échelle de mesure

	Tendance centrale	Dispersion	Asymétrie	Voussure
Échelle nominale	Mode			
Échelle ordinale	Médiane	Intervalle semi-interquartile	Asymétrie (équation 2.16)	Kurtose (équation 2.18)
Échelle d'intervalles	Moyenne	Variance Écart type	Asymétrie (équation 2.17)	Kurtose (équation 2.19)

où il est très difficile de différencier les individus près de la moyenne. Une distribution platykurtique est le signe de résultats hétérogènes qui permettent de mieux différencier les individus au centre de la distribution. Par contre, la différenciation aux extrémités y est moins bonne.

Comme on peut le constater, toutes ces caractéristiques d'une distribution nous permettent de tirer des conclusions intéressantes sur la nature des résultats. Ces informations doivent être recoupées et leurs interactions étudiées de manière approfondie pour exploiter correctement toute l'information descriptive. L'exemple qui suit vous permettra de juger de l'utilité de ces différents indicateurs.

EXEMPLE

Tentons de voir comment il est possible de mettre à profit les informations concernant une distribution de scores dans le cas particulier de l'étude des résultats à un examen. Voici les résultats de 41 étudiants du baccalauréat inscrits à un cours optionnel de Docimologie d'une faculté d'éducation. Les scores ont été obtenus à l'examen de mi-trimestre. Il y a dans ce groupe des étudiant(e)s (N = 41) des programmes de sciences de l'éducation et du programme de sciences infirmières. Voici les résultats obtenus sur 20, dans un ordre quelconque :

9	17	16,5	13	9	16	15,5	4	10,5	15	15
18	9,5	12	16	13	15	14,5	13,5	15	16	17
15	12	12,5	13	14,5	13,5	14	14	14,5	14,5	14,5
6	7,5	8,5	9	10,5	10,5	10,5	13,5			

Une telle série de nombres ne nous apprend que peu de choses. Tout au plus peut-on y noter la présence de deux valeurs très faibles (4 et 6) qui se détachent nettement du groupe. Mais comment en être sûr ?

Il nous faut examiner la distribution de scores. Étant donné qu'il y a 41 étudiants, que l'étendue entre le minimum (4) et le maximum (18) de cette distribution est de 15, plusieurs regroupements de scores sont possibles. La figure 2.10 nous en propose trois : le premier en intervalles de classe de 1 crée trop de classes et ne comporte pas assez d'individus par classe. Par ailleurs, cette distribution n'est pas continue car il y a quelques classes dont la fréquence égale 0. Par contre, le regroupement en classes d'une étendue de 4 points est trop grossier. Le meilleur regroupement consiste en intervalles de classe d'une étendue de 2. Pour choisir le nombre de classes et l'étendue de chacune de celles-ci, nous tâchons de suivre les règles suivantes :

1. La distribution doit comporter un minimum de 7 classes et un maximum de 12.

2. La fréquence des résultats d'une classe ne devrait jamais être égale à 0.

3. Il faut limiter le nombre de classes dont la fréquence est inférieure à 5.

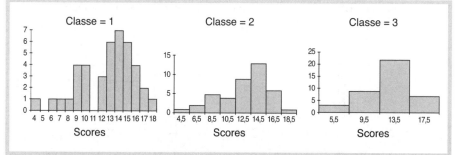

Figure 2.10 — Trois procédures de regroupement des scores en classes

Notre dernier choix satisfait ces exigences. De plus, il permet de constater que la distribution est asymétrique négative, justement à cause d'un petit nombre de valeurs très faibles. Ce genre de distribution convient-il bien à un examen de mi-trimestre ? Fort probablement oui, car il permet d'identifier les étudiants qui n'ont pas atteint les exigences du cours.

L'observation de la figure 2.11 et plus particulièrement de la figure 2.12 confirme l'observation précédente. Le diagramme en feuilles de la figure 2.11 nous permet de constater le caractère asymétrique de la distribution. Dans ce diagramme en feuilles, la présence de valeurs décimales (0,5) et la petite étendue de l'échelle de l'examen (20 points) ont compliqué le choix des tiges et des feuilles. La légende de cette figure indique que les tiges regroupent les feuilles par tranches de 2 et que chaque feuille représente une progression d'un demi-point (0,5). Le résultat est fort similaire à l'histogramme de fréquences regroupant les données en classes de 2.

On remarque aussi que les deux résultats les plus faibles sont les valeurs 4 et 6. Mais ces valeurs ne constituent pas des cas extrêmes, si l'on en juge d'après le diagramme en boîte de la figure 2.12, car elles se situent à l'intérieur des moustaches. En effet, toutes deux se retrouvent parmi les valeurs situées à un saut sous le premier quartile. On remarque aussi d'après ce diagramme en boîte que la distribution est asymétrique négative et que la médiane ne se situe pas exactement au centre de l'intervalle interquartile.

Le tableau 2.4 présente les principales statistiques descriptives calculées à partir des données. En consultant ces statistiques, on peut se demander si l'examen était de difficulté adéquate pour le groupe. La note de passage étant de 60 % (12/20), une moyenne de 12,8/20 indique donc un examen difficile ou un groupe qui éprouve des difficultés. Il faut nuancer cette affirmation en tenant compte de l'asymétrie des résultats (− 0,81 selon l'équation 2.17) : 50 % des étudiants ont obtenu plus que 13,5 (la médiane).

Tige	Feuilles	Données brutes	Fréq.
4	0	4	1
6	0$	6 7	2
8	#***$	8,5 9 9 9 9,5	5
10	####	10,5 10,5 10,5 10,5	4
12	00#***$$$	12 12 12,5 13 13 13 13,5 13,5 13,5	9
14	00#####*****$	14 14 14,5 14,5 14,5 14,5 14,5 15 15 15 15 15 15,5	13
16	000#**	16 16 16 16,5 17 17	6
18	0	18	1

Légende :   0 = +0   * = +1   Exemples : 14$ = 15,5   8* = 9
            # = +0,5 $ = +1,5

Figure 2.11 — Diagramme en feuilles des données de l'exemple

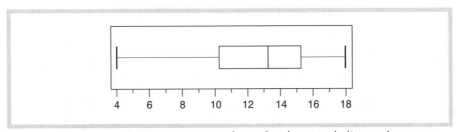

Figure 2.12 — Diagramme en boîte des données de l'exemple

Tableau 2.4 — Principales statistiques descriptives de l'exemple

Moyenne	**12,88**
Médiane	**13,50**
Mode	**15,00**
Variance	**9,85**
Écart type (équation 2.12)	**3,18**
Intervalle semi-interquartile	**2,25**
Asymétrie (équation 2.16)	**−1,00**
Asymétrie (équation 2.17)	**−0,84**
Kurtose* (équation 2.19)	**0,32**
Quartile 1	**10,50**
Quartile 3	**15,00**

On peut aussi tenter de déterminer si les résultats permettent de différencier les étudiants. Cinquante pour cent des résultats se situent entre 10,5 (Q1) et 15 (Q3) ce qui représente une étendue de 4,5. Une étendue de 4,5 peut sembler bien petite pour différencier 20 étudiants, mais il faut tenir compte du fait que 4,5 représente près du quart de l'étendue totale de 20 points. D'après l'indice de kurtose de la distribution (équation 2.19), celle-ci serait de voussure moyenne (mésokurtique) ce qui indiquerait qu'il n'y a pas de concentration « *anormale* » des résultats autour de la moyenne.

À partir des résultats obtenus, on peut dire que l'examen a été légèrement difficile pour le groupe d'étudiants. L'asymétrie négative de la distribution a permis de faire ressortir clairement un petit groupe d'élèves très faibles ayant nettement échoué à cet examen. Les résultats permettent aussi de différencier l'ensemble des élèves, en particulier près de la moyenne, même si c'est à cet endroit qu'il est le plus difficile de le faire. Dans le système universitaire canadien, l'examen se prête bien à la transformation des résultats en cotes A, B, C, D, E, car les scores obtenus couvrent pratiquement toute l'étendue de la distribution (minimum = 4 ; maximum = 18). Enfin, une distribution asymétrique négative révèle une légère accumulation de scores au-dessus de la moyenne. Règle générale, un professeur préférera obtenir une distribution asymétrique négative au lieu d'une distribution normale, surtout si l'objectif du cours n'est pas la sélection, mais une approche fondée sur la pédagogie de la réussite.

3. La distribution normale

La distribution normale étant d'un usage très fréquent en psychométrie et en édumétrie, il est nécessaire de rappeler ses caractéristiques essentielles. Elle a été définie de manière précise par Laplace (1749-1827) et par Gauss (1777-1855). La première application de cette distribution à des données humaines (en l'occurrence la taille) a été réalisée par l'astronome belge Quetelet (1796-1874). La distribution normale est une distribution théorique d'une variable continue au sein d'une population infinie. Par conséquent, les distributions de fréquences que nous observons en psychologie et en éducation, basées sur un nombre fini de données discrètes, ne peuvent être qu'une approximation de cette distribution théorique.

Mathématiquement, la distribution normale est définie par la fonction suivante :

$$f(X) = \frac{1}{\sigma\sqrt{2\pi}}\, e^{-(X-\mu)^2/2\sigma^2} \qquad\qquad (2.20)$$

Dans cette équation, π et e sont des constantes ($\pi \cong 3{,}1416$ et $e \cong 2{,}7183$) ; μ et σ sont, respectivement, la moyenne et l'écart type de la distribution dans la population. Si nous définissons une valeur pour μ et σ, nous pouvons alors calculer $f(X)$ pour toute valeur X. Les valeurs obtenues nous permettent de tracer la courbe normale théorique présentée dans la figure 2.13. Nous pouvons constater que la distribution normale est symétrique et unimodale. Ses limites sont $-\infty$ et $+\infty$. Par ailleurs, sa moyenne, son mode et sa médiane sont égaux. Elles correspondent à la valeur se situant précisément au milieu de la distribution.

Dans la mesure où X est une variable continue qui peut prendre une infinité de valeurs, il est impossible de calculer la probabilité d'occurrence d'une valeur précise de X. Par contre, nous pouvons évaluer la probabilité d'occurrence d'une valeur de X au sein d'un intervalle particulier. Cette probabilité correspond à l'aire sous la courbe entre les deux bornes choisies. Elle peut être calculée par l'opération d'intégration de $f(X)$ entre les bornes x_i et x_j :

$$p(x_i \leq X \leq x_j) = \int_{x_i}^{x_j} \frac{1}{\sigma\sqrt{2\pi}} e^{-(x-\mu)^2/2\sigma^2}\, dx \qquad\qquad (2.21)$$

Heureusement, ce calcul fastidieux peut être évité en utilisant directement des tables de probabilité. Les tables existantes ont été élaborées en prenant 0 comme moyenne et 1 comme écart type. Dans ce cas précis, la distribution normale est appelée *distribution normale réduite* (ou *distribution centrée réduite*) et les valeurs de X sont appelées scores z (voir Table 4, Annexe 2). Toute distribution normale, de moyenne et d'écart type quelconques, peut être transformée en une distribution normale réduite au moyen de la formule suivante :

$$z = \frac{X - \bar{X}}{s_X} \qquad\qquad (2.22)$$

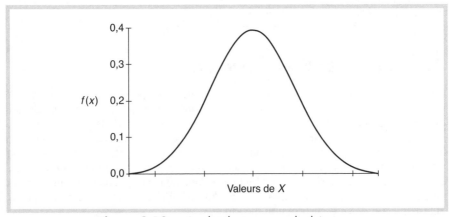

Figure 2.13 — La distribution normale théorique

La transformation en *scores z* consiste simplement à calculer la différence entre chaque valeur de X et la moyenne de la distribution de X puis de diviser cette différence par l'écart type de la distribution de X. Par exemple, si la moyenne de la distribution est 50 et son écart type est 10, une valeur de X égale à 45 correspondra à une valeur z égale à – 0,5. Soulignons que cette transformation est linéaire et qu'elle n'affecte pas l'ordre de grandeur des valeurs. Pour chaque valeur de X, nous avons en effet seulement soustrait une constante et divisé par une constante. La forme de la distribution n'est pas modifiée par une telle transformation. Cela signifie que, si la distribution n'était pas normale avant transformation en scores z, elle ne le sera pas après. Contrairement à une idée répandue, cette transformation n'a pas la vertu de normaliser la distribution ! En fait, l'intérêt de cette transformation est de représenter toute distribution normale sur une échelle commune de moyenne égale à 0 et d'écart type égal à 1. Il est ainsi possible d'utiliser la table de la distribution normale réduite quels que soient la moyenne et l'écart type de la distribution normale originale.

Voyons à présent comment utiliser la table de probabilités de la distribution normale réduite (voir Table 4, Annexe 2). La table nous donne l'aire sous la courbe pour chaque intervalle entre la moyenne (c'est-à-dire 0) et les valeurs de z qui s'échelonnent de 0,01 à 4,00. Par exemple (figure 2.14), pour l'intervalle entre la moyenne et 0,60, l'aire sous la courbe est égale à 0,2257 (voir sous la colonne « De la moyenne à z »). Cela signifie que, si nous tirons un score au hasard au sein de la distribution, nous avons un peu plus de 22 % de chance de tirer un score inclus dans l'intervalle [0,00 ; 0,60].

Comme la distribution est symétrique, l'aire est identique pour les valeurs négatives de z. Si, par exemple, nous voulons connaître la probabilité de tirer au sort un score compris entre – 1 et – 2, il nous suffit de regarder dans la table la valeur de l'aire pour les intervalles [0 ; 1] et [0 ; 2] puis de soustraire la première valeur de la seconde. Nous obtenons ainsi la probabilité de tirer au hasard un score situé entre 1 et 2, laquelle est identique à la probabilité de tirer au hasard un score situé entre – 1 et – 2. Concrètement, pour $z = 1$, l'aire sous la courbe est 0,3413 et pour $z = 2$, cette aire est 0,4772. Si nous soustrayons 0,3413 de 0,4772, nous obtenons l'aire pour l'intervalle [1 ; 2] qui est égale à 0,1359. Cela signifie qu'aléatoirement, nous avons

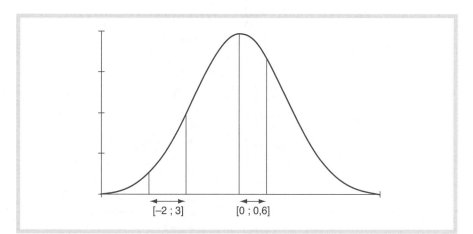

Figure 2.14 — Calcul de différentes aires sous la courbe normale

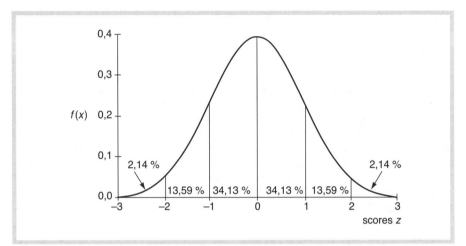

Figure 2.15 — Pourcentage de scores compris dans des intervalles critiques
de la courbe normale

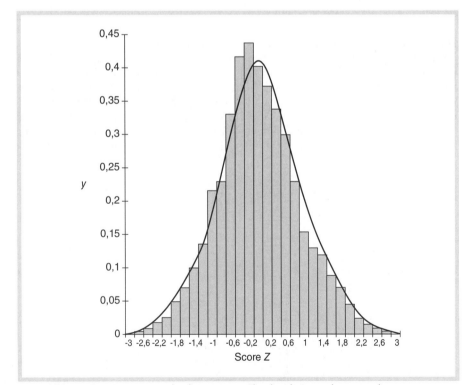

Figure 2.16 — Exemple d'écart entre la distribution observée des scores
et la distribution normale théorique

13,59 % de chance de tirer un score compris entre les valeurs 1 et 2 de la distribution normale réduite. Ce pourcentage est le même pour l'intervalle [– 2 ; – 1].

La table de distribution normale réduite nous permet de calculer des valeurs très utiles pour les praticiens. La figure 2.15 nous montre qu'au sein de la distribution normale :

68,26 % des scores sont inclus dans l'intervalle [–1σ ; +1σ],

95,44 % des scores sont inclus dans l'intervalle [–2σ ; +2σ],

99,74 % des scores sont inclus dans l'intervalle [–3σ ; +3σ].

Nous ne devons pas perdre de vue que ces valeurs sont théoriques. Dans la pratique psychologique et éducative, nous ne mesurons que des variables discrètes et nous n'obtenons qu'une approximation, souvent grossière, de la distribution normale théorique. La figure 2.16 illustre l'écart que l'on peut observer entre la distribution des données observées et la distribution normale théorique.

Plusieurs indicateurs peuvent nous informer de l'écart entre la distribution observée et la distribution théorique. Les deux plus utiles sont certainement les indices d'asymétrie et de voussure qui sont présentés de manière détaillée dans la section 2 de ce chapitre.

4. Conclusion

Ce deuxième chapitre n'a certes pas fait le tour de toutes les méthodes de description des données. Elles sont fort nombreuses et correspondent à des besoins particuliers. Celles qui ont été présentées sont les plus courantes : elles permettent de décrire les données dans différentes situations en tenant compte des objectifs visés et de la nature des échelles de mesure.

Chaque méthode de présentation graphique des données, de calcul des valeurs de tendance centrale, de dispersion, de symétrie, de voussure possède ses propres avantages ainsi que ses inconvénients. C'est pourquoi plusieurs méthodes doivent être employées en conjonction les unes avec les autres afin d'offrir une perspective d'ensemble qui soit exhaustive. Il est également important de reconnaître l'algorithme sur lequel se base le calcul des différentes caractéristiques d'une distribution. Plusieurs programmes de calcul, utilisant des algorithmes différents, peuvent présenter des valeurs calculées différentes de symétrie ou de kurtose. Dans de tels cas, il faut consulter la documentation fournie avec le logiciel pour être en position d'interpréter correctement les résultats.

CHAPITRE 3

LA FIDÉLITÉ DES RÉSULTATS

Les théories des tests nous offrent différents modèles pour apprécier la valeur des résultats obtenus au moyen d'instruments de mesure. Chaque modèle s'appuie sur une conception particulière de la mesure et sur une série de postulats quant à la nature des données et sur la manière dont elles ont été recueillies. Quels que soient les postulats, il est important de réaliser que chaque modèle théorique constitue une représentation simplifiée du phénomène mesuré. Chaque modèle s'ajuste plus ou moins bien à ce qu'il cherche à décrire. C'est pourquoi une connaissance minimale des modèles de mesure est nécessaire pour apprécier s'ils sont adaptés aux conditions de mesure rencontrées et s'ils permettent de répondre à nos besoins.

1. Propriétés des scores composites

La théorie classique des scores a pour principal objet le score total obtenu par chaque personne à un test. Or, ce score total est un score composé de la somme des résultats à chaque item pris individuellement. Avant d'aborder les questions de fidélité et de validité de ce score total, il est important de décrire comment le score total est lié aux items qui le composent. Ce qui nous préoccupe particulièrement, c'est de connaître comment la variance de ce score total se répartit en fonction des différents items. La variance totale des scores est importante en théorie classique puisque, pour différencier les personnes, il faut que les résultats possèdent une certaine variance. Il y a peu d'utilité à discuter de questions de fidélité ou de validité s'il n'y a aucune différence entre les individus.

1.1 « COMBIEN FONT DEUX ORANGES PLUS TROIS CITRONS ? »

Le score total est un score composite : il est le résultat de l'addition des scores aux items du test. En effectuant cette addition, nous postulons que ces items mesurent sensiblement le même trait. Que signifie, par exemple, le score global d'un test composé

de questions de géographie et de mathématiques ? C'est comme si l'on demandait :
« Combien font deux oranges plus trois citrons ? ».

Selon le degré de pertinence que nous souhaitons retrouver dans les unités de
mesure de notre score total, nous choisirons d'additionner des éléments provenant
d'ensembles dont la définition en compréhension est très stricte ou, au contraire, relativement large. À la question « combien font deux oranges et trois citrons ? », nous
pouvons répondre de trois manières différentes :

1. nous pouvons refuser de faire l'addition, considérant qu'il s'agit de deux catégories différentes ;

2. nous pouvons ramener chaque ensemble à un ensemble qui les contient tous
les deux (p.ex. la catégorie des fruits) et effectuer l'opération à l'intérieur
de cet ensemble plus large. Dans notre exemple, la réponse est alors « cinq
agrumes » ou « cinq fruits » ;

3. nous pouvons aussi ignorer les caractéristiques communes à chaque ensemble
et répondre comme plusieurs jeunes enfants de six ans : « deux pommes plus
trois oranges font cinq compotes ».

Chacune des solutions précédentes trouve un écho dans le calcul des scores
à un test. La première solution consiste à calculer non pas un score total, mais un
profil de scores. Le praticien refuse de confondre entre elles certaines caractéristiques
et préfère calculer un score pour chaque sous-test ou chaque critère. En éducation,
cette procédure est particulièrement utilisée dans le cas de la mesure critériée de
performances complexes au moyen d'échelles descriptives (en anglais, « rubrics » ;
Wiggins, 1989).

La seconde solution consiste à faire abstraction des particularités de chaque
ensemble pour ne prendre en compte que les caractéristiques générales. L'addition
d'items différents est possible dans ce contexte en postulant qu'ils ont tous au moins
quelque chose en commun. Ce quelque chose peut être plus ou moins vague. En additionnant deux citrons et trois oranges, on peut répondre « cinq agrumes » ou « cinq
fruits ». La première des deux réponses est certainement la plus pertinente. Pour
évaluer les apprentissages scolaires, plus les objectifs d'évaluation sont précis et bien
hiérarchisés, plus grande sera la validité de contenu ou, si l'on préfère, la pertinence
des résultats. Ce genre de préoccupation trouve sa place dans l'*évaluation sommative*.
Lorsque le domaine à mesurer est vaste, il faut que les items puissent échantillonner
une grande étendue de contenu. Il en résulte que pour obtenir un score total qui
couvre une matière plus vaste, il faut faire abstraction de certaines caractéristiques
des items.

La troisième solution reviendrait à additionner les résultats à des items sans
savoir de façon précise ce que chacun mesure. C'est le danger que l'on court à additionner un méli-mélo d'items qui ont été rédigés sans cadre préalable. À la question
de départ, les réponses « cinq végétaux » ou « cinq choses » n'ont de précis que le
chiffre.

La théorie classique des scores ne traite pas que de la précision de la valeur
numérique. La qualité ou la pertinence de cette valeur est traitée séparément par
l'intermédiaire d'études de validité. Face à un résultat de soixante pour cent, la fidélité consiste à se demander : « est-ce bien soixante ? », alors que la validité pose la
question « soixante pour cent de quoi ? ». Pour déterminer ce que signifie un score
total, il faudra donc dépasser la question de sa précision. En aucun cas, une grande

assurance en la valeur numérique des résultats ne doit nous faire oublier la question importante de sa signification, que nous verrons dans le chapitre 4 consacré à la validité.

1.2 VARIANCE TOTALE DES RÉSULTATS À UN TEST

Si nous sommes intéressés à différencier entre eux des individus, alors la variance des résultats est une caractéristique importante. Rappelons que la variance d'une distribution de résultats est égale à la somme des écarts quadratiques (au carré) à la moyenne divisée par le nombre de résultats. C'est ce que traduit l'équation suivante :

$$s_X^2 = \frac{\sum (X - \bar{X})^2}{n}$$ (Équation 2.10, chapitre 2)

Partant de cette formule, nous pouvons aisément nous rendre compte que la variance d'un ensemble de scores sera d'autant plus grande que plusieurs sujets obtiennent des résultats différents de la moyenne. Par exemple, un individu qui est à 10 points de la moyenne ajoute 100/n à la variance, alors qu'un individu qui est à 2 points de la moyenne n'ajoute que 4/n à la variance totale, soit 25 fois moins pour un écart à la moyenne 5 fois plus petit. En fait, un résultat extrême peut même faire paraître la variance totale des scores bien supérieure à ce qu'elle est en réalité. Le tableau 1 en présente un exemple concret.

Le tableau 3.1 présente cinq cas différents. Dans chaque cas, seule la première valeur est changée, celle du sujet #1 (valeurs en gras italiques). La situation initiale (cas # 1) est celle d'une distribution dont la moyenne est de 84,73 et la variance de 58,93. Lorsque, comme dans le cas #2, l'on change la valeur du premier sujet de 71 à 81 (en direction de la moyenne du groupe), la variance totale diminue à 42,23 (un changement de – 16,70). Par contre, si le même changement de 10 points s'effectue dans une direction opposée à la moyenne (cas #3), la variance totale passe de 58,93 à 92,15 (un changement de + 33,22). Lorsque ce changement n'est que de deux vers la moyenne (cas #4), la variance passe de 58,93 à 54,26, une différence de 4,67. Le changement de variance est presque 3 fois plus grand lorsque le score du sujet #1 voit son écart à la moyenne passer de 2 à 10. Enfin, le cas #5 illustre ce qui se produit lorsque l'écart de deux s'effectue en direction opposée à la moyenne. La variance passe de 58,93 à 64,25, une différence de 5,32. En comparaison avec le cas #3, il s'agit d'une différence bien moindre, alors que pour un écart de 10 opposé à la moyenne le changement de variance produit était de 33,22 (92,15 – 58,93). Le tableau 3.1 illustre à quel point une erreur même minime de codage des données peut avoir une grande répercussion sur la variance, alors que la moyenne est pour sa part beaucoup moins affectée par ces changements. En outre, le poids des résultats extrêmes dépend aussi de la taille des échantillons. Plus l'échantillon est petit, plus l'impact sera grand sur la variance.

Voyons à présent comment la variance est affectée par les résultats aux items d'un test. En effet, chaque item possède un impact particulier sur le score total à un test, sur sa moyenne et aussi sur sa variance.

Prenons un exemple fort simple. Supposons qu'un item soit réussi par tous les sujets. Cet item ne possède aucune variance. Son rôle dans le score total se réduit

Tableau 3.1 — Cinq cas de variance totale

Sujet #	Situation initiale Cas 1	Changement de 10 vers la moyenne Cas 2	Changement de 10 opposé à la moyenne Cas 3	Changement de 2 vers la moyenne Cas 4	Changement de 2 opposé à la moyenne Cas 5
1	71	81	61	73	69
2	75	75	75	75	75
3	79	79	79	79	79
4	82	82	82	82	82
5	84	84	84	84	84
6	85	85	85	85	85
7	86	86	86	86	86
8	87	87	87	87	87
9	90	90	90	90	90
10	94	94	94	94	94
11	99	99	99	99	99
Somme	932,00	942,00	922,00	934,00	930,00
Moyenne	84,73	85,64	83,82	84,91	84,55
Carré des écarts	648,18	464,55	1 013,64	596,91	706,73
Variance	58,93	42,23	92,15	54,26	64,25
Écart-type	7,68	6,50	9,60	7,37	8,02

à accroître la moyenne. Par contre, il n'ajoute aucune information supplémentaire nous permettant de départager entre elles les personnes ayant répondu au test. La même situation prévaudrait dans le cas d'un item pour lequel tous les sujets auraient échoué.

Le tableau 2 illustre cette situation. Considérons un test constitué de deux items $X = item1 + item2$ administré à sept (7) personnes. Ajoutons-y l'item 3 réussi par tous. Le résultat du nouveau test comprenant maintenant trois items *(item1 + item2 + item3)* indique que la moyenne s'est accrue de 1 : la moyenne de l'item 3 + la moyenne du score X constitué des deux premiers items. Quant à la variance totale du nouveau test, elle n'a pas changé. L'item 3 étant réussi de façon constante par tous, sa variance est nulle et par conséquent l'ajouter au score total ne change rien à sa variance.

L'item 4 n'est pas réussi par tous. En fait, il possède une variance de 0,24. Si on ajoute son résultat à celui du score X, on remarque que là aussi la moyenne augmente. Comme précédemment, la nouvelle moyenne est le résultat de la somme de la moyenne des deux premiers items plus celle de l'item 4. À la différence de l'item 3, cependant, l'ajout de l'item 4 change également quelque chose à la variance totale du test. La variance du test $X + item4$ est en effet de 2,20, alors qu'elle n'était que de 0,98

Tableau 3.2 — Variance d'un score composite. Exemple 1

Sujet #	It1	It2	X = It1 + It2	It3	It4	X + It3	X + It4
1	1	1	2	1	1	3	3
2	0	0	0	1	0	1	0
3	1	1	2	1	1	3	3
4	0	0	0	1	0	1	0
5	0	0	0	1	0	1	0
6	1	1	2	1	1	3	3
7	1	1	2	1	1	3	3
Moyenne	0,57	0,57	1,14	1,00	0,57	2,14	1,71
Variance	0,24	0,24	0,98	0,00	0,24	0,98	2,20

Matrice des variances-covariances

	Item 1	Item 2	Item 3	Item 4
Item 1	0,24	0,24	0,00	0,24
Item 2	0,24	0,24	0,00	0,24
Item 3	0,00	0,00	0,00	0,00
Item 4	0,24	0,24	0,00	0,24

pour le test X. Notez bien que la variance totale du test *X + item4* est bien plus élevée que la somme des variances du test X et de l'item 4. En effet, 0,98 + 0,24 < 2,20. On peut aussi remarquer que la variance totale du score X est bien supérieure à la somme des variances des items 1 et 2 (0,24 + 0,24 < 0,98). À quoi peut-on attribuer ces différences ?

Voyons l'exemple du tableau 3. Dans ce deuxième exemple, la somme des variances des items 1 et 2 est supérieure à celle du score total X (0,24 + 0,20 > 0,20). Comment cela est-il possible ? Un tel résultat nous amènerait à conclure qu'il est plus facile de différencier les personnes à partir du résultat à un seul item au test qu'à partir des résultats au test entier. Pourquoi cette différence entre ce que nous observons au tableau 2 et au tableau 3 ?

La réponse se situe dans l'examen attentif de la relation qui existe entre les deux items constituant chacun des tests. Dans le tableau 2, il y a réussite et échec simultanés aux deux items. Dans le tableau 3, l'information fournie par les items est plus contradictoire : pour plusieurs sujets, la réussite à un item s'accompagne d'un échec à l'autre item et vice versa. Nous pouvons dire que les résultats au premier test sont *homogènes*, alors que les résultats au second test sont *hétérogènes*.

Lorsque nous devons constituer un score total, il est préférable d'additionner ensemble des items homogènes plutôt que des items hétérogènes. En fait, il n'y pas d'intérêt à additionner des items hétérogènes lorsque notre objectif est de différencier des individus. Leurs valeurs différentes ont tendance à réduire la variance du score total au test.

Tableau 3.3 — Variance d'un score composite. Exemple 2

Sujet #	It1	It2	X = It1 + It2	It3	It4	X + It3	X + It4
1	1	0	1	1	1	2	2
2	0	1	1	1	1	2	2
3	1	0	1	1	1	2	2
4	0	0	0	1	0	1	0
5	0	0	0	1	0	1	0
6	0	1	1	1	1	2	2
7	1	0	1	1	1	2	2
Moyenne	0,43	0,29	0,71	1,00	0,71	1,71	1,43
Variance	0,24	0,20	0,20	0,00	0,20	0,20	0,82

Matrice des variances-covariances

	Item 1	Item 2	Item 3	Item 4	Var. totale
Item 1	0,24	−0,12	0,00	0,12	0,24
Item 2	−0,12	0,20	0,00	0,008	0,16
Item 3	0,00	0,00	0,00	0,00	0,00
Item 4	0,12	0,08	0,00	0,20	0,40
Items 1 à 4					**0,80**

1.3 MOYENNE ET VARIANCE D'UN SCORE COMPOSITE

Nous pouvons donc conclure de l'observation de ces deux exemples que la moyenne d'un score composite est la somme des moyennes de ses composantes, exprimée par l'équation suivante :

$$\overline{C} = \sum \overline{X}_i \tag{3.1}$$

Quant à la variance du score composite C, nous pouvons démontrer qu'elle est égale à la somme des variances et des covariances des items qui composent le test. Comme nous l'avons vu également dans les tableaux 2 et 3, la relation entre la variance d'un score total et la variance de ses composantes n'est pas aussi simple. En plus de la variance des items individuels, la *covariance* entre les items joue un rôle important dans l'estimation de la variance du score total. La covariance est une mesure du degré d'association entre deux variables X et Y. Elle sert à exprimer dans quelle mesure deux variables différentes fluctuent de manière conjointe dans le même sens (valeur positive) ou dans le sens contraire (valeur négative). Le calcul de la covariance est similaire à celui de la variance et il est fourni par l'équation suivante :

$$s_{XY} = \frac{\sum (X - \overline{X})(Y - \overline{Y})}{n} \tag{3.2}$$

Il est facile de constater que la variance totale des scores est constituée de la somme des variances et covariances entre les items. En effet, si l'on additionne tous les éléments de la matrice des variances-covariances du tableau 3, on retrouve la même valeur de variance que celle calculée pour le test constitué des quatre items (0,82 ou 0,8 selon le degré de précision des calculs).

Si l'on compare à nouveau les tests des tableaux 2 et 3, on s'apercevra que la variance totale du test composé des trois items 1, 2 et 4 est bien supérieure lorsqu'il s'agit du premier test que lorsqu'il s'agit du second test. Elle est de 2,20 dans le premier test et de 0,82 dans le second test. La variance est dans ce cas-ci presque trois fois supérieure dans le test homogène que dans le test hétérogène. L'impact de l'item 4 est également intéressant. Dans le premier test, l'item 4 a contribué à augmenter la variance totale de 0,98 à 2,20 (deux fois plus). Dans le second test, l'item 4 a contribué à faire passer la variance totale de 0,20 à 0,82 (quatre fois plus).

La variance totale d'un test dépend donc non seulement de la variance de ses items individuels, mais aussi de leur homogénéité. Plus la covariance entre les items est élevée, plus la variance totale au test sera grande. En fait, il est possible de démontrer que la variance totale à un test est le résultat de la somme des variances des items et des covariances entre items. L'encadré 1 fait la preuve algébrique de cet énoncé.

La figure 1 représente la matrice des variances-covariances entre items. Il s'agit d'une matrice carrée symétrique. Les variances de chaque item figurent en diagonale et les covariances de part et d'autre de la diagonale principale. Puisque la covariance *ij* est la même que la covariance *ji*, les mêmes valeurs se répètent symétriquement par rapport à la diagonale de la matrice.

Cette figure permet de nous rendre compte que la covariance entre les items joue un rôle proportionnellement beaucoup plus important que la variance des items individuels dans la variance totale des résultats à un test. La variance d'un test comptant *j* items sera le résultat de la somme de *j* variances d'items et de *j(j-1)* covariances. Si ainsi l'on ajoute 10 items à un test en comportant déjà 10, sa variance totale sera augmentée de la variance individuelle de 10 items supplémentaires, mais aussi de 380 covariances (20 × 19) comparativement à 90 (10 × 9) au départ. C'est donc dire que ces 10 nouveaux items contribueront à accroître la variance totale des résultats non pas du fait de leurs variances individuelles, mais surtout dans la mesure où ils covarient de manière importante avec les items déjà présents. Pour cela, les items ajoutés doivent constituer un ensemble homogène avec les items de départ.

$$\sigma_c^2 = \Sigma \begin{bmatrix} \sigma_{11}^2 & \sigma_{12} & \sigma_{13} & \sigma_{14} & \sigma_{15} \\ \sigma_{21} & \sigma_{22}^2 & \sigma_{23} & \sigma_{24} & \sigma_{25} \\ \sigma_{31} & \sigma_{32} & \sigma_{33}^2 & \sigma_{34} & \sigma_{35} \\ \sigma_{41} & \sigma_{42} & \sigma_{43} & \sigma_{44}^2 & \sigma_{45} \\ \sigma_{51} & \sigma_{52} & \sigma_{53} & \sigma_{54} & \sigma_{55}^2 \end{bmatrix}$$

Figure 3.1 — Matrice des variances-covariances et variance totale

ENCADRÉ 3.1

Soit un test C composé de deux scores X_1 et X_2. Transformons ces scores en scores centrés à la moyenne, c, x_1, x_2 afin de simplifier les calculs de la variance et de la covariance.

$$c = x_1 + x_2 \qquad (3.3)$$

L'expression de la variance du score composite c est donnée par les équations suivantes, en remplaçant c par ses valeurs.

$$\sigma_c^2 = \frac{\sum c^2}{n} \qquad (3.4)$$

$$\sigma_c^2 = \frac{\sum (x_1 + x_2)^2}{n} \qquad (3.5)$$

Si l'on développe la dernière expression, l'on obtient :

$$\sigma_c^2 = \frac{\sum x_1^2 + 2x_1x_2 + x_2^2}{n} \qquad (3.6)$$

En répartissant la sommation sur chaque membre de l'addition, on peut réécrire l'équation (3.6), de la façon suivante :

$$\sigma_c^2 = \frac{\sum x_1^2}{n} + 2\frac{\sum x_1 x_2}{n} + \frac{\sum x_2^2}{n} \qquad (3.7)$$

Le premier et le dernier terme de l'addition ne sont autres que l'expression de la variance des items (exprimée en scores centrés). Le terme du centre est l'expression de la covariance entre les items. On peut donc reformuler l'équation (3.7) en termes de variances et de covariances :

$$\sigma_c^2 = \sigma_1^2 + \sigma_2^2 + 2\sigma_{12} \qquad (3.8)$$

Dans le cas de tests possédant un nombre j d'items, il est possible de généraliser la démonstration précédente de manière à prouver que :

$$\sigma_c^2 = \sum \sigma_i^2 + 2\sum \sigma_{ij} \qquad (3.9)$$

où $\sum \sigma_i^2$ représente la somme des variances des items et $\sum \sigma_{i'}^2$, la somme des covariances des items pris deux à deux.

1.4 IMPLICATIONS POUR LA CONSTRUCTION D'UN TEST

Des observations précédentes, il ressort trois conséquences principales pour la construction d'un test :

- augmenter le nombre d'items accroît la variance totale d'un test dans la mesure où les items supplémentaires sont homogènes avec les items déjà présents dans le test ;
- les items ayant un contenu similaire sont plus susceptibles d'avoir une covariance élevée et ainsi de contribuer davantage à la variance totale des résultats au test ;

- pour contribuer de façon significative à la variance totale du test, l'item doit de préférence être de difficulté moyenne : un item trop facile ou trop difficile n'a qu'une faible variance et une faible covariance.

Lorsque l'objectif est de différencier les personnes, ces observations nous mettent en garde contre la tentation d'inclure trop d'items différents et sans rapport entre eux dans le score total d'un individu. Par exemple, l'enseignant qui souhaite mieux différencier ses élèves en ajoutant de nouveaux items dans son examen aura avantage à prendre des items supplémentaires évaluant les mêmes objectifs que ceux déjà évalués par le test initial. S'il choisit au contraire de faire porter les items supplémentaires sur de nouveaux objectifs sans lien avec ceux déjà évalués, il risque de gagner bien peu en différenciation des scores des élèves. Il y aurait alors avantage à calculer des scores totaux séparés et à établir un profil de scores.

Une bonne variance des résultats est une condition nécessaire quoique non suffisante pour obtenir des résultats fidèles et valides. Sans anticiper sur les prochaines sections, il est important de faire ressortir que dans le contexte d'une évaluation normative, la variance joue un rôle important. Comment sélectionner les meilleurs élèves pour un cours d'art plastique si les résultats sur lesquels on doit se baser sont semblables et ne permettent pas de les différencier ?

Si l'objectif n'est pas de différencier les sujets, alors il n'est pas aussi essentiel d'obtenir une variance élevée des résultats. Il existe des situations où celle-ci n'est pas une condition importante, comme dans le cadre de la pédagogie de la maîtrise où l'on s'attend à ce que la presque totalité des élèves atteigne les objectifs d'apprentissage. Dans de telles circonstances, il est beaucoup moins important que l'examen puisse établir des différences entre les individus. Tout au contraire, dans le cas de la maîtrise, le but de l'enseignant consiste plutôt à faire disparaître ces différences par un enseignement approprié.

Enfin, au-delà des strictes considérations de variance, il est important de se rappeler qu'il peut être beaucoup plus facile d'interpréter des résultats homogènes que des résultats hétérogènes. Il y a peu d'intérêt à différencier les personnes si l'on ignore en quoi exactement elles sont différentes. Si un score total est un ensemble d'items hétérogènes, alors il devient presque impossible d'identifier les causes véritables qui font de chaque examiné un individu différent des autres.

2. La théorie classique des scores

C'est Spearman (1907) qui a jeté les fondements de la théorie classique des scores. La théorie, dans sa forme actuelle, est due principalement aux travaux de Gulliksen (1950), Magnusson (1967) et de Lord et Novick (1968).

2.1 Postulats du modèle

La théorie classique permet de répondre simplement à plusieurs des questions soulevées par la fidélité des scores. Elle est sans doute le modèle le plus simple de ceux que nous verrons. Ce modèle a l'avantage de pouvoir être utilisé dans une grande variété de situations parce que ses postulats de départ sont faibles – au sens d'aisés à satisfaire – et peu nombreux, ce qui n'est pas le cas des modèles de la réponse aux items.

La théorie classique des tests est aussi appelée « *théorie classique des scores* » puisque son objet d'intérêt est le score total obtenu par une personne à un test. Les postulats principaux de la théorie classique sont expliqués dans les paragraphes suivants :

Postulat 1

La théorie classique des scores postule que le score observé d'un individu résulte de la somme entre le score vrai de l'individu (V : une constante) et l'erreur de mesure associée à ce score (E : une variable aléatoire) :

$$X = V + E \qquad (3.10)$$

Il résulte de cette équation que le score observé X est également une variable aléatoire. Par exemple, si le score vrai d'un élève est 84 %, il est possible que celui-ci obtienne 87 % ou 76 % à un examen. Toutefois, la probabilité d'obtenir un score très supérieur ou très inférieur à 84 % décroît au fur et à mesure que l'on s'éloigne du score vrai. En fait, l'erreur de mesure se distribue normalement, ce qui fait que le score observé lui-même se distribue normalement autour du score vrai. C'est ce qui est illustré par la figure 2.

Postulat 2

Ce postulat est conséquent avec le premier. Il stipule que la valeur attendue pour le score vrai est estimée par la moyenne des scores observés. Ce postulat signifie que le score vrai d'un individu est l'espérance mathématique des scores observés.

$$\mu(X) = \varepsilon(X) = V \qquad (3.11)$$

En d'autres mots, la précision d'un score observé s'accroît avec le nombre d'observations sur un même individu. En effet, si l'on devait administrer plusieurs fois le même test à la même personne, la moyenne des résultats nous fournirait, à la limite, son score vrai. Le score vrai peut ainsi être considéré comme la moyenne de la distribution théorique des scores observés de chaque individu, en supposant qu'il soit possible de lui administrer de manière indépendante le même test à plusieurs reprises. La dispersion des scores observés X autour du score vrai V constitue l'erreur type de mesure pour cet individu pour l'ensemble des passations du test.

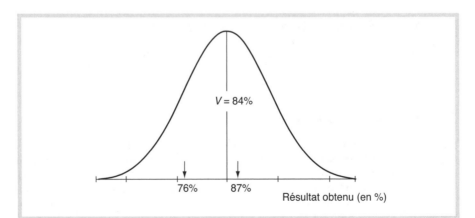

Figure 3.2 — Distribution théorique des scores observés autour du score vrai

Postulat 3

Il n'y a pas de corrélation entre l'erreur de mesure et le score vrai dans la population des individus à qui l'on administre le test :

$$\rho_{EV} = 0 \qquad (3.12)$$

Ceci signifie, par exemple, que l'erreur aléatoire de mesure ne sera pas plus grande si un individu possède un score vrai élevé ou plus faible s'il possède un score vrai faible. Une telle situation se produirait, par exemple, si un enseignant corrigeait plus attentivement les copies des élèves faibles que les copies des élèves forts et que, par conséquent, les erreurs de correction étaient plus importantes chez les élèves forts (corrigés plus rapidement) que chez les élèves faibles (corrigés plus attentivement).

Postulat 4

Ce postulat stipule que les erreurs à deux tests différents (E_1 et E_2) ne sont pas corrélées entre elles :

$$\rho_{E_1 E_2} = 0 \qquad (3.13)$$

Ceci peut se produire lorsque, par exemple, des personnes fatiguées obtiennent des notes plus faibles à différents tests administrés en fin de journée. Dans ce cas, les erreurs des tests administrés en fin de journée sont liées entre elles pour ces groupes de répondants puisqu'elles résultent d'un même facteur sous-jacent, la fatigue.

Postulat 5

Il n'y a pas de corrélation entre l'erreur de mesure à un test et le score vrai à un autre test :

$$\rho_{E_1 V_2} = 0 \qquad (3.14)$$

Supposons qu'un questionnaire à choix de réponses mesure la créativité et que, plus le score de créativité est élevé, plus l'élève est porté à répondre au hasard lorsqu'il ignore la réponse. Dans cette situation, il y aurait une corrélation entre le score vrai au test et l'erreur aléatoire de mesure qui ne serait pas la même pour les individus créatifs que pour les individus non créatifs. En fait, on peut affirmer que le postulat 5 ne tient pas dès que le test mesure une caractéristique de l'individu qui exerce une influence directe ou indirecte sur sa façon de répondre au test, telle que la tendance à deviner, à tricher, à omettre certaines catégories de réponses, etc.

Postulat 6

Deux tests X et X' sont parallèles si et seulement si leurs scores vrais et leurs erreurs types de mesure sont égales :

$$V = V'$$
$$\sigma_E = \sigma_{E'} \qquad (3.15)$$

À cause du postulat 1 qui stipule que le score observé est la somme d'un score vrai et d'un score d'erreur aléatoire, il découle que deux tests parallèles auront sensiblement la même moyenne et la même variance des scores observés.

Postulat 7

Il définit ce qu'est un test τ-*équivalent* (prononcer « tau-équivalent »). Deux tests sont considérés comme τ-équivalents lorsque leurs scores vrais diffèrent par une constante additive k.

$$V_1 = V_2 + k \qquad (3.16)$$

Ainsi, si trois sujets obtiennent 10, 23 et 19 à un test et qu'ils obtiennent 17, 30 et 26 à un autre test, ces deux tests sont τ-équivalents, la constante k valant 7. Il découle de cette dernière définition que les tests parallèles rencontrent les exigences des tests τ-équivalents, mais la réciproque n'est pas vraie.

2.2 IMPLICATIONS DE LA THÉORIE CLASSIQUE DES SCORES

L'ensemble des sept postulats de la théorie classique se résume facilement : les erreurs aléatoires de mesure doivent être indépendantes en toutes circonstances. Ceci signifie que les conditions de testing doivent être telles qu'il n'y a pas de corrélation entre le score vrai d'un sujet et l'erreur de mesure, ni entre l'erreur de mesure à un test et l'erreur de mesure à un autre test. Ce sont là des conditions minimales sans lesquelles les scores observés deviennent difficilement interprétables. Par exemple, pour démontrer que deux items à la fin d'un test mesurent bien la même caracté-ristique, il faut écarter l'hypothèse que la corrélation entre ces deux items puisse être le résultat d'erreurs de mesure dues à la fatigue, à l'ennui ou à un manque de motivation.

La théorie classique tient compte d'une erreur strictement aléatoire. Si les postulats de base sont respectés, c'est-à-dire si les différentes sources d'erreur sont indépendantes les unes des autres, alors celles-ci pourront s'annuler de sorte que sur un grand nombre de mesures répétées, l'espérance mathématique des scores observés soit le score vrai de l'individu. Si ces erreurs ne sont pas indépendantes, alors leurs effets risquent d'être non nuls et l'équation de départ (postulat #1) est inadéquate pour représenter la situation que l'on cherche à décrire.

D'autres sources d'erreur peuvent invalider nos résultats. Il s'agit de sources d'erreur dont l'effet est constant et dont la résultante est non nulle : les erreurs sys-tématiques. Ces sources doivent faire l'objet d'une étude particulière : la validité des résultats. Par exemple, il y a erreur systématique lorsqu'un test est trop facile ou trop difficile. Deux élèves, dont les scores vrais en mathématiques sont différents, peuvent obtenir le même score observé de 10/10 lorsque l'examen est trop facile. De manière identique, des élèves handicapés auditifs ou handicapés visuels verront leurs scores vrais en orientation spatiale systématiquement sous-estimés par des épreuves senso-rielles auditives ou visuelles. Comme le handicap est permanent, celui-ci fait partie du score vrai de l'élève à l'épreuve en question. C'est pourquoi on pourrait réécrire l'équation (3.10) de la manière suivante :

$$X = V + e_s + e_a \qquad (3.17)$$

Dans cette dernière expression, le score observé du sujet est la somme d'un score vrai, d'une erreur systématique e_s et d'une erreur aléatoire e_a. Par exemple, un enseignant qui ferait porter une grande partie de son examen sur une partie sans importance de la matière ou encore sur des objectifs dont les élèves n'ont pas été informés, mesurerait davantage ce qui n'est pas pertinent. Dans un tel contexte, l'erreur aléatoire de mesure serait dérisoire par rapport à l'erreur systématique introduite. Bref, ce test fournirait des résultats précis (fidèles), mais sans grande validité.

En fait, il est possible de représenter les notions de validité et de fidélité en fonction de la proportion de la variance des scores observés imputable à de la variance pertinente (σ_v^2), à de la variance non pertinente ($\sigma_{e_s}^2$) ou à de la variance d'erreur ($\sigma_{e_a}^2$). La figure suivante explique le rapport entre ces différentes variances.

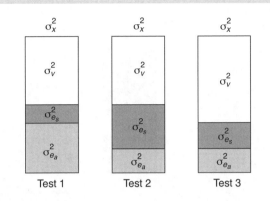

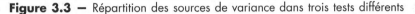

Figure 3.3 — Répartition des sources de variance dans trois tests différents

De la figure 3.3, il ressort que le but du constructeur de test est de maximiser la part du score vrai qui est pertinente pour ce qu'il souhaite mesurer, tout en minimisant l'erreur aléatoire de mesure. Pour ce faire, il faut que la variance des scores vrais occupe une grande proportion de la variance des scores observés et que la variance d'erreur systématique soit minimale. Parmi les tests 1 à 3 de la figure 4, le test 3 est le plus fidèle et le plus valide : c'est celui pour lequel la proportion de la variance des scores observés qui soit de la variance imputable aux scores vrais est la plus élevée. Par contre, le test 3 n'est pas plus fidèle que le test 2, car tous deux comportent la même proportion de la variance des scores observés qui est de la variance d'erreur aléatoire. Enfin, le test 1 est le moins fidèle des trois tests. Tout comme le test 2, il est moins valide que le test 3. De plus, une plus grande proportion de la variance des scores observés provient de la variance d'erreur aléatoire, ce qui le rend moins fidèle.

Il ressort aussi de la figure 3.4 qu'un test peut-être fidèle même s'il ne mesure pas ce que l'on souhaite. Dans ce cas-ci, la proportion de la variance observée constituée d'erreur systématique est très importante. Ceci assure une grande précision et une grande stabilité aux scores, mais la variance est sans rapport avec la caractéristique que nous souhaitons mesurer. Il est donc possible qu'un instrument fidèle, un test trop facile par exemple, ne mesure pas ce que nous souhaitons mesurer. De bons indicateurs de fidélité, même s'ils permettent d'envisager que les résultats au test puissent être valides, ne sont pas suffisants à eux seuls pour assurer la pertinence des scores.

Prenons pour exemple une mesure bien connue de la compétition sportive : le tir à l'arc. Lorsque, comme l'indique la situation *A* de la figure 3.5, un tir groupé rate systématiquement la cible, on peut parler de tir fidèle, mais pas de tir valide. Il suffira au tireur de corriger le biais de son tir pour le rendre valide et ainsi atteindre le *1000* ou *l'oeil de boeuf*. Par contre, un instrument non fidèle ne saurait être valide, à cause du manque de précision de la mesure. C'est le cas d'un tir dispersé sur toute la surface de la cible (situation *B*). Le problème de ce tireur est beaucoup plus délicat que le premier. Comme son tir est aléatoire et non systématique, il y a peu de choses que nous puissions faire pour l'aider à corriger son tir. Un premier bon pas dans cette direction serait de s'assurer que le tireur possède au moins un tir groupé. Enfin, la situation *C* représente une situation valide et fidèle : un tir groupé qui touche le mille.

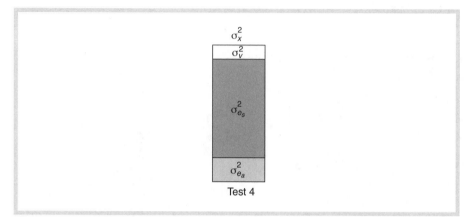

Figure 3.4 — Répartition de la variance d'erreur dans un test peu valide, mais fidèle

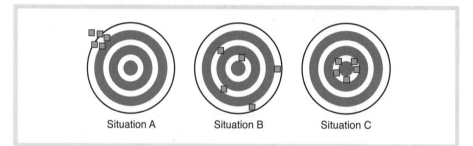

Figure 3.5 — Trois tirs à la cible différents en termes de validité et de fidélité

Ce dernier exemple illustre pourquoi la fidélité est un indicateur si important de la qualité des résultats. Sans fidélité ou, si l'on préfère, sans mesure précise, toute discussion sur la validité devient futile et tout espoir de rectifier notre tir est vain tant que les résultats manqueront de précision.

Si la fidélité d'un instrument de mesure est si importante, que peut-on faire pour l'augmenter ? Disons pour l'instant que le nombre d'items joue un rôle important dans la précision de la mesure. Plus il y a d'items entrant dans le calcul du score observé, plus celui-ci a des chances d'être précis à condition que ces items mesurent bien la même chose. Ceci découle du postulat 2 qui indique que la moyenne des scores observés d'un individu tend vers son score vrai. Plus il y aura d'items, plus l'erreur type de cette moyenne sera faible et, par conséquent, plus l'erreur de mesure sera réduite. Il y a lieu de souligner que la variance des scores vrais augmente plus vite que la variance d'erreur lorsqu'on ajoute des items homogènes à un test.

2.3 Définitions de la fidélité

Le praticien a besoin d'avoir une idée de l'écart qui existe entre la note obtenue et la note vraie. La fidélité nous renseigne sur le degré de relation entre les deux notes. Il est possible de formuler plusieurs définitions de la fidélité à partir des sept postulats de la théorie classique. Certaines de ces définitions n'ont qu'un intérêt théorique.

D'autres ont un intérêt pratique car elles nous permettent d'estimer la fidélité des résultats à un test s'il y a de bonnes raisons de croire que le modèle de la théorie classique s'applique. Nous verrons les trois définitions générales suivantes :

Le coefficient de fidélité *(définition théorique)*

C'est la proportion de la variance des scores observés qui est imputable aux scores vrais. Elle signifie que plus le test est précis, plus la variance des scores observés est due à la variance des scores vrais et non à des fluctuations du hasard. Concrètement, le coefficient de fidélité $\rho_{xx'} = 0{,}81$ signifie que 81 % de la variance des scores observés est attribuable à la variance des scores vrais. L'équation (3.18) illustre cette relation.

$$\rho_{xx'} = \frac{\sigma_v^2}{\sigma_x^2} \qquad (3.18)$$

L'indice de fidélité

C'est la corrélation entre les scores observés et les scores vrais. Lorsque cette corrélation est égale à 1 (fidélité parfaite), scores vrais et observés sont égaux et il n'y a pas d'erreur de mesure. Lorsque cette corrélation est égale à 0, alors chaque score vrai peut correspondre à n'importe quel score observé et l'erreur de mesure devient égale à l'écart type des scores observés. L'écart type des scores observés est en effet la plus grande erreur de mesure possible. Voici la représentation algébrique de cette définition de l'indice de fidélité :

$$\rho_{xv} = \sum \frac{xv}{N\sigma_x\sigma_v} \qquad (3.19)$$

L'équation (3.19) représente le calcul de la corrélation pour des scores centrés (écarts à la moyenne). Elle n'a aucun intérêt pratique puisque nous ne connaissons pas la valeur du score vrai *v*. Sur le plan conceptuel, elle nous permet de comprendre cependant que meilleure est la fidélité, meilleure sera la prédiction du score vrai à partir du score observé.

Le coefficient de fidélité *(définition opérationnelle)*

Il est estimé à partir de la corrélation entre scores observés à deux formes parallèles. Puisque par définition, les scores vrais d'un même sujet à deux tests parallèles sont égaux, la corrélation entre les scores observés à deux tests parallèles nous fournit par le fait même la proportion de la variance des scores observés qui résulte de la variance du score vrai. En effet, la corrélation des scores vrais de deux formes parallèles entre eux nous fournit la variance des scores vrais et puisque nous connaissons

---

ENCADRÉ 3.2

Au départ, nous pouvons poser que la corrélation entre les scores observés à deux tests parallèles est représentée par l'équation suivante, représentant la corrélation entre les scores centrés x_1 et x_2 aux deux tests parallèles.

$$\rho_{x_1 x_2} = \sum \frac{x_1 x_2}{N\sigma_{x_1}\sigma_{x_2}} \qquad (3.20)$$

Or, nous savons à partir du postulat #1 de la théorie classique que x_1 et x_2 peuvent être exprimés en termes de scores vrais v_1 et v_2 :

$$x_1 = v_1 + e_1$$
$$x_2 = v_2 + e_2$$
$$\text{(3.21) et (3.22)}$$

Nous pouvons développer l'expression de la corrélation entre deux tests parallèles en remplaçant les scores observés x_1 et x_2 par leur valeur exprimée en scores vrais. Ceci nous donne l'expression suivante :

$$\rho_{x_1 x_2} = \sum \frac{(v_1 + e_1)(v_2 + e_2)}{N\sigma_{x_1}\sigma_{x_2}} \qquad (3.23)$$

Une fois la multiplication développée au numérateur, nous obtenons l'expression :

$$\rho_{x_1 x_2} = \sum \frac{v_1 v_2 + v_1 e_2 + v_2 e_1 + e_1 e_2}{N\sigma_{x_1}\sigma_{x_2}} \qquad (3.24)$$

Enfin, suite à la distribution de la sommation, l'expression de la corrélation entre scores centrés à deux tests parallèles prend la forme suivante :

$$\rho_{x_1 x_2} = \sum \frac{v_1 v_2}{N\sigma_{x_1}\sigma_{x_2}} + \sum \frac{v_1 e_2}{N\sigma_{x_1}\sigma_{x_2}} + \sum \frac{v_2 e_1}{N\sigma_{x_1}\sigma_{x_2}} + \sum \frac{e_1 e_2}{N\sigma_{x_1}\sigma_{x_2}} \qquad (3.25)$$

Cette dernière expression peut maintenant être grandement simplifiée. Les postulats 4 et 5 stipulent en effet les relations suivantes :

$$\rho_{e_1 e_2} = 0 \qquad (3.26)$$
$$\rho_{v_1 e_2} = \rho_{v_2 e_1} = 0 \qquad (3.27)$$

Ceci permet donc d'égaler à 0 les trois derniers termes de l'addition de l'équation 3.25, puisqu'il s'agit en fait de la corrélation entre erreurs de mesure (3.26) et de la corrélation entre score vrai et erreur de mesure (327). L'équation devient donc la suivante :

$$\rho_{x_1 x_2} = \sum \frac{v_1 v_2}{N\sigma_{x_1}\sigma_{x_2}} \qquad (3.28)$$

Cette équation peut être réécrite en tenant compte du postulat 6 de la théorie classique qui définit les propriétés des tests parallèles de la manière suivante :

$$v_1 = v_2 \qquad (3.29)$$
$$\sigma_1 = \sigma_2 \qquad (3.30)$$

En substituant ces relations dans l'équation 9, il est possible d'écrire :

$$\rho_{x_1 x_2} = \sum \frac{v^2}{N\sigma_{x_1}\sigma_{x_2}} = \frac{\sigma_v^2}{\sigma_x^2} \qquad (3.31)$$

car,

$$\sum \frac{v^2}{N} = \sigma_v^2 \qquad (3.32)$$

En fait, ce dernier développement est possible car la variance des scores observés à chaque test parallèle est égale par définition et que les scores vrais à chaque test parallèle sont les mêmes (3.29 et 3.30). Dans ce dernier cas, la covariance entre scores vrais à deux tests parallèles est égale à la variance des scores vrais.

Cette démonstration illustre que la corrélation entre deux formes parallèles d'un test nous permet d'en estimer la fidélité pour autant que les postulats de la théorie classique soient adéquats pour décrire nos résultats.

déjà la variance des scores observés, il est facile d'estimer la fidélité du test en calculant la proportion de la variance des scores observés qui résulte de la variance du score vrai. Bref, les tests parallèles nous fournissent une méthode pour opérationnaliser l'estimation de la variance des scores vrais lorsque les postulats de base de la théorie classique sont raisonnablement satisfaits.

$$\rho_{x_1 x_2} = \sum_{i=1}^{N} \frac{x_1 x_2}{N \sigma_{x_1} \sigma_{x_2}} \tag{3.20}$$

Le lecteur intéressé pourra prendre connaissance de la démonstration dans l'encadré 2 qui illustre comment l'équation (3.20) est bien une opérationnalisation de l'équation (3.18).

3. Estimation de la fidélité

3.1 MÉTHODE DES FORMES PARALLÈLES

La définition opérationnelle de la fidélité nous indique dans quelles conditions la théorie classique nous permet d'estimer la précision des scores. À condition de disposer de deux formes parallèles, il est possible de calculer la proportion de la variance des scores observés qui est due aux scores vrais et ainsi d'estimer la fidélité lorsque les postulats de la théorie classique sont valables. Dans la pratique, ces deux formes parallèles peuvent se rencontrer dans trois situations que nous allons maintenant décrire :

La stabilité

Si l'on administre le même test à deux reprises, la corrélation entre les scores observés au test-retest nous donne une indication de la stabilité des résultats dans le temps. Le test administré au temps A est considéré comme parallèle au même test administré au temps B. Si les résultats au test-retest ne sont pas stables, alors la corrélation entre les deux sera faible et l'effet du passage du temps s'ajoutera à l'erreur de mesure. Il faut noter qu'une telle procédure suppose que le retest est sans effet particulier sur les sujets, c'est-à-dire qu'il n'y a pas eu d'effet d'apprentissage ou de contamination des résultats. Si, par exemple, les sujets les plus forts lors de la première administration sont aussi ceux qui, au moment du retest, se rappellent mieux des questions posées la première fois, il risque d'y avoir corrélation entre le score vrai de l'élève au premier test et l'erreur aléatoire de mesure au second, ce qui enfreint le postulat 5 du modèle de la théorie classique.

L'équivalence

Si l'on administre deux versions d'un même test, la corrélation entre les scores de chaque test nous renseigne sur le degré d'équivalence entre les tests. Ceci suppose que les deux formes ont été administrées en même temps ou à l'intérieur d'une période de temps très courte, sinon la stabilité et l'équivalence des deux tests seraient mesurées simultanément. Ce type de fidélité requiert que deux tests soient créés. Ce n'est pas toujours nécessaire cependant. On peut décider de considérer comme équivalentes les deux moitiés d'un test (*méthode de bissection*). Le calcul de la corrélation nous fournit alors une estimation de l'équivalence des résultats pour chaque moitié du test. À la limite, on peut étendre ce concept jusqu'aux items et déterminer à quel point tous les items entrant dans le calcul d'un score total sont homogènes, c'est-à-dire équivalents ou encore parallèles. L'ennui avec le calcul de la fidélité par la méthode de bissection, c'est que l'estimation fournie se fonde sur une partie du test, alors que c'est la fidélité du test entier que nous recherchons. Des corrections visant à tenir compte de cette situation sont disponibles (Spearman-Brown, Guttman, Rulon) et nous les verrons dans la section 3.2.

La stabilité-équivalence

Dans le calcul de la stabilité, on cherche à déterminer l'effet du passage du temps sur la fidélité du score. Dans le calcul de l'équivalence, c'est l'effet de l'échantillonnage des items sur le score total de l'individu que l'on cherche à mesurer. Lorsque l'on cherche à tenir compte de ces deux sources de fluctuation du score total, nous procédons au calcul d'un coefficient de stabilité-équivalence. Cette valeur de fidélité nous est fournie par la corrélation entre les deux formes d'un test à des moments différents. En fait, le calcul de la stabilité-équivalence devient nécessaire lorsque l'on ne peut utiliser le même test dans le calcul de la stabilité. Puisque deux sources de fluctuation aléatoire seront présentes dans le calcul de cette corrélation, le coefficient de stabilité-équivalence est généralement la plus faible estimation de la fidélité parmi les trois que nous venons d'envisager.

Le tableau 3.4 décrit le plan d'observation des trois méthodes précédentes de calcul de la fidélité. Il s'agit en fait de deux tests parallèles (test 1 et test 2) administrés à deux moments différents (temps A et temps B). Il est donc possible d'estimer la fidélité de trois manières différentes :

- la stabilité : par la corrélation entre les résultats de chaque test (test 1 ou test 2) au temps A avec les résultats au même test au temps B ;
- l'équivalence : par la corrélation entre les résultats de deux tests parallèles administrés au même moment (soit au temps A, soit au temps B) ;
- la stabilité-équivalence : par la corrélation entre les résultats à deux tests parallèles administrés à des moments différents (test 1 au moment A avec test 2 au moment B ; test 2 au moment A avec test 1 au moment B).

Le tableau 3.4 présente un exemple de calcul pour chaque méthode d'estimation de la fidélité. Il présente la moyenne et l'écart type de chaque test aux moments A et B, ainsi que les corrélations nécessaires à l'estimation de la fidélité des résultats.

Premièrement, les moyennes et les écarts types des deux tests parallèles ne sont pas exactement les mêmes. Est-ce une raison suffisante pour remettre en question le modèle de la théorie classique ? Pas forcément, car des différences entre les moyennes et les écarts types peuvent toujours se produire suite à des fluctuations d'échantillonnage. Il faut se demander si ces fluctuations sont telles qu'elles remettent en question l'hypothèse selon laquelle les tests sont parallèles. Rappelons que l'équivalence entre les tests signifie que les moyennes et les écarts types des résultats à ces tests sont les mêmes dans la *population* en dépit des différences observées au niveau de l'*échantillon*.

Les résultats indiquent que les tests 1 et 2 sont relativement équivalents, que l'estimation de l'équivalence entre les deux tests ait été faite au temps A ou au temps B. En effet, la corrélation entre les deux tests est de 0,81 au temps A et de 0,92 au temps B. Il y a donc entre 81 % et 92 % de la variance de chacun des tests qui est composée de la variance de scores vrais si le modèle de la théorie classique est approprié. Cette proportion de variance vraie nous permet d'estimer la fidélité d'équi-

Tableau 3.4 — Fidélité de stabilité et équivalence : exemples de calculs

Temps A			Temps B		
Sujets	**Test 1**	**Test 2**	**Sujets**	**Test 1**	**Test 2**
1	9	8	1	13	11
2	7	8	2	8	9
3	7	7	3	8	8
4	8	6	4	8	6
5	5	6	5	7	6
6	4	4	6	5	5
7	5	5	7	4	4
Moyenne	6,43	6,29	**Moyenne**	7,57	7,00
Variance	2,82	1,92	**Variance**	7,10	5,14
Corr.	0,81		**Corr.**	0,92	

Stabilité/équivalence

	Temps A Test 1	**Temps A Test 2**
Temps B Test 1	0,87	0,81
Temps B Test 2	0,79	0,91

Équivalence

Temps A	**Test 1**	**Test 2**
Test 1	1,00	0,81
Test 2	0,81	1,00

Temps B	**Test 1**	**Test 2**
Test 1	1,00	0,92
Test 2	0,92	1,00

valence selon les équations 3.19 et 3.20. De plus, nous pouvons affirmer que 65 % de la variance des scores observés du test 2 au Temps A peut être prédite par la variance des scores observés du test 1 au Temps A. Ce pourcentage est calculé en élevant au carré la corrélation entre les résultats aux deux tests, soit :

$$r^2_{x_1 x_2} = 0,81^2 = 0,65$$

Les résultats à chacun des tests sont également très stables. Au moyen de la corrélation entre les scores obtenus au même test aux temps A et B, il est possible d'estimer que la stabilité des résultats du test 1 est à 0,87 et celle du test 2 à 0,91. Il y a donc respectivement 87 % et 91 % de variance entre la première et la seconde administration du test 1 et du test 2 qui est de la variance de score vrai. Ici encore, en élevant la valeur de corrélation au carré, l'on peut calculer le pourcentage de la variance des scores observés au temps B qui peut être prédite à partir des scores observés au temps A. Pour le test 2, cette valeur est :

$$r^2_{x_2 x_2} = 0,91^2 = 0,83$$

La plus faible valeur de fidélité est celle de la stabilité-équivalence et c'est habituellement le cas. En effet, cette estimation cumule les erreurs aléatoires de mesure imputables aux différences d'échantillonnage des items entre les deux tests parallèles, de même que les erreurs aléatoires de mesure imputables à l'effet du temps. La valeur estimée ne saurait donc être plus grande que la plus petite des valeurs de fidélité précédemment calculée, qu'il s'agisse d'équivalence ou de stabilité. La stabilité-équivalence du test 1 est de 0,81 et celle du test 2 est de 0,79. Dans le cas du test 1, la valeur de stabilité-équivalence est égale au coefficient d'équivalence avec le test 2 mesurée au temps A (0,81 = 0,81), mais inférieure au coefficient de stabilité (0,81 < 0,87) et au coefficient d'équivalence mesuré au temps B (0,81 < 0,92). Dans le cas du test 2, la valeur de stabilité-équivalence est inférieure à la fois à l'équivalence du test 2 avec le test 1 (temps A : 0,79 < 0,81 ; temps B : 0,79 < 0,92) et à la stabilité test-retest (0,79 < 0,91). Le coefficient de stabilité-équivalence est donc, parmi les trois méthodes précédentes, celle qui fournit l'estimation de la fidélité la plus basse.

3.2 MÉTHODE DE BISSECTION

Tous les calculs pratiques de la fidélité que nous avons pris en considération jusqu'à présent possèdent un point en commun : ils requièrent la construction de deux tests ou encore l'administration du même test à deux reprises. Aucune de ces trois méthodes ne permet d'obtenir une estimation de la fidélité avec un seul test qui aurait fait l'objet d'une seule administration.

Pourtant, dans le cas précis de l'équivalence entre deux tests, il est possible de considérer des parties quelconques du test entier comme des formes parallèles du même test. Le problème de la double administration et de la construction de deux tests est ainsi contourné. Cette méthode est connue sous le nom de la méthode de bissection (en anglais « *split-half* »).

Mais que mesure au juste la corrélation entre les scores totaux à deux moitiés d'un test ? Il s'agit en fait d'une mesure de la cohérence interne du test entier, ou si l'on préfère, de l'homogénéité de ses parties. Si la corrélation obtenue entre les deux moitiés est élevée, elle indique que les deux parties mesurent sensiblement la même chose. Si, par contre, elle est faible, elle indique qu'elles mesurent des choses différentes. En fait, la cohérence interne du test nous permet de nous prononcer sur l'additivité des scores entre les différentes parties d'un test. Si ces parties mesurent des caractéristiques différentes, sans liens ou encore en relations opposées, leur addition contribuera bien peu à améliorer la fidélité du score total au test. La variance du score total ainsi obtenue sera considérablement réduite, comme nous l'avons déjà démontré dans les exemples des tableaux 3.2 et 3.3.

Les méthodes de bissection comportent deux inconvénients importants :

1. La fidélité ainsi calculée nous fournit la précision des scores totaux obtenus pour la moitié du test, alors que c'est la précision des scores totaux pour l'ensemble du test qui nous intéresse. De plus, une telle estimation de la fidélité risque de fournir des estimations bien au-dessous de la fidélité du score total

pour l'ensemble du test puisque plus un score total est calculé sur un grand nombre d'items, plus il a de chances d'être précis.

2. La fidélité ainsi calculée dépend de la méthode de bissection choisie. En effet, les corrélations entre les scores obtenus aux deux moitiés d'un test risquent d'être fort différentes selon que les deux moitiés sont constituées des premiers vs derniers items, des items pairs vs items impairs ou encore des *j/2* items choisis au hasard vs les *j/2* items restants.

Le tableau 3.5 présente deux exemples de calcul selon la méthode de bissection : la première utilise la corrélation entre les deux parties du test formées de la somme des items pairs et impairs ; la seconde utilise la corrélation entre la somme des cinq premiers et des cinq derniers items. L'estimation de la fidélité varie beaucoup selon la méthode de bissection employée. Dans le premier cas, celle-ci est estimée à 0,973, alors que dans le second cas, elle est évaluée à 0,887. D'autres méthodes de bissection auraient fourni des résultats tout aussi différents.

La correction de Spearman-Brown permet d'apporter une solution pratique au problème de la sous-estimation de la fidélité de l'ensemble du test par la méthode de bissection. Cette formule de correction permet d'estimer quelle serait la fidélité du test entier à partir de la fidélité calculée entre deux moitiés. Cette correction prend la forme suivante :

$$r_{xx'} = \frac{2r_{AB}}{1 + r_{AB}} \tag{3.33}$$

où r_{AB} représente la corrélation entre les scores des deux moitiés d'un test.

Tableau 3.5 — Méthode de bissection

Sujets #	\multicolumn{10}{c}{Items #}										Items pairs	Items impairs	Items 1 à 5	Items 6 à 10
	1	2	3	4	5	6	7	8	9	10				
1	2	2	3	1	3	4	1	2	4	1	10	13	11	12
2	4	3	3	1	3	5	2	4	5	2	15	17	14	18
3	5	3	5	3	4	5	3	5	5	2	18	22	20	20
4	2	1	3	2	3	4	1	3	5	1	11	14	11	14
5	3	2	5	4	5	5	2	4	5	1	16	20	19	17
6	3	3	5	4	5	5	2	4	5	1	17	20	20	17
7	1	1	3	2	3	3	0	2	4	2	10	11	10	11
8	1	1	3	1	4	3	0	1	3	0	6	11	10	7
9	0	1	2	0	3	3	0	1	3	0	5	8	6	7
10	5	3	5	3	3	5	3	5	5	3	19	21	19	21
Moyenne	2,6	2	3,7	2,1	3,6	4,2	1,4	3,1	4,4	1,3	12,7	15,7	14	14,4
Variance	2,6	0,8	1,2	1,7	0,6	0,8	1,2	2,1	0,6	0,8	22,4	22	23,6	22,8

Corrélation entre les deux moitiés « pairs/impairs »	0,973
Corrélation entre les deux moitiés « premiers/derniers »	0,887

Dans le cas où la corrélation entre les deux moitiés d'un test serait de 0,81, la correction de Spearman-Brown estimerait la fidélité du test entier à :

$$r_{xx'} = \frac{2 \times 0,81}{1 + 0,81} = \frac{1,62}{1,81} = 0,90 \qquad (3.34)$$

Cette estimation n'est toutefois valable que si les deux moitiés du test correspondent à la définition de deux tests strictement parallèles. Lorsque les variances des deux moitiés sont fort différentes, l'estimation de la fidélité du test entier risque d'être faussée.

Rulon (1939) a proposé une alternative à la méthode Spearman-Brown et fournit une meilleure estimation de la fidélité du test entier lorsqu'il y a de grandes différences dans les variances des scores calculées à partir des deux moitiés. La formule de Rulon suppose que l'on calcule d'abord un score de différence entre les résultats aux deux moitiés du test pour chaque sujet :

$$D = A - B \qquad (3.35)$$

La fidélité du test entier est ensuite calculée à partir de la formule suivante :

$$r_{xx'} = 1 - \frac{s_D^2}{s_X^2} \qquad (3.36)$$

$r_{xx'}$ est la fidélité du test entier, s_D^2 est la variance des scores de différence et s_X^2 est la variance des scores observés. Il existe une autre formule de correction attribuable à Guttman (1945) qui donne exactement les mêmes résultats que celle de Rulon.

Le deuxième inconvénient des méthodes de bissection est plus sérieux. En effet, selon les deux moitiés obtenues par la méthode de bissection choisie, il y a autant d'estimations possibles de la fidélité. La meilleure estimation de la cohérence interne serait obtenue en calculant la moyenne des estimations obtenues à partir de toutes les bissections possibles du test. Ceci représenterait, cependant, une quantité énorme de calculs même pour un test comportant relativement peu d'items.

3.3 MÉTHODE DES COVARIANCES

Les méthodes d'estimation de la cohérence interne fondée sur la covariance entre les items permettent d'apporter une solution au problème que nous venons de souligner. Ces méthodes reposent sur le postulat que chaque item peut être considéré comme une partie d'un test et qu'un test peut être considéré comme étant composé d'autant de parties que d'items. Plus les covariances entre tous les items pris deux à deux sont élevées, plus les items sont homogènes et mesurent la même chose. Ceci se traduit par un score total qui sera d'autant plus précis qu'il sera évalué par un grand échantillon d'items tirés de la même population. S'il n'y a que peu de covariances entre les items, alors de nouveaux échantillons tirés de la même population risquent de produire des résultats au test fort différents. En fait, ce que font les méthodes de covariance, c'est d'estimer les chances d'obtenir le même résultat avec de nouveaux échantillons d'items, à partir des corrélations qui existent déjà entre items censés mesurer la même chose.

Le α de Cronbach est sans doute la méthode la plus connue d'estimation de la cohérence interne fondée sur les covariances entre items (Cronbach, 1951). C'est aussi l'une des plus utilisées. Plusieurs logiciels statistiques fournissent maintenant cette valeur de façon routinière. La valeur α est une estimation de la fidélité d'un

Tableau 3.6 — Matrice des variances-covariances pour un test de 10 items

Matrice des résultats pour 10 items et 10 sujets

	Item 1	Item 2	Item 3	Item 4	Item 5	Item 6	Item 7	Item 8	Item 9	Item 10
1	2	2	3	1	3	4	1	2	4	1
2	4	3	3	1	3	5	2	4	5	2
3	5	3	5	3	4	5	3	5	5	2
4	2	1	3	2	3	4	1	3	5	1
5	3	2	5	4	5	5	2	4	5	1
6	3	3	5	4	5	5	2	4	5	1
7	1	1	3	2	3	3	0	2	4	2
8	1	1	3	1	4	3	0	1	3	0
9	0	1	2	0	3	3	0	1	3	0
10	5	3	5	3	3	5	3	5	5	3
Moyenne	**2,60**	**2,00**	**3,70**	**2,10**	**3,60**	**4,20**	**1,40**	**3,10**	**4,40**	**1,30**
Variance	**2,60**	**0,80**	**1,20**	**1,70**	**0,60**	**0,80**	**1,20**	**2,10**	**0,60**	**0,80**

Matrice des variances-covariances pour les 10 items

	Item 1	Item 2	Item 3	Item 4	Item 5	Item 6	Item 7	Item 8	Item 9	Item 10
Item 1	2,64									
Item 2	1,30	0,80								
Item 3	1,38	0,70	1,21							
Item 4	1,24	0,60	1,33	1,69						
Item 5	0,24	0,20	0,58	0,74	0,64					
Item 6	1,28	0,70	0,76	0,78	0,28	0,76				
Item 7	1,76	0,90	1,02	0,96	0,26	0,92	1,24			
Item 8	2,24	1,10	1,33	1,39	0,34	1,18	1,56	2,09		
Item 9	1,06	0,50	0,62	0,76	0,16	0,62	0,74	1,06	0,64	
Item 10	1,12	0,50	0,49	0,47	− 0,18	0,44	0,68	0,97	0,48	0,81

score composite à partir de la fidélité de ses parties (ou items). Cette valeur est fournie par l'équation suivante :

$$\alpha = \frac{j}{j-1}\left[1 - \frac{\sum s_i^2}{s_x^2}\right] \tag{3.37}$$

Dans cette formule, j représente le nombre d'items, $\sum s_i^2$, la somme des variances des j items et s_X^2, la variance des scores totaux au test. Le α de Cronbach repose sur le postulat fort que chaque item est parallèle aux autres (même degré de difficulté, même variance). Comme c'est rarement le cas dans la pratique, la valeur de fidélité fournie par α sous-estime la fidélité du score total au test. On peut donc affirmer que α est une valeur conservatrice de la cohérence interne du score total puisque $\alpha \leq r_{XX'}$.

Le tableau 3.6 présente la matrice des variances-covariances pour les 10 items d'un test. Les variances sont inscrites en diagonale, alors que les covariances entre chaque item pris deux à deux figurent au-dessous de la diagonale principale.

La valeur du α de Cronbach de ce test est calculée de la manière suivante ($s_X^2 = 87,64$) :

$$\alpha = \frac{10}{9}\left[1 - \frac{12,4}{87,6}\right] = 0,95 \tag{3.38}$$

Dans cet exemple, le nombre d'items j est égal à 10 et la somme des variances des items (diagonale de la matrice des variances-covariances) est égale à 12,40. La variance des scores totaux au test est de 87,64. Le α de Cronbach ainsi calculé est égal à 0,95, ce qui représente une excellente cohérence interne. Les dix items forment un ensemble suffisamment homogène pour qu'il soit justifié d'additionner ensemble leurs résultats pour former un score total.

L'inspection de la matrice des variances-covariances ne révèle qu'une seule valeur de covariance négative entre l'item 5 et l'item 10. Il est à prévoir que ces items contribuent moins à la cohérence interne du test entier. En effet, un item qui possède une covariance négative avec les autres items ne saurait être considéré comme faisant partie du même groupe d'items.

Il est difficile d'interpréter le degré d'association entre deux items à partir de la matrice des variances-covariances. Lorsque les items ont des étendues différentes, la

Tableau 3.7 — Matrice des corrélations d'un test de 10 items (données du tableau 3.6)

	Item 1	Item 2	Item 3	Item 4	Item 5	Item 6	Item 7	Item 8	Item 9	Item 10
Item 1	1,00									
Item 2	0,89	1,00								
Item 3	0,77	0,71	1,00							
Item 4	0,59	0,52	0,93	1,00						
Item 5	0,18	0,28	0,66	0,71	1,00					
Item 6	0,90	0,90	0,79	0,69	0,40	1,00				
Item 7	0,97	0,90	0,83	0,66	0,29	0,95	1,00			
Item 8	0,95	0,85	0,84	0,74	0,29	0,94	0,97	1,00		
Item 9	0,82	0,70	0,70	0,73	0,25	0,89	0,83	0,92	1,00	
Item 10	0,77	0,62	0,49	0,40	− 0,25	0,56	0,68	0,75	0,67	1,00

valeur de la covariance s'en trouve affectée. Un item qui peut prendre les valeurs de 1 à 10 aura vraisemblablement une covariance plus élevée qu'un item qui ne peut prendre que des valeurs de 1 à 2 ou de 1 à 5. C'est pourquoi il est préférable d'avoir recours à la matrice des corrélations dans ce genre de situation. Le tableau 3.7 présente la matrice des corrélations entre items pour les mêmes données que celles figurant dans le tableau 3.6.

Parmi les autres méthodes d'estimation de la cohérence interne du score total d'un test, il y a les formules 20 et 21 développées par Kuder et Richardson (1937). La formule 20 permet de calculer la cohérence interne pour des items dichotomiques, alors que la formule 21 permet d'effectuer les mêmes calculs à partir de la moyenne et de la variance des scores individuels. Lorsque tous les items ont sensiblement la même difficulté et la même variance, les deux formules fournissent des estimations équivalentes. Cependant, lorsque les items varient beaucoup en difficulté et en variance, la formule 21 fournit une estimation de la cohérence interne systématiquement inférieure.

La formule 20 de Kuder-Richardson est la suivante :

$$KR_{20} = \frac{j}{j-1}\left[1 - \frac{\sum pq}{s_x^2}\right] \tag{3.39}$$

Dans l'équation (3.39), j et s_x^2 ont la même signification que dans l'équation (3.37). La seule différence importante provient de l'expression (3.40) :

$$\sum pq \tag{3.40}$$

qui sert au calcul de la somme des variances des items lorsque ceux-ci ont des valeurs dichotomiques. Dans ce cas, p est le coefficient de difficulté de l'item et $q = 1 - p$.

Lorsque les items sont tous sensiblement de même difficulté et de même variance, la formule 20 peut être remplacée par l'approximation suivante fournie par la formule 21 :

$$KR_{21} = \frac{j}{j-1}\left[1 - \frac{\overline{X}(j-\overline{X})}{js_x^2}\right] \tag{3.41}$$

La formule 21 permet d'estimer la cohérence interne d'un test à partir de la moyenne $\overline{X}$ et de la variance des scores totaux s_x^2. Cependant, s'il y a d'importantes différences parmi les indices de difficulté des items, KR21 sera systématiquement inférieure à KR20.

Enfin, Hoyt (1941) a mis au point une méthode de calcul de la cohérence interne qui fournit des résultats similaires à la valeur α de Cronbach en utilisant cette fois-ci le modèle de l'analyse de variance en blocs aléatoires. Hoyt définit la fidélité de cohérence interne de la manière suivante :

$$r_{XX'} = \frac{MC_{personnes} - MC_{erreur}}{MC_{personnes}} \tag{3.42}$$

Dans cette expression, $MC_{personnes}$ représente la moyenne des carrés des personnes (ou si l'on préfère la variance des scores observés) et MC_{erreur} représente la moyenne des carrés d'erreur (ou si l'on préfère la variance d'erreur aléatoire). La différence entre les deux termes du numérateur permet d'estimer la variance des scores vrais, soit la variance des scores observés qui n'est pas de l'erreur. Le rapport entre la variance des scores vrais et la variance des scores observés nous fournit l'expression habituelle de la fidélité.

Afin de bien comprendre la formule de Hoyt, il faut tenir compte du fait que ces moyennes de carré sont calculées à partir d'un modèle d'analyse de variance en

Tableau 3.8 — Analyse de variance des résultats à un test de 10 items

Source de variance	Somme des carrés	Degrés de liberté	Moyenne des carrés
Personnes	87,64	9	9,74
Items	151,80	90	1,69
Erreur	37,56	81	0,46
Total	239,44	99	2,42

blocs aléatoires. Dans ce modèle, il n'y a pas de terme d'interaction : la variance d'interaction est en effet confondue avec la variance d'erreur. L'absence d'interaction signifie que, selon ce modèle, la difficulté des items est la même pour chaque personne ayant répondu au test. Par exemple, l'item le plus difficile a été le plus difficile pour tous les sujets et non pour certains d'entre eux seulement. S'il devait y avoir une interaction significative entre la difficulté des items et les personnes qui y répondent, alors cette variance s'ajouterait à la variance d'erreur et contribuerait à réduire la fidélité des résultats au test : un item serait facile ou difficile selon la personne qui y répond. Dans une telle situation, il est difficile d'espérer une quelconque fidélité des résultats dans l'appréciation des différences individuelles.

Le tableau 3.8 présente les résultats de l'analyse de variance effectuée sur les données du tableau 3.6. On y retrouve les sources de variance, la somme des carrés et la moyenne des carrés pour un plan en blocs aléatoires. En appliquant la formule de Hoyt (équation 3.42) aux résultats de ce tableau, on retrouve la même valeur de α que celle calculée par l'équation (3.37).

$$\alpha = \frac{9,74 - 0,46}{9,74} = 0,95 \tag{3.43}$$

La formule de Hoyt anticipe sur les développements futurs apportés par la théorie de la généralisabilité telle que formulée par Cronbach, Gleser, Nanda et Rajaratnam (1972). Grâce à l'étude des composantes de variance, la théorie de la généralisabilité, comme nous le verrons plus loin, permet l'étude de la fidélité des scores dans des conditions d'observation beaucoup plus complexes que celles que nous avons considérées dans ce chapitre. Enfin, grâce aux modifications apportées par Cardinet et Tourneur (1985), la théorie de la généralisabilité a permis d'étendre l'étude de la fidélité de manière à y inclure tout objet de mesure dont les niveaux sont échantillonnés aléatoirement, que ce soit la difficulté des items eux-mêmes ou des items à l'intérieur d'objectifs d'apprentissage, par exemple.

3.4 PROBLÉMATIQUE DU COEFFICIENT α[1]

Le coefficient α est sans doute l'une des mesures les plus répandues de la fidélité. C'est aussi l'une des moins bien utilisées – du fait de sa popularité et de sa facilité d'utilisation. C'est à cause des abus, tant dans l'utilisation que dans l'interprétation du coefficient α, que nous avons jugé nécessaire d'y consacrer toute une section.

---

[1] Laveault, D. (2012). Soixante ans de bons et mauvais usages du alpha de Cronbach. *Mesure et évaluation en éducation, 35*(2), 1-7. L'article est reproduit ici avec la permission de la Revue.

Élaboré en 1951 par Lee J. Cronbach, ce coefficient « alpha » comme son nom l'indique, a d'abord été conçu comme la première d'une série de mesures de calculs des différentes propriétés des scores (Cronbach et Shavelson, 2004, p. 397). Cette série d'indicateurs numériques ne devait avoir aucun lendemain, mais la popularité du coefficient α pour mesurer la fidélité ne s'est pas démentie depuis. En raison de sa popularité, de sa longévité et aussi du nombre élevé de références secondaires à l'article de Cronbach (1951), les utilisations inappropriées du coefficient se sont vite répandues, à tel point que plusieurs auteurs (Green, Lissitz et Mulaik, 1977 ; Schmitt, 1996 ; Cortina, 1993) et Cronbach lui-même (Cronbach et Shavelson, 2004) ont cru nécessaire de rappeler et de préciser les limites et les conditions de son utilisation appropriée.

Avec le recul des années, plus de cinquante ans après la parution de l'article de Cronbach (1951), le coefficient α doit être perçu pour ce qu'il est vraiment, soit un coefficient de cohérence interne des items qui composent le score total à un test. Ce coefficient trouve maintenant sa place parmi un arsenal complexe d'analyses de la fidélité, dont l'étude de la généralisabilité (Cardinet, Johnson & Pini, 2010 ; voir section 7, chapitre 3) constitue le modèle sans doute le plus abouti en théorie classique des scores. Bref, il est important de retenir que le coefficient α ne couvre qu'une faible proportion des besoins de calculs de la fidélité et que son utilisation doit être limitée aux cas bien précis où il convient. C'est ce que nous tâcherons d'approfondir dans cette section.

3.4.1 *Conditions d'utilisation*

Le coefficient α est une mesure de la cohérence interne, c'est-à-dire du degré d'intercorrélation entre les items. La cohérence interne est une condition nécessaire, mais non suffisante de l'homogénéité des items d'une échelle, cette dernière impliquant l'unidimensionnalité de l'échelle en question (Green, Lissitz et Mulaik, 1977, p. 830). Il est en effet possible d'obtenir une valeur élevée du coefficient α avec un ensemble d'items multidimensionnels lorsque le nombre d'items en lui-même est suffisamment grand ou encore si plusieurs des dimensions sont intercorrélées.

Le coefficient α est fonction de la corrélation moyenne entre les items (Cortina, 1993, p. 100) et peut être élevé même s'il existe de grands écarts entre les corrélations. L'erreur type d'α doit donc être prise en considération afin de déterminer jusqu'à quel point la valeur d'α peut avoir été affectée par la variance des corrélations entre items. Une erreur type d'α élevée peut être interprétée de deux manières possibles. Elle peut indiquer soit une erreur de mesure des items élevée, soit la présence de plusieurs dimensions au sein des items (Schmitt, 1996, p. 351). Lorsque les items ne peuvent être considérés comme τ-équivalents, la fidélité de cohérence interne ne peut être estimée avec exactitude et représente plutôt la borne inférieure de la valeur réelle de fidélité. Pour que le coefficient α tende vers sa valeur maximale possible, les items doivent être τ-équivalents c'est-à-dire être en forte corrélation et ne différer entre eux que par une constante (Cortina, 1993, p. 101).

Cortina (1993, p. 102) a démontré que le coefficient alpha est fortement influencé par le nombre d'items. Lorsque le nombre d'items est suffisamment élevé (de l'ordre de 40 items ou plus), il est relativement facile d'obtenir des valeurs acceptables d'α (0,70 et plus) en dépit d'une faible moyenne des corrélations entre items ou en présence de multidimensionnalité. À la limite, un constructeur de tests peut atteindre des valeurs de α respectables en combinant plusieurs ensembles d'items hétérogènes pourvu que ceux-ci soient corrélés positivement, ne serait-ce que modérément. En combinant sans autres raisons valables des ensembles plus ou moins disparates d'items, il est donc possible, lorsque le nombre d'items est assez élevé, d'obtenir un α indiquant une cohérence interne suffisante. Cependant, la signification de cet α soulève de nombreuses difficultés à cause de l'absence d'homogénéité entre les items. Un tel α indiquerait simplement que le test mesure quelque chose de manière cohérente, mais ce « quelque chose » serait indéfini ou mal défini. Une cohérence élevée obtenue avec un grand nombre d'items ne dispense donc aucunement d'effectuer une validation théorique et empirique de la dimensionnalité du concept mesuré (voir chapitre 4, section 4). C'est là l'une des raisons, selon Cortina (1993), de la mauvaise utilisation d'α, car au-delà d'un certain nombre d'items, la fidélité du test devient une fonction trop importante du nombre d'items. Or « le nombre d'items n'est pas une mesure adéquate de la qualité d'une échelle ou d'un test » (p. 101).

Une autre mauvaise utilisation du coefficient α provient d'une mauvaise interprétation que l'on donne à la limite précédente (Schmitt, 1996, p. 352). C'est ainsi qu'un faux argument veut qu'il soit possible de se satisfaire de valeurs moindres d'α avec un petit nombre d'items. La pratique d'indiquer le nombre d'items sur lequel est basé le calcul de α est certes une bonne pratique, mais elle ne peut être employée à contresens, c'est-à-dire pour se contenter de valeurs de fidélité faibles avec un petit nombre d'items, valeurs qui seraient jugées inacceptables avec un nombre plus élevé. Il demeure que le coefficient α est une estimation de l'erreur d'échantillonnage des items et que, peu importe le nombre d'items ayant servi au calcul du score total, une faible valeur d'α est toujours indicative d'une mesure imprécise du score total.

Une autre interprétation fréquente du coefficient α veut que celui-ci représente la moyenne de tous les coefficients de bissection possibles. Or, cette affirmation ne tient que si les items sont τ-équivalents. Le coefficient α est la moyenne de tous les coefficients de bissection, si et seulement si les écarts types des items sont égaux. Le coefficient α calculé sur les scores standardisés permet de calculer la valeur d'alpha standardisée. Ce coefficient standardisé n'est cependant pas approprié pour décrire la fidélité et l'erreur de mesure lorsque les scores bruts sont employés. Il ne devrait pas être calculé avec les valeurs brutes car il pourrait surestimer la cohérence interne de l'ensemble d'items en question.

3.4.2 Limites du coefficient α

Selon Cortina (1993, p. 103), le coefficient α est utile pour estimer la fidélité dans un cas bien particulier : lorsque nous nous soucions de la variance unique des items dans un test unidimensionnel. Lorsque le coefficient α est élevé et que sa valeur n'est pas gonflée par un nombre exagéré d'items, nous pouvons en conclure que peu de variances entre les scores résulte d'items particuliers, mais dépend d'un facteur général ou de groupe. Ceci étant dit, le coefficient α ne devrait jamais être utilisé comme un indicateur d'unidimensionnalité des résultats. Il ne dispense pas d'une étude appropriée de la dimensionnalité des items au moyen d'analyses factorielles exploratoires et confirmatoires (voir chapitre 4, section 4.4). Ceci étant dit, « une fois que l'existence d'un facteur unique a pu être démontrée, le coefficient alpha peut être considéré comme une mesure de la force d'une dimension unique » (Cortina, 1993, p. 103).

3.4.3 Exemples de bonnes pratiques

Si les études et analyses récentes sur le coefficient α ont permis de mieux en saisir la portée et de dénoncer les abus quant à son utilisation, elles ont également permis de mieux en encadrer l'utilisation et de formuler des recommandations quant à la manière la plus adéquate d'en rapporter les résultats :

1. La valeur d'α devrait toujours être accompagnée du nombre d'items sur lequel elle a été calculée, de son erreur d'estimation ainsi que de la corrélation moyenne entre les items (Cortina, 1993, p. 104 ; Green, Lissitz et Mulaik, 1977, p. 837 ; Schmitt, 1996, p. 353). Ceci permet au lecteur d'apprécier à quel point la cohérence interne résulte de corrélations élevées entre les items et non d'une inflation de la valeur d'α occasionnée par un nombre élevé d'items peu corrélés entre eux.

2. Cronbach et Shavelson (2004, pp. 413-414) suggèrent également de rapporter l'erreur de mesure du score en plus du coefficient lui-même. Ceci permet au lecteur de mieux se représenter toute l'étendue des scores possibles avec un échantillon d'items tirés de la même population. Une telle pratique est également conforme avec le standard 2.1 des *Standards for educational and psychological testing* (American Educational Research Association, American Psychological Association, & National Council on Measurement in Education, 1999).

3. Cronbach et Shavelson (2004, p. 415) proposent aussi d'indiquer le nombre d'items non complétés, surtout si ceux-ci ont été notés 0, introduisant ainsi un biais artificiel dans la corrélation entre les items à la fin d'un test. Dans un tel cas, il peut être approprié de ne pas tenir compte de ces items dans le calcul de la valeur d'α.

4. L'hétérogénéité dans le contenu des items peut remettre en question la nature aléatoire de l'échantillonnage du contenu. Cronbach et Shavelson (2004, p. 415) préviennent qu'une analyse de cohérence interne qui ne tient pas compte de l'existence de plusieurs catégories d'items peut donner lieu à des erreurs de mesure plus grandes que ne l'aurait fait une analyse plus spécifique, par exemple, en calculant la fidélité de chaque catégorie.

5. Le coefficient α constitue une estimation appropriée de la cohérence interne dans l'éventualité où le score total est utilisé de façon relative, c'est-à-dire pour différencier les individus entre eux. Dans le cas où le score total au test est utilisé de façon absolue pour déterminer, par exemple, si un individu a atteint un seuil de réussite ou tout autre score particulier, alors l'erreur de mesure est sous-estimée (voir chapitre 3, section 7.6). Selon l'usage que l'on compte faire du score total, Cronbach et Shavelson (2004, p. 415) recommandent de fournir les composantes de sa variance de manière à permettre le calcul des valeurs d'erreur relative et d'erreur absolue.

6. Il est également possible de mieux informer l'utilisateur potentiel d'un test en lui indiquant le nombre de conditions (p.ex. le nombre d'items) requis pour atteindre une erreur de mesure acceptable. Cronbach et Shavelson (2004, p. 416) proposent de présenter un tableau indiquant l'erreur de mesure en fonction d'un certain nombre de conditions. L'utilisateur est alors en meilleure position de faire un choix et d'arbitrer entre coût du test et précision de la mesure.

Pour conclure, nous pouvons affirmer que le coefficient α demeure une mesure de fidélité pratique qui mérite d'être employée. Avec le recul des années, des méthodes plus puissantes, mais aussi plus complexes, se sont ajoutées au coefficient α et, lorsque les conditions le permettent, celles-ci devraient être employées.

C'est le cas notamment de la théorie de la généralisabilité (Cardinet, Johnson & Pini, 2010) en théorie classique des scores. Il n'en demeure pas moins que lorsque nous avons besoin de connaître rapidement s'il est justifié de créer un score total à partir de la somme des items d'un score composite, le coefficient α permet d'estimer rapidement les chances qu'un autre échantillon d'items tirés du même univers d'items nous permette de formuler des conclusions similaires quant à la valeur relative des résultats, comme par exemple, quel score est le plus élevé ou le plus bas, sans que l'on puisse se prononcer toutefois quant à sa valeur absolue. Ce besoin est courant et, dans de telles circonstances, le coefficient α continue à rendre des services inestimables, tant aux étudiants en psychométrie et en évaluation scolaire, qu'aux chercheurs les plus chevronnés.

3.5 LES CORRÉLATIONS INTRA-CLASSES

Une source fréquente d'erreur de mesure, et donc de faiblesse du coefficient de fidélité, est la subjectivité des juges qui évaluent les performances (p. ex. l'exactitude de la définition d'un mot, l'originalité d'un dessin, etc.) et, sur cette base, attribuent des scores. Cette subjectivité introduit de la variabilité dans les scores observés qui n'est pas due à des différences effectives (variance vraie) entre les caractéristiques individuelles mesurées. Lorsque l'on évalue la fidélité des scores à un test, il est dès lors utile d'estimer le degré d'erreur introduite par le jugement des examinateurs. Les *corrélations intra-classes* fournissent cette information en mesurant le degré d'accord entre juges. Plus l'accord entre les juges est élevé, plus le coefficient de corrélation l'est également et moins la subjectivité des examinateurs influence les scores observés.

Les coefficients de corrélation intra-classes constituent une famille de coefficients de corrélation qui, dans le contexte de l'évaluation de la fidélité, représentent un cas particulier d'étude de la généralisabilité comportant une seule facette (voir section 7 du présent chapitre). Shrout et Fleiss (1979) ont identifié plusieurs règles permettant à l'utilisateur de choisir parmi six formes de corrélations intra-classes.

Tableau 3.9 — Évaluation de deux juges

Individu	Juge 1	Juge 2
1	11	10
2	9	11
3	10	10
4	17	17
5	13	15
6	18	18
7	4	4
8	9	13
9	21	21
10	13	11

Tableau 3.10 — Composantes de l'analyse de la variance

Source de variance	Degré de liberté	Exemple	
		Degré de liberté	Carré moyen
Individus	(i-1)	9	47,917 (CM$_i$)
Juges	(j-1)	1	1,250 (CM$_j$)
Individus x Juges (résidu)	(i-1)(j-1)	9	1,472 (CM$_r$)

Note : i = nombre d'individus ; j = nombre de juges ; carré moyen = somme des carrés divisée par le dl.

Tous ces coefficients se basent sur une analyse de la variance où sont distinguées les sources de variations suivantes : (1) les sujets, (2) les juges et (3) l'interaction entre les juges et les sujets (résidu).

L'exemple suivant illustre le calcul d'un coefficient de corrélation intra-classe dans le cas d'un test d'analogies verbales auquel ont répondu 10 enfants. Les réponses de chaque enfant ont été corrigées indépendamment par deux juges choisis aléatoirement. Le score de chaque enfant pouvait varier de 0 à 22. Le tableau 3.9 présente les scores attribués par les deux juges aux 10 enfants.

Le tableau 3.10 présente, quant à lui, les composantes de la variance estimées et les degrés de liberté correspondants, ainsi que les valeurs obtenues sur la base des données du test de compréhension verbale.

Dans le cas présent, la formule de calcul de la corrélation intra-classe doit être appliquée (Shrout & Fleiss, 1979) :

$$CCI = \frac{CM_i - CM_r}{CM_i + (k-1)CM_r + k(CM_j - CM_r)/n} \qquad (3.44)$$

où CCI est le coefficient de corrélation intra-classe ; n = le nombre d'observations et k = nombre de juges.

Ce qui donne la corrélation suivante :

$$\frac{47,917 - 1,472}{47,917 + (2-1)1,472 + 2(1,250 - 1,472)/10} = 0,94$$

Cette corrélation s'interprète comme les autres coefficients de fidélité. Nous pouvons dès lors affirmer que le degré d'erreur introduit par la subjectivité des juges est faible et que les scores observés à ce test sont fidèles.

4. Facteurs affectant l'estimation de la fidélité des résultats

Les facteurs affectant l'estimation de la fidélité des résultats à un test proviennent de deux sources principales :

- les limites inhérentes au calcul de la corrélation linéaire au moyen du *r* de Pearson ;
- les conditions empiriques de l'administration du test, telles que la longueur du test et la limite de temps imposée.

Parce que, dans la pratique, l'estimation de la fidélité procède par un calcul de corrélation, les valeurs de fidélité dépendent du modèle de la corrélation linéaire de Pearson et des postulats de ce type de calcul statistique (voir Annexe 1). Les limites statistiques du r de Pearson s'étendent donc au coefficient de fidélité. Voici un bref rappel de ces limites dont il faut tenir compte dans toute interprétation d'un coefficient de fidélité.

4.1 LA DIFFICULTÉ D'UN TEST

Celle-ci affectera le calcul de la fidélité parce qu'un test trop facile ou trop difficile entraînera une certaine asymétrie des résultats : asymétrie positive dans le cas d'un test trop difficile, asymétrie négative dans le cas d'un test trop facile. Or, la corrélation r de Pearson ne peut atteindre sa valeur maximum de 1 que lorsque les distributions des deux variables en corrélation sont symétriques ou possèdent le même type d'asymétrie.

Prenons le cas du calcul d'un coefficient de stabilité au moyen de la corrélation test-retest. Dans la situation où les scores se distribuent de manière symétrique lors d'une première administration, puis de manière asymétrique lors d'une seconde administration, la valeur maximale du coefficient de corrélation entre les scores au test et au retest ne pourra atteindre la valeur maximum de + 1.

Il est donc important de prendre en considération les facteurs affectant la fidélité. Dans ce dernier cas, il est tout aussi important – sinon plus – de savoir que la distribution des scores a changé que de savoir que la valeur de stabilité est faible. En effet, le changement de distribution peut expliquer pourquoi la fidélité est faible. Un test devenu trop facile au moment du retest peut expliquer que la distribution des résultats, symétrique au moment du test, soit devenue asymétrique négative au moment du retest. La contamination des résultats ou l'apprentissage peuvent expliquer ce genre de phénomène.

4.2 L'ÉTENDUE DES DIFFÉRENCES INDIVIDUELLES

La variance totale d'un test est une condition nécessaire, mais non suffisante à la fidélité des résultats. C'est ce que nous avons vu en traitant de la variance du score total à un test. Toute réduction de l'étendue des scores individuels entraîne une sous-estimation de la corrélation entre deux variables (voir Annexe 1).

Lors de l'étude de la fidélité d'un instrument de mesure, plusieurs situations peuvent se produire contribuant à réduire les différences individuelles et, par conséquent, nos chances d'obtenir une estimation correcte de la fidélité. C'est le cas, notamment, des situations suivantes :

1. L'étude-pilote porte sur un échantillon qui possède une variance moindre que la population générale. C'est le cas d'un test dont les résultats ne sont recueillis que dans des écoles provenant de milieux favorisés. On peut suspecter que la variance des résultats ainsi recueillis est moindre que celle qui aurait été obtenue au moyen d'un échantillon représentatif.

2. Un test a été mis à l'essai sur une population scolaire à plusieurs niveaux, plus étendue que le seul niveau dans lequel le test doit être employé. Il faut être prudent dans l'appréciation de la fidélité rapportée dans de telles conditions.

Les résultats peuvent donner lieu à une variance des scores qui soit artificiellement grande lorsque les répondants sont de plusieurs niveaux scolaires. Par contre, cette variance risque d'être réduite, et la fidélité de même, si l'on emploie le test à un seul niveau scolaire.

Magnusson (1967) a mis au point une formule permettant de corriger l'estimation de la fidélité lorsque nous avons de bonnes raisons de croire que notre échantillon de sujets est homogène et contribue ainsi à sous-estimer la variance totale des scores observés au test. Cette formule de correction est donnée par l'équation suivante :

$$r_{UU'} = 1 - \frac{s_X^2(1 - r_{xx'})}{s_U^2} \qquad (3.45)$$

Dans cette équation, $r_{UU'}$ est la fidélité estimée pour le nouvel échantillon U, s_X^2 est la variance de l'échantillon pour lequel nous avons déjà calculé la fidélité, s_U^2 est la variance du nouvel échantillon et $r_{xx'}$ est la fidélité estimée à partir de l'échantillon de départ X.

Cette correction de Magnusson postule que l'erreur aléatoire est la même dans les deux groupes et que la différence dans les variances des scores observés est imputable à des différences dans les variances des scores vrais dans les deux groupes. C'est pourquoi, lors de l'utilisation de normes, il est important de s'assurer que notre échantillon provient de la même population qui a servi au calcul des valeurs de la fidélité des résultats, sinon il sera plus prudent de réaliser une étude-pilote sur la fidélité des résultats obtenus avec l'échantillon concerné.

4.3 LIMITE DE TEMPS

Lorsqu'un test est chronométré, plusieurs élèves n'arrivent pas à répondre à toutes les questions dans le temps imparti. Les questions omises se trouvent généralement à la fin du test et celles-ci sont généralement cotées 0. Cette procédure a pour effet de créer une inflation artificielle de la corrélation entre les derniers items, ce qui aura pour effet de faire paraître ces items plus homogènes qu'ils ne le sont en réalité. Cette homogénéité ne sera pas due au fait que les items mesurent la même chose, mais plutôt au fait qu'ils ont été omis par les sujets parce qu'ils se trouvaient en fin de test.

Il faut donc être très prudent lorsque l'on administre un test chronométré et que l'on souhaite déterminer la fidélité des résultats. L'estimation de la fidélité risque d'être faussée par la corrélation artificielle entre les items dans le cas des méthodes de bissection ou encore de cohérence interne (α de Cronbach). Dans des conditions identiques, par contre, les résultats obtenus par la méthode test-retest ne sont pas affectés.

4.4 LA LONGUEUR DU TEST

Plus un test comprend un grand nombre d'items correspondant à ce que nous souhaitons mesurer, plus cette mesure devrait être précise. En effet, la somme des erreurs aléatoires de mesure devrait tendre vers zéro lorsqu'un grand nombre d'items est utilisé. C'est le principe de la théorie de l'échantillonnage : plus un échantillon est grand, plus l'estimation des caractéristiques de la population dont il est tiré tend à être précise.

Le rapport entre la longueur d'un test et la fidélité de ses résultats est exprimé par la formule de Spearman Brown (*Spearman Brown prophecy formula*). Elle nous indique à quel degré de précision l'on peut s'attendre de scores qui seraient calculés à partir d'un nombre accru d'items dans une proportion k (k pouvant être une fraction ou un entier). Voici un rappel de cette formule que nous avons déjà vue dans le cas de la méthode de bissection où $k = 2$ (formule 3.33) :

$$r_{xx'} = \frac{kr_{jj'}}{1 + (k - 1)r_{jj'}} \tag{3.46}$$

Dans l'équation précédente, $r_{xx'}$ représente la fidélité attendue du test modifié, ρ_{jj} représente la fidélité du test initial. Lorsque $k > 1$, nous calculons la fidélité pour un test allongé. Par exemple, si un test comporte 12 items et que l'on souhaite connaître la fidélité de ce test auquel nous avons ajouté 18 items parallèles, soit 30 items en tout, alors nous utilisons la formule (3.46) avec $k = 2,5$ ($2,5 \times 12 = 30$). Le même principe s'applique pour $k < 1$. Les valeurs de fidélité calculées le sont alors pour des tests plus courts.

La formule de Spearman-Brown nous permet de déterminer dans quelle proportion la longueur d'un test doit être augmentée pour atteindre un degré visé de fidélité. En modifiant l'équation précédente, l'on peut isoler k de la façon suivante :

$$k = \frac{r_{xx'}(1 - r_{JJ'})}{r_{JJ'}(1 - r_{xx'})} \tag{3.47}$$

Supposons que l'on veuille estimer dans quelle proportion un test de 30 items doit être prolongé pour que sa fidélité, actuellement de 0,75, soit portée à 0,85. En solutionnant l'équation (3.47) pour trouver k, on obtient :

$$k = \frac{0,85(1 - 0,75)}{0,75(1 - 0,85)} = 1,89$$

Une valeur k = 1,89 signifie que le nouveau test devra être 1,89 fois plus long que le test original. Il devra donc compter approximativement $1,89 \times 30$ items, soit 57 items. Il faudrait donc ajouter 27 items aux 30 items faisant déjà partie du test pour faire passer la fidélité du test de 0,75 à 0,85.

Il est important de se rappeler que la formule de Spearman Brown prend pour acquis que les items qui seront ajoutés (ou retranchés) sont parallèles aux items du test de départ, c'est-à-dire qu'ils sont de même contenu et de même degré de difficulté. En effet, la précision d'un test n'augmentera pas si l'on y ajoute des items de niveaux de difficulté fort différents ou de contenus variés, susceptibles de ne pas avoir une bonne corrélation avec les items faisant déjà partie du test.

La formule de Spearman Brown peut être très utile pour nous permettre de décider de la longueur qu'un test doit avoir pour posséder une précision acceptable. Cependant, cette méthode ne nous indique pas quelles sont les caractéristiques des items parallèles à ajouter, en termes de contenu et de format, afin d'accroître la fidélité des tests. Lorsque le contenu d'un test est défini de façon générale, comme c'est le cas de plusieurs épreuves sommatives en éducation et de certains tests psychométriques, le constructeur peut éprouver de la difficulté à définir les caractéristiques des items à ajouter pour qu'ils soient parallèles à ceux déjà construits. En éducation, par exemple, le concepteur pourra s'inspirer des objectifs pédagogiques pour ajouter des items provenant des mêmes objectifs que le test initial. Plus les conditions ayant présidé à l'élaboration initiale du test sont claires, comme c'est le cas avec les techniques de spécification de domaine, plus il sera facile au concepteur de rédiger des items parallèles.

Le principal inconvénient de cette manière de procéder est d'employer une approche empirique pour créer des ensembles homogènes d'items. Il est possible que certains items possèdent des caractéristiques qui leur permettent de mesurer de façon plus précise les sujets d'un échantillon particulier. Il est plus facile d'améliorer la fidélité d'un test lorsque celui-ci a été construit selon des facettes ou une approche critériée (voir chapitre 1) et lorsque les caractéristiques de ces items sont bien connues. De plus, des tests construits selon de telles facettes se prêtent bien à une étude de généralisabilité (voir section 7 de ce chapitre).

5. Fidélité et erreur de mesure

La fidélité n'exprime pas la précision d'une mesure dans le même système d'unités que le score total, ce qui en rend l'interprétation difficile. C'est pourquoi, plutôt que de rapporter la précision d'un test sous forme de fidélité, on préfère parfois indiquer l'erreur qui entoure l'interprétation d'un score. Plus les résultats à un test sont fidèles, plus l'erreur entourant un score sera faible.

Dans la pratique, il existe deux façons de calculer l'intervalle de confiance entourant le score observé de l'individu. Voici deux occasions où cette situation se présente :

1. On est intéressé à déterminer l'intervalle de confiance autour du score observé à l'intérieur duquel se situe le score vrai de l'individu : *l'erreur de mesure*.

2. On est intéressé à déterminer l'intervalle de confiance du score observé d'un élève s'il devait être soumis à un test parallèle au premier : *l'erreur d'estimation*.

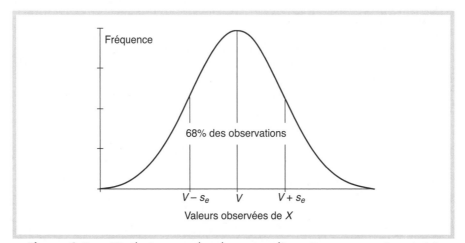

Figure 3.6 — Distribution attendue des scores d'un sujet pour un testing répété

5.1 L'ERREUR TYPE DE MESURE

Pour comprendre cette notion, nous devons nous rappeler que, dans la théorie classique, les scores d'un individu se distribuent normalement autour d'une valeur moyenne qui correspond à sa note vraie. Nous pouvons calculer l'écart type de cette distribution. Si nous faisons de même pour tous les sujets d'un groupe donné, nous pourrons calculer la moyenne des écarts types des différentes distributions. Cet écart type moyen est appelé l'erreur type de mesure (s_e). Elle peut être estimée grâce à la formule suivante :

$$s_e = s_x\sqrt{1 - r_{xx'}} \qquad (3.48)$$

$r_{xx'}$ = coefficient de fidélité

s_x = écart type de la distribution des résultats à partir de laquelle $r_{xx'}$ a été calculé

Par exemple, si $r_{xx'}$ est égal à 0,90 et s_x est égal à 15 alors $s_e = 15\sqrt{1 - 0,90} = 4,75$. Mais que signifie concrètement une erreur type de 4,75 ? Partant du postulat que l'erreur de mesure se distribue normalement, nous pouvons nous attendre à ce que, pour un sujet donné, 68 % de ses scores observés se situent dans un intervalle de $\pm 1s_e$ autour de son score vrai (figure 3.6). Par conséquent, dans notre exemple, en supposant que le score vrai soit égal à 110, nous avons 68 % de chances d'observer, lors d'une passation quelconque, une note comprise entre 105 et 115 (110 ± 4,75 arrondi à l'unité). Si nous voulons une probabilité plus grande d'inclure le score observé, il nous faudra élargir notre intervalle. Ainsi, si nous voulons avoir un intervalle de confiance de 95 % (± 1,96 écarts types de part et d'autre du score vrai) que la note obtenue tombe dans un intervalle déterminé, nous devrons définir un intervalle de 9 points (1,96 × 4,75 = 9,31 ≅ 9) de part et d'autre de son score vrai.

Mais, dans la pratique, nous ne connaissons évidemment pas le score vrai. Nous ne savons donc pas où se situe la note obtenue au sein de la distribution attendue des scores. Il se peut, par hasard, qu'elle soit égale au score vrai. Il se peut aussi qu'elle tombe à l'extrémité de la distribution. Mais cela, nous n'en savons rien. Par contre, nous connaissons l'erreur type de mesure et nous acceptons un risque d'erreur déterminé. À l'aide de ces informations, nous pouvons construire un intervalle de confiance autour de la note observée dans lequel le score vrai du sujet a un certain pourcentage de chance de se trouver. Si, dans notre exemple, le score obtenu par le sujet est de 114 points et que nous souhaitons déterminer un intervalle où le score vrai de ce sujet a 95 % de chance de se trouver, nous allons construire un intervalle de ± 9 points autour de 114. Cet intervalle sera donc égal à [105 ; 123]. Pour élargir ou pour rétrécir cet intervalle, il nous suffit de multiplier l'erreur type de mesure par la valeur critique de z correspondant au niveau de probabilité souhaité. Nous pouvons dès lors exprimer l'intervalle de confiance sous la forme générale suivante :

$$X - z_c s_e \leq V \leq X + z_c s_e \qquad (3.49)$$

X = le score observé

z_c = la valeur critique de z

S_e = l'erreur type de mesure

V = le score vrai

L'avantage majeur à déterminer un intervalle de confiance autour de la note obtenue est de relativiser cette dernière note. Le praticien prend ainsi mieux conscience de la marge d'erreur que comporte la mesure recueillie. À probabilités égales, un large intervalle de confiance montre clairement que les scores observés ne sont pas de très bons indicateurs du score vrai. Inversement, un intervalle de confiance étroit est l'indice que les scores observés sont assez proches du score vrai. Une telle pratique est également conforme avec le standard 2.1 des *Standards for educational and psychological testing* (American Educational Research Association, American Psychological Association, & National Council on Measurement in Education, 1999).

D'un autre côté, l'intervalle de confiance a comme désavantage d'être parfois mal interprété par les praticiens. En fait, nous n'avons jamais de certitude que le score vrai soit inclus dans l'intervalle que nous avons établi autour de la note observée. Nous n'avons qu'une probabilité, plus ou moins importante selon le risque d'erreur choisi. Une autre limite de l'usage de l'intervalle de confiance est de postuler que l'erreur type de mesure est la même à tous les niveaux de performance (postulat d'homoscédasticité). Par exemple, dans le cas d'un test d'acquis scolaires, on suppose que l'erreur de mesure est la même pour les élèves forts que pour les élèves faibles. La pertinence de ce postulat est discutable. Il se peut en effet que l'importance de l'erreur type de mesure diffère selon le niveau d'aptitude des sujets. Nous verrons plus loin que le modèle binomial des scores présente une méthode d'estimation de l'erreur type de mesure qui ne s'appuie pas sur le postulat d'homoscédasticité.

Par ailleurs, en centrant l'intervalle de confiance sur le score observé, on postule que celui-ci représente une estimation non biaisée du score vrai du sujet. Ce postulat est toutefois incorrect (Nunnally et Bernstein, 1994) car la corrélation entre le score observé et le score vrai n'est jamais parfaite. Par conséquent, si l'on estime le score vrai d'un sujet à partir de son score observé, il se produit un phénomène de régression vers la moyenne des scores vrais. Ce phénomène est la conséquence inévitable de toute corrélation imparfaite qui se traduit graphiquement par une droite de régression dont la pente est inférieure à 1. Dans ce cas, les valeurs de Y dévient moins par rapport à la moyenne des Y que les valeurs de X par rapport à la moyenne des X. Dans le cas des scores observés X, les scores supérieurs à la moyenne sont biaisés vers le haut et les scores inférieurs à la moyenne sont biaisés vers le bas. Plus un score observé est éloigné de la moyenne, plus la valeur absolue du biais est grande. Pris comme un groupe, les sujets qui obtiennent des scores élevés bénéficient plus souvent d'erreurs positives et les sujets qui obtiennent des scores faibles subissent les effets du phénomène inverse (erreurs négatives plus fréquentes).

Comme illustration du phénomène de régression vers la moyenne, nous pouvons reprendre l'observation faite par Galton de la relation entre la taille des parents et celle de leurs enfants. Afin de placer toutes les tailles sur une même échelle, Galton les a transformées en scores z (ch.6, §2.3.4). De cette façon, les tailles des parents et celles des enfants étaient exprimées sur une échelle identique dont l'unité valait 1. Galton a ensuite représenté sur un graphique cartésien la relation entre la taille des parents, en abscisse, et celle des enfants, en ordonnée (figure 3.7). Puis, pour des parents d'une taille déterminée (par exemple, correspondant à $1s$ au-dessus de la moyenne), il a calculé la taille moyenne des enfants. En faisant ce calcul pour toutes les tailles des parents, il s'est rendu compte que les tailles moyennes des enfants formaient une droite (la droite de régression) et n'augmentaient pas aussi rapidement que celles de leurs parents. Les moyennes des enfants déviaient en effet moins

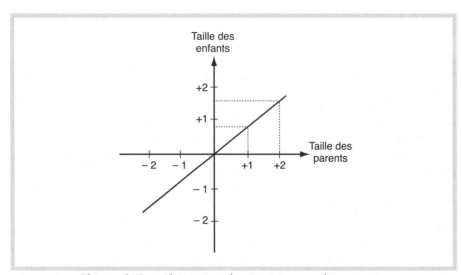

Figure 3.7 — Phénomène de régression vers la moyenne

par rapport à leur moyenne générale que les tailles des parents correspondantes. Pour cette raison, cette régression vers la moyenne a été appelée par Galton, la *loi de régression filiale*. Ce phénomène découle directement de la corrélation imparfaite entre la taille des parents et celle de leurs enfants due au fait que la taille des enfants n'est pas entièrement déterminée par la taille de leurs parents.

Du fait de ce phénomène de régression vers la moyenne, il est préférable de centrer l'intervalle de confiance sur l'estimation du score vrai plutôt que sur le score observé. L'estimation du score vrai se calcule à l'aide de la formule suivante (Glutting, McDermott et Stanley, 1987) :

$$\hat{V} = \bar{X} + r_{xx'}(X - \bar{X}) \qquad (3.50)$$

$\hat{V}$ = score vrai estimé

X = score observé

$\bar{X}$ = moyenne des scores observés

$r_{xx'}$ = coefficient de fidélité

Par ailleurs, il est incorrect de prendre l'erreur type de mesure calculée selon la formule (3.48) pour construire un intervalle de confiance autour de l'estimation du score vrai. Cette erreur est en effet plus importante que l'erreur de mesure associée à l'estimation du score vrai (Stanley, 1971). Dans ce cas, nous devons calculer l'erreur type d'estimation à l'aide de la formule suivante (Glutting et al., 1987) :

$$s_{e\hat{v}} = (s_x \sqrt{1 - r_{xx'}})r_{xx} \qquad (3.51)$$

s_x = écart type de la distribution des résultats à partir desquels $r_{xx'}$ a été calculé

$r_{xx'}$ = coefficient de fidélité

À titre d'exemple, nous allons prendre le même score observé que celui utilisé dans l'exemple précédent (114). Dans le cas présent, nous allons commencer par estimer le score vrai correspondant à ce score observé. Comme le score moyen est 100 et le coefficient de fidélité est 0,90, le calcul est simple : $100 + 0,90 \times (114 - 100) =$

112,6 $\cong$ 113 (équation 3.50). Quant à l'erreur type d'estimation, elle est obtenue par le calcul suivant : $(15\sqrt{1 - 0,90}) \times 0,90 = 4,27$ (équation 3.51). À partir de ce résultat, nous pouvons déterminer une valeur qui nous permettra de construire un intervalle de confiance de 95 % autour de l'estimation du score vrai. Pour cela, il suffit de multiplier 4,27 par 1,96 ce qui donne 8,37 ($\cong$ 8). L'intervalle de confiance de 95 % correspond dès lors à 8 points de part et d'autre de 113 ce qui correspond à l'intervalle [105 ; 121]. On peut constater que, d'une part, l'estimation du score vrai régresse vers la moyenne et, d'autre part, que l'intervalle de confiance utilisant l'erreur de mesure associée à l'estimation du score vrai est plus étroit que celui utilisant l'erreur type de mesure.

Cette dernière procédure de construction d'un intervalle de confiance est sans aucun doute la plus rigoureuse. Dans la pratique, elle aboutit toutefois à mettre en relation un score observé et un intervalle de confiance dont les caractéristiques peuvent dérouter les utilisateurs qui ne comprennent pas d'emblée pourquoi cet intervalle est asymétrique par rapport au score observé. En effet, dans notre exemple, la borne inférieure est 9 points en dessous du score observé (114) et la borne supérieure est 7 points au-dessus de ce même score.

5.2 L'ERREUR TYPE D'ESTIMATION

Le deuxième type d'erreur est l'*erreur d'estimation*. C'est le même type d'erreur que l'on retrouve chaque fois que l'on souhaite calculer l'intervalle de confiance d'une valeur prédite à partir d'une équation de régression linéaire. Dans ce cas-ci, on cherche à prédire le résultat à un test parallèle à partir du résultat à un autre test parallèle. L'erreur type d'estimation est donnée par la racine carrée de la variance résiduelle. La variance résiduelle est la variance des scores qui subsiste dans le second test une fois que l'on tient compte des résultats au premier test. En effet, si l'on devait calculer la variance des scores observés au deuxième test à partir de tous ceux qui ont obtenu le même résultat (disons 15/20) au premier test, celle-ci devrait être d'autant plus petite que la corrélation (ou si l'on veut l'équivalence) entre les deux tests est grande. Plus les deux tests sont parallèles, plus grande est la probabilité que le score à l'autre test soit aussi de 15/20 ou une valeur très approchée. Un exposé détaillé du calcul et de l'interprétation de l'erreur d'estimation est présenté à l'Annexe 1.

Rappelons que l'homoscédasticité est souvent postulée lorsque l'on calcule des corrélations linéaires. Généralement, le chercheur intéressé à différencier les sujets entre eux suppose que l'erreur type d'estimation est la même pour tous. L'homoscédasticité rend plus simple l'interprétation des résultats. Néanmoins, le postulat d'homoscédasticité peut ne pas être réaliste dans toutes situations : par exemple, lorsque le chercheur veut estimer l'erreur de mesure qui entoure la proportion des items d'un domaine qu'un sujet est capable de réussir correctement. Il est naturel, dans une telle situation, que l'erreur de mesure soit moindre chez ceux qui réussissent ou échouent à presque tous les items que chez ceux qui n'en réussissent que la moitié. Keats et Lord (1962) et Lord (1965) ont proposé un modèle de test fondé sur la distribution binomiale qui permet d'estimer ce type d'erreur de mesure particulièrement utile en mesure critériée. Nous aborderons ce modèle dans la section 6 de ce chapitre.

5.3 L'ERREUR TYPE DE LA DIFFÉRENCE

En dehors de la détermination d'un intervalle de confiance, la connaissance de l'erreur type de mesure est également utile si nous désirons comparer les scores obtenus par un même sujet à deux tests différents. Il est assez fréquent qu'un psychologue scolaire, au vu des résultats de tests, se demande si un sujet possède de meilleures aptitudes dans un domaine que dans un autre. Les écarts observés entre les scores à différents tests peuvent toutefois résulter de fluctuations aléatoires dues aux erreurs cumulées de chacune des mesures. Il est donc important de pouvoir estimer quelle est la probabilité qu'une différence observée soit le reflet d'une différence réelle entre les aptitudes d'un sujet. Dans ce but, nous pouvons calculer l'erreur type de la différence (s_{E_D}). Celle-ci est logiquement plus importante que l'erreur type de mesure de chacun des deux scores entre lesquels la différence est calculée.

Puisque, dans la théorie classique des scores, les erreurs de mesures sont non corrélées, nous pouvons écrire :

$$s_{E_D}^2 = s_{E_X}^2 + s_{E_Y}^2 \tag{3.52}$$

$s_{E_D}^2$ = la variance de l'erreur de la différence,

$s_{E_X}^2$ et $s_{E_Y}^2$ = la variance de l'erreur des notes X et Y.

Pour être comparées, deux notes doivent être exprimées sur des échelles semblables. Autrement dit, les deux tests dont elles sont issues doivent avoir une même moyenne et un même écart type. Si c'est le cas, de l'équation ci-dessus, nous pouvons dériver l'équation suivante :

$$s_{E_D} = s_X \sqrt{2 - r_{XX'} - r_{YY'}} \tag{3.53}$$

s_{E_D} = l'erreur type de la différence,

s_X = l'écart type de la distribution des X, égal à celui de la distribution des Y,

$r_{XX'}$ et $r_{YY'}$ = le coefficient de fidélité de chacun des deux tests.

Par exemple, si $r_{XX'} = 0,88$ et $r_{YY'} = 0,85$ et si $s_X = 10$ pour les deux tests, alors $s_{E_D} = 10\sqrt{2 - 0,88 - 0,85} = 5,20$. Sur la base de cette valeur, nous allons pouvoir tester l'hypothèse nulle d'une absence de différence statistiquement significative entre les deux scores. Nous considérerons en effet que les différences observées entre $-5,20$ et $+5,20$ ne s'écartent pas significativement de zéro. Cet intervalle de -1 erreur type et $+1$ erreur type autour de zéro inclut 68 % des différences observées. Cela implique que la différence entre les deux scores devra être au minimum de 5,20 points (en négatif ou en positif) pour être considérée comme statistiquement significative avec, par conséquent, un risque de se tromper (rejeter erronément l'hypothèse nulle) dans 32 % des cas. Si nous souhaitons un risque d'erreur moindre, nous devons multiplier l'erreur type de la différence par la valeur critique de z correspondant au seuil choisi. Ainsi, si nous désirons réduire à 5 % le risque de nous tromper, nous devons multiplier 5,20 par 1,96 ce qui est égal à 10,18. Dans ce cas, il faudra que la différence entre les résultats aux deux tests soit au minimum de 10,18 points pour être considérée comme statistiquement significative. Nous réduirons alors le risque de rejeter erronément l'hypothèse nulle à 5 % des différences observées.

Qu'une différence soit statistiquement significative n'implique pas qu'elle soit peu fréquente au sein de la population. La référence à la signification statistique de la différence nous permet simplement de déterminer à partir de quelle valeur une différence observée est vraisemblablement le reflet d'une différence réelle entre deux caractéristiques du sujet dont nous comparons les scores. L'évaluation de la fréquence au sein de la population de différences égales ou supérieures à cette valeur de référence est une autre question. Par exemple, au WISC-III, la différence entre le QI Verbal et le QI de Performance doit être d'au moins 12 points pour être statistiquement significative au seuil de 0,05. Bien que cette valeur paraisse élevée, des différences égales ou supérieures sont relativement fréquentes au sein de la population (Grégoire, 2000). L'analyse de la différence entre le QI Verbal et le QI de Performance au sein de l'échantillon d'étalonnage (N = 1120) a ainsi révélé que 41,3 % des sujets de cet échantillon présentaient une différence égale ou supérieure à 12 points.

6. Le modèle binomial de l'erreur

Les *Standards for Educational and Psychological Testing* (American Educational Research Association, American Psychological Association, & National Council on Measurement in Education, 1999, p. 31) recommandent aux constructeurs de tests de communiquer l'erreur type de mesure pour différents niveaux de scores. Comme nous l'avons vu dans la section précédente, la théorie classique ne nous permet malheureusement pas de produire une telle information. La théorie classique s'appuie en effet sur le postulat d'une indépendance entre le score vrai et l'erreur de mesure. L'erreur type de mesure est dès lors estimée pour le test dans son ensemble, quel que soit le niveau de score vrai des sujets. Pour satisfaire à la recommandation des *Standards for Educational and Psychological Testing,* il est donc nécessaire de modifier certains postulats de la théorie classique afin de permettre une estimation de l'erreur type de mesure conditionnelle.

Il ne s'agit pas de se plier à une exigence purement formelle. La nécessité d'estimer l'erreur type de mesure à divers niveaux de scores est dictée par un certain nombre de constats empiriques. Ainsi, comparant plusieurs méthodes d'estimation de l'erreur type de mesure conditionnelle, Felt, Steffen & Gupta (1985, p. 358) observent que « *quelle que soit la méthode utilisée, l'erreur maximale est souvent deux fois plus importante que l'erreur minimale. Par conséquent, l'erreur type de mesure calculée selon la formule traditionnelle pour l'ensemble du test ne rend pas correctement compte de l'importance de l'erreur de mesure de beaucoup – et peut-être de la plupart – des sujets* ». Ce problème est particulièrement crucial dans le cas de tests critériés. Dans de tels tests, des valeurs seuils sont définies pour permettre de ranger les sujets dans différentes catégories comme, par exemple, la maîtrise ou la non-maîtrise d'un apprentissage. La connaissance précise de l'erreur type de mesure pour chacun des scores seuils est essentielle vu l'importance des décisions prises sur cette base. L'usage d'une unique erreur type de mesure pour l'ensemble des scores possibles au test risque en effet de conduire à des décisions inadéquates.

Le modèle binomial de l'erreur, développé par Lord (1955), permet de surmonter les limites de la théorie classique et de calculer des erreurs types de mesure conditionnelles, c'est-à-dire en fonction du niveau de score des sujets. Ce modèle n'est toutefois applicable que pour des items dichotomiques, c'est-à-dire cotés 1 ou 0. Dans le cadre du modèle binomial de l'erreur, un test composé de *n* items dichotomiques est conçu comme un échantillon d'items tirés au hasard d'un univers d'items. Tous les items de cet ensemble sont réputés posséder les mêmes propriétés du point de vue du contenu, de la difficulté et de la discrimination. Cette situation est analogue à celle, classique en calcul des probabilités, du tirage de boules dans une urne. Chaque sujet de la population est considéré comme capable de répondre correctement à une certaine proportion de l'ensemble des items. Cette proportion peut être conçue comme le nombre de boules blanches dans l'urne. Inversement, la proportion d'items auxquels le sujet est incapable de répondre correctement correspondrait au nombre de boules noires dans cette même urne.

Le score vrai d'un sujet est égal à la proportion de l'ensemble des items auxquels il peut répondre correctement. Dans les faits, le sujet ne répond qu'à un test particulier, c'est-à-dire à un échantillon d'items tirés aléatoirement de l'ensemble des items. Si nous constituons aléatoirement un très grand nombre de tests à partir de cet ensemble d'items, la distribution des scores d'un sujet à tous ces tests se distribuera autour du score vrai de ce sujet. L'erreur type de mesure sera alors égale à l'écart type de cette distribution. Mais comment estimer cette erreur type lorsque nous disposons seulement du score du sujet à un seul test ? Pour répondre à cette question, nous devons nous souvenir que les items sont tous dichotomiques. Par conséquent, la distribution de fréquence des scores aux différents tests constitués aléatoirement à partir d'un vaste ensemble d'items correspondra approximativement à la distribution binomiale. Rappelons que, mathématiquement, la distribution binomiale est définie par la formule suivante :

$$P(X) = \frac{N!}{X!(N-X)!} p^X q^{(N-X)} \tag{3.54}$$

$P(X)$ = la probabilité de X succès,

N = le nombre de tirages,

$N!$ = factorielle N = le produit de tous les entiers de N jusque 1

= $N(N-1)(N-2)(N-3)... 1,$

p = la probabilité de succès lors d'un tirage quelconque,

$q = 1 - p$ = la probabilité d'un échec lors d'un tirage quelconque.

Supposons qu'un sujet soit capable de répondre correctement à 75 % des items et qu'il ait à passer un test de 12 items. Son score vrai est donc égal à 9 (= 75 % de 12). Toutefois, son score observé peut fluctuer aléatoirement autour de cette valeur du fait de l'erreur de mesure. Grâce à la formule (3.54), nous pouvons estimer la probabilité que ce sujet obtienne un score donné, différent de 9. Calculons, par exemple, la probabilité que ce sujet réponde correctement à 11 items, c'est-à-dire que son score total soit égal à 11 puisque les items sont cotés 1 ou 0. Appliquons la formule (3.54) :

$$P(11) = \frac{12!}{11!(12-11)!} \times 0{,}75^{11} \times 0{,}25^{(12-11)} = 0{,}1267$$

Ce résultat signifie que, si un sujet possède la capacité de réussir 75 % des items et qu'il doit passer un test de 12 items constitué de manière aléatoire, il obtiendra un score de 11 points lors d'un peu plus de 12 passations sur 100. Nous pouvons, de la même manière, calculer la probabilité que ce sujet obtienne chacun des 13 scores possibles à un test de 12 items (0 est un des scores possibles). Les probabilités que nous obtiendrons nous permettront de déterminer la distribution de fréquences des scores attendus à un test de 12 items pour un sujet dont le score vrai est égal à 9.

Lorsque le nombre d'items est supérieur à 30, la loi normale constitue une bonne approximation de la distribution binomiale. Pour le calcul des probabilités associées à un score particulier, on peut transformer le nombre d'items réussis en score z et trouver sa probabilité dans la table de probabilités de la loi normale (voir Annexe 2, Table 4). Les caractéristiques de cette distribution peuvent être calculées à l'aide des formules suivantes :

$$\mu = Np \tag{3.55}$$

$$\sigma^2 = Npq \tag{3.56}$$

$$\sigma = \sqrt{Npq} \tag{3.57}$$

Supposons que notre test soit composé de 30 items. Un élève en a réussi 80 %, soit 24. Le score moyen obtenu par le sujet sera donc égal à 24, c'est-à-dire à son score vrai. La variance des scores sera, elle, égale à 4,8 et l'écart type égal à 2,19. Nous avons vu plus haut que cet écart type correspond en fait à l'erreur type de mesure. Cela signifie que, pour un score vrai de 24 points, nous avons un peu plus de 68 chances sur 100 d'observer, lors d'une passation de test quelconque, un score inclus dans l'intervalle de ± 2,19 points autour de 24.

Dans la pratique, nous ne connaissons évidemment pas le score vrai du sujet que nous évaluons. Pour calculer l'erreur type de mesure, nous devons alors prendre la proportion d'items réussis par ce sujet comme estimation de son score vrai. Par ailleurs, il est également nécessaire d'introduire dans la formule (3.57) une correction pour obtenir une estimation non biaisée de la variance de la population. Nous obtenons alors la formule nous permettant d'estimer l'erreur type de mesure pour un score observé donné :

$$s_E = \sqrt{Npq\left(\frac{N}{N-1}\right)} \tag{3.58}$$

N = nombre d'items du test,

p = proportion d'items réussis = score total au test divisé par N,

$q = 1 - p$.

Par exemple, nous pouvons calculer l'erreur type de mesure d'un score de 6 points à un test homogène de 12 items :

$$s_E = \sqrt{12 \times 0,5 \times (1 - 0,5) \times \left(\frac{12}{12-1}\right)} = 1,81$$

Si nous réalisons le même calcul pour chacun des scores possibles à ce test de 12 items, nous pouvons constater que l'erreur type de mesure est maximale au centre de la distribution des scores. Elle est par contre minimale à chacune des extrémités de cette même distribution. Nous pouvons ainsi constater que, contrairement au troisième postulat de la théorie classique, l'erreur de mesure peut être différente selon le score vrai. Le modèle binomial de l'erreur nous permet de tenir compte de ces changements. Toutefois, cette amélioration par rapport à la théorie classique se fait au prix de postulats plus exigeants, ce qui conduit Lord (1965) à qualifier le modèle binomial de théorie forte du score vrai *(strong true-score theory)*. Deux postulats doivent, en particulier, retenir notre attention. Le premier concerne l'indépendance locale des items. Cela signifie qu'à un niveau de score vrai donné, les résultats à chaque item doivent être indépendants les uns des autres. Un second postulat est qu'à un niveau de score vrai donné, la probabilité de réussite est identique pour tous les items de l'ensemble considéré. Ce dernier postulat est, en pratique, quasi impossible à satisfaire.

Pour prendre en compte les inévitables variations de difficulté, Keats (1957) a proposé une version sensiblement modifiée de la formule (3.58) :

$$s_E = \sqrt{Npq\left(\frac{N}{N-1}\right)\left(\frac{1-r_{XX'}}{1-r_{21}}\right)} \qquad (3.59)$$

$r_{XX'}$ = le coefficient de fidélité (formes parallèles, bissection ou alpha),

r_{21} = la formule 21 de Kuder-Richardson (équation 3.41)

En fait, la formule (3.59) est identique à la formule (3.58) hormis l'introduction d'un facteur de correction qui a pour effet de réduire, en moyenne, les estimations des erreurs types de mesure et de les ramener à un niveau plus adéquat. Felt, Steffen et Gupta (1985) recommandent l'utilisation de cette formule de préférence à la formule (3.56).

Lord (1965) a proposé une modification du modèle binomial de l'erreur pour tenir compte du fait que de nombreux tests incluent des items de différents niveaux de difficulté. Dans le *modèle binomial composite de l'erreur*, on conçoit les formes parallèles d'un test comme des échantillons stratifiés d'items plutôt que comme des échantillons simplement aléatoires. En d'autres termes, au lieu de tirer les boules d'une même urne, nous les tirons de plusieurs urnes qui contiennent chacune, une proportion différente de boules blanches. Aux urnes correspondent des ensembles d'items dont le niveau de difficulté diffère. Chacun de ces ensembles constitue une strate. Nous devons prendre en compte autant de strates qu'il y a de niveaux de difficulté au sein du test considéré. Ce genre de situation se rencontre en éducation dans les tests de maîtrise centrés sur plusieurs objectifs. L'erreur type de mesure se calcule dès lors à l'aide de la formule suivante :

$$s_E = \sqrt{\sum k_i p_i q_i \left(\frac{k_i}{k_i - 1}\right)} \qquad (3.60)$$

k_i = nombre d'items dans la strate i,

p_i = proportion d'items de la strate i réussis par le sujet,

$q_i = 1 - p_i$,

i = nombre de strates

Comme le fait remarquer Felt (1984), cette formule risque malheureusement de conduire à des estimations très imprécises car les tests comprennent habituellement un grand nombre de strates comportant chacune un nombre relativement petit d'items. Lorsque certaines strates ne contiennent que deux ou trois items, Felt et al. (1985) conseillent d'ailleurs de ne pas utiliser cette formule pour estimer l'erreur type de mesure des différents scores d'un test.

7. L'étude de la généralisabilité

Les situations décrites jusqu'à maintenant ont illustré des cas relativement simples de calcul de la fidélité dans le modèle classique : fidélité des résultats en fonction du temps, de l'échantillonnage des items, etc. Il arrive, cependant, que les conditions d'observation et de mesure soient beaucoup plus complexes. Le problème se pose alors d'étudier la fidélité à l'intérieur d'une famille de situations ou si l'on préfère d'un *univers de généralisabilité*. Dans un tel contexte, la notion de *score vrai* cède la place à la notion de *score univers*, score attendu de l'individu dans un ensemble de conditions d'observation et de mesure.

Prenons un exemple pour illustrer tout l'intérêt de l'étude de généralisabilité. Nous savons que la correction de compositions écrites présente un défi majeur aux enseignants. Il n'est pas facile d'obtenir des résultats fidèles lors de la correction car plusieurs facteurs peuvent affecter la notation de l'élève. Il y a d'abord le sujet imposé de la composition écrite. Ensuite, il y a le degré de sévérité et de constance de chaque correcteur. Enfin, si chaque correcteur utilise une grille d'appréciation, la clarté et la facilité d'utilisation de la grille peuvent également influencer le travail de correction et de là, le score de l'élève. Comment traiter une telle situation avec les outils que nous avons vus dans ce chapitre, en particulier avec les coefficients de corrélation ?

D'abord, nous pourrions calculer plusieurs résultats pour chaque élève. Par exemple, chaque élève pourrait obtenir un score sur chaque thème imposé, pour chaque correcteur ou pour chaque grille de correction. Afin de déterminer la fidélité inter-correcteurs, nous pourrions calculer les corrélations deux à deux entre les résultats accordés par chaque correcteur à chacun des thèmes. S'il ne devait y avoir que deux thèmes et trois correcteurs, nous devrions alors calculer six corrélations : les corrélations entre les correcteurs 1 et 2, 1 et 3, 2 et 3 pour le thème 1, et de même pour le thème 2. Si les corrélations entre les correcteurs devaient varier pour les résultats obtenus par les élèves aux deux thèmes, nous pourrions affirmer que la fidélité inter-correcteurs est affectée par la nature du thème imposé. La nature du thème imposé serait considérée comme une source d'erreur de mesure. Nous pourrions faire le même type d'analyse en utilisant des coefficients de corrélation intra-classe (voir section 3.5).

Bien entendu, nous pourrions simplifier ce problème en ne calculant la fidélité des résultats que pour les moyennes de chaque élève aux deux compositions écrites. Ceci pourrait améliorer la fidélité, mais dans quelle mesure ? Le principal bénéfice de cette procédure serait de simplifier le calcul de la fidélité inter-correcteurs. En calculant des scores moyens pour les thèmes, il ne nous resterait que trois coefficients de corrélation à calculer entre les correcteurs 1 et 2, 1 et 3 et 2 et 3. Mais que pourrions-nous dire maintenant de l'effet de la grille d'appréciation utilisée par les correcteurs ?

Là encore, la procédure à suivre risquerait d'être longue. En limitant à deux le nombre de grilles, nous voudrions sans doute nous assurer de la fidélité des résultats obtenus en calculant, pour chaque correcteur, une corrélation entre les résultats accordés sur chacun des deux thèmes par les deux grilles. En effet, il faudrait calculer, pour l'ensemble des trois correcteurs, 6 coefficients de corrélation : les corrélations entre les résultats aux grilles 1 et 2 pour le thème 1 et de même pour le thème 2. Que faire si les corrélations entre les résultats aux grilles 1 et 2 devaient différer sensiblement pour le thème 1 et le thème 2 ? Ceci indiquerait que l'une des grilles d'appréciation donne lieu à des résultats plus fidèles lorsque les compositions des élèves portent sur un thème particulier. Comment réduire cette source d'erreur de mesure et comment savoir quelle part de cette erreur dépend des correcteurs eux-mêmes ?

7.1 NOTION DE SCORE UNIVERS

Cronbach, Gleser et Rajaratnam (1963) ont élaboré la théorie de la généralisabilité dans le but de réunir en un seul concept les différentes définitions de la fidélité. En utilisant les principes de l'analyse de variance, Cronbach et al. proposent de quantifier l'importance de chaque source de variation d'une situation de mesure. Le score vrai devient l'espérance mathématique de toutes les observations possibles et l'erreur est le résultat d'une fluctuation dans l'échantillonnage de certains niveaux des facettes considérées (évaluateurs, moments, formes d'items, etc.).

La généralisabilité est donc un concept plus englobant que celui de fidélité. Il permet de décrire des situations de mesure plus complexes et plus près de la réalité. Cardinet, Johnson et Pini (2010, p. 23) la définissent ainsi :

> *Generalizability theory, or G theory, is essentially an approach to the estimation of measurement precision in situations where measurements are subject to multiple sources of error. It is an approach that not only provides a means of estimating the dependability of measurements already made, but that also enables information about error contributions to be used to improve measurement procedures in future applications.*

Les sources d'erreur de mesure dans un dispositif complexe sont fort nombreuses. L'étude de la fidélité de tels dispositifs doit tenir compte de toutes les facettes du plan d'observation et de leurs interactions. Pour y arriver, il faut calculer la variabilité des résultats en fonction de ces différentes *facettes*. C'est donc de la fidélité du *score univers* dont il sera question, c'est-à-dire de la fidélité du score dans l'univers des conditions décrites par les facettes du plan d'observation.

Cardinet et Tourneur (1985 ; p. 23) définissent ainsi le score univers :

> *Le score univers d'une personne p, donnée idéale, représente la moyenne des scores de la personne p, calculée sur toutes les observations admissibles. Or l'observateur utilise le score observé, ou une fonction du score observé, pour estimer la valeur du score univers. Il généralise ainsi de l'échantillon à la population.*

Il y a donc un parallèle important entre *fidélité* et *généralisabilité*. Dans le modèle classique, la fidélité se définit en termes de corrélation entre le score observé et le score vrai. Plus la corrélation entre les deux est élevée, plus la fidélité est grande. Il en va de même avec la notion de généralisabilité. Elle traduit le degré de corrélation entre le score observé et le score univers de l'individu. Plus cette corrélation est élevée, plus le score observé de l'individu ressemble à celui qu'il obtiendrait s'il était soumis à l'ensemble des conditions de l'univers de généralisation.

Nous ne connaissons pas le score univers directement, mais nous pouvons l'estimer. Dans l'exemple précédent, la moyenne des résultats de l'élève pour les deux thèmes, notés au moyen de deux grilles différentes par trois correcteurs, constituerait le score observé de l'élève. Ce score observé constitue une bonne estimation du score univers de l'élève jusqu'à un certain point. Si le dispositif de mesure constitue un bon échantillon de thèmes, de correcteurs et de grilles de correction, alors le score observé sera représentatif de la population des conditions de mesure et sa généralisabilité sera élevée. Nous pourrions aussi affirmer que la généralisabilité du score dépend de la corrélation qui existe entre le score univers (ou score vrai) et le score observé dans les mêmes conditions d'observation et de mesure.

Immédiatement, une conclusion s'impose : plus l'échantillon des conditions d'observation se rapproche de la population, plus la généralisabilité sera grande. Dans notre exemple, si nous augmentions le nombre de thèmes, de correcteurs et de grilles, l'échantillon serait plus important et la généralisabilité du score plus grande. Mais, comment s'assurer d'une bonne généralisabilité ? Toutes les facettes sont-elles aussi importantes les unes que les autres ? Comment développer un dispositif de mesure qui soit économique et efficace ? Pouvoir répondre à ces questions est la motivation première des études de la théorie de la généralisabilité.

7.2 ÉTUDES G ET D

L'étude de la généralisabilité permet de tenir compte de multiples sources d'erreur dans l'estimation de la fidélité. Comme nous venons de le voir, dès que nous sommes intéressés à généraliser à un grand nombre de conditions d'observation, le recours aux coefficients de corrélation pour rendre compte de la variabilité des résultats devient rapidement impraticable. Pour tenir compte de l'ensemble des variations qui se produisent dans un plan d'observation et des interactions possibles entre les facettes de ce plan, l'étude de la généralisabilité se fonde sur l'analyse de la variance (voir Annexe 1). Tout comme l'analyse de la variance permet un test d'hypothèse sur plus de deux groupes à la fois, l'étude de généralisabilité permet d'estimer l'importance des variations introduites par plus d'une variable ou facette. L'étude de la généralisabilité est donc au calcul de la fidélité, ce que l'analyse de variance est au test *t*. Pas étonnant alors de retrouver l'analyse de variance à la base des méthodes de calcul de la généralisabilité.

Tout d'abord, il y a lieu de faire une distinction importante entre les deux finalités de l'étude de généralisabilité : *étude G* et *étude D*. Cette distinction est rendue nécessaire du fait que l'étude de la généralisabilité permet un plus grand contrôle sur les sources d'erreur de notre dispositif d'observation. Il est donc possible de faire beaucoup plus que de calculer l'indice de fidélité d'un score univers (ou *coefficient de généralisabilité*). Le chercheur peut aussi estimer dans quelles conditions son dispositif d'observation présentera des conditions optimales.

Le parallèle entre études G et D et la théorie classique des tests est difficile à établir, mais il est possible. Lors du calcul de la fidélité d'équivalence, le chercheur peut estimer combien d'items parallèles aux items de son test de départ il doit ajouter pour obtenir une fidélité acceptable. Nous avons vu que la formule de Spearman-Brown (équation 3.46) nous permettait de faire ce calcul. Cette estimation de la nouvelle fidélité du test obtenue à partir des résultats aux items du test de départ correspond à une étude D. Le calcul de la fidélité du test de départ au moyen de la corrélation entre les deux formes parallèles du test correspond à l'étude G.

L'étude de la généralisabilité serait d'un intérêt pratique limité si elle se limitait à traduire au moyen d'un coefficient unique le degré de fidélité du score univers dans un plan complexe d'observation. À quoi bon connaître l'importance des différentes sources de variation et d'erreur de mesure – ce qui est le propre de l'étude G – si l'on ne prend pas le soin de les contrôler – ce qui est le propre de l'étude D – afin de s'assurer d'une meilleure fidélité ou généralisabilité ?

Les limites du modèle classique du score vrai proviennent de la difficulté à préciser les sources de variation qu'il faut contrôler pour diminuer l'erreur de mesure. Dans l'exemple de départ où nous avions, en plus des élèves, trois sources importantes de variation des résultats (les correcteurs, les thèmes de la composition écrite, les grilles d'appréciation), seule une étude de la généralisabilité permet de déterminer la part que jouent chacune de ces trois sources de variation et chacune de leurs interactions dans la variance d'échantillonnage globale.

7.3   Les quatre étapes d'une étude de généralisabilité

Cardinet et Tourneur (1985) ont étendu la théorie de la généralisabilité initiale telle
que formulée par Cronbach, Gleser, Nanda et Rajaratnam (1972). En effet, pour
Cronbach et al., la facette « sujets » constitue le seul objet de mesure utile. Or, en
psychologie et en éducation, le chercheur n'est pas uniquement intéressé par la stabilité des scores des sujets. Il s'intéresse aussi à la stabilité des effets d'autres objets de
mesure tels que les items. Il peut s'agir d'estimer la stabilité des effets de différentes
tâches ou de différentes modalités de présentation des items introduits dans un plan
d'observation. Dans de telles conditions, ce ne sont plus les sujets que l'analyse de
généralisabilité cherchera à différencier, mais bien les tâches et les contenus en tant
qu'objets d'observation.

Cardinet et Tourneur (1985) ont donc défini une série de procédures de calcul
applicables à tous les types de plans expérimentaux et qui permettent de tenir compte
de tous les *projets de mesure*. En effet, selon ces auteurs (p. 31) :

> *L'erreur n'apparaît que par rapport à un projet de mesure. Elle suppose une
> intention particulière qui privilégie une ou plusieurs facettes comme condi-
> tions d'observation, c'est-à-dire comme sources d'erreurs... C'est (...) après
> le choix d'une direction privilégiée de mesure, que s'insère la théorie de la
> généralisabilité. Son rôle est de préciser l'importance de la variance due aux
> facettes privilégiées (variance de différenciation) par rapport à la variance
> due à l'échantillonnage des conditions d'observation (variance d'erreur).*

La procédure proposée par Cardinet et Tourneur (1985) s'effectue en quatre
étapes : les phases 1 et 2 se rapportent à l'analyse de variance ; la phase 3 se rapporte à
l'étude G et la phase 4 à l'étude D. Voici une courte description de ces quatre étapes :

1. *Plan d'observation* : on procède au choix des facettes et du nombre de niveaux
   de chaque facette. On précise également les interrelations (*nichage, croisement*) entre ces facettes.

2. *Plan d'estimation* : on détermine quelles facettes représentent un ensemble de
   niveaux finis ou infinis et quelles facettes sont échantillonnées de façon *aléatoire* ou *exhaustive* (*effet fixe*).

3. *Plan de mesure* : on identifie quelles facettes sont liées au projet de mesure
   (*facettes de différenciation*) et quelles facettes sont considérées comme sources
   d'erreur de mesure (*facettes d'instrumentation*). C'est au cours de cette phase
   que les composantes de variance calculées à la phase deux peuvent être attri-
   buées à la variance vraie ou à la variance d'erreur, permettant ainsi le calcul
   du coefficient de généralisabilité et le calcul de marges d'erreur applicables
   aux scores observés.

4. *Plan d'optimisation* : cette phase consiste à modifier soit le plan d'observation,
   soit le plan d'estimation, soit le plan de mesure ou encore une combinaison
   des trois afin de maximiser la généralisabilité des observations. Le chercheur
   devra trouver alors un équilibre entre précision de la mesure et étendue de
   l'univers de généralisation. En effet, plus l'univers de généralisation est grand,
   plus il est difficile d'obtenir des mesures proches du score univers. Par contre,
   il y a peu d'intérêt pratique à utiliser des mesures précises lorsque l'univers de
   généralisation est trop étroit.

Dans notre exemple de départ, le plan d'observation est constitué de quatre facettes : les élèves, les thèmes des compositions écrites (2), les correcteurs (3) et les grilles de correction (2). Ces facettes sont totalement *croisées* si tous les élèves écrivent sur les deux thèmes et que chaque thème est corrigé par les trois correcteurs utilisant chaque fois deux grilles de correction. Il serait possible d'agencer autrement les facettes de ce plan d'observation. Par exemple, il serait possible de *nicher* la facette « correcteur » dans la facette « thème » : deux correcteurs pourraient corriger le thème 1 au moyen des deux grilles pour chaque élève et deux autres correcteurs corrigeraient le thème 2 de la même façon. Nous dirions alors que la facette « correcteurs » est nichée dans la facette « thèmes », car les deux thèmes ne sont pas corrigés par tous les correcteurs. Une telle façon de procéder se justifie lorsque l'on souhaite attribuer la notation de chaque thème aux correcteurs les plus expérimentés sur chaque thème.

Le plan d'estimation de notre exemple nous amène à définir le mode d'échantillonnage de nos facettes. Les élèves peuvent être considérés comme ayant été tirés au hasard d'une population infinie ou finie (si l'on en connaît la taille comme c'est le cas des élèves appartenant à un même district scolaire). En ce qui concerne les autres facettes, le plan d'estimation peut être plus délicat à établir. Les correcteurs peuvent aussi être considérés comme tirés d'une population finie ou infinie de correcteurs. Cette population serait considérée comme finie si l'on connaissait tous les enseignants susceptibles de corriger les épreuves. Les grilles de correction peuvent être considérées comme ayant été tirées d'une infinité de possibilités de grilles. Nous pouvons aussi considérer comme fixe cette facette et ne souhaiter généraliser les résultats des élèves qu'à deux grilles. Cette procédure serait adéquate si, d'année en année, les deux mêmes grilles étaient réutilisées. Quant aux deux thèmes, les mêmes choix s'imposent : voulons-nous généraliser les résultats des élèves à ces deux seuls thèmes ou à tous les thèmes ? Il peut être difficile de définir la population des thèmes : le programme d'études peut en prévoir un certain nombre. Dans ce cas, il serait possible de considérer les thèmes comme ayant été tirés d'une population finie, si notre but est de généraliser à l'ensemble des thèmes définis par le programme d'études. On pourrait justifier une telle procédure si d'une année à l'autre, deux nouveaux thèmes étaient tirés au hasard de l'ensemble des thèmes de composition écrite prévus au programme d'études.

Pour simplifier la situation, nous considérerons que tous les niveaux de facettes ont été tirés de populations infinies. Ceci aura pour effet de simplifier le calcul des composantes de variance. Dans le cas où les niveaux d'une ou plusieurs facettes devaient être tirés d'une population finie ou encore représenter un échantillon exhaustif de tous les niveaux, le calcul des composantes de variance se ferait différemment.

Dans le plan de mesure, nous devons préciser la ou les facette(s) liées à notre projet de mesure. Si c'est le score de chaque élève en composition écrite qui nous intéresse, alors la facette « sujets » sera considérée comme facette de différenciation et les facettes « correcteurs », « thèmes » et « grilles de correction » comme des facettes d'instrumentation. Par contre, si c'est la fidélité des correcteurs qui nous préoccupe, c'est la facette « correcteurs » qui deviendra facette de différenciation. La facette « sujets » sera alors considérée comme facette d'instrumentation avec les deux autres facettes. En effet, dans cette perspective, la fidélité des résultats octroyés par les correcteurs dépend des variations que les sujets introduisent dans la qualité de leurs productions écrites.

Une fois le calcul des composantes de variance terminé (ou étude G), nous pouvons passer à une quatrième étape : le plan d'optimisation ou étude D. Cette dernière étape nous permettra d'entrevoir différents moyens d'améliorer notre dispositif de mesure.

7.4 Représentation graphique des composantes de variance

La figure 3.8 présente les sources de variation du plan d'observation de l'exemple initial pour deux des trois facettes : les correcteurs (C) et les thèmes (T). Le *diagramme de Cronbach* est employé pour représenter graphiquement les sources de variation et leurs interactions. La facette de différenciation « sujets » (S) y est illustrée en gris, en plus des facettes d'instrumentation C et T (« correcteurs » et « thèmes ») en blanc. Elles sont entièrement croisées avec la facette S. Les aires d'intersection entre les ellipses représentent les interactions entre facettes.

La figure 3.9 présente les sources de variation du plan d'observation lorsque les correcteurs sont nichés sous chacun des deux thèmes. Le nichage des facettes est représenté par l'inclusion d'une ellipse (*facette nichée*) dans une ellipse plus grande (*facette nichante*). La relation de nichage est indiquée par les deux points « : ». Ainsi, C:T signifie que la facette « correcteurs » est nichée dans la facette « thèmes ». Ce nouveau plan d'observation rend impossible l'identification d'une composante d'interaction SC indépendante de la composante T. Du fait que la facette C est maintenant nichée dans T, la composante C ne peut plus être distinguée de la composante CT. De même, le nouveau plan d'observation rend impossible l'identification d'une

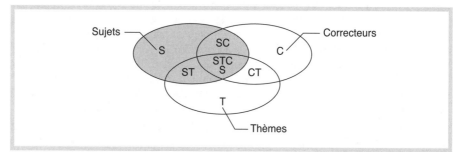

Figure 3.8 – Diagramme de Cronbach de trois facettes croisées

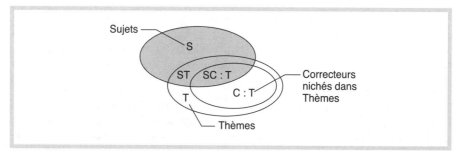

Figure 3.9 – Diagramme de Cronbach illustrant deux facettes nichées

composante d'interaction SC indépendante de la composante SCT, car les deux sont confondues dans la composante SC:T.

La figure 3.10 nous montre de plus près les composantes de variance entrant dans la composition de la variance de la facette « sujets » pour le plan d'observation de l'exemple initial (figure 3.8). Nous retrouvons à l'intérieur de l'ellipse de la facette S (en gris) des composantes de variation partagées avec les facettes d'instrumentation ou *univers de généralisation*. En effet, les résultats des élèves ne dépendent pas que de leurs différences individuelles. Si les correcteurs ont été moins sévères envers certains élèves, cette interaction SC entrera comme composante de la variation entre les sujets. De même, si le thème 1 s'avère plus facile pour certains élèves, alors que le thème 2 est plus facile pour d'autres, cette nouvelle interaction ST s'ajoutera aux sources de variation. Enfin, il est possible que selon le correcteur et l'élève, la composition écrite sous un thème soit notée plus ou moins sévèrement. Cette triple interaction STC s'ajoute à nouveau aux sources de variation entre les sujets. Toutes ces sources de variation s'accumulent comme composantes plus ou moins grandes de la variation entre les sujets et constituent autant de sources d'erreur qui masquent les différences réelles entre les sujets. Comment intervenir dans ces circonstances pour améliorer la généralisabilité ?

Plusieurs possibilités s'offrent à nous. Devons-nous accroître le nombre de correcteurs ? Serait-il préférable de réduire le nombre de correcteurs, mais d'accroître le nombre de thèmes des compositions écrites réalisées par chaque élève ? Deux grilles d'appréciation sont-elles nécessaires ? Voilà autant de points sur lesquels une décision doit être prise et où l'étude D est susceptible de rendre de précieux services. Pour ce faire, il nous faut connaître l'importance de ces sources de variations. C'est ce que permettra de réaliser l'étude G des composantes de variance.

Dans une situation idéale, la plus grande part de la variance entre les sujets dépendrait uniquement des sujets. Les interactions « correcteurs × sujets » et « thèmes × sujets », considérées comme des sources d'erreur, ne représenteraient qu'une petite proportion de la variance totale entre sujets. La mesure est au contraire insatisfaisante lorsqu'une grande proportion de la variation entre les sujets est imputable à ces interactions. Tant dans le modèle classique que dans l'étude de la généralisabilité, la fidélité est calculée à partir de la proportion de la variance observée qui est due à la variance des scores vrais. Dans le contexte de la théorie de la généralisabilité, la variance due aux scores vrais est remplacée par ce qu'il est convenu d'appeler la *variance de différenciation* ou si l'on préfère *la variance attendue des scores univers*.

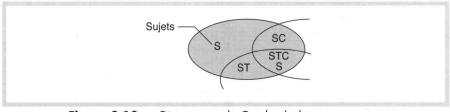

Figure 3.10 — Diagramme de Cronbach des composantes de variance de la facette *S*

7.5   Représentation symbolique

L'indice de fidélité tiré de l'étude de la généralisabilité se définit donc simplement comme la proportion de la variance des scores observés résultant de la variance de différenciation :

$$\rho^2 = \frac{\sigma_\tau^2}{\sigma_\tau^2 + \sigma_e^2} \qquad (3.61)$$

Dans l'équation précédente, σ_τ^2 représente la variance de différenciation ou variance attendue des scores univers et $(\sigma_\tau^2 + \sigma_e^2)$ représente la variance attendue des scores observés. Par définition, c'est la somme de la variance des scores univers et de la variance des erreurs d'échantillonnage. Le terme d'erreur σ_e^2 dépend de plusieurs facteurs. Intuitivement, il est facile de comprendre que plus l'univers de généralisation est grand, plus ce terme risque d'être élevé. Enfin, selon que nous sommes intéressés par la valeur absolue du score univers (comme en évaluation critériée, voir chapitre 1) ou par sa valeur relative (comme en évaluation normative, voir aussi le chapitre 6), la composante d'erreur sera différente.

7.6   Erreur absolue et erreur relative

Deux types d'erreurs nous préoccupent particulièrement lorsqu'il s'agit de fidélité de la mesure : l'erreur relative et l'erreur absolue. L'erreur relative se produit lorsque la position des résultats les uns par rapport aux autres se trouve changée. L'erreur absolue se produit lorsque la valeur absolue des résultats, telle que mesurée sur une échelle dont les échelons sont définis a priori, est changée. Dans un concours ou une évaluation de type sélection, l'erreur absolue n'a pas d'importance : il s'agit de ne sélectionner que les meilleurs, quel que soit le score obtenu par chaque participant(e). Par contre, dans une épreuve de certification ou pour être admis dans une profession ou un programme d'études contingenté, la valeur absolue du résultat est également importante. Ce n'est pas la position relative du score par rapport aux autres scores qui nous préoccupe, mais c'est davantage la position de ce score par rapport à un seuil de réussite. Il ne serait pas approprié de permettre à quelqu'un de conduire un véhicule automobile sur la seule base qu'il s'est avéré le conducteur le moins mauvais parmi ceux qui se sont présentés. Pour obtenir un permis de conduire, le conducteur en question doit démontrer une performance minimale. En tenant compte de l'erreur absolue de mesure, nous prenons en considération non seulement l'erreur relative, mais aussi les composantes d'erreur qui affectent la valeur absolue du score de la performance par rapport à un seuil de réussite.

Cette distinction entre erreur relative et erreur absolue est essentielle en psychologie et en éducation. Dans tout système de mesure où des seuils critiques sont utilisés pour déterminer si un stade a été atteint, une étape de développement franchie, un seuil de maîtrise atteint, l'erreur absolue de mesure joue un rôle important. En psychologie différentielle, c'est l'erreur sur les positions relatives qui est la plus pertinente. Par exemple, lorsque les tests d'aptitude sont utilisés à des fins de sélection, l'erreur relative prime. Le directeur d'école qui souhaite créer une classe regroupant les meilleurs élèves n'est pas préoccupé par l'erreur absolue. Il lui importe de sélectionner les 25 meilleurs candidats pour cette classe quelle que soit la valeur absolue de leurs résultats. Si pour créer une telle classe, chaque élève devait avoir un QI de 120 et plus, il se pourrait qu'il ne trouve dans son école que peu d'élèves de ce niveau et ne puisse créer la classe projetée. Il lui serait alors impossible de créer une classe à voie enrichie avec le seuil de réussite fixé.

7.7 SIMULATION D'UNE ÉTUDE DE GÉNÉRALISABILITÉ

Nous ne présenterons pas ici les détails des procédures de calcul intervenant dans l'étude de généralisabilité. Il faut pour cela une connaissance approfondie de l'analyse de variance et de l'estimation statistique qui dépasse les prérequis de cet ouvrage. Il est possible, par contre, de saisir l'utilité de l'étude de généralisabilité à travers une simulation qui illustre sa capacité à apporter des solutions satisfaisantes à bon nombre de problèmes courants impliquant la fidélité de la mesure.

Cette simulation aura comme principal avantage de nous permettre de connaître *a priori* les effets introduits par les principales facettes impliquées dans la variation des résultats. Nous serons donc à même de constater comment l'étude de la généralisabilité permet de retrouver les principaux effets et leurs interactions introduits dans les données de départ et d'observer comment ceux-ci affectent l'estimation de la fidélité.

La situation que nous chercherons à décrire est celle de la fidélité des notes accordées par des juges à une série de plongeons aux figures imposées. Cette situation est représentée graphiquement par le diagramme de Cronbach de la figure 3.11. Comme on peut le constater, trois principales sources d'erreur relative sont en jeu : la possibilité que les juges notent différemment un même sujet (SJ), la possibilité qu'un même sujet éprouve des difficultés particulières pour un plongeon plutôt qu'un autre (SP) et enfin, la possibilité que les juges notent différemment des plongeons en fonction de chaque sujet (SJP). Si notre objectif se limite à classer les plongeurs et à décerner trois médailles (or, argent et bronze), ces sources d'erreur sont les seules qui devraient nous préoccuper car elles affectent la position relative d'un plongeur par rapport à un autre. Il nous importe peu de savoir si le médaillé d'or mérite 7,4 plutôt que 6,9. L'essentiel est que son score soit le plus élevé, quel que soit le juge qui l'ait noté ou le plongeon qu'il ait exécuté.

Par contre, si la valeur absolue du score est importante, il faudrait tenir compte de sources d'erreur additionnelles. Pour être admis comme sauveteur, il ne suffit pas d'être le meilleur de son groupe. Il faut aussi exécuter les plongeons avec

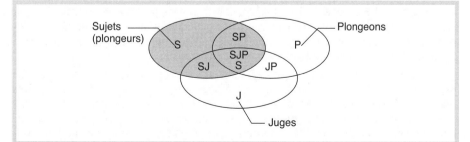

Figure 3.11 — Diagramme de Cronbach du plan d'observation de la simulation

Tableau 3.11 — Données de départ de la simulation

Sujets	Score univers	J1 P1	J1 P2	J1 P3	J2 P1	J2 P2	J2 P3	J3 P1	J3 P2	J3 P3	Score observé
1	3,01	3,01	3,01	3,01	3,01	3,01	3,01	3,01	3,01	3,01	3,01
2	6,30	6,30	6,30	6,30	6,30	6,30	6,30	6,30	6,30	6,30	6,30
3	3,91	3,91	3,91	3,91	3,91	3,91	3,91	3,91	3,91	3,91	3,91
4	5,49	5,49	5,49	5,49	5,49	5,49	5,49	5,49	5,49	5,49	5,49
5	4,51	4,51	4,51	4,51	4,51	4,51	4,51	4,51	4,51	4,51	4,51
6	5,77	5,77	5,77	5,77	5,77	5,77	5,77	5,77	5,77	5,77	5,77
7	4,76	4,76	4,76	4,76	4,76	4,76	4,76	4,76	4,76	4,76	4,76
8	4,21	4,21	4,21	4,21	4,21	4,21	4,21	4,21	4,21	4,21	4,21
9	5,06	5,06	5,06	5,06	5,06	5,06	5,06	5,06	5,06	5,06	5,06
10	5,68	5,68	5,68	5,68	5,68	5,68	5,68	5,68	5,68	5,68	5,68
11	6,21	6,21	6,21	6,21	6,21	6,21	6,21	6,21	6,21	6,21	6,21
12	6,18	6,18	6,18	6,18	6,18	6,18	6,18	6,18	6,18	6,18	6,18
Moyenne	**5,09**	**5,09**	**5,09**	**5,09**	**5,09**	**5,09**	**5,09**	**5,09**	**5,09**	**5,09**	**5,09**
Écart type	**0,99**	**0,99**	**0,99**	**0,99**	**0,99**	**0,99**	**0,99**	**0,99**	**0,99**	**0,99**	**0,99**

un certain degré de maîtrise. La valeur absolue de la performance devient primordiale. En plus des sources d'erreur relative, nous devrions tenir compte de la sévérité des juges et de la difficulté des plongeons retenus. Si, par hasard, trois juges particulièrement sévères étaient choisis, les résultats de tous les plongeurs seraient sous-estimés. Si, de la même manière, les exercices comptaient parmi les figures imposées les plus difficiles, là encore les plongeurs risqueraient de rater le seuil de maîtrise fixé.

Le tableau 3.11 présente la situation des plongeurs avant que nous introduisions les effets pour les facettes principales (juges et plongeons) et leurs interactions. Ces douze plongeurs ont été tirés au hasard d'une population où le score univers moyen vaut 5 et la variance des scores univers vaut 1. En l'absence d'écarts introduits par la sévérité des juges ou par la difficulté des plongeons, le score observé demeure identique au score univers pour chaque plongeur. Nous sommes dans une situation où, à l'évidence, ni les plongeons, ni les juges ne sont une source d'erreur aléatoire. Cette situation nous conduirait à une généralisabilité parfaite du résultat des plongeurs, puisque celui-ci demeurerait le même peu importe le juge ou le plongeon exécuté. Cette situation, quoiqu'idéale, n'est pas réaliste.

Le tableau 3.12 introduit des effets pour les juges et pour les plongeons. Le juge 2 est le moins sévère, car il alloue 1,5 point de plus à tous les plongeurs. Les juges 1 et 3, plus sévères, accordent quant à eux un résultat inférieur de – 0,75 à chaque plongeur. Quant aux plongeons, le premier est celui pour lequel les athlètes se voient accorder le plus de points (ou le plus facile), suivi des plongeons 2 et 3.

Tableau 3.12 — Effets des juges et des plongeons ajoutés aux données de départ
(J1 = – 0,75 ; J2 = + 1,5 ; J3 = – 0,75)
(P1 = + 0,5 ; P2 = + 0,25 ; P3 = – 0,75)

Sujets	Score univers	J1 P1	J1 P2	J1 P3	J2 P1	J2 P2	J2 P3	J3 P1	J3 P2	J3 P3	Score observé
1	3,01	2,76	2,51	1,51	5,01	4,76	3,76	2,76	2,51	1,51	3,01
2	6,30	6,05	5,80	4,80	8,30	8,05	7,05	6,05	5,80	4,80	6,30
3	3,91	3,66	3,41	2,41	5,91	5,66	4,66	3,66	3,41	2,41	3,91
4	5,49	5,24	4,99	3,99	7,49	7,24	6,24	5,24	4,99	3,99	5,49
5	4,51	4,26	4,01	3,01	6,51	6,26	5,26	4,26	4,01	3,01	4,51
6	5,77	5,52	5,27	4,27	7,77	7,52	6,52	5,52	5,27	4,27	5,77
7	4,76	4,51	4,26	3,26	6,76	6,51	5,51	4,51	4,26	3,26	4,76
8	4,21	3,96	3,71	2,71	6,21	5,96	4,96	3,96	3,71	2,71	4,21
9	5,06	4,81	4,56	3,56	7,06	6,81	5,81	4,81	4,56	3,56	5,06
10	5,68	5,43	5,18	4,18	7,68	7,43	6,43	5,43	5,18	4,18	5,68
11	6,21	5,96	5,71	4,71	8,21	7,96	6,96	5,96	5,71	4,71	6,21
12	6,18	5,93	5,68	4,68	8,18	7,93	6,93	5,93	5,68	4,68	6,18
Moyenne	**5,09**	**4,84**	**4,59**	**3,59**	**7,09**	**6,84**	**5,84**	**4,84**	**4,59**	**3,59**	**5,09**
Écart type	**0,99**	**0,99**	**0,99**	**0,99**	**0,99**	**0,99**	**0,99**	**0,99**	**0,99**	**0,99**	**0,99**

Ces écarts introduits par les juges et les plongeons tendent à surestimer ou à sous-estimer à chaque notation l'habileté des plongeurs. Il en résulte une note supérieure ou inférieure au score univers de plongeon de chaque athlète. Dans notre exemple, afin de simplifier l'interprétation, la somme des erreurs d'estimation s'annule lorsque l'on prend en considération tous les juges et tous les plongeons. C'est pourquoi, même si les résultats individuels ont changé, leur moyenne par sujet demeure constante.

Il existe tout de même une erreur absolue sur chaque note. En effet, selon que l'on considère un juge plutôt qu'un autre, ou encore un plongeon plutôt qu'un autre, la note varie. Cette erreur absolue serait importante si le but de cet exercice était de déterminer ceux et celles qui ont atteint un seuil de performance pour accéder au métier de sauveteur. Si un seuil de 8 est exigé en plongeon, plusieurs plongeurs se verraient acceptés par certains juges pour certains plongeons, alors qu'ils auraient dû être refusés. Il s'agirait de *faux positifs* (voir chapitre 4) : ces plongeurs sont acceptés sur base de leur score observé, alors qu'ils devraient être refusés, étant donné leur score univers (ou score vrai).

Ce type d'erreur absolue n'a toutefois rien à voir avec le classement relatif des plongeurs. S'il s'agit d'une compétition devant déterminer les trois meilleurs, la sévérité des juges ou la facilité des plongeons n'ont aucun effet sur la position relative de chaque plongeur dans le classement. Si l'on additionne les points mérités par chaque plongeur, on observe que le plongeur 2 est toujours celui qui mérite la moyenne la

Tableau 3.13 — Interaction *juges* × *plongeons*

	J1	J2	J3
P1	0	– 0,25	– 0,5
P2	0	0,25	0
P3	0,5	0	0

plus élevée. Les effets ajoutés ayant joué pour tous, le classement n'est pas affecté. Donc, la généralisabilité *relative* des résultats du tableau 10 demeure parfaite.

Une autre source d'erreur absolue pourrait se présenter si les juges, en plus d'être plus ou moins sévères entre eux, différaient quant aux résultats qu'ils accordent à chaque plongeon. Dans la situation précédente, le juge 2 accordait 1,5 de plus à chaque plongeur et ce, peu importe le plongeon. Il en allait de même pour les autres juges. Bref, tous les juges étaient constants dans leur degré d'indulgence ou de sévérité, peu importe le plongeon.

La matrice du tableau 3.13 nous indique les effets d'interaction entre les trois juges et les trois plongeons. Le juge 1, par exemple, accorde 0,5 point de plus au plongeon 3, alors que le juge 3 enlève – 0,5 point au plongeon 1. Un tel comportement des juges 1 et 3 pourrait s'expliquer par le fait que ces deux juges évaluent différemment la complexité du plongeon. Le juge 3, considérant le plongeon 1 plus facile que les deux autres, est plus sévère pour ce plongeon. Le juge 1, considérant le plongeon 3 comme plus difficile, est plus indulgent.

Tableau 3.14 — Ajout de l'interaction *juges* × *plongeons* aux données

Sujets	Score univers	J1 P1	J1 P2	J1 P3	J2 P1	J2 P2	J2 P3	J3 P1	J3 P2	J3 P3	Score observé
1	3,01	2,76	2,51	2,01	4,76	5,01	3,76	2,26	2,51	1,51	3,01
2	6,30	6,05	5,80	5,30	8,05	8,30	7,05	5,55	5,80	4,80	6,30
3	3,91	3,66	3,41	2,91	5,66	5,91	4,66	3,16	3,41	2,41	3,91
4	5,49	5,24	4,99	4,49	7,24	7,49	6,24	4,74	4,99	3,99	5,49
5	4,51	4,26	4,01	3,51	6,26	6,51	5,26	3,76	4,01	3,01	4,51
6	5,77	5,52	5,27	4,77	7,52	7,77	6,52	5,02	5,27	4,27	5,77
7	4,76	4,51	4,26	3,76	6,51	6,76	5,51	4,01	4,26	3,26	4,76
8	4,21	3,96	3,71	3,21	5,96	6,21	4,96	3,46	3,71	2,71	4,21
9	5,06	4,81	4,56	4,06	6,81	7,06	5,81	4,31	4,56	3,56	5,06
10	5,68	5,43	5,18	4,68	7,43	7,68	6,43	4,93	5,18	4,18	5,68
11	6,21	5,96	5,71	5,21	7,96	8,21	6,96	5,46	5,71	4,71	6,21
12	6,18	5,93	5,68	5,18	7,93	8,18	6,93	5,43	5,68	4,68	6,18
Moyenne	5,09	4,84	4,59	4,09	6,84	7,09	5,84	4,34	4,59	3,59	5,09
Écart type	0,99	0,99	0,99	0,99	0,99	0,99	0,99	0,99	0,99	0,99	0,99

Tableau 3.15 — Interaction *juges × sujets*

Sujets	J1	J2	J3
1	0	0	0,25
2	0	0	0
3	0,5	0,5	– 0,25
4	0	0	– 0,75
5	0	0	0
6	– 0,5	– 0,25	0,5
7	0	0	0
8	– 1	1	– 1
9	0	0	0,25
10	0	0	0,25
11	0	0	0
12	1	– 1	0,5

Ces écarts dus à l'interaction « juges × plongeons » ont été ajoutés aux résultats du tableau 3.10 pour donner les résultats du tableau 3.12. Puisque la somme de ces interactions est nulle et que chaque plongeur a été affecté également par l'effet de ces interactions, ni la valeur absolue de leur score individuel, ni le classement n'ont été affectés. Le plongeur 2 demeure toujours le champion. La seule erreur due à cette interaction est une erreur absolue dans l'estimation du score univers pour un juge et un plongeon particulier. L'erreur relative demeure nulle.

Les résultats des tableaux 3.12 et 3.14 nous présentent des valeurs constantes en termes de classement. Celui-ci est demeuré le même parce que sur l'ensemble des trois plongeons, les trois juges ont toujours eu la même attitude envers chaque plongeur. Si chaque juge devait accorder plus de points à un sujet en particulier à cause de critères subjectifs ou d'une interprétation personnelle des critères d'évaluation, il y aurait une interaction entre les juges et les sujets qui pourrait ressembler à ce que décrit le tableau 3.13.

On note dans le tableau 3.15 qu'en ce qui concerne les sujets 2, 5, 7 et 11, il n'y a eu aucune interaction. Par contre, le sujet 8 se voit accorder 1 point de moins par les juges 1 et 3 et 1 point de plus par le juge 2. Il en va de même des autres plongeurs, même si la grandeur des effets d'interaction peut varier. Ces effets d'interaction signifient qu'un juge a accordé plus de points ou moins de points à un plongeur particulier. Le juge 2, celui qui accorde le plus de points à tous les plongeurs, peu importe le plongeon, a donné un point de plus au sujet 8 et un point de moins au sujet 12. Le classement des plongeurs est affecté par de telles interactions. C'est là une source importante d'erreur relative. Les juges peuvent différer entre eux dans leur notation des plongeurs et se laisser influencer par des critères non objectifs.

Le tableau 3.16 présente les nouveaux résultats, une fois ajoutée l'interaction entre juges et sujets. Si l'on compare les scores observés, on constate que, pour la première fois, le classement des plongeurs a été affecté par ces effets d'interaction. En effet, le champion n'est plus le plongeur #2 (6,30), mais bien le plongeur #12

Tableau 3.16 — Ajout de l'interaction *juges × sujets* aux données

Sujets	Score observé	J1 P1	J1 P2	J1 P3	J2 P1	J2 P2	J2 P3	J3 P1	J3 P2	J3 P3	Score univers
1	3,01	2,76	2,51	2,01	4,76	5,01	3,76	2,51	2,76	1,76	3,10
2	6,30	6,05	5,80	5,30	8,05	8,30	7,05	5,55	5,80	4,80	6,30
3	3,91	4,16	3,91	3,41	6,16	6,41	5,16	2,91	3,16	2,16	4,16
4	5,49	5,24	4,99	4,49	7,24	7,49	6,24	3,99	4,24	3,24	5,24
5	4,51	4,26	4,01	3,51	6,26	6,51	5,26	3,76	4,01	3,01	4,51
6	5,77	5,02	4,77	4,27	7,27	7,52	6,27	5,52	5,77	4,77	5,68
7	4,76	4,51	4,26	3,76	6,51	6,76	5,51	4,01	4,26	3,26	4,76
8	4,21	2,96	2,71	2,21	6,96	7,21	5,96	2,46	2,71	1,71	3,88
9	5,06	4,81	4,56	4,06	6,81	7,06	5,81	4,56	4,81	3,81	5,14
10	5,68	5,43	5,18	4,68	7,43	7,68	6,43	5,18	5,43	4,43	5,76
11	6,21	5,96	5,71	5,21	7,96	8,21	6,96	5,46	5,71	4,71	6,21
12	6,18	6,93	6,68	6,18	6,93	7,18	5,93	5,93	6,18	5,18	6,35
Moyenne	5,09	4,84	4,59	4,09	6,86	7,11	5,86	4,32	4,57	3,57	5,09
Écart type	0,99	1,17	1,17	1,17	0,85	0,85	0,85	1,19	1,19	1,19	1,00

Tableau 3.17 — Interaction *sujets × plongeons*

Sujets	P1	P2	P3
1	0,5	0,25	− 0,75
2	0	0	0
3	0	0	0
4	0	0	0
5	0,25	0,25	− 0,25
6	0	0	0
7	0	0	0
8	0	0	0
9	− 0,5	− 0,25	0
10	0	0	0
11	0	0	0
12	0	0	0,5

(6,35). Les scores individuels de chaque plongeur ont été affectés par ces interactions « juges × sujets », même si la somme de ces interactions, égale à 0, ne change pas la moyenne du groupe des 12 plongeurs. Si le classement des plongeurs est primordial,

Tableau 3.18 — Ajout de l'interaction *plongeons* × *sujets* aux données

Sujets	Score univers	J1 P1	J1 P2	J1 P3	J2 P1	J2 P2	J2 P3	J3 P1	J3 P2	J3 P3	Score observé	Écart type
1	3,01	3,26	2,76	1,26	5,26	5,26	3,01	3,01	3,01	1,01	3,10	1,38
2	6,30	6,05	5,80	5,30	8,05	8,30	7,05	5,55	5,80	4,80	6,30	1,15
3	3,91	4,16	3,91	3,41	6,16	6,41	5,16	2,91	3,16	2,16	4,16	1,38
4	5,49	5,24	4,99	4,49	7,24	7,49	6,24	3,99	4,24	3,24	5,24	1,38
5	4,51	4,51	4,26	3,26	6,51	6,76	5,01	4,01	4,26	2,76	4,59	1,26
6	5,77	5,02	4,77	4,27	7,27	7,52	6,27	5,52	5,77	4,77	5,68	1,07
7	4,76	4,51	4,26	3,76	6,51	6,76	5,51	4,01	4,26	3,26	4,76	1,15
8	4,21	2,96	2,71	2,21	6,96	7,21	5,96	2,46	2,71	1,71	3,88	2,05
9	5,06	4,31	4,31	4,06	6,31	6,81	5,81	4,06	4,56	3,81	4,89	1,05
10	5,68	5,43	5,18	4,68	7,43	7,68	6,43	5,18	5,43	4,43	5,76	1,09
11	6,21	5,96	5,71	5,21	7,96	8,21	6,96	5,46	5,71	4,71	6,21	1,15
12	6,18	6,93	6,68	6,68	6,93	7,18	6,43	5,93	6,18	5,68	6,52	0,47
Moyenne	**5,09**	**4,86**	**4,61**	**4,05**	**6,88**	**7,13**	**5,82**	**4,34**	**4,59**	**3,53**	**5,09**	**1,22**
Écart type	**0,99**	**1,10**	**1,13**	**1,38**	**0,76**	**0,79**	**1,04**	**1,12**	**1,15**	**1,36**	**1,01**	**0,34**

nous voudrions certainement réduire au minimum l'importance de ces erreurs relatives dans la variation des scores observés des sujets.

L'interaction « juges × sujets » n'est pas la seule source d'erreur relative qui puisse affecter le classement des plongeurs. Jusqu'ici, nous avons admis que la valeur relative des résultats obtenus à chaque plongeon était identique pour chaque plongeur. Un tel postulat serait admissible si, par exemple, le plongeon 1 était le plus facile et qu'il en allait de même pour tous les sujets. Mais, ce postulat se vérifie mal dans la réalité. Si un plongeon peut être le plus facile pour une majorité de sujets, il est possible que la difficulté relative de chaque plongeon varie d'un sujet à l'autre. C'est ce que tente d'illustrer la matrice d'interaction « sujets × plongeons » du tableau 3.17.

Dans ce tableau, on constate que le plongeon 1 s'avère le plus difficile des trois pour le sujet 9. Par contre, pour le sujet 1, c'est le plus facile. Dans l'ensemble, peu de sujets semblent affectés par cette interaction. Pour huit des 12 plongeurs, la difficulté relative de chaque plongeon ne change pas. Cette interaction peut-elle être considérée comme négligeable pour l'ensemble des plongeurs ?

Nous pourrions ajouter encore la triple interaction « juges × plongeons × sujets ». Nous postulerons que celle-ci est nulle pour toutes les combinaisons de facettes. Le tableau 3.18 présente les résultats des 12 plongeurs une fois la double interaction « sujets × plongeons » ajoutée aux résultats du tableau précédent. L'effet sur le classement est sensible. Le plongeur dont le score univers était le plus élevé se classe maintenant second. La médaille d'or lui échappe à cause d'erreurs relatives de mesure occasionnées par les différentes interactions. Quant au vainqueur, le plongeur 12, son

Tableau 3.19 — Analyse de variance et calcul des composantes de variance

Source de variation	Somme des carrés	Degré de liberté	Carré moyen	Composante de variance	% de variance totale
S	110,65	11	10,059	1,003	30
J	127,16	2	63,578	1,729	51
SJ	18,72	22	0,851	0.284	8
P	21,22	2	10,610	0,276	8
SP	3,91	22	0,178	0,059	2
JP	2,00	4	0,500	0,042	1
SJP	0,00	44	0,000	0,000	0

score univers de départ le classait troisième : le bronze s'est transformé en or pour ce plongeur grâce à une série d'erreurs relatives de mesure favorables !

7.8 ANALYSE DE VARIANCE ET ÉTUDE DE GÉNÉRALISABILITÉ

C'est à partir de l'analyse de variance que l'étude de la généralisabilité permet de déterminer les contributions relatives de chacune des facettes d'un dispositif de mesure, soit à la variance des scores univers *(variance de différenciation),* soit à la variance d'erreur relative ou absolue *(variance d'instrumentation).* Le calcul des différentes composantes de variance associées à un plan de mesure requiert une excellente connaissance de l'analyse de variance et des lois de l'estimation statistique. Pour plus de renseignements à ce sujet, le lecteur pourra consulter le livre de Cardinet, Johnson & Pini (2010) qui précise toutes les étapes de ces calculs ou encore télécharger le logiciel EduG qui complète ce livre (http://www.irdp.ch/edumetrie/logiciels.htm). Une fois les calculs de composantes de variance effectués, l'étude de généralisabilité peut se poursuivre. Les résultats peuvent ressembler à ce que nous retrouvons au tableau 3.19 pour les données de la simulation présentées dans le tableau 3.18. On y trouve les résultats habituels de l'analyse de variance (sources de variance, degrés de liberté, carrés moyens). Dans les deux dernières colonnes, on y a ajouté des renseignements propres à l'étude de la généralisabilité : le calcul des composantes de variance exprimées en valeurs absolues et en pourcentages.

Les composantes de variance nous fournissent de précieuses informations en elles-mêmes. Elles nous indiquent quelles facettes sont responsables de la plus grande partie de la variance. En principe, nous devrions y retrouver les effets que nous avons introduits dans notre simulation. D'après le tableau 3.17, les composantes les plus importantes sont celles liées à la facette sujets (30 %) et à celle des juges (51 %). La composante de variance de la facette J est de beaucoup supérieure à celle de la facette des plongeons P. Les effets simples introduits pour la facette J sont de – 0,75, + 1,5 et – 0,75 (une étendue de 2,25). Pour la facette P, ils sont de + 0,5, + 0,25 et – 0,75 (une étendue de 1,25). Que les résultats accordés par les juges constituent une composante de variance plus importante des résultats que le type de plongeon exécuté est donc conforme à notre modèle de simulation.

Parmi les composantes d'interaction les plus importantes, seule l'interaction SJ vaut la peine de s'y attarder. Elle représente 8 % de la variance totale. Elle indique que les juges ne sont pas constants entre eux dans leur classement d'un même sujet. Pour un juge, un plongeur pourrait mériter le meilleur score, alors que pour un autre juge, ce même plongeur pourrait se classer très différemment. Cette composante de variance est la seule source d'erreur relative vraiment importante. La composante de variance associée à l'interaction SP est bien moindre (étendue de – 0,75 à + 0,5) que celle due à l'interaction SJ (étendue de – 1 à + 1). Encore une fois, les résultats de l'analyse des composantes de variance sont fidèles à notre modèle.

Les autres composantes de variance sont négligeables. La composante de variance associée à l'interaction JP ne compte que pour 1,89 % de la variance. Les composantes associées à l'interaction SP et à la triple interaction SJP comptent pour 2 % et 0 %. Dans le cas de la triple interaction, le résultat de 0 % n'est pas surprenant étant donné que nous n'avons pas introduit de tels effets de triple interaction dans notre modèle.

En résumé, nous retrouvons dans l'étude des composantes de variance les effets que nous avons introduits au départ. Les plus importants sont ceux liés à la facette « juges », à la facette « sujets » et à l'interaction « juges × sujets ». Il faut maintenant tenir compte des contributions respectives de ces facettes à la variance vraie (de différenciation) et à la variance d'erreur (d'instrumentation). C'est ici que débute véritablement l'étude de généralisabilité.

7.9 ÉTUDE G

Le tableau 3.20 regroupe les composantes de variance calculées en fonction de notre projet de mesure et de la nature de l'erreur (relative ou absolue) que nous souhaitons contrôler. Pour faciliter l'illustration de ces deux composantes de la variance dans le

Tableau 3.20 — Analyse de généralisabilité pour le plan de mesure de départ (S/JP)

Source	Variance de différenciation	Source	Variance d'erreur relative	Variance d'erreur absolue
S	1,00341			
		J		0,57618
		SJ	0,09453	0,09453
		P		0,09197
		SP	0,01972	0,01972
		JP		0,00463
		SJP	0,00000	0,00000
Total (variance)	1,00341		0,11426	0,78704
Écart type			0,3380	0,8872
Coefficient de généralisabilité			0,898	0,560

tableau 3.18, nous avons inscrit la variance de différenciation dans l'espace blanc et la variance d'erreur dans l'espace gris.

Comme notre projet de mesure consiste à différencier les plongeurs, la variance de différenciation sera constituée de la composante de variance des sujets. La variance d'instrumentation, lorsqu'il ne s'agit que de tenir compte de l'erreur relative de mesure, comprend toutes les composantes d'interaction impliquant la facette sujets avec les autres facettes : SJ, SP, SJP. Lorsqu'il s'agit d'erreur absolue, s'ajoutent aux composantes d'erreur relative précédentes, toutes les composantes de variance aléatoire des autres facettes d'instrumentation : J, P et leur interaction JP.

Pour représenter le plan de mesure choisi, nous avons recours à la notation suivante : *(D/I)*. Dans ce système de notation, *D* représente la ou les facette(s) de différenciation (à gauche de la barre oblique) et *I* représente la ou les facette(s) d'instrumentation (à droite de la barre oblique). Cette notation ne tient compte que des facettes et non de leurs interactions ou nichages. Dans le cas de notre exemple, nous écrirons : (S/JP).

Le coefficient de généralisabilité se calcule selon l'équation (3.61). Si l'on substitue les valeurs des variances de différenciation et d'instrumentation du tableau 3.20 dans l'équation (3.61), nous retrouvons les valeurs des coefficients de généralisabilité relative ρ_δ^2 et absolue ρ_Δ^2.

$$\rho_\delta^2 = \frac{\sigma_\tau^2}{\sigma_\tau^2 + \sigma_\delta^2} = \frac{1,00341}{1,00341 + 0,11426} = 0,898 \tag{3,62}$$

$$\rho_\Delta^2 = \frac{\sigma_\tau^2}{\sigma_\tau^2 + \sigma_\Delta^2} = \frac{1,00341}{1,00341 + 0,78704} = 0,560 \tag{3,63}$$

Ce dernier est dénommé « *index of dependability* » et symbolisé par *j* dans la littérature anglo-saxonne. Ces résultats indiquent que la fidélité des résultats est tout à fait acceptable lorsqu'il s'agit de classer les sujets. Un coefficient de généralisabilité relative de 0,898 indique une bonne fidélité. Par contre, lorsqu'il s'agit d'utiliser la valeur absolue des scores, la fidélité des résultats est moins satisfaisante (0,560). Si

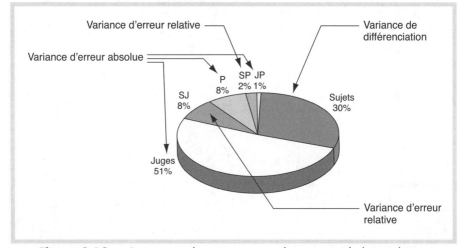

Figure 3.12 — Répartition des composantes de variance de la simulation

notre but premier était de situer les plongeurs par rapport à un seuil de réussite, nous aurions intérêt à diminuer l'erreur absolue des résultats.

La figure 3.12 illustre sous la forme d'un graphique circulaire la répartition des composantes de variance pour le plan de mesure de notre exemple. On y voit comment les composantes de variance du tableau 3.18 se répartissent entre la variance de différenciation et la variance d'instrumentation. On y constate que la principale source d'erreur relative est due à la composante d'interaction SJ. Pour améliorer le classement des sujets, nous devrions chercher à réduire cette composante. En ce qui concerne l'erreur absolue, la majeure partie vient de la composante des juges. La facette « juges » compte pour beaucoup dans la variance totale et en réduisant cette composante, nous pourrions diminuer l'erreur absolue.

On trouve au tableau 3.20 les valeurs des variances d'erreur relative et absolue, et à la ligne suivante les racines carrées de ces mêmes valeurs. Ces *erreurs types* représentent les écarts types de la distribution des fluctuations d'échantillonnage affectant les scores univers. Connaître ces écarts types nous permet d'établir autour de chaque score observé un intervalle de confiance de ±1,96 écarts types, marge à l'intérieur de laquelle on peut être à peu près certain que se situe le score univers ou valeur vraie recherchée. Par exemple, l'étude G effectuée sur le dispositif d'évaluation utilisé pour les plongeurs nous permet d'affirmer que, pour un score observé de 6, le score vrai se situe entre $6 \pm 1,96 \times \sigma_\delta$, soit entre 5,34 et 6,66 ($6 \pm (1,96 \times 0,3380)$) lorsqu'on ne s'intéresse qu'au classement relatif des plongeurs. L'intervalle de confiance serait presque trois fois plus étendu s'il s'agissait de déterminer la valeur absolue des performances de chaque plongeur.

Le tableau 3.21 récapitule toutes les étapes de notre simulation de données. On y retrouve les composantes de variance correspondant aux effets que nous avons introduits, de même que les valeurs calculées des coefficients de généralisabilité ρ_δ^2 et ρ_Δ^2 et des erreurs types (σ_δ et σ_Δ). Dans la situation de départ, 100 % de la variance totale est due aux sujets. Les deux coefficients valent 1, car il n'y a ni erreur relative, ni erreur absolue : scores observés et scores univers correspondent parfaitement. En ajoutant des effets dus aux juges et aux plongeons, le classement des sujets demeure inchangé, car nous n'avons pas encore introduit d'interactions entre ces facettes et la facette sujets. C'est pourquoi la valeur de ρ_δ^2 demeure inchangée à 1. La valeur de ρ_Δ^2 passe par contre de 1 à 0,603, car les plongeons, mais surtout les juges, interviennent dans la valeur absolue des scores des plongeurs. Puisque les juges diffèrent entre eux

Tableau 3.21 — Résultats à différentes étapes de la simulation des données

Simulation #	Effets introduits	Composantes de variance (%)							Généralisabilités et erreurs			
		S	J	SJ	P	SP	JP	SJP	ρ_δ^2	σ_δ	ρ_Δ^2	σ_Δ
1	NIL	100	0	0	0	0	0	0	1,000	0,000	1,000	0,003
2	J, P	34	53	0	14	0	0	0	1,000	0,000	0,603	0,842
3	JP	35	56	0	8	0	1	0	1,000	0,000	0,622	0,808
4	SJ	30	53	9	7	0	1	0	0,913	0,308	0,566	0,870
5	SP	30	51	8	8	2	1	0	0,898	0,338	0,560	0,887

dans leur notation, l'appréciation des plongeurs dépend en partie de ceux qui ont été choisis pour les évaluer. Trois juges ne constituent pas un très grand échantillon surtout lorsque les différences entre leurs appréciations sont si importantes.

L'introduction de l'interaction « juges × plongeons » ne change rien à la généralisabilité d'erreur relative. Celle-ci demeure parfaite, car cette interaction affecte tous les sujets de la même manière. En ce qui concerne l'erreur absolue, cette interaction devrait normalement contribuer à réduire encore plus la généralisabilité d'erreur absolue. Ce n'est pas ce qui s'est produit ici. L'interaction JP a réduit de façon importante la composante de variance P (de 14 % à 8 %), ce qui laisse un bilan positif en termes de composantes de variance d'erreur absolue. Nous sommes ici en présence d'un jeu contraire d'erreurs absolues.

La quatrième simulation introduit la composante d'interaction « sujets × juges ». Cette interaction change le classement des sujets et la généralisabilité d'erreur relative est maintenant de 0,913 : les juges manquent de constance entre eux dans leur appréciation des sujets. Cette erreur relative fait également partie de l'erreur absolue. C'est pourquoi le coefficient d'erreur absolue est également réduit à 0,566.

L'ajout, dans la cinquième simulation, d'une autre composante d'interaction « sujets × plongeons » ne changera que très peu les résultats de la quatrième simulation. Ces derniers résultats sont ceux que nous avons présentés dans les tableaux 3.17 et 3.18, ainsi que dans la figure 3.12. Cette interaction ne comptant que pour 1 % de la variance totale, elle change peu de choses à la généralisabilité absolue ou relative. Les sujets se classent de la même manière par rapport aux trois plongeons et cette interaction n'intervient donc que très peu dans la fidélité des résultats.

L'étude des composantes de variance pour le projet de mesure consistant à différencier les sujets nous a fourni quelques pistes quant aux meilleurs moyens d'améliorer la généralisabilité des résultats de notre dispositif de mesure. Les améliorations à apporter devront contribuer à réduire l'erreur absolue de mesure due à la composante « juges » et à la composante d'interaction « sujets × juges ». Si seule l'erreur relative nous importe, alors il suffira de réduire la composante d'interaction « sujets × juges » seulement. C'est ce que nous verrons dans l'étude D ou phase d'optimisation. Mais voyons d'abord comment l'étude de généralisabilité nous permet d'aborder la fidélité des résultats en fonction de différents projets de mesure.

7.10 AUTRES PROJETS DE MESURE

Dans l'exemple qui nous concerne, nous aurions pu chercher à différencier les juges ou les plongeons. Un juge est-il toujours aussi sévère, peu importe les sujets ou les plongeons qu'il doit noter ? Les plongeons sont-ils de la même difficulté pour tous les sujets, peu importe le juge qui les note ? Voilà autant de questions légitimes qui font intervenir d'autres plans de mesure.

Supposons que nous souhaitions différencier les juges quant aux points qu'ils accordent. La variance occasionnée par la facette « juges » devient alors une facette de différenciation et les facettes « sujets » et « plongeons » deviennent facettes d'instrumentation. Si la facette « sujets » ou la facette « plongeons » interagit avec la facette « juges » nous avons autant de sources d'erreur relative. Enfin, si les plongeons à évaluer sont particulièrement difficiles ou les athlètes particulièrement bons,

Tableau 3.22 — Résultats de l'étude G pour le plan de mesure (J/SP)

Source	Variance de différenciation	Source	Variance d'erreur relative	Variance d'erreur absolue
		S		0,08362
J	1,72855			
		SJ	0,02363	0,02363
		P		0,09197
		SP		0,00164
		JP	0,01388	0,01388
		SJP	0,00000	0,00000
Total (variance)	1,72855		0,03752	0,21474
Écarts types			0,1937	0,4634
Coefficient de généralisabilité			0,979	0,889

le nombre de points accordés par les juges risque de changer. Ces sources d'erreur absolue s'ajoutent aux sources d'erreur relative.

Le tableau 3.22 présente le calcul de la généralisabilité pour ce nouveau plan de mesure où il s'agit de trouver la généralisabilité des scores des juges et non celle des sujets. Les résultats de l'analyse de variance demeurent identiques à ceux du tableau 3.19 parce que les données sont les mêmes. Toutefois, en raison des changements apportés à notre plan de mesure, les composantes de variance diffèrent de celles calculées au tableau 3.18 et sont réparties, comme nous venons de le décrire, entre la variance de différenciation et la variance d'instrumentation (erreur relative ou absolue).

Les résultats du tableau 22 révèlent de très bons coefficients de généralisabilité, que l'on prenne en ligne de compte l'erreur relative (0,979) ou l'erreur absolue (0,889). Dans le premier cas, nous sommes assurés d'un ordre de sévérité très fidèle des juges en ce qui concerne le nombre de points accordés. Le juge qui accorde le plus de points le fait de façon constante, peu importe le plongeon ou le plongeur à noter. Enfin, la valeur absolue des points accordés par les juges est également très fidèle, peu importe le sujet évalué ou le plongeon. Les juges accordent donc le même nombre de points pour l'ensemble des 12 sujets.

Il y a donc une différence importante entre la généralisabilité des scores des sujets et celle des scores des juges. Ceci n'est pas surprenant considérant que le score de chaque juge est calculé sur 12 sujets, alors que le score de chaque sujet n'est fondé que sur l'appréciation de trois juges seulement.

7.11 OPTIMISATION ET ÉTUDE D

La phase d'optimisation permet d'améliorer la généralisabilité des résultats en apportant des changements au plan d'observation, au plan d'estimation ou au plan de mesure. Cardinet, Johson & Pini (2010) distinguent quatre types d'étude D ou d'optimisation :

1) Changer le nombre de niveaux de facettes échantillonnés

   a) Accroître le nombre de niveaux des facettes qui contribuent de manière importante à l'erreur

   b) Diminuer ou supprimer les facettes qui ont peu d'impact sur l'erreur de mesure

2) Supprimer des niveaux atypiques de certaines facettes

3) Changer le nombre de facettes ou leur nature (fixe ou aléatoire)

   a) Nicher des items à l'intérieur d'une nouvelle facette fixée

   b) Fixer une facette considérée comme aléatoire au départ

4) Estimer les biais de la mesure

Pour illustrer une étude d'optimisation, nous nous limiterons aux changements qu'il est possible d'apporter au plan d'observation en changeant le nombre de niveaux de facettes échantillonnés (condition 1), tout en reconnaissant que le travail d'optimisation ne s'arrête pas là nécessairement.

Les modèles classiques des scores, dont l'étude de la généralisabilité constitue un prolongement, nous ont appris que la fidélité des scores s'accroît lorsque l'on augmente le nombre des observations. Ce principe découle des lois de l'estimation statistique : plus notre échantillon est grand, plus l'erreur d'estimation est petite. Il en va de même avec les dispositifs complexes d'observation. Plus une facette comporte de niveaux, plus la variance occasionnée par cette facette dans les résultats sera estimée correctement, car les erreurs aléatoires de mesure dues à l'échantillonnage des niveaux de facette ont tendance à s'annuler lorsque leur nombre devient très grand.

L'examen des résultats de l'étude G du plan de mesure initial (S/JP) nous a conduit aux observations suivantes :

Tableau 3.23 — Étude d'optimisation de l'exemple (S/JP)

Facettes	Niveaux traités	Univers	1	2	3	4	5
S	12	INF	12	12	12	12	12
J	3	INF	3	6	24	12	12
P	3	INF	6	3	3	6	3
Total	108		216	216	864	864	432
ρ_δ	0,898		0,906	0,937	0,970	0,968	0,959
σ_δ			0,323	0,259	0,178	0,183	0,208
ρ_Δ	0,560		0,579	0,691	0,837	0,817	0,782
σ_Δ			0,854	0,670	0,443	0,473	0,0530

a) pour réduire l'erreur absolue, nous devrions réduire la variance d'erreur occasionnée par les juges ;

b) pour réduire l'erreur relative, nous devrions réduire la variance d'erreur causée par l'interaction « sujets × juges ».

La phase d'optimisation nous permet, à partir de notre connaissance des composantes de variance des différentes facettes, d'estimer l'effet d'un accroissement ou d'une diminution du nombre de niveaux sur la généralisabilité des résultats. Cette procédure est analogue à la formule de Spearman-Brown, quoique beaucoup plus complexe (voir section 4.4 de ce chapitre).

Le tableau 3.23 présente les résultats de l'étude d'optimisation de notre simulation. Ce tableau comprend, dans sa partie de gauche, les différentes facettes du plan d'observation, les niveaux traités et les tailles des populations ou univers échantillonnés. Toutes les facettes sont considérées comme ayant été tirées au hasard d'une population de taille infinie. On y retrouve enfin le nombre total des observations (108 = 12 × 3 × 3), les valeurs de généralisabilité absolue et relative. La partie de droite estime les valeurs de ces coefficients pour différents scénarios d'échantillonnage des facettes.

Le premier scénario consiste à doubler le nombre de niveaux de la facette « plongeons ». En demandant à chaque plongeur de réaliser 6 plongeons plutôt que 3 et en conservant le même nombre de juges, on n'améliore pas significativement la généralisabilité relative, ni la généralisabilité absolue, ainsi que les erreurs relatives et absolues. C'était à prévoir, considérant la faible importance de la facette « plongeons » dans la variance des résultats.

Si nous devions doubler le nombre d'observations, il serait de loin préférable d'engager plus de juges. C'est ce que démontre le scénario 2. Chaque plongeur réaliserait toujours trois plongeons, mais verrait sa performance notée par six juges au lieu de trois. Les résultats de l'étude d'optimisation indiquent qu'un accroissement du nombre de juges améliore sensiblement la généralisabilité absolue, de même que la généralisabilité relative, qui était déjà très acceptable. Dans le scénario 2, tout comme dans le scénario 1, le nombre d'observations a été doublé (de 108 à 216). Cette fois-ci l'impact sur la généralisabilité est sensible : la généralisabilité d'erreur absolue passe de 0,560 à 0,691.

Les scénarios 3, 4 et 5 estiment les coefficients de généralisabilité qu'il serait possible d'obtenir en augmentant encore davantage le nombre de juges. Avec douze juges, les coefficients de généralisabilité relative et absolue laissent entrevoir une fidélité acceptable des résultats. En éducation et en psychologie, il est parfois coûteux et difficile de compter sur la collaboration d'un aussi grand nombre de personnes compétentes.

Souvent, pour faire face à ce problème, on mettra l'accent sur la formation des juges. En préparant les juges à utiliser de façon rigoureuse des instruments de notation et en établissant des consensus quant à l'interprétation à donner aux différents critères de correction, on diminue grandement l'erreur de mesure et on contribue à améliorer les résultats. Enfin, pour que la tâche soit également répartie, on préférera assigner la moitié des sujets à un groupe de 12 juges et l'autre moitié à un autre groupe de 12 juges, plutôt que de demander à 24 juges d'évaluer tous les sujets. En emboîtant ainsi la correction de certains sujets dans un groupe de juges, on diminue la quantité de travaux à noter pour chaque juge tout en profitant des bénéfices liés à un nombre élevé de juges. Lorsque les deux groupes de juges ne diffèrent pas sensiblement entre eux, ce changement du plan d'observation peut constituer une autre façon d'optimiser la mesure.

7.12 Généralisabilité et normes de pratique en psychologie et en éducation

À bien des égards, les développements récents de la théorie de la généralisabilité répondent à la pression croissante que les normes de pratique dans le domaine de la psychologie et de l'éducation exercent sur les utilisateurs et concepteurs de tests afin que les résultats sur lesquels se fonde leur jugement soient précis et assurés. On retrouve plusieurs mentions concernant l'importance de la théorie de la généralisabilité dans ces normes, notamment au standard 2.10 :

> *Dans la mesure du possible, on devrait évaluer les variances d'erreur associées à chacune des sources. Les analyses de généralisabilité et de composantes de la variance sont particulièrement utiles à cet égard. Ces analyses peuvent fournir des estimations distinctes de la variance d'erreur pour des tâches intra-individuelles, pour les juges et pour les situations à l'intérieur de la période de stabilité du trait.* (Ordre des conseillers et conseillères d'orientation et des psychoéducateurs et psychoéducatrices du Québec (2003), *Normes de pratique du testing en psychologie et en éducation*, p. 37)

Pour les chercheurs, l'intérêt de l'étude de la généralisabilité ne s'arrête pas là. En effet, Cardinet, Johnson et Pini (2010) démontrent le lien qu'il est possible d'établir entre le coefficient de généralisabilité et une mesure de l'effet expérimental telle que ω^2 Un tel procédé est en droite ligne avec l'une des recommandations des éditeurs de périodiques scientifiques qui considèrent que l'absence de mention des effets expérimentaux constitue une lacune importante tant dans la conception de la recherche que dans la communication des résultats (American Psychological Association (APA), 2001 ; p. 5 et p. 25).

Enfin, l'étude G permet le calcul d'intervalles de confiance utilisant les erreurs relative et absolue de mesure (section 7). Selon le manuel de publication de l'APA, cette façon de rapporter les résultats figure parmi les meilleures parce que « les intervalles de confiance combinent l'information sur la position et la précision et peuvent fréquemment être employés pour inférer des niveaux de signification » (notre traduction ; American Psychological Association, 2005, p. 22).

8. Conclusion

La fidélité des résultats est au coeur de nos préoccupations en mesure. Sans fidélité, les résultats ne peuvent être ni pertinents, ni utiles : la route conduisant à la validité des résultats est coupée. Pourtant, cette qualité essentielle est souvent prise pour acquise ou mal comprise. Justifier l'emploi répété d'un instrument de mesure à partir des seules données sur la cohérence interne des items n'est pas plus approprié que d'utiliser un tournevis pour enfoncer un clou. Il est crucial que l'utilisateur et le constructeur de tests comprennent bien la nature des évidences fournies par les études de fidélité afin de pouvoir les utiliser au bon moment.

La théorie classique des scores a su s'adapter et évoluer pour répondre à des besoins variés. Lorsque l'échantillon de sujets est modeste, elle demeure la méthode de choix. Grâce aux modèles néoclassiques, il est maintenant possible de calculer des erreurs de mesure différentes pour chaque score. Avec la théorie de la généralisabilité, il est possible d'envisager la fidélité dans des situations complexes d'observation et pour différents projets de mesure.

Lorsque les échantillons d'items et de sujets sont élevés, les *modèles de réponse aux items* (chapitre 7) peuvent mieux répondre aux besoins des spécialistes, qu'il s'agisse de *calibrer* des banques d'items ou de réaliser des opérations de testing à grande échelle. La multiplication des outils rend encore plus délicat le travail du concepteur et de l'utilisateur de tests. C'est pourquoi il est nécessaire d'approfondir les caractéristiques particulières de chaque modèle d'analyse de la fidélité. Il n'y a pas de modèles parfaits : il n'y a que des modèles qui rendent compte, plus ou moins bien et plus ou moins utilement, de la nature de nos données.

CHAPITRE 4

LA VALIDITÉ DES RÉSULTATS À UN TEST

1. Le concept de validité

Ces cinquante dernières années, le concept de validité et les méthodes de validation ont profondément évolué. Toutefois, Angoff (1988, p. 19) souligne, à juste titre, que si le concept a changé, l'importance que lui accordent les psychométriciens est, quant à elle, restée constante : *« En psychométrie, la validité a toujours été considérée comme le concept le plus fondamental et le plus important ».* Pour les concepteurs comme pour les praticiens, l'essentiel est en effet d'être assuré de mesurer ce qu'ils veulent mesurer, et uniquement cela. La précision de la mesure est certes importante, mais elle est inutile si le test n'évalue pas, ou évalue mal, le phénomène visé par ses concepteurs. Par conséquent, avant de diffuser un test, les constructeurs ont le devoir de présenter des preuves suffisantes que leur instrument mesure bien ce qu'il prétend mesurer. Comme nous allons le voir en détail dans ce chapitre, ce travail de recueil de preuves est un processus long et complexe, toujours inachevé.

Au début des années 1950 (Angoff, 1988), la validité était envisagée de manière relativement morcelée. Ainsi, les *Technical Recommandations* de l'*American Psychological Association* (1954) se limitaient à codifier des types de validité (de contenu, prédictive, concomitante et conceptuelle). La même année, dans la 1re édition de son ouvrage de référence *Psychological Testing*, Anastasi présentait comme bien distinctes la validité apparente, la validité de contenu, la validité factorielle et la validité empirique. Il faut attendre les années 1970 pour qu'un effort important soit réalisé dans le sens d'une intégration des différents types de validité.

Cet effort est manifeste dans les *Standards for Educational and Psychological Testing* publiés conjointement par l'*American Educational Research Association* et l'*American Psychological Association* en 1985. Dans le chapitre qui lui est consacré (pp. 9-18), la validité est présentée comme *« un concept unitaire »* se rapportant non au test lui-même, mais aux inférences faites à partir des résultats à celui-ci. Dans cette perspective, les auteurs soulignent qu'il est incorrect de parler de la validité d'un test en général. Seules sont valides les inférences en faveur desquelles suffisamment d'arguments et de données empiriques ont pu être rassemblés. Nous ne pouvons donc pas affirmer, par exemple, qu'un questionnaire évaluant l'anxiété est valide *en géné-ral*. Nous pouvons uniquement nous prononcer à propos de la validité de diverses inférences faites à partir des scores à ce questionnaire comme, par exemple, la discri-mination de différents degrés d'anxiété, la prédiction de l'intégration dans le milieu professionnel en fonction du degré d'anxiété, l'évaluation de l'efficacité d'un traite-ment de l'anxiété, etc.

Malgré la volonté évidente d'unification du concept de validité dans la version des *Standards for Educational and Psychological Testing* publiée en 1985, ce travail reste encore inabouti. Les auteurs y distinguent trois grandes catégories de preuves de validité d'un test selon la référence considérée : le contenu du test, les critères externes ou le modèle/concept (« construct » en anglais) sur la base duquel le test a été construit. Ces catégories de preuves apparaissent juxtaposées, sans principe intégrateur solide. Dans les années qui suivent la publication des *Standards,* Messick (1988, 1989, 1995) va jouer un rôle important en défendant avec force la nécessité d'intégrer l'ensemble des preuves de validité sur la base d'une notion unificatrice. Les efforts de Messick seront couronnés de succès puisque ses travaux seront à la base de la révision du cha-pitre sur la validité de la nouvelle version des *Standards for Educational and Psycho-logical Testing* publiée en 1999[1]. Pour Messick, la notion de base est celle de *cadre conceptuel* (« construct »). Lorsque nous développons un instrument de mesure, nous partons nécessairement d'un cadre conceptuel, c'est-à-dire d'une définition des notions et d'un modèle de ce que nous souhaitons mesurer. Nous ne visons pas un phénomène indifférencié, mais une représentation bien spécifique de ce phénomène. Par exemple, si nous voulons évaluer la compétence en lecture d'un élève, nous devons d'abord défi-nir ce que nous appelons « compétence », « lecture » et « compétence en lecture ». Il nous faut préciser les caractéristiques essentielles de la compétence en lecture qui nous permettront de l'identifier. C'est sur la base de ce cadre conceptuel que nous pourrons ensuite construire un test de lecture. D'autres auteurs, ayant une autre conception de la compétence en lecture et donc un autre cadre conceptuel, développeront nécessairement un autre type de test. Par conséquent, lorsque l'on évalue la validité des inférences faites à partir des scores à un test, il est fondamental de se référer au cadre conceptuel sur la base duquel le test ayant servi à récolter ces scores a été construit. Cette référence est incontournable, quelle que soit la variable visée : la motivation, la mémoire, l'anxiété, l'orthographe, la dépression… C'est par rapport au cadre conceptuel que les preuves de validité seront sélectionnées et prendront leur valeur.

La version de 1999 des *Standards for Educational and Psychological Testing* souligne que, logiquement, le point de départ de la procédure de validation est une définition détaillée du cadre conceptuel du test. Quel concept le test vise-t-il et en quoi ce concept se distingue-t-il de concepts voisins ? Le cadre conceptuel est, pour une part, défini par l'usage prévu des scores au test. Par exemple, un test de mathé-matiques peut être construit pour sélectionner des étudiants dans un programme de mathématiques avancées ou pour identifier des lacunes d'apprentissage et mettre en place des actions de remédiation. Selon le but choisi, le test de mathématiques sera construit très différemment et les scores qu'il permettra de récolter seront interprétés d'une tout autre manière.

---

[1] Une traduction française de cette version des *Standards* a été réalisée sous la direction de Georges Sarrazin en 2003. Voir dans Références.

Partant du cadre conceptuel, il est possible d'identifier les preuves de validité qui devraient être rassemblées. Il ne s'agit pas d'une liste exhaustive, car il est toujours possible d'imaginer de nouvelles inférences pouvant être faites sur la base des scores et nécessitant de nouvelles preuves. Par exemple, des preuves de validité peuvent avoir été rassemblées à propos de la sensibilité d'un questionnaire de dépression à l'amélioration de l'humeur chez des adultes dépressifs. Mais qu'en est-il chez des adolescents dépressifs ? Les preuves récoltées chez les adultes ne sont pas suffisantes et il sera nécessaire de vérifier que le questionnaire est également sensible aux variations de l'humeur chez les adolescents dépressifs.

Récolter des preuves de validité consiste d'abord à générer des hypothèses qui seront ensuite mises à l'épreuve des faits. Il est également important d'envisager des hypothèses susceptibles de mettre en question la validité de nos inférences. Par exemple, à un test de problèmes arithmétiques, il sera utile de vérifier si la lecture des énoncés ne joue pas un rôle trop important dans la réussite des items. Si c'était le cas, nous devrions considérer que le test est plus une épreuve de lecture que de résolution de problème. Dans cet exemple, une variable qui ne fait pas partie du cadre conceptuel initial vient introduire une source de variation non pertinente dans les résultats. Une autre situation problématique est celle où le test n'offre pas une représentation suffisamment complète du cadre conceptuel. Par exemple, un questionnaire de dépression, destiné à repérer les troubles dépressifs chez les personnes âgées, soulèverait des problèmes de validité s'il ne comptait que des questions relatives aux problèmes alimentaires et n'abordait pas les problèmes du sommeil. Dans un tel cas, il serait susceptible de ne pas évaluer correctement la gravité des troubles dépressifs chez les personnes âgées.

Les *Standards for Educational and Psychological Testing* (1999) constituent aujourd'hui une référence incontournable tant pour les concepteurs que pour les utilisateurs de tests. La validation est en effet de la responsabilité des uns comme des autres. Les utilisateurs ne peuvent en effet s'appuyer uniquement sur les études de validité réalisées par les concepteurs et les chercheurs. Ils ont la responsabilité de vérifier, dans le cadre de leur application des tests, si leurs interprétations des scores possèdent une validité suffisante. Même si de nombreuses preuves de validité ont été rassemblées par les chercheurs à propos des résultats d'un test donné, la passation de ce test peut avoir été réalisée dans de mauvaises conditions qui mettent en question

Tableau 4.1 — Synthèse des différents types de preuves de validité

Types de preuves, basées sur...	Caractéristiques
Le contenu	Évaluation formalisée par des experts de l'ensemble des caractéristiques des items en référence à ce que le test prétend mesurer
Les processus de réponse	Évaluation de l'adéquation entre les caractéristiques visées par le test et de celles qui sont effectivement mises en œuvre par les répondants
La structure interne	Évaluation du degré de relation entre les items et les composantes du test définies par le modèle de référence
Les relations avec d'autres variables	Évaluation du degré de liaison des scores au test avec d'autres mesures externes au test
Les conséquences du testing	Évaluation des conséquences non souhaitées de l'application du test et de l'utilisation des scores

toute utilisation valide des scores. C'est de la responsabilité du praticien d'identifier l'impact de ces mauvaises conditions de passation sur les scores et, le cas échéant, de conclure qu'il n'est pas possible de formuler des inférences valides sur la base de ces scores.

Les preuves de validité sont variées. Dans les *Standards for Educational and Psychological Testing* (1999), elles sont rassemblées en cinq catégories présentées de manière synthétique dans le tableau 4.1.

1.1 LES PREUVES BASÉES SUR LE CONTENU DU TEST

Elles proviennent de l'avis d'experts chargés d'évaluer dans quelle mesure les items d'un test sont représentatifs du concept ou du domaine visé. Par exemple, les experts seront invités à apprécier si les items d'un test de définition de mots sont bien des termes appartenant au domaine du français courant. Ou encore, ils évalueront si les items d'un questionnaire de dépression représentent bien les différentes facettes du concept de dépression défini par les auteurs de ce questionnaire. Les preuves de validité basées sur le contenu ne concernent pas uniquement la formulation des items, mais aussi leur format et les consignes de passation et de cotation (voir section 2 de ce chapitre). Cette modalité de validation des tests est, pour une part, subjective. Toutefois, si elle respecte une méthodologie rigoureuse, elle permet d'arriver à des conclusions solides qui pourront trouver confirmation dans des recherches empiriques ultérieures.

La validation sur la base du contenu ne doit pas être confondue avec la validité apparente *(face validity)*. Celle-ci ne se base que sur une évaluation de surface des items. Les juges chargés de l'évaluation ne sont pas des experts du domaine et n'utilisent pas de méthodologie particulière pour effectuer leur travail. Ils se contentent de vérifier si les items ont l'air de mesurer ce qu'ils prétendent mesurer. Malgré le caractère superficiel et peu rigoureux de la validation basée sur les apparences, Anastasi (1982, p 136) considère qu'elle peut être utile pour mettre au point des instruments destinés à un large public (par exemple, des tests d'admission). Elle permet en effet de créer des tests plus crédibles et mieux acceptés par les utilisateurs, car leur contenu apparaît plus légitime à ces derniers.

1.2 LES PREUVES BASÉES SUR LES PROCESSUS DE RÉPONSE

Il s'agit ici de vérifier si les démarches mises en œuvre par les sujets pour produire leurs réponses correspondent bien à ce qui est prévu dans le cadre conceptuel qui sous-tend le test. Dans ce cas, la récolte des preuves implique une analyse détaillée des réponses individuelles. Cette récolte peut s'appuyer sur un entretien avec les sujets à propos de la démarche suivie pour arriver à la réponse finale. Elle peut aussi faire appel à des enregistrements vidéo, à des mesures de temps de réponse et à d'autres techniques permettant d'objectiver la démarche suivie par les sujets pour produire leurs réponses.

Par exemple, en mesurant le temps de réponse, il est possible de déterminer si un enfant a trouvé la solution à un problème arithmétique en calculant ou en retrouvant la réponse correcte dans sa mémoire à long terme. Cette information peut être une preuve de validité intéressante si le but du test est d'évaluer la capacité à effectuer des calculs arithmétiques. S'il apparaît qu'à plusieurs items les réponses sont fournies trop rapidement pour que le sujet ait eu le temps de calculer, on pourra affirmer que les sujets récupèrent simplement l'information stockée en mémoire. La validité de ces items comme mesures de la maîtrise des procédures de calcul mental pourra dès lors être mise en question. Un autre exemple est l'étude de l'impact de l'informatisation d'un test. Dans ce cas, la question est de savoir si le changement de format affecte, et dans quelle mesure, la nature de ce qui est mesuré. Dans ce but, il s'agira de comparer les procédures suivies par les sujets pour résoudre les items dans le format classique (p.ex. la manipulation de cubes pour reproduire des dessins) et dans le format informatique (p.ex. l'usage de la souris pour déplacer des formes sur l'écran afin de reproduire des dessins).

Une dernière illustration de cette catégorie de preuves est celle de l'étude de la conformité des réponses au regard du modèle théorique qui sous-tend le test. Par exemple, le modèle de la lecture proposé par Coltheart et al. (2001) distingue deux procédures intervenant dans la lecture de mots. L'une intervient lorsque le lecteur décode des mots réguliers rencontrés pour la première fois, l'autre fonctionne lorsque le lecteur doit lire des mots irréguliers (p.ex. « *femme* » ou « *monsieur* »). Si le sujet parvient à lire correctement les mots de la première catégorie, mais échoue à lire ceux de la seconde catégorie, ce phénomène peut être interprété à la lumière du modèle théorique : une des procédures de lecture de mots n'est pas opérationnelle. Pour valider un test de lecture de mots qui s'appuie sur un tel modèle théorique, il est nécessaire de vérifier si les scores au test se conforment aux exigences du modèle. Ainsi, les mots réguliers devront être, en majorité, lus correctement ou incorrectement puisque, selon le modèle, ils font tous appel à une même procédure, laquelle est ou n'est pas fonctionnelle. Si la lecture des mots réguliers est erratique, il faudra alors s'interroger sur la validité des items : pourquoi certains de ceux-ci ne semblent-ils pas mettre en œuvre les procédures visées ?

1.3 LES PREUVES BASÉES SUR LA STRUCTURE INTERNE DU TEST

L'évaluation de la structure interne consiste à vérifier que les relations entre les items et entre les composantes du test sont conformes à ce que prévoit le modèle de référence. La situation la plus simple est celle où nous postulons l'unidimensionnalité de la réalité mesurée. C'est, par exemple, le cas d'un questionnaire mesurant l'anxiété. Nous pouvons postuler que l'anxiété est un trait latent, ayant la forme d'un continuum allant de l'absence d'anxiété jusqu'à l'anxiété aiguë. Nous devrions donc nous attendre à observer, d'une part, un degré élevé d'homogénéité des items et, d'autre part, un facteur commun expliquant la plus grande partie de la variance des scores.

Dans d'autres cas, la structure du test est basée sur un modèle plus complexe qui motive le calcul de plusieurs scores composites et d'un score global pour l'ensemble du test. Les échelles d'intelligence de Wechsler sont une belle illustration d'une telle structure complexe. Ces échelles permettent d'évaluer quatre composantes de l'intelligence (raisonnement verbal, raisonnement visuo-spatial, mémoire de travail et vitesse de traitement). Chacune de ces composantes est mesurée par deux ou trois épreuves. De plus, l'ensemble des épreuves permet d'obtenir une mesure globale de l'intelligence. Il s'agit ici de vérifier que les relations entre les épreuves sont bien conformes au modèle théorique et qu'elles justifient le calcul des différents scores composites. L'analyse factorielle et les modèles structuraux d'équations sont les techniques statistiques les plus souvent utilisées pour effectuer cette vérification de l'ajustement entre les données obtenues avec le test et le modèle théorique. Si cet ajustement est satisfaisant, il représentera une preuve importante de la validité de la structure interne du test.

La section 4.1 fournit un autre exemple d'étude de preuves basée sur la structure interne du test au moyen de l'analyse du caractère hiérarchique (scalogramme de Guttman) des items d'une échelle correspondant à l'ordre invariant de la progression des difficultés des différents stades piagétiens.

1.4 LES PREUVES BASÉES SUR LES RELATIONS AVEC D'AUTRES VARIABLES

La procédure de récolte de preuves repose ici sur l'examen des corrélations entre les scores au test et d'autres mesures, externes au test, prises comme critères. Ces critères peuvent être les scores à d'autres tests mesurant un même concept, mais aussi les résultats d'examens, les jugements d'experts, le classement dans des catégories, etc.

Souvent, les critères sont des mesures d'une réalité similaire à celle visée par le test. On parle alors de *preuves de convergence.* Par exemple, des cliniciens peuvent être invités à évaluer le degré de dépression d'un groupe de patients à l'aide d'une grille d'observation ; leurs évaluations sont ensuite comparées aux réponses des mêmes patients à un questionnaire de dépression. Si la corrélation entre les deux séries de mesures est élevée, cela constituera une preuve de validité des résultats au questionnaire. Il est également intéressant de comparer les scores au test à des mesures d'un concept différent, mais voisin. Le but est alors de vérifier que le test mesure spécifiquement la variance associée au concept visé et non la variance de caractéristiques proches, mais non pertinentes. Dans ce cas, on parle de *preuves de discrimination.* Par exemple, on fera passer aux mêmes patients un questionnaire de dépression et un questionnaire d'anxiété afin de vérifier que le premier questionnaire procure des mesures spécifiques de la dépression. Si la corrélation entre les deux questionnaires est faible, ce sera un argument de plus démontrant que les scores au questionnaire distinguent bien la dépression des traits psychologiques voisins.

Les preuves de validité peuvent être obtenues de deux manières : soit les deux séries de mesures sont récoltées simultanément, soit les mesures au test servent à prédire des résultats qui seront obtenus ultérieurement. Dans le premier cas, on parle d'une *étude de validité concomitante* et, dans le second cas, d'une *étude de validité prédictive.* Le premier type d'étude est illustré par les deux exemples présentés dans le paragraphe précédent. Un exemple d'étude prédictive peut être fourni par l'évaluation de la qualité des prédictions faites sur la base des scores à un test d'admission à un programme d'études. Dans ce cas, on comparera les scores au test avec les résultats obtenus par les étudiants à l'issue du programme. Si la corrélation entre les deux ensembles de résultats est élevée, cela constituera une preuve importante de validité des scores au test d'admission.

Les preuves de validité basées sur les relations avec d'autres variables soulèvent la question de leur généralisation. Si, par exemple, un questionnaire de personnalité se révèle être un bon prédicteur de la réussite du métier de vendeur, peut-on affirmer, dans la même foulée, que ce questionnaire est un bon prédicteur de la réussite dans tous les métiers ? Certainement pas ! Nous devrions normalement récolter des preuves de la validité prédictive des scores à ce questionnaire à propos de tous les métiers pour la sélection desquels ce questionnaire est utilisé. Il s'agit d'un travail considérable et quasi irréalisable. Les *méta-analyses* permettent, si certaines conditions sont réunies, une *généralisation des preuves de validité* réunies dans un nombre limité d'études à un ensemble plus large de situations (voir par exemple, Schmidt & Hunter, 1998).

1.5 LES PREUVES BASÉES SUR LES CONSÉQUENCES DU TESTING

Messick (1988) a joué un grand rôle dans la promotion de cette catégorie de preuves en soulignant que le concept traditionnel de validité ne prenait pas en compte les conséquences de l'usage des tests. Il fait remarquer que l'attention des chercheurs s'est avant tout focalisée sur la signification des scores et fait valoir que la question de l'utilité et de l'adéquation des scores aux buts poursuivis par le testing a été négligée. Or la finalité des scores est de servir de base à l'action et leur valeur ultime provient de leur impact individuel et social. Par conséquent, il est essentiel que les chercheurs et les praticiens se préoccupent de la *validité du point de vue des conséquences* de l'application des tests.

Les preuves de validité basées sur les conséquences concernent les implications souhaitées et non souhaitées de l'usage des tests. Ceux-ci remplissent-ils bien la fonction pour laquelle ils ont été créés ? N'entraînent-ils pas des effets indésirables ? Cette dernière question est souvent passée sous silence. Pourtant, il est fréquent que des tests aient des conséquences non souhaitées, parfois plus importantes que les résultats recherchés. Par exemple, l'usage d'un format d'item à choix multiples peut améliorer la précision de la mesure des connaissances et ainsi concourir à améliorer la validité d'un test d'acquis scolaires. Toutefois, ce format d'item peut avoir des effets secondaires non désirés. Afin que leurs élèves obtiennent de meilleurs scores à ce test, les enseignants peuvent en effet axer leur enseignement sur la mémorisation au détriment de la créativité et de la synthèse. Dans un tel cas, la validité du test pose problème. Un autre exemple est celui d'un test de sélection biaisé en défaveur des femmes. L'usage de ce test risque d'entraîner l'élimination d'une plus grande proportion de femmes que d'hommes à l'issue d'une procédure de sélection. À nouveau, nous sommes en présence d'un instrument dont la validité de conséquence est problématique.

Messick (1988) souligne que l'évaluation des preuves de validité basées sur les conséquences du testing doit se faire en référence au modèle théorique qui sous-tend le test. Ce modèle fournit le fondement qui permet de formuler des hypothèses à propos des résultats attendus au test et d'anticiper les possibles conséquences non souhaitées de son application. Il est en effet nécessaire, non seulement de repérer les conséquences négatives effectives de l'usage des tests, mais aussi d'en prévenir les effets négatifs potentiels.

L'évaluation des preuves de validité basées sur les conséquences n'est pas uniquement de la responsabilité des constructeurs de tests. Les utilisateurs de tests en sont également responsables. La validité des scores d'un test peut en effet varier considérablement d'un contexte d'application à l'autre. Vu la grande diversité de ces contextes, seul l'utilisateur est à même d'apprécier l'impact de divers facteurs sur la validité des scores récoltés. Comme le souligne Angoff (1988, p 24), *« la personne qui réalise le testing et celle qui utilise les scores ont la responsabilité de fournir des preuves de la validité du testing »*. Par exemple, l'examen de la mémoire d'un enfant anxieux et agité peut être perturbé au point de rendre les résultats de cet examen non valides. Le psychologue qui a réalisé cet examen a la responsabilité d'apprécier l'impact des facteurs défavorables sur les résultats du sujet et, éventuellement, de décider d'invalider ceux-ci. Cette dernière décision doit se faire au regard des possibles conséquences négatives de l'utilisation de scores (p.ex. un traitement ou une orientation inappropriée).

Au cours des années 1990, les preuves de validité basées sur les conséquences ont fait l'objet d'un intérêt grandissant. L'importance à accorder à ces preuves ne fait toutefois pas l'unanimité parmi les chercheurs et les praticiens, et le débat sur cette question est parfois vif. En particulier, certains concepteurs de test considèrent que la plupart des conséquences indésirables de l'usage des tests ne sont pas de leur ressort. Ainsi, Reckase (1997a) fait remarquer qu'il n'est pas possible d'évaluer les conséquences d'un nouveau test tant que celui-ci n'a pas été utilisé durant un certain temps. Ce même auteur fait part de son scepticisme à l'égard de la possibilité d'anticiper certaines conséquences. Au mieux, le constructeur de test peut-il être sensible à cette question et encourager les praticiens à un usage responsable des instruments psychométriques. Vu les difficultés pratiques posées par l'évaluation des preuves de validité basées sur les conséquences, Reckase va jusqu'à mettre en question la pertinence de l'intérêt porté aux conséquences du testing. Il suggère, avec une certaine ironie, que les incidences de l'intérêt porté aux conséquences soient évaluées avant que ce type de preuves soit systématiquement pris en compte. Tous les constructeurs de tests ne sont pas aussi sévères à l'égard de l'intérêt porté aux conséquences du testing. Green (1997) admet que les éditeurs de tests ne peuvent éluder leur responsabilité à l'égard des conséquences de l'utilisation des instruments qu'ils produisent. Il souligne toutefois la difficulté de la tâche compte tenu de la diversité des utilisateurs et des contextes d'application. Il suggère de mettre en place une coopération à grande échelle afin de tenter de généraliser des résultats recueillis dans des contextes particuliers.

Malgré les réactions contrastées à l'égard des preuves de validité basées sur les conséquences du testing, celles-ci ne peuvent être écartées d'un revers de la main. La question des conséquences de l'usage des tests est analogue à celle soulevée à propos des médicaments. Lors des études cliniques, les chercheurs ne se limitent pas à évaluer l'effet thérapeutique d'un médicament. Ils prêtent aussi une grande attention à ses effets secondaires. Certains médicaments, qui ont d'évidents effets thérapeutiques, peuvent être écartés de la commercialisation à cause d'effets secondaires trop importants. L'évaluation des effets secondaires des médicaments et de leur impact sur la qualité de vie des patients demande beaucoup de temps et d'énergie. Pourtant, les citoyens admettent généralement que cette procédure de contrôle est indispensable. Ils seraient choqués si elle n'avait pas lieu. Pourquoi n'en irait-il pas de même lors du développement des tests dont les conséquences sur la vie des personnes évaluées peuvent être considérables ?

Dans la suite de ce chapitre, nous allons examiner de manière plus approfondie trois des catégories de preuves décrites ci-dessus : les preuves basées sur le contenu, celles basées sur la structure interne du test et celles basées sur les relations avec d'autres variables.

2. Preuves de validité basées sur le contenu du test

Rassembler des preuves de validité sur la base du contenu d'un test consiste à apprécier dans quelle mesure les différentes composantes de ce test permettent une évaluation correcte du concept visé. Le terme « *composante* » est utilisé à dessein. Trop souvent, les preuves basées sur le contenu se focalisent sur les seuls items. Cette composante est essentielle, mais ne constitue pas la totalité des preuves de la validité de contenu des résultats à un test. Il est également nécessaire d'évaluer les instructions données aux sujets, les modalités de présentation des stimuli (p.ex. présentation papier/crayon ou sur écran), les contraintes de temps, les modalités de réponse (p.ex. réponses écrites ouvertes ou choix d'images) et les critères de cotation. Toutes ces composantes du test contribuent à une mesure valide du concept visé. Mais elles peuvent aussi être la source de biais importants qui affecteront la qualité des mesures réalisées à l'aide du test considéré. Imaginons, par exemple, un test destiné à l'évaluation des troubles de la mémoire des personnes âgées, dont les items sont présentés sur un écran d'ordinateur en temps limité. La récolte des preuves de validité inclura, bien entendu, une évaluation de l'adéquation du contenu des items. Mais elle demandera aussi une évaluation (1) des consignes données verbalement par le psychologue et par écrit via l'écran, (2) des modalités de présentation des stimuli sur écran, (3) des modalités de réponse à l'aide de la souris et du clavier, (4) des limites du temps de réponse, (5) du système de cotation dichotomique « *réussite-échec* ». Toutes ces composantes du test concourent-elles à une évaluation correcte des troubles de la mémoire tels que définis dans le cadre conceptuel initial ? Des variables parasites n'influencent-elles pas indûment les résultats ? Une réponse précise à ces questions est essentielle pour garantir la validité des inférences basées sur les scores à ce test.

Comme nous l'avons souligné plus haut, toute récolte de preuves de validité basées sur le contenu doit débuter par une définition précise du concept visé par le test. La pertinence des preuves dépend étroitement de la précision avec laquelle le concept a été défini et de l'accord des experts à propos de ses facettes. Le terme « *facette* » peut désigner, selon le concept visé, des catégories de comportement (p.ex. les divers types de comportements caractéristiques de l'obsession), les composantes d'une compétence cognitive (p.ex. les divers traitements intervenant dans le décodage de mots), les capacités intervenant dans une activité professionnelle (p.ex. les capacités nécessaires au travail de secrétaire), un ensemble d'objectifs pédagogiques coordonnés (p.ex. les objectifs en mathématiques en fin de scolarité primaire). Un concept défini de manière trop floue ne permettra jamais de formuler des inférences valides sur la base des résultats obtenus avec l'instrument créé pour le mesurer.

Prenons l'exemple de la création d'un questionnaire destiné à diagnostiquer les personnalités schizoïdes. Le DSM-IV (APA, 1994, pp. 638-641) présente une définition du concept de « *personnalité schizoïde* » qui est le fruit d'un large consensus entre les cliniciens. À ce titre, cette définition constitue une base solide pour la construction du questionnaire. Selon le DSM-IV, les critères permettant de diagnostiquer une personnalité schizoïde sont :

> A. *Mode général d'indifférence aux relations sociales et restriction du registre d'expression des émotions en situation interpersonnelle, apparaissant au*

début de l'âge adulte et présent dans divers contextes, comme en témoignent au moins quatre des manifestations suivantes : (1) ne recherche ni ne prend plaisir aux relations proches, y compris les relations au sein de la famille, (2) choisit presque toujours des activités solitaires, (3) manifeste peu ou pas de désir d'avoir des expériences sexuelles avec une autre personne, (4) prend plaisir à peu ou à aucune activité, (5) n'a pas d'ami ou de confident autres que ses parents au premier degré, (6) apparaît indifférent aux éloges et aux critiques que lui adressent les autres, (7) manifeste une froideur émotionnelle, du détachement ou une activité limitée.

B. Ne survient pas exclusivement au cours de l'évolution d'une schizophrénie, d'un trouble de l'humeur avec caractéristiques psychotiques, d'autres troubles psychotiques ou d'un trouble envahissant du développement. N'est pas dû aux effets physiologiques directs de l'état de santé général.

Cette définition nous permet de déterminer les facettes qui devront être prises en compte pour sélectionner les items du questionnaire. Elle nous permet également de préciser les variables qui ne font pas partie du concept. Dans le cas d'un questionnaire clinique, les items sont généralement des affirmations à propos desquelles le sujet doit répondre si elles sont vraies ou fausses pour lui-même (p.ex. *« j'aime la compagnie des autres »* vrai – faux). Des spécialistes du domaine vont générer de tels items censés évaluer chacune des facettes du concept visé. La récolte des preuves de validité basées sur le contenu des items sera ensuite réalisée par un ensemble d'experts qui devront apparier les items et les facettes (quelle facette est mesurée par quels items). Les experts vérifieront de la sorte si toutes les facettes du concept sont bien prises en compte par les items du questionnaire. On demandera également aux experts d'évaluer si des variables parasites n'influencent pas indûment les réponses à certains items (p.ex. certains mots de vocabulaire ne risquent-ils pas d'entraîner des erreurs de compréhension par des personnes ayant un faible niveau scolaire ?). On invitera enfin les experts à évaluer le poids à donner à chacune des facettes du concept au sein du score total au questionnaire. Cette dernière tâche est importante car la validité du score total dépend non seulement de la qualité des scores qui le composent, mais aussi de l'importance relative accordée à chacun de ces scores. Quelle serait, par exemple, la validité du score total à un questionnaire évaluant la personnalité schizoïde dont la moitié des items concernerait uniquement le manque d'appétence sexuelle, qui n'est qu'une des facettes du concept de personnalité schizoïde ?

Les preuves de validité récoltées lors de l'évaluation du contenu d'un test sont conditionnelles. Elles dépendent en effet de la définition du concept visé, laquelle est toujours relative au lieu et au moment. Par exemple, la définition du concept de personnalité schizoïde peut évoluer en fonction de l'évolution des connaissances en psychologie clinique. Par conséquent, certaines facettes mesurées par le questionnaire peuvent, à un moment donné, se révéler inadéquates. Les preuves de validité sont également relatives à la fonction assignée au test. Par exemple, les experts peuvent considérer adéquat le contenu d'un test d'anglais destiné à servir d'examen d'admission à un programme de formation. Par contre, ce même contenu peut être considéré comme peu adéquat si le test doit servir à diagnostiquer des difficultés d'apprentissage de l'anglais. Enfin, les preuves de validité dépendent de la population visée par le test. Les experts ne jugeront pas les preuves de validité du contenu d'un test de lecture de la même manière si celui-ci est destiné à des élèves belges ou à des

Tableau 4.2 — Principes de base pour rassembler des preuves de validité basées sur le contenu d'un test (d'après Haynes *et al.*, 1995)

1. Définir avec soin le domaine et les facettes du concept et valider cette définition.
2. Utiliser un échantillon d'experts et de membres de la population de référence pour créer les items et les autres aspects du test.
3. Soumettre toutes les composantes du contenu du test à une étude de validité.
4. Utiliser plusieurs experts pour évaluer les indices de validité basés sur le contenu du test et quantifier leurs jugements à l'aide d'échelles formalisées.
5. Examiner la représentation proportionnelle des items relativement aux différentes facettes du concept.
6. Présenter les preuves de validité basées sur le contenu lors de la publication de tout nouvel instrument.
7. Prendre en compte toutes les analyses psychométriques ultérieures pour affiner les preuves de validité basées sur le contenu du test.

élèves québécois. En effet, d'un pays à l'autre, le curriculum d'étude et la familiarité avec le vocabulaire peuvent différer sensiblement. Une preuve de validité pour les uns peut être considérée comme une preuve de biais pour les autres. Le caractère conditionnel des preuves de validité basées sur le contenu implique que ces preuves ne sont jamais définitives. Une révision périodique des preuves de validité est, par conséquent, nécessaire.

Haynes, Richard et Kubany (1995, pp. 244-247) proposent une synthèse très utile des règles de base qui devraient être suivies pour récolter des preuves de validité basées sur le contenu d'un test. Le tableau 4.2 présente les sept règles essentielles que devrait respecter tout constructeur de test soucieux de produire des preuves de validité.

Le jugement des experts joue un rôle crucial dans la procédure de validation basée sur le contenu d'un test. Les principes de validation 4 et 5 (tableau 4.2) impliquent que ces jugements soient quantifiés. Dans la suite de cette section, nous allons présenter plusieurs indicateurs quantitatifs de validité couramment utilisés lors de la mise au point de tests.

Dans le domaine de l'éducation, Crocker et Algina (1986) énumèrent cinq indicateurs utilisés pour évaluer dans quelle mesure un ensemble d'items sont représentatifs des objectifs pédagogiques visés par le test :

(1) le pourcentage d'items appariés aux objectifs ;

(2) le pourcentage d'items appariés aux objectifs jugés très importants ;

(3) la corrélation entre le poids des objectifs et le nombre d'items les mesurant (Klein et Kosecoff, 1975) ;

(4) l'indice de congruence item-objectif (Hambleton, 1980) ;

(5) le pourcentage des objectifs non mesurés par les items.

Ces cinq catégories d'indices ne fournissent pas une information équivalente sur la congruence item-objectif. Les deux premiers, en particulier, nécessitent un important échantillon d'items. Enfin, le troisième ne fournit pas de résultats intéressants si tous les objectifs sont approximativement d'égale importance. Une faible variation des valeurs de pondération de chaque objectif entraînera une diminution de la valeur maximale de la corrélation.

Crocker et Algina (1985) ont proposé une version simplifiée de l'indice de Hambleton. L'indice de congruence de l'item i à l'objectif k est calculé par la formule suivante :

$$I_{ik} = \frac{N}{2N - 2}(\bar{X}_k - \bar{X}) \qquad (4.1)$$

N = le nombre d'objectifs,

$\bar{X}$ = la moyenne des évaluations de l'item i pour tous les objectifs,

$\bar{X}_k$ = la moyenne des évaluations de l'item i pour l'objectif k.

L'indice I varie de -1 à $+1$, la valeur de 1 n'étant possible que lorsque tous les juges ont apparié chaque item à un seul et même objectif. Le tableau 4.3 présente un exemple de calcul de l'indice de congruence de Hambleton tel que simplifié par Crocker et Algina (1986). Les calculs sont effectués pour les résultats de trois juges évaluant sept items par rapport à trois objectifs. Les juges (J1 à J3) ont eu à se prononcer sur la congruence entre chaque item (1 à 7) et chaque objectif (Obj 1 à Obj 3) : +1 indique que l'item mesure l'objectif, -1 qu'il ne le mesure pas et 0 indique que le juge est incertain.

Deux valeurs essentielles sont calculées (en italique dans le tableau) pour chaque item : la moyenne par objectif des évaluations des juges pour chaque item ($\bar{X}_1$ à $\bar{X}_3$), ainsi que la moyenne, pour l'ensemble des objectifs, des évaluations des juges pour chaque item ($\bar{X}$). La deuxième partie du tableau fournit les valeurs de l'indice de congruence calculé par la formule (4.1) pour chaque paire item-objectif. On peut remarquer que, selon les trois juges interrogés, l'objectif 1 est mesuré principalement (valeurs de I en gras) par les items 2, 6 et 7, l'objectif 2, par les items 1 et 4 et l'objectif 3 par les items 3 et 5. L'item 7 est le seul à démontrer une congruence parfaite. En effet, tous les juges s'accordent pour affirmer qu'il mesurait l'objectif 1 et qu'il ne mesurait ni l'objectif 2, ni l'objectif 3. C'est pourquoi il reçoit la valeur maximale de +1.

Soulignons qu'il est important d'utiliser plus d'un seul indice de congruence. Il est en effet plus facile d'obtenir un indice I élevé lorsque le calcul de l'indice ne porte que sur une proportion réduite des objectifs à couvrir. Le pourcentage des objectifs non mesurés par les items devrait, par conséquent, toujours accompagner l'indice I pour mieux saisir la portée de ce dernier.

Jusqu'à quel point peut-on compter sur le jugement des experts pour évaluer la validité de contenu d'un test ? À cet égard, l'indice de Hambleton (1980) ne fait que calculer la congruence entre items et objectifs sans tenir compte du fait que les appréciations d'un ou plusieurs juges peuvent ne pas concorder avec celles des autres juges. Le degré de concordance (ou de fidélité) entre les juges peut être évalué par trois indicateurs :

1. *La variance des jugements* : lorsque celle-ci est faible, les juges ont tendance à attribuer la même cote à un même item.

2. *La concordance des jugements* : les juges ont tendance à ordonner de la même manière les items selon leur degré de congruence avec la facette à mesurer. L'item le plus congruent pour un juge est également le plus congruent pour les autres juges.

3. *La cohérence interne des jugements* : les juges sont consistants dans leur manière d'évaluer les items par rapport aux autres juges. Un juge sévère

Tableau 4.3 — Illustration du calcul de l'indice de congruence items/objectifs

Items	Objectif 1			$\bar{X}_1$	Objectif 2			$\bar{X}_2$	Objectif 3			$\bar{X}_3$	$\bar{X}$
	J1	J2	J3		J1	J2	J3		J1	J2	J3		
1	−1	0	0	−0,33	−1	1	1	1	−1	0	−1	−0,67	0
2	1	1	1	1	−1	−1	−1	−1	0	1	0	0,33	0,11
3	0	1	1	0,67	−1	0	−1	−0,67	1	1	1	1	0,33
4	−1	−1	−1	−1	0	1	1	0,67	−1	−1	1	−0,33	−0,22
5	0	−1	−1	−0,67	−1	0	−1	−0,67	1	0	1	0,67	−0,22
6	1	1	0	0,67	0	−1	0	−0,33	0	−1	−1	−0,67	−0,11
7	1	1	1	1	−1	−1	−1	−1	−1	−1	−1	−1	−0,33

Items	Indices I pour les trois objectifs		
	Objectif 1	Objectif 2	Objectif 3
1	−0,25	**0,75**	−0,50
2	**0,67**	−0,83	0,17
3	0,25	−0,75	**0,50**
4	−0,59	**0,67**	−0,08
5	−0,34	−0,34	**0,67**
6	**0,59**	−0,17	−0,42
7	**1,00**	−0,50	−0,50

demeure sévère pour tous les items, et non pas seulement pour quelques-uns d'entre eux.

Supposons que nous ayons demandé à un groupe de juges d'apprécier, sur une échelle de 1 à 5, dans quelle mesure une série de questions évalue bien une des facettes d'une personnalité donnée. Plus la moyenne des évaluations de chaque question est élevée, plus cette question est considérée pertinente par les juges. La figure 4.1 illustre comment représenter graphiquement l'indicateur de variance dans cette situation. Chaque point de ce diagramme de dispersion est déterminé par les coordonnées suivantes :

(1) en abscisse, la valeur moyenne des évaluations des juges concernant la pertinence d'une question ;

(2) en ordonnée, l'écart type de la distribution des évaluations concernant cette même question.

Il ne suffit pas qu'un item reçoive une évaluation moyenne élevée pour juger de sa pertinence. Cette évaluation doit aussi être sensiblement la même pour un grand nombre de juges. Par exemple, si deux items reçoivent une cote moyenne de 4, celui dont la variance des jugements est égale à 0,6 possède une meilleure validité de contenu que celui dont la variance est égale à 1,4. Dans le diagramme de dispersion

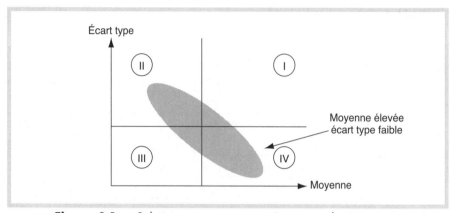

Figure 4.1 — Relation entre moyenne et écart type des jugements concernant un ensemble d'items

de la figure 4.1, les items possédant la meilleure validité de contenu se situent, par conséquent, dans le quatrième quadrant.

L'évaluation de la concordance des jugements est un moyen de vérifier la fidélité des jugements des experts appelés à se prononcer sur les preuves de validité basées sur le contenu des items. Dans ce cas, l'attention se porte sur le classement des items réalisé par les juges. Seule la place de l'item dans le classement des juges est ici prise en compte. Le score attribué à l'item n'est pas considéré. Supposons, par exemple, que l'item 6 soit jugé par tous les experts comme celui qui mesure le mieux un trait de personnalité. Cette concordance des jugements signifie que cet item a reçu la cote la plus élevée donnée par chaque expert. Sur une échelle de 1 à 5, cette valeur peut être 3 pour un expert, 4 pour un autre et 5 pour un troisième. Malgré cette différence de scores, l'item 6 est évalué de manière concordante par les trois juges puisque ceux-ci lui accordent tous leur score le plus élevé.

Le *coefficient W de Kendall* (1948) permet de mesurer le degré de concordance entre plusieurs juges. Cet indice complète bien l'indice de variance présenté ci-dessus car une part de la dispersion des résultats entre les juges peut provenir de la manière dont ils utilisent l'échelle d'évaluation. Certains juges ont tendance à polariser leurs opinions et à n'employer que les valeurs extrêmes (p.ex. 1 ou 5). D'autres, au contraire, situent leurs appréciations près du centre et évitent les valeurs extrêmes (p.ex. 2, 3 ou 4). Ces différentes pratiques influencent la dispersion des appréciations des juges et donc l'indice basé sur la variance. Par contre, elles n'ont pas d'impact sur

Tableau 4.4 — W de Kendall : transformation en rangs

	Score donné à l'item			Rang de l'item		
	item 1	item 2	items 3	item 1	item 2	item 3
juge 1	3	5	3	2	3	1
juge 2	2	3	1	2	3	1
juge 3	1	2	0	2	3	1

le classement des items. Plusieurs juges peuvent avoir le même classement des items alors que la variance de leurs évaluations est différente.

Le calcul de la valeur du W de Kendall se fait en trois étapes :

1. transformer les scores observés en rangs pour chaque juge (tableau 4.4) ;
2. calculer la valeur de *s* (tableau 4.5) ;
3. calculer la valeur de *W* et son degré de signification (formule 4.3).

La première étape est la plus simple. Il s'agit d'ordonner les *N* items pour chacun des *k* juges. Si les juges s'accordent entre eux, comme c'est le cas de l'exemple du tableau 4.4, l'ordre de leur appréciation devrait être le même pour tous et se traduire par des rangs semblables. Ainsi, dans notre exemple, même si le juge 1 est celui qui accorde les scores les plus élevés aux trois items, il considère, au même titre que les deux autres juges, que l'item 3 est le plus difficile. De même, relativement aux autres items, le juge 1 considère l'item 2 comme le plus facile des trois, parce que, tout comme les deux autres juges, c'est l'item auquel il accorde le plus de points. Bref, malgré des différences dans la valeur absolue des scores accordés, les trois juges s'entendent quant à la difficulté relative de chacun des items les uns par rapport aux autres.

Une fois la transformation effectuée, il faut ensuite calculer la valeur de *s*. Cette valeur est égale à la somme des écarts entre la somme des rangs attribués à chaque item et la moyenne de la somme des rangs pour tous les items, le tout élevé au carré (formule 4.2). Plus la somme des écarts est grande, plus les juges sont en accord. En effet, si leurs évaluations ne concordaient pas, la somme des rangs pour chaque item serait approximativement la même et ne différerait pas de la moyenne.

$$s = \sum \left(R_j - \frac{\sum R_j}{N} \right)^2 \tag{4.2}$$

R_j = somme des rangs accordés à l'item *j*

N = nombre d'items

Le tableau 4.5 présente un exemple de calcul de la valeur de *s* pour les données du tableau 4.4. Cette valeur est ensuite utilisée dans l'équation de calcul du *W* de Kendall pour trouver la valeur du coefficient. En voici la formule :

$$W = \frac{s}{\frac{1}{12} k^2 (N^3 - N)} \tag{4.3}$$

Tableau 4.5 — *W* de Kendall : calcul de *s*

	item 1	item 2	item 3
juge 1	2	3	1
juge 2	2	3	1
juge 3	2	3	1
R_j	6	9	3
$\sum \dfrac{R_j}{N}$	6	6	6
$s = \sum (6-6)^2 + (9-6)^2 + (3-6)^2 = 18$			

En fait, il s'agit de diviser s par la valeur maximale que s peut prendre avec k juges et N items (expression au dénominateur). Dans notre exemple, la valeur de s est égale à la valeur maximale et le coefficient de Kendall est dès lors égal à 1. Cette valeur correspond à une concordance parfaite des classements effectués par les différents juges. Voici le détail des calculs de la valeur de W pour notre exemple :

$$W = \frac{18}{\dfrac{1}{12}3^2(3^3 - 3)} = \frac{18}{18} = 1$$

On peut enfin vérifier si la valeur de W est significativement différente de 0. Lorsque N > 7, il est possible de transformer la valeur de W en valeur de χ^2 se distribuant avec $N-1$ degrés de liberté. La transformation s'effectue à partir de l'équation suivante :

$$\chi^2 = k(N - 1)W \tag{4.4}$$

Dans notre exemple, la valeur de χ^2 nous est fournie en remplaçant les variables de l'équation (4.4) par leurs valeurs respectives (k = 3 juges, N = 3 items et W = 1), ce qui donne :

$$\chi^2 = 3(3 - 1)1 = 6,0$$

Une telle valeur de χ^2 possédant deux degrés de liberté est significativement différente de 0 au seuil de 0,05 (voir la table des valeurs de χ^2 en annexe 2). Ceci signifie que la valeur de W calculée est statistiquement significative et que le degré de concordance entre les juges peut difficilement être considéré comme le fruit de fluctuations aléatoires.

Une mesure alternative de l'accord entre les juges est donnée par *le coefficient* κ *(kappa) de Cohen*. Ce coefficient postule que les données sont nominales. Ce coefficient est, par conséquent, indiqué lorsque la tâche demandée aux juges est un classement des items dans des catégories. Par exemple, les juges peuvent être invités à mettre en correspondance des affirmations (p.ex. *« j'aime les fleurs »* ; *« j'apprécie le travail en groupe »…*) et différentes facettes de la personnalité qu'elles sont censées représenter (p.ex. *« introversion » ; « extraversion »…*). Dans ce cas, les facettes de la personnalité sont prises comme des catégories au sein desquelles les items doivent être rangés.

Le coefficient κ prend en compte le nombre de fois où les juges sont d'accord, mais prend également en compte le nombre d'accords qu'il serait possible d'obtenir au hasard. Par conséquent, ce coefficient est plus exigeant que la plupart des autres indices de concordance et sera habituellement plus faible que ceux-ci. Le coefficient κ est le rapport entre la proportion de fois où les juges sont d'accord (corrigée pour accords dus à la chance) et la proportion maximum de fois où ceux-ci pourraient être d'accord (également corrigée pour accords dus à la chance) :

$$\kappa = \frac{P(A) - P(E)}{1 - P(E)} \tag{4.5}$$

$P(A)$ = proportion de fois où les juges sont d'accord,
$P(E)$ = proportion de fois où l'on s'attend à ce que les juges soient d'accord uniquement par chance.

La valeur de κ est égale à 1 s'il y a un accord parfait entre les juges. Si, par contre, les accords ne dépassent pas ceux qui étaient attendus du fait de la chance, la valeur de κ est égale à 0.

Tableau 4.6 — Exemple de calcul du coefficient κ de Cohen

	catégorie 1	catégorie 2	catégorie 3	s_i
item 1	4	0	0	12/12 = 1
item 2	1	3	0	6/12 = 0,5
item 3	0	2	2	4/12 = 0,333
item 4	0	0	4	12/12 = 1
C_j	5	5	6	

Nous allons illustrer le calcul de κ avec un exemple simple où quatre juges ont chacun à classer quatre items en trois catégories. Partant des données présentées dans le tableau 4.6, nous pouvons calculer *P(E)* à l'aide de la formule suivante :

$$P(E) = \sum \left(\frac{C_j}{Nk}\right)^2 \tag{4.6}$$

C_j = somme des fréquences de la catégorie j

N = nombre d'items

k = nombre de juges

Dans notre exemple, $P(E) = \left(\frac{5}{16}\right)^2 + \left(\frac{5}{16}\right)^2 + \left(\frac{6}{16}\right)^2 = 0,336$.

Avant de calculer *P(A)*, il est nécessaire de calculer s_i pour chacun des items au moyen de la formule suivante :

$$s_i = \frac{1}{k(k-1)} \sum n_{ij}(n_{ij} - 1) \tag{4.7}$$

n_{ij} = fréquence de l'item i dans la catégorie *j*

k = nombre de juges

Les valeurs de s_i sont présentées dans la dernière colonne du tableau 4.6. Une fois ces valeurs calculées, on peut déterminer la valeur de *P(A)* au moyen de la formule suivante :

$$P(A) = \frac{1}{N} \sum s_i \tag{4.8}$$

Dans l'exemple, $P(A) = \frac{1}{4}(1 + 0,5 + 0,333 + 1) = 0,708$.

Nous pouvons alors calculer la valeur de $\kappa = \dfrac{0,708 - 0,336}{1 - 0,336} = 0,560$. Cette valeur nous renseigne sur l'existence d'un accord modéré entre les quatre juges à propos du classement des quatre items.

La cohérence interne est le dernier des trois indices utiles pour apprécier de manière quantitative les jugements des experts à propos de la validité de contenu. La signification et les méthodes de calcul de la cohérence interne ont été abordées dans le chapitre 3. Il ne s'agit ni d'une valeur de concordance ni du degré d'accord entre les juges. Elle nous permet plutôt de déterminer si les juges sont constants dans leurs jugements. Ainsi, un juge sévère dans son appréciation d'un item devrait l'être pour tous les autres items, et réciproquement.

L'évaluation de la dispersion, de la concordance inter-juges et de la cohérence interne des appréciations nous fournissent des indices différents, mais complémentaires, du degré de confiance que l'on peut avoir dans l'évaluation de la validité de contenu d'un test par un groupe de juges. Les items les plus valides seront ceux pour lesquels les juges auront manifesté le moins de dispersion dans leurs appréciations, la plus grande concordance dans leurs classements respectifs et la meilleure constance entre items du même type. Pour une appréciation globale de la fidélité des juges, l'étude de la généralisabilité (voir chapitre 3, section 7) demeure sans doute la méthode la plus exhaustive et la plus puissante. Ces outils statistiques nous aident à mieux comprendre la différence qui existe dans la pratique entre validité apparente et validité de contenu.

3. Preuves de validité basées sur les relations avec d'autres variables

3.1 PRINCIPES GÉNÉRAUX

Si un test mesure une caractéristique particulière, ses scores devraient être bien corrélés avec tout critère mesurant la même caractéristique ou une caractéristique voisine (preuves de convergence), et faiblement corrélés avec tout critère mesurant des caractéristiques différentes (preuves de discrimination ou de divergence). Dans le premier cas, les scores au test et la(les) mesure(s) du critère devraient donc partager une part importante de variance commune et, dans le second cas, une variance beaucoup plus faible et parfois même nulle. Pour démontrer la validité des résultats d'un test, le constructeur peut faire appel à deux types de critère :

1. Le critère le plus facile à trouver est sans doute une autre mesure dont la validité est reconnue et à propos duquel des preuves ont déjà été rassemblées. Une corrélation élevée entre le test et le critère externe permet de penser que nous avons affaire à deux mesures de la même caractéristique ou du même trait. Une faible corrélation pourra, quant à elle, apporter la preuve que le test et le critère mesurent bien deux caractéristiques distinctes. Nous avons affaire ici à une étude de *validité concomitante*.

2. Le critère peut aussi être un indicateur d'une performance que l'on cherche à prédire. Nous aurons alors affaire à une étude de *validité prédictive*.

Parfois, le critère est relativement simple à mesurer. Par exemple, la taille d'un enfant à quatre ans peut être un bon prédicteur de sa taille à l'âge adulte. Pour le démontrer, il suffit de mesurer la taille de plusieurs sujets choisis au hasard à l'âge de quatre ans (prédicteur) et de prendre à nouveau la même mesure à l'âge adulte (critère).

Parfois, le critère paraît simple à mesurer, mais les apparences peuvent être trompeuses. C'est le cas, par exemple, du décrochage scolaire. Un test de dépistage du décrochage scolaire posséderait une bonne validité prédictive s'il y avait une forte corrélation entre le résultat au test et le décrochage futur de l'élève. Il faudrait, bien entendu, définir opérationnellement ce que l'on entend par *« décrochage scolaire »*. Une telle définition opérationnelle du décrochage scolaire pourrait être :

> *Abandon volontaire et prolongé des études, pour une période consécutive d'au moins deux ans, qui n'est ni la conséquence d'une maladie, ni la conséquence d'une sanction de l'institution scolaire.*

Selon la définition précédente, une maternité adolescente ferait-elle partie des conditions acceptables de décrochage ? Ce n'est pas une maladie. Ce genre d'abandon peut-il être considéré comme un abandon volontaire ? Pourtant, chez les sujets féminins, c'est un facteur important de décrochage. Si rien n'est fait pour tenir compte de ce facteur dans l'instrument de mesure, le risque est grand que la validité prédictive du test soit meilleure pour les garçons que pour les filles.

Enfin, le critère peut être fort complexe et faire intervenir plusieurs habiletés ou attitudes différentes. Prenons, par exemple, le critère du *leadership*. Si nous voulons construire un test qui prédira les capacités de leadership d'un individu, il faut pouvoir mesurer tous les aspects de cette caractéristique. Le critère pourrait être constitué de l'un ou de plusieurs des indicateurs suivants :

- le rapport subjectif des gens qui travaillent sous la direction de l'individu ;
- le rapport subjectif des supérieurs hiérarchiques ;
- l'observation discrète de comportements de leader dans l'exécution d'une tâche avec des coéquipiers.

Le choix et la mesure d'un bon critère peuvent être des tâches tout aussi problématiques que la construction de l'instrument de mesure lui-même. C'est pourquoi elles requièrent un soin tout particulier. Une étude de validité qui chercherait à établir une corrélation entre les résultats à un test et un critère mal défini au départ pourrait fort bien constituer une perte de temps ou encore conduire au rejet d'un bon instrument de mesure faute d'un seul critère adéquat. La définition opérationnelle du critère est l'une des plus importantes considérations pratiques dans l'estimation de la validité liée à un critère externe.

3.2 MATRICE MULTI-TRAIT MULTI-MÉTHODE

Campbell et Fiske (1959) ont défini une approche rigoureuse de l'étude des validités convergentes et divergentes. Ils proposent de construire une matrice de corrélations entre résultats à des tests différents par ce qu'ils mesurent (*multi-trait*) et par la façon dont ils le mesurent (*multi-méthode*). Selon cette approche, la corrélation la plus forte devrait être obtenue entre deux tests mesurant le même trait avec la même méthode. La corrélation entre deux tests mesurant le même trait par des méthodes différentes (mono-trait, multi-méthode) devrait quant à elle être sensiblement plus faible. Enfin, les corrélations entre deux tests mesurant des traits différents par la même méthode (multi-trait, mono-méthode) ou par des méthodes différentes (multi-trait, multi-méthode) devraient être nettement plus faibles.

Le tableau 4.7 présente une matrice multi-trait, multi-méthode. On y trouve les résultats d'une étude fictive de validité convergente et discriminante portant sur trois performances en mathématiques (calcul, géométrie, problèmes écrits) mesurées selon deux méthodes différentes (questions à choix multiples et questions à réponse courte). En diagonale, nous retrouvons la corrélation de chaque test avec un test similaire employant la même méthode. La diagonale nous renseigne sur la fidélité d'équivalence (en gras) et les autres valeurs sur la validité convergente. On peut également observer que les questions à choix de réponses donnent lieu à des résultats plus fidèles (0,91 à 0,95) que les réponses courtes (0,82 à 0,85).

Les preuves de validité convergente sont, dans cet exemple, très satisfaisantes. Les corrélations entre les tests mesurant la même caractéristique selon la même méthode sont très élevées. Les corrélations entre deux tests qui mesurent la même caractéristique par des méthodes différentes sont également élevées, quoiqu'un cran plus faibles que les précédentes (en italiques dans le tableau 4.7) : elles varient de 0,79 à 0,86. On peut interpréter ces résultats de deux manières. La première est que la méthode de mesure employée a peu d'effet sur la réussite et que le trait mesuré est vraiment la variable la plus importante. La seconde manière d'interpréter ce résultat est typiquement édumétrique : ces résultats pourraient également signifier que l'apprentissage est suffisamment généralisé pour permettre aux élèves de réussir des problèmes présentés différemment.

Les corrélations sous la diagonale de chacune des parties de la matrice multi-trait multi-méthode fournissent les coefficients de validité discriminante. On en distingue deux sortes : les corrélations mono-traits hétéro-méthodes et les corrélations hétéro-traits hétéro-méthodes. Ces derniers coefficients sont les plus faibles de tous (0,15 à 0,28). En effet, ces coefficients de validité discriminante font intervenir non seulement des traits, mais aussi des méthodes de mesure différentes. Lorsque la validité discriminante ne porte que sur l'effet de la méthode de mesure, les corrélations vont de faibles à modérées (méthode 1 : 0,26 à 0,51 ; méthode 2 : 0,22 à 0,41). Il est à noter que les valeurs de validité discriminante pour la méthode 2 sont toutes inférieures à celles obtenues pour la méthode 1. Ceci est dû au fait que les tests sont plus fidèles avec la méthode 1, ce qui permet de meilleures corrélations entre les scores observés. La matrice multi-trait multi-méthode nous révèle que, parmi les trois tests, ce sont « *Problèmes écrits* » et « *Géométrie* » qui mesurent les compétences les plus indépendantes l'une de l'autre. Ce résultat peut s'expliquer par le fait que le test de problèmes écrits mesure aussi la compétence de compréhension en lecture qui n'est pas requise par l'épreuve de géométrie.

La matrice multi-trait multi-méthode nous oblige à formuler des hypothèses sur le niveau des corrélations attendues. Ces hypothèses sont ensuite mises à l'épreuve des faits. Si toutes les hypothèses sont confirmées, nous disposons alors d'un large ensemble de preuves de validité convergente et de validité discriminante. Mais il se peut que certaines hypothèses ne soient pas confirmées. Dans ce cas, nous devrons nous interroger à propos de ce que mesurent effectivement nos tests à la lumière des corrélations inattendues observées (élevées ou faibles).

Tableau 4.7 — Exemple de matrice multi-trait multi-méthode

	Méthode 1			Méthode 2		
	Calcul	**Géométrie**	**Prob. écrits**	**Calcul**	**Géométrie**	**Prob. écrits**
1. Choix multiple						
• Calcul	**0,95**					
• Géométrie	0,51	**0,92**				
• Problèmes écrits	0,42	0,26	**0,91**			
2. Rép. courtes						
• Calcul	*0,83*			**0,85**		
• Géométrie	0,28	*0,86*		0,41	**0,88**	
• Problèmes écrits	0,17	0,15	*0,79*	0,36	0,22	**0,82**

3.3 PROBLÈMES D'ESTIMATION DE LA VALIDITÉ LIÉS AU CALCUL DES CORRÉLATIONS

3.3.1 *Effet de la grandeur de l'échantillon*

La validité des résultats d'un instrument de mesure est une estimation plus ou moins entachée d'erreur. En effet, il n'y a aucune certitude quant à la probabilité de retrouver la même valeur de validité avec un échantillon semblable tiré de la même population d'intérêt. La probabilité d'obtenir une valeur stable de validité s'accroît, cependant, lorsque celle-ci est calculée à partir d'un nombre suffisamment grand de résultats. Schmidt, Hunter et Urry (1976) ont démontré qu'avec des échantillons de 200 sujets et plus, la valeur calculée de la validité était celle de la population dans 90 % des cas. Cette probabilité diminue à 25 % et 35 % lorsque l'échantillon n'est que de 30 ou 50 sujets respectivement. Sauf s'il existe une très forte relation entre le prédicteur et le critère, il est par conséquent préférable d'effectuer une étude de validité avec un grand nombre de sujets.

Lorsqu'il est difficile d'effectuer une étude de validité avec de grands échantillons, il faut alors réaliser plusieurs études de validité afin de voir si la corrélation entre le prédicteur et le critère se généralise à un ensemble de situations semblables. Cette *contre-validation* ou *validation croisée* (« *cross-validation* ») permet d'estimer l'impact des fluctuations d'échantillonnage sur la stabilité de l'estimation de la validité. Cette procédure consiste à calculer la meilleure équation de régression (voir Annexe 1) sur un échantillon et à voir comment elle permet de prédire les résultats d'un autre échantillon tiré de la même population. Deux échantillons ne sont pas toujours nécessaires. Lorsque le nombre de répondants est assez grand, on peut simplement répartir au hasard les sujets de l'échantillon total en deux groupes et calculer une régression linéaire sur chaque moitié.

3.3.2 *Effet de la réduction de l'étendue*

Puisque l'estimation de la validité repose très souvent sur le calcul de corrélations, la réduction de l'étendue a les mêmes effets que lors de l'estimation de la corrélation (voir Annexe 1). Celle-ci peut survenir dans trois cas particuliers d'études de validité :

1. *Le test est utilisé pour des fins de sélection*, comme, par exemple, lors d'une demande d'emploi. Si, après avoir sélectionné un groupe d'individus sur la base de leur performance au test, on cherche par la suite à démontrer la validité de l'instrument au moyen d'une corrélation entre les résultats au test et la performance professionnelle, il faut tenir compte du fait que la corrélation ainsi calculée ne comprend plus les valeurs les plus faibles au prédicteur. Cette situation risque d'entraîner la sous-estimation de la véritable validité du test puisqu'elle ne porte que sur une partie de l'échantillon de départ : les candidats qui ont été acceptés.

2. *Le test prédicteur est corrélé avec une variable intervenant dans la sélection des sujets.* C'est le cas lorsque nous cherchons à vérifier la validité prédictive d'un test d'aptitude aux études universitaires. Il est fort peu probable que tous les individus ayant répondu à un tel questionnaire terminent des études universitaires. En effet, les universités possèdent leurs propres politiques d'admission souvent fondées sur les résultats académiques antérieurs du candidat. Les résultats académiques peuvent être fortement corrélés avec le test prédicteur, puisqu'après tout, ils cherchent à prédire la même chose. D'autres facteurs

feront, par exemple, que de bons étudiants ne termineront pas leurs études : difficultés financières, changement d'orientation, etc. Tous ces facteurs font que l'échantillon sur lequel sera calculée la corrélation entre test prédicteur et critère de réussite universitaire (p.ex. la moyenne cumulative) ne sera constitué que d'une partie des personnes qui se sont présentées au test.

3. *Le test prédicteur peut être trop facile ou trop difficile.* Un test trop facile ne permet pas de différencier suffisamment les sujets forts au test prédicteur et réduit par conséquent la variance des résultats. Il s'agit d'un *effet plafond* : un nombre important de sujets obtiennent le score maximum faute de questions suffisamment difficiles pour les départager. La même observation vaut également pour un test trop difficile. On parle alors d'un *effet plancher* : un grand nombre de sujets obtiennent un score faible ou nul faute de questions suffisamment faciles pour les différencier. Les conséquences de ces deux effets sont une réduction de l'étendue des scores et, *ipso facto*, une sous-estimation de la corrélation entre les variables considérées.

Lorsque l'on dispose de l'information nécessaire, en l'occurrence de l'écart type de la distribution des scores au prédicteur dans le groupe sans réduction d'étendue, il est recommandé de corriger le coefficient de corrélation affecté par la réduction de l'étendue des scores constatée dans l'étude de validité. Lorsque la réduction de l'étendue affecte uniquement les scores au test utilisé comme prédicteur et que cette réduction est due à la non prise en compte de l'une ou des deux extrémités de la distribution, Thorndike (1949) propose d'utiliser la formule de correction suivante :

$$r_{xy'} = \frac{v r_{xy}}{\sqrt{v^2 r_{xy}^2 - r_{xy}^2 + 1}} \tag{4.9}$$

Dans cette formule, r_{xy} est le coefficient de corrélation observé et $r_{xy'}$ est le coefficient estimé après correction pour réduction d'étendue. La variable v est égale à ET_{sr}/ET_{ar}, représentant le rapport entre l'écart type sans réduction d'étendue (ET_{sr}) et l'écart type avec réduction d'étendue (ET_{ar}).

En voici une application dans une étude de validité du test d'intelligence WISC-IV au sein d'un groupe de 56 enfants âgés en moyenne de 7 ans. On observe que la corrélation entre le score à l'indice Compréhension verbale au WISC-IV et la performance à une épreuve de compréhension en lecture en fin d'année scolaire est égale à 0,56. L'écart type des scores à l'indice Compréhension verbale au sein du groupe d'enfants de cette étude n'est que de 9,6, alors qu'il est de 15 dans la population des enfants du même âge. Dans ce cas, il est légitime de considérer que le coefficient de corrélation entre le prédicteur et le critère est sous évalué du fait d'une réduction de l'étendue des scores. Si nous appliquons la formule ci-dessus, nous obtenons un coefficient de corrélation nettement plus élevé :

$$\frac{1,56 \times 0,56}{\sqrt{(2,44 \times 0,31) - 0,31 + 1}} = 0,73$$

Il est important de souligner que la formule que nous venons d'appliquer ne convient pas lorsque la réduction de l'étendue affecte également le critère ou la zone centrale de distribution des scores au prédicteur (par exemple, lorsque l'on n'a retenu dans l'étude que les sujets situés aux deux extrémités de la distribution). Sackett et Yang (2000) ont proposé une typologie des cas de réduction d'étendue très utile pour choisir la formule de correction appropriée.

Par ailleurs, il est fréquent que l'on opère une double correction du coefficient de corrélation observé pour prendre en compte à la fois la réduction de l'étendue et le manque de fidélité du prédicteur et du critère (voir section 3.3.3). Lee, Miller & Graham (1982) ont montré qu'une procédure en deux étapes, commençant par la correction d'atténuation suivie de la correction pour réduction d'étendue, donne des résultats très proches de la procédure plus complexe proposée par Schmidt, Hunter et Urry (1976). Cette procédure simple est dès lors recommandée.

3.3.3 Effet de la fidélité du prédicteur et du critère

Lorsque nous calculons la validité des résultats à un test, nous réalisons nos calculs sur les valeurs observées du prédicteur et du critère. Ces valeurs sont imprécises, à moins qu'elles n'aient une fidélité parfaite. Considérant qu'une partie des valeurs observées est constituée d'erreurs aléatoires, il est normal que nous tenions compte de cette erreur dans le calcul des corrélations.

Si l'on souhaite estimer la validité, non pas à partir des scores observés, mais à partir des scores vrais, il est nécessaire d'effectuer la *correction dite d'atténuation*, formulée dans l'équation suivante :

$$r_{v_x v_y} = \frac{r_{XY}}{\sqrt{r_{XX'}}\sqrt{r_{YY'}}} \tag{4.10}$$

Dans cette équation, le numérateur représente la corrélation entre les scores observés et le dénominateur représente le produit des racines carrées de la fidélité du prédicteur et du critère. Le résultat de la division nous donne la corrélation corrigée pour atténuation. La correction pour atténuation nous permet d'estimer le *potentiel* de validité d'un test. En effet, si la corrélation corrigée pour atténuation est faible, il y a peu d'espoir d'améliorer la validité du test. C'est sans doute qu'il n'y a pas d'association très forte entre le prédicteur et le critère dans les conditions où a été réalisée l'étude de validité. Par contre, si la validité, une fois corrigée pour atténuation est beaucoup plus élevée, ceci peut vouloir dire que nous pourrions accroître sensiblement celle-ci en améliorant la fidélité du test, notamment en augmentant le nombre d'items.

Supposons que nous ayons obtenu une corrélation de 0,45 entre un prédicteur et un critère. La fidélité du test prédicteur est de 0,55 et la fidélité du critère est de 0,70. La corrélation corrigée pour atténuation sera la suivante :

$$r_{v_x v_y} = \frac{0,45}{\sqrt{0,55}\sqrt{0,70}} = 0,73$$

La valeur de 0,73 est le coefficient maximum de corrélation que nous pourrions obtenir entre les scores observés au prédicteur et au critère en postulant qu'il n'y a aucune erreur de mesure. Il s'agirait là d'une preuve solide de validité. Mais est-il possible d'atteindre cette valeur en pratique ? Nous n'avons souvent que peu de prises sur le critère. Il peut, par conséquent, être difficile d'accroître la précision de cette mesure. Par contre, nous pouvons accroître la fidélité des résultats au test prédicteur en augmentant le nombre d'items. Quel effet aurait l'augmentation du nombre d'items sur la validité des résultats ?

Supposons que nous allions jusqu'à doubler le nombre d'items du test prédicteur. La formule de Spearman-Brown nous permet d'espérer la fidélité suivante (chapitre 3, §4.4) :

$$\hat{r}_{XX'} = \frac{2r_{XX'}}{1 + r_{XX'}} = \frac{2(0,55)}{1 + 0,55} = 0,71$$

Si la fidélité du test devait passer de 0,55 à 0,71, on peut s'attendre à un accroissement significatif de la corrélation entre scores observés. En utilisant cette nouvelle valeur, nous pouvons résoudre l'équation (4.10) pour trouver r_{XY} :

$$\frac{r_{XY}}{\sqrt{0,71}\sqrt{0,70}} = 0,73$$

$$r_{XY} = 0,73\sqrt{0,71}\sqrt{0,70} = 0,51$$

En doublant le nombre d'items et en postulant que la corrélation entre les scores vrais du test prédicteur et du critère demeure la même (0,73), on peut s'attendre à ce que la corrélation observée entre les scores au test et au critère passe de 0,45 à 0,51. Cette corrélation peut être considérée comme une preuve de validité acceptable dans certaines situations, mais elle démontre aussi combien il y a loin de la coupe aux lèvres, c'est-à-dire entre la corrélation potentielle et la corrélation qu'il est possible d'obtenir dans la réalité en améliorant la fidélité du test prédicteur.

4. Preuves de validité basées sur la structure interne du test

4.1 PRINCIPES GÉNÉRAUX

Lorsque l'on traite de validité conceptuelle, l'on ne peut s'empêcher de faire allusion au fait que, dans l'évolution de toute science, la compréhension d'un phénomène va de pair avec notre capacité à le mesurer adéquatement. Qu'il s'agisse de variables composites comme l'intelligence, la motivation scolaire ou les styles cognitifs, notre capacité à tester ces variables et à les étudier dépend de notre habileté à les mesurer. Sans résultats valides sur ces concepts, il est difficile d'entrevoir comment la connaissance et la compréhension de leur rôle dans les phénomènes étudiés peuvent progresser. En retour, sans étude de ces phénomènes et sans une compréhension suffisante, il est difficile de développer des instruments de mesure adéquats.

La validité conceptuelle est donc au cœur du problème de l'opérationnalisation des variables. Pour réaliser une étude de validité conceptuelle, il faut recueillir une grande quantité d'informations. Celles-ci devront découler des prédictions, hypothèses que l'on peut tirer de la théorie. C'est en référence à cette structure que sont organisés les items en échelles et sous-échelles et que sont calculés les différents scores composites. Le modèle théorique qui sous-tend la structure du test nous permet de formuler des hypothèses à propos des relations que nous devrions observer entre, d'une part, les scores aux items et, d'autre part, les scores composites. Lorsque ces hypothèses ne sont pas confirmées par les résultats au test, deux interprétations sont possibles :

1. L'instrument de mesure est une bonne opérationnalisation du modèle théorique, mais ce dernier n'est pas pertinent. Dans ce cas, il faut modifier le modèle et, parfois même, changer de cadre théorique.

2. Le modèle théorique est valide, mais l'instrument en est une mauvaise opérationnalisation. Il faut alors revoir l'instrument (les items, les consignes, les critères de cotation…). Il est également possible que la validité des données récoltées soit sujette à caution (échantillon trop homogène, conditions de passation inadéquates…).

Prenons le cas d'un instrument ayant pour but de mesurer l'intelligence. L'étude de la validité basée sur la structure ne sera pas la même pour un test de quotient intellectuel (QI) que pour un test d'intelligence opératoire inspiré de la théorie génétique de Jean Piaget. Les deux théories représentant des modèles très différents de l'intelligence, les instruments de mesure qui en seront dérivés seront également très différents.

Dans le cas des tests de QI, on devrait s'attendre à ce que ce genre de test différencie plusieurs facettes de l'intelligence, notamment l'intelligence verbale et l'intelligence visuo-spatiale. Les épreuves mesurant l'intelligence verbale devraient être corrélés plus étroitement entre elles qu'avec les épreuves mesurant l'intelligence visuo-spatiale. Une épreuve d'intelligence verbale qui aurait une corrélation élevée avec une épreuve d'intelligence visuo-spatiale poserait problème, mettant en question soit le modèle de l'intelligence utilisé (est-il pertinent de distinguer l'intelligence verbale de l'intelligence visuo-spatiale ?), soit la qualité des épreuves construites (mesurent-elles bien spécifiquement une seule facette de l'intelligence ?).

D'autres informations peuvent être prises en considération lors de la récolte de preuves de validité basées sur la structure interne du test. Par exemple, si les résultats d'études neurologiques portant sur la spécialisation hémisphérique indiquent que les hommes réussissent mieux dans le domaine des habiletés spatiales et que les femmes réussissent mieux dans le domaine des habiletés verbales, les résultats aux tests d'intelligence devraient normalement mettre en évidence des résultats significativement supérieurs des femmes aux épreuves d'intelligence verbale et significativement supérieurs des hommes aux épreuves d'intelligence spatiale. De tels résultats seraient une confirmation des études neurologiques en plus de constituer des preuves de validité basées sur la structure interne du test.

Dans le cas des tests piagétiens, sur la base du modèle théorique, nous postulons que les items s'organisent selon un continuum unidimensionnel. La structure du test prévoit que l'ordre de réussite des items devrait être conforme à la progression développementale des habiletés. Par exemple, des items nécessitant la maîtrise des opérations concrètes devraient nécessairement être réussis avant les items faisant appel aux opérations formelles. Il y aurait un problème de validité si des items de raisonnement formel étaient réussis, alors que des items de raisonnement concret du même domaine étaient ratés. En d'autres termes, on s'attend à ce que les items d'un test d'intelligence opératoire basé sur la théorie de Piaget constituent une *échelle hiérarchique*. Une telle échelle est également appelée « *scalogramme de Guttman* » (du nom du psychométricien américain qui l'a étudiée, Guttman, 1950). Le constat d'une hiérarchie dans l'ordre de réussite des items constituera une preuve de validité conceptuelle des résultats au test. Dans la mesure où l'ordre hiérarchique peut ne pas être parfait du fait d'inévitables erreurs de mesure, on calcule généralement un *coefficient de reproductibilité* (formule 4.11) qui permet d'estimer à quel point le caractère hiérarchique et invariant de l'ordre des items appuie la validité conceptuelle des résultats au test.

L'exemple du tableau 4.8 illustre comment les résultats aux items d'un test opératoire peuvent former une hiérarchie. Dans ce tableau, les sujets sont ordonnés selon leur score total et les items selon leur difficulté. Il en résulte une distribution plus ou moins en « escalier » illustrant le caractère hiérarchique des résultats.

Comme on peut le constater, les résultats aux cinq items de ce test forment une hiérarchie presque parfaite. L'item 4 est le plus difficile et l'item 3 est le plus

Tableau 4.8 — Exemple d'items formant une échelle hiérarchique

Sujet #	Item 3	Item 2	Item 5	Item 1	Item 4	Total	# erreurs
3	1	1	1	1	1	5	0
10	1	1	1	1	0	4	0
9	1	1	1	1	0	4	0
5	1	1	1	0	0	3	0
2	1	1	1	0	0	3	0
7	1	1	1	0	0	3	0
6	*0*	0	0	*1*	0	1	*2*
1	1	0	0	0	0	1	0
4	*0*	0	0	0	*1*	1	*2*
8	0	0	0	0	0	0	0
Moyenne	0,7	0,6	0,6	0,4	0,2	2,5	Total = 4

facile. Lorsqu'un item difficile est réussi par un sujet, tous les items plus faciles le sont aussi, mises à part quelques exceptions qui constituent des *erreurs* (sujets 4 et 6). On peut dès lors affirmer que les résultats à ce test sont *reproductibles*. En effet, lorsqu'un test est hiérarchique, il est possible de prédire quels items ont été réussis et quels items ont été ratés à partir de la seule connaissance du score total. Connaissant l'ordre de difficulté des items et sachant que cet ordre est le même pour tous, un sujet qui obtiendrait un score de 1 à l'examen du tableau 7, devrait réussir l'item 3 qui est le plus facile des cinq items. Lorsqu'un sujet ayant obtenu un score de 1 réussit un autre item que l'item 3, il y a erreur dans la reproductibilité totale du test : c'est le cas des sujets 4 et 6.

Guttman (1950) propose de considérer que les résultats d'un test sont hiérarchiques lorsque moins de 10 % des résultats ne sont pas reproductibles. Il propose de calculer un coefficient de reproductibilité de la manière suivante :

$$CR = 1 - \frac{n_e}{n_j n_p} \qquad (4.11)$$

Dans cette équation, CR est le coefficient de reproductibilité, n_e le nombre d'erreurs de reproductibilité, n_j le nombre d'items et n_p le nombre de personnes. Le nombre d'erreurs est donné par le nombre de fois qu'un item fournit un résultat qui n'est pas en accord avec le score total obtenu et l'ordre de difficulté de l'ensemble des items.

Le coefficient de reproductibilité a plusieurs fois été employé comme preuve de la validité des tests opératoires piagétiens. Dans le cas des données du tableau 4.8, sa valeur est la suivante :

$$CR = 1 - \frac{4}{5 \times 10} = 0,92$$

Le test du tableau 4.8 possède donc une reproductibilité acceptable, supérieure au seuil de 0,90 recommandé par Guttman (1950). Sa validité, du point de vue de l'invariance de l'ordre de réussite de ses items et donc de la conformité de ses résultats à la structure du test, est dès lors démontrée.

4.2 ÉTUDE DES TRAITS LATENTS

4.2.1 *L'analyse factorielle*

L'analyse factorielle est une méthode de choix pour apporter des preuves de validité sur la base de la structure interne d'un test. Elle permet en effet de mettre en évidence les relations entre les caractéristiques mesurées, mais non directement observables (par exemple, l'intelligence, la dépression ou la compétence mathématique), et les scores observés aux items ou aux échelles qui constituent le test. Lorsque nous ne disposons pas *a priori* d'un modèle des caractéristiques mentales sous-jacentes au test, l'analyse factorielle permet de suggérer un certain nombre de traits et leurs relations avec les scores observés. Dans ce cas, l'analyse factorielle est qualifiée d'*exploratoire*. Par contre, lorsque nous partons d'un modèle des caractéristiques mesurées et que nous vérifions au moyen de l'analyse factorielle son ajustement avec les scores observés, celle-ci est qualifiée de *confirmatoire*. Dans la suite de cette section, nous allons présenter, de manière synthétique et à l'aide d'exemples, comment l'usage de l'analyse factorielle confirmatoire permet de récolter des preuves de validité.

Dans plusieurs situations, nous savons qu'en dépit des différences de contenu, de format, de tâches, les items mesurent une caractéristique commune qui les influence tous. Nous nous attendons, dans ce cas, à ce que les items qui mesurent une même caractéristique soient fortement corrélés. Comme pour l'analyse des résultats aux tests par la matrice multi-trait, multi-méthode, des items (ou des sous-échelles) mesurant le même trait devraient se réunir en « grappes » de corrélations élevées détectables à l'inspection visuelle d'une matrice de corrélations.

L'analyse factorielle permet d'aller plus loin que la simple inspection visuelle des matrices de corrélation. Elle permet également d'extraire les composantes ou facteurs de variance commune, chaque facteur rendant compte d'une partie de la variance totale des résultats de la matrice des variances-covariances qui n'est pas expliquée par les autres facteurs. Ces facteurs, ou composantes principales, sont également appelés *traits latents,* parce qu'il s'agit de variables non directement observables que l'on postule et sur lesquelles on projette la variance commune à un certain nombre de variables observées.

La figure 4.2 illustre de façon simple ce qu'est un trait latent. La situation présentée est celle de deux variables X et Y en forte corrélation. Si X et Y sont fortement corrélées, c'est que, vraisemblablement, elles mesurent la même chose, le même trait latent. On peut se demander pourquoi il est nécessaire d'utiliser deux variables pour mesurer la même chose, alors qu'elles nous fournissent toutes deux la même information. Mais quelle variable faut-il conserver ?

La solution est représentée graphiquement dans la figure 4.2. Plutôt que d'effectuer les observations dans un système à deux variables, celles-ci peuvent être projetées sur une nouvelle variable qui retient l'essentiel de la variance commune à X et à Y. Cette nouvelle variable est le *trait latent*, généralement appelé *facteur*. Comme on peut le constater, cette opération, qui réduit le système d'observation de deux à une seule variable, entraîne une certaine perte d'information puisque toutes les observations ne coïncident pas parfaitement avec la droite représentant le facteur. Toutefois, ce dernier rend compte de la plus grande partie de la dispersion des résultats qui s'effectue à présent selon l'axe horizontal. Quant à la dispersion des résultats selon l'axe vertical, elle correspond à une quantité négligeable. Ce qui est légèrement perdu en information est largement gagné en parcimonie, c'est-à-dire en simplicité du modèle.

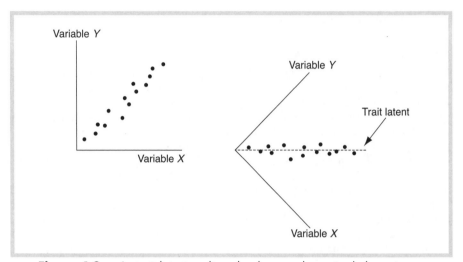

Figure 4.2 — Le trait latent explique la plus grande partie de la variance

La figure 4.2 présente une situation d'unidimensionnalité, c'est-à-dire qu'un seul facteur est nécessaire pour rendre compte de la variance des résultats. Lorsqu'il faut plus d'un facteur pour expliquer les résultats, nous avons affaire à un modèle *multidimensionnel* de traits latents (figure 4.3). Cette situation se présente lorsque X et Y ne sont que modérément corrélées. Il est alors difficile d'expliquer la variance commune entre ces deux variables par un système ne comprenant qu'une seule variable latente. Une fois expliquée une bonne partie de la dispersion des résultats par un axe horizontal représentant le trait latent, il subsiste une forte dispersion selon l'axe vertical dont nous ne rendons pas compte. Nous sommes alors face à un choix :

1. ne retenir qu'une seule dimension avec le risque de ne pas rendre compte d'une partie importante de la variance des résultats (représentée par la dispersion verticale) ;
2. ajouter une deuxième dimension avec la perte de parcimonie que cela implique.

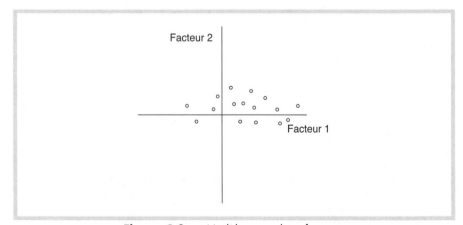

Figure 4.3 — Modèle avec deux facteurs

Ce choix doit se faire en pondérant les avantages qu'il y a à remplacer deux variables par un seul trait latent et les inconvénients qu'il y a à négliger une partie de la variance totale. Dans les situations à plusieurs variables et lorsque la part de variance négligée est trop grande, il est nécessaire d'utiliser plusieurs traits latents qui vont permettre d'expliquer une part plus substantielle de la variance des résultats observés, tout en conservant un gain de parcimonie.

Lorsqu'une analyse factorielle doit porter sur les j items à un examen, nous sommes loin de la situation relativement simple décrite par un système à deux variables. C'est de j variables qu'il s'agit et donc, potentiellement de j traits latents. Idéalement, le constructeur de test préfère se trouver dans une situation où ces traits latents sont peu nombreux et faciles à identifier. Le cas le plus simple est celui d'un test unidimensionnel ne comprenant qu'un seul trait latent. Par contre, lorsqu'un seul trait latent n'est pas suffisant pour expliquer la plus grande partie des résultats, il faut avoir recours à d'autres traits latents. S'il y a trop de traits latents, c'est que le test mesure une grande variété de caractéristiques : à la limite, presque autant de caractéristiques différentes qu'il y a d'items. C'est pourquoi pour des raisons d'homogénéité des résultats, le constructeur de test préfère se retrouver dans la situation où son test mesure un nombre limité de variables indépendantes les unes des autres.

Le développement de l'analyse factorielle est intimement lié à l'histoire des tests. C'est en effet Spearman (1907) qui, au début du siècle, jette les bases de l'analyse factorielle. Observant des corrélations élevées entre les résultats à différents tests d'intelligence, Spearman avance l'hypothèse que les performances à ces tests sont essentiellement déterminées par un facteur général, le *facteur g*. Des facteurs spécifiques à chaque test interviennent également, mais jouent un rôle mineur. La méthode d'analyse factorielle développée par Spearman lui permet de produire des résultats empiriques en faveur de son hypothèse. Trente ans plus tard, ces résultats sont toutefois remis en question par Thurstone qui s'appuie sur une nouvelle technique d'analyse factorielle. Comme Spearman, Thurstone (1928) utilise des axes factoriels orthogonaux et donc indépendants les uns des autres. Cependant, plutôt que de maintenir ces axes de façon à ce que le premier facteur explique la plus grande partie de la variance et que les autres n'en expliquent que le résidu, il a l'idée d'effectuer une rotation des axes afin d'améliorer le degré d'adaptation entre les données et la structure factorielle. Il recherche ainsi la structure la plus simple et détermine celle-ci par des critères mathématiques dont le plus connu est certainement le critère *Varimax*, selon lequel on cherche à ce que la variance soit maximale sur chacun des axes factoriels (figure 4.4). Cette méthode aboutit à ce que chacun des facteurs explique un groupe de résultats et rien que celui-là. En d'autres termes, il n'y a plus un facteur dominant qui explique la plus grande partie des corrélations, mais une multiplicité de facteurs qui, chacun, explique un ensemble plus ou moins restreint de corrélations. Ainsi, la méthode de Thurstone conduisit à remettre en question le modèle hiérarchique créé par Spearman, au profit d'un modèle multifactoriel d'où le *facteur g* est exclu.

Le débat entre Spearman et Thurstone illustre bien l'intérêt de l'analyse factorielle comme moyen de validation d'un modèle de traits latents. Mais il souligne aussi les limites de cette méthode. En effet, du point de vue strictement mathématique, Spearman et Thurstone ont tous les deux raison. En fait, l'analyse factorielle permet seulement de vérifier si les données sont consistantes ou non avec la structure factorielle postulée. Lorsque les données sont compatibles avec plusieurs structures latentes, l'analyse factorielle ne nous permet pas de déterminer laquelle choisir.

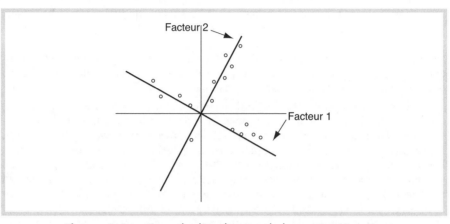

Figure 4.4 — Exemple d'application de la rotation Varimax

Ce choix ne peut être fait que sur des bases théoriques. Par conséquent, dans le cadre d'une démarche de validation des résultats à un test, l'analyse factorielle nous apporte des informations nécessaires, mais non suffisantes. Le praticien ne devra donc pas oublier que toute démarche d'analyse factorielle s'appuie sur deux postulats de base :

1. *Le postulat de causalité factorielle* selon lequel les variables observées sont des combinaisons linéaires de variables causales sous-jacentes. Les résultats d'analyse factorielle ne peuvent, en aucun cas, nous servir à prouver ce postulat. Ces résultats peuvent éventuellement nous amener à conclure qu'un modèle factoriel, basé sur ce postulat, n'est pas consistant avec les données d'observation. Par contre, lorsqu'il y a consistance, il reste encore au chercheur à défendre la pertinence du modèle qu'il propose.

2. *Le postulat de parcimonie* selon lequel, entre deux solutions factorielles, nous devrons choisir la plus simple. Bien que ce postulat soit largement accepté par les chercheurs, il n'est pas possible de démontrer son bien-fondé. Dans la réalité, une structure factorielle simple est-elle toujours plus plausible qu'une structure plus complexe ?

Du fait de ces deux postulats, l'utilisation de l'analyse factorielle comme technique de validation est moins évidente qu'il n'y paraît au premier abord. Pour illustrer la complexité de l'interprétation des résultats d'analyse factorielle, nous avons soumis les mêmes données à deux analyses différentes. Il s'agit des données d'étalonnage de l'adaptation française de l'échelle d'intelligence de Wechsler pour enfants, la WISC-R (Wechsler, 1981). Ces données ont été recueillies sur un échantillon de 1066 sujets représentatif de la population française âgée de 6 ans 6 mois à 16 ans 6 mois. Pour rappel, ce test d'intelligence comprend 12 épreuves regroupées en deux ensembles : l'échelle Verbale et l'échelle Performance. Le WISC-R permet de calculer un QI total, basé sur les résultats aux 12 épreuves, un QI Verbal, basé sur les 6 épreuves de l'échelle verbale, et un QI Performance, basé sur les 6 épreuves de l'échelle de performance. Les deux méthodes d'analyse factorielle utilisées sont :

(1) Une analyse en *facteurs communs et spécifiques* avec rotation *varimax*. Nous avons défini a priori une solution avec deux facteurs.

(2) Une analyse en *facteurs communs et spécifiques* avec rotation *varimax* pour une solution à trois facteurs spécifiée a priori. De nombreux chercheurs

(par exemple, Kaufman, 1975) ont en effet défendu l'idée d'un regroupement des épreuves en trois ensembles, au lieu de deux. À côté d'un facteur « Compréhension verbale » et d'un facteur « Organisation perceptive », ces auteurs postulent l'existence d'un facteur « Attention/Concentration » qui saturerait particulièrement les épreuves *Mémoire*, *Code* et *Arithmétique*.

Pour comprendre correctement les données figurant dans les tableaux 4.9 et 4.10, quelques explications techniques sont nécessaires. Les valeurs mentionnées dans ces tableaux représentent les *saturations* des épreuves par chacun des facteurs. Lorsque les différents facteurs sont orthogonaux, c'est-à-dire non corrélés (les axes factoriels forment alors un angle de 90°), les saturations sont les corrélations entre les facteurs et les variables. C'est le cas dans nos deux exemples. Par conséquent, en élevant une saturation au carré, nous obtenons la proportion de variance d'une variable déterminée par le facteur en question.

Passons à présent en revue les tableaux. Nous pouvons nous rendre compte que les deux analyses factorielles réalisées à partir des mêmes données apportent des arguments en faveur de deux modèles factoriels possibles. La solution avec deux facteurs va dans le sens du regroupement des épreuves du WISC-R en deux sous-échelles, l'une *verbale* et l'autre de *performance*. Dans ce modèle, seule l'épreuve de Code ne montre pas de saturations factorielles bien affirmées. La solution avec trois facteurs rend admissible un autre regroupement d'épreuves. Quelle solution factorielle devons-nous dès lors choisir ? Comme souligné plus haut, la réponse n'est pas de nature mathématique. C'est en fait le modèle du fonctionnement intellectuel que nous défendons qui permettra de déterminer la solution factorielle la plus adéquate.

Tableau 4.9 — Analyse factorielle en facteurs communs et spécifiques avec rotation varimax (deux facteurs)

Épreuves	Facteur 1	Facteur 2
Vocabulaire	**0,83**	0,19
Compréhension	**0,73**	0,20
Information	**0,73**	0,29
Similitudes	**0,69**	0,32
Arithmétique	**0,58**	0,30
Mémoire	**0,46**	0,18
Ass. d'objets	0,18	**0,74**
Cubes	0,27	**0,67**
Images à compléter	0,36	**0,57**
Arrangements d'images	0,37	**0,51**
Labyrinthes	0,12	**0,44**
Code	0,23	0,22

Tableau 4.10 — Analyse factorielle en facteurs communs et spécifiques avec rotation varimax (trois facteurs)

Épreuves	Facteur 1	Facteur 2	Facteur 3
Vocabulaire	**0,80**	0,19	0,27
Compréhension	**0,72**	0,20	0,23
Information	**0,68**	0,28	0,27
Similitudes	**0,61**	0,30	0,31
Assemblages d'objets	0,16	**0,74**	0,12
Cubes	0,14	**0,65**	0,35
Images à compléter	0,36	**0,58**	0,12
Arrangements d'images	0,37	**0,52**	0,11
Labyrinthes	0,09	**0,43**	0,17
Arithmétique	0,40	0,24	**0,55**
Mémoire	0,27	0,10	**0,53**
Code	0,13	0,17	**0,42**

Hormis les problèmes d'interprétation, l'analyse factorielle soulève plusieurs questions méthodologiques relatives aux conditions de son application. Les plus importantes concernent :

(1) *La taille de l'échantillon.* Plus l'échantillon de sujets est petit, moins les coefficients de corrélation entre les variables observées seront significatifs. Par conséquent, les solutions factorielles obtenues seront sujettes à caution. Il n'y a toutefois pas de taille d'échantillon idéale. Une règle généralement admise est d'avoir au moins cinq sujets par variable observée, avec un minimum de 100 sujets par analyse (Gorsuch, 1983). Par exemple, si nous souhaitons réaliser une analyse factorielle avec les réponses à un questionnaire de 40 questions, celui-ci devra être rempli par au moins 200 sujets. Cette règle n'est cependant pas absolue. Si les corrélations entre variables sont très élevées et très fiables et que les facteurs sont peu nombreux, un échantillon relativement petit pourra suffire. Par contre, si les corrélations entre variables sont toutes faibles (inférieures à 0,30), l'opportunité de réaliser une analyse factorielle devra être remise en question, quelle que soit la taille de l'échantillon. En effet, dans un tel cas, il n'y a pratiquement rien à analyser. Par conséquent, avant de réaliser une analyse factorielle, une inspection de la matrice des corrélations entre variables s'impose.

(2) *La normalité.* Les inférences statistiques utilisées pour déterminer le nombre de facteurs s'appuient sur le postulat de normalité multivariée. Ce postulat signifie que toutes les variables et toutes les combinaisons de variables se distribuent normalement. Nous ne pouvons tester la normalité de toutes les combinaisons linéaires de variables. Par contre, la normalité de chaque variable peut être appréciée en regardant son coefficient d'asymétrie et son coefficient d'aplatissement (voir chapitre 2).

(3) *La linéarité.* Rappelons que les coefficients de corrélation évaluent une relation linéaire entre les variables. En cas de non-linéarité de ces relations, les coefficients de corrélations en seront affectés, ce qui risque de mettre en question les résultats des analyses factorielles. La linéarité de la relation entre variables peut être vérifiée à l'aide de graphiques de dispersion.

4.2.2 Les modèles structuraux d'équations

Le développement dans les années 1980 de logiciels comme LISREL (Jöreskog & Sörbom, 1993) et EQS (Bentler, 1989) a rendu possible un usage aisé des modèles structuraux d'équations (MSE) comme méthode statistique permettant d'apporter des preuves de validité. Les MSE ont, depuis lors, pris une place grandissante dans les études de validité des tests et des questionnaires. Ils tendent aujourd'hui à supplanter les analyses factorielles classiques. Les MSE permettent en effet d'évaluer le degré d'adéquation entre les résultats obtenus avec un test et le modèle théorique, parfois complexe, qui sous-tend ce dernier. Pour cette raison, les MSE sont essentiellement utilisés comme des analyses factorielles confirmatoires. Ils permettent en effet de confirmer que les résultats d'un test sont bien en accord avec un modèle théorique donné.

Les MSE utilisent des modèles de plusieurs équations de régression linéaire qui décrivent les relations entre des variables dépendantes et indépendantes. Certaines

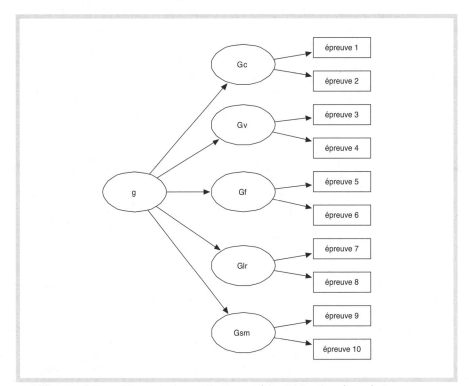

Figure 4.5 – Diagramme en pistes causales représentant les relations entre les épreuves du KABC-II et le modèle des variables latentes qui sous-tend le test (Kaufman & Kaufman, 2008)

de ces variables sont directement observables. Ce sont les mesures obtenues à l'aide du test. D'autres variables sont seulement postulées et inférées sur la base des mesures réalisées. Ce sont des variables latentes.

Le point de départ d'une analyse en MSE consiste en une description du modèle de relation entre les variables. Généralement, cette description débute par un diagramme en pistes causales qui est ensuite traduit sous la forme d'un système d'équations. L'exemple de la figure 4.5 offre une illustration d'un diagramme en pistes causales. Il s'agit du modèle théorique sur la base duquel a été construit le test d'intelligence KABC-II (Kaufman & Kaufman, 2008). Ce modèle, inspiré des modèles de Carroll (1993) et de Cattell-Horn (Horn & Noll, 1997), postule que les performances aux dix épreuves du test sont déterminées par cinq grandes compétences intellectuelles : l'intelligence cristallisée (Gc), l'intelligence visuo-spatiale (Cv), l'intelligence fluide (Gf), la mémoire à long terme (Glr) et la mémoire à court terme (Gsm). Toutes ces compétences intellectuelles sont elles-mêmes déterminées par une compétence intellectuelle générale (g). Dans un diagramme en pistes causales, les variables observées (les scores aux épreuves) sont représentées par des rectangles et les variables latentes (les facteurs) sont représentées par des ovales. Les relations de causalité sont, quant à elles, représentées par des flèches. Chacune de ces relations est exprimée sous la forme d'une équation de régression linéaire. Les relations entre les variables observées et les variables latentes constituent le modèle de mesure. Quant aux relations entre les variables latentes, elles constituent le modèle structural.

Le modèle global constitué de ces deux sous-modèles est ensuite mis à l'épreuve des faits. Concrètement, il s'agit de vérifier que les relations entre les variables mesurées, exprimées sous la forme d'une matrice de corrélations ou de covariances, sont compatibles avec le modèle défini *a priori*. L'analyse fournit deux types d'informations : (1) les coefficients de régression de chacune des équations, (2) des indices d'ajustement entre les données du test et le modèle. Dans le cas du KABC-II, l'analyse en MES a été réalisée à partir des données de 602 enfants âgés de 7 à 12 ans à l'aide du logiciel LISREL 8 (Jöreskog & Sörbom, 1993). Les résultats de cette analyse indiquent, par exemple, que *l'épreuve 1 = 2,23 × Gc* et *l'épreuve 2 = 1,99 × Gc*. Les coefficients de régression sont accompagnés d'une erreur type d'estimation et d'une valeur de *t* permettant de déterminer si le coefficient est statistiquement significatif.

Quant aux indices d'ajustement, leur liste est longue. Il n'existe pas d'indice parfait. Les différents indices apportent des informations qui se complètent. Il est dès lors utile d'examiner plusieurs indices pour juger la qualité d'un ajustement. Nous ne mentionnons ci-dessous que les indices les plus couramment utilisés dans les études de validité. Les lecteurs qui souhaitent une présentation plus complète des indices d'ajustement peuvent consulter un ouvrage d'introduction aux MES comme celui de Schumacker et Lomax (2004) ou de Byrne (2006). Le *khi carré* est un indice d'ajustement qui mesure la différence entre la matrice de covariance déterminée sur la base des résultats des personnes évaluées et la matrice de covariance prédite sur la base du modèle. Le *khi carré* est en fait un indice de mauvais ajustement : plus sa valeur est petite, meilleur est l'ajustement. Un *khi carré* non significatif (p < 0,05) signifie que l'écart entre la matrice de covariance observée et la matrice prédite est statistiquement non significatif, ce qui indique un bon ajustement des résultats récoltés avec le test au modèle théorique. Malheureusement, le *khi carré* est très sensible à la taille de l'échantillon. De plus, il n'est pas pénalisé par le manque de parcimonie : plus le modèle est complexe, meilleur est l'ajustement et la valeur du *khi carré*. L'*ajusted goodness-of-fit index* (AGFI) est un indice d'ajustement qui réduit l'influence de la taille de l'échantillon. Il prend en compte le nombre de degrés de liberté relativement au nombre de variables. Une valeur de l'AGFI ≥ 0,90 indique un bon ajustement au modèle. Le *root mean square of approximation* (RMSEA) introduit une correction pour le manque de parcimonie : les modèles plus complexes sont pénalisés par rapport aux modèles plus simples. Une valeur du RMSEA ≤ 0,06 indique un bon ajustement au modèle (Hu & Bentler, 1999). Enfin, le *comparative fit index* (CFI) compare l'ajustement au modèle à l'ajustement à un modèle de base où les variables latentes ne sont pas corrélées. Une valeur entre 0,92 and 0,95 est considérée comme indiquant un bon ajustement (Byrne, 2006 ; Hu & Bentler, 1999). Tous ces indices peuvent également être utilisés pour comparer l'ajustement à plusieurs modèles mis en compétition. Dans ce cas, le modèle le plus adéquat est celui pour lequel les indices d'ajustement sont les meilleurs.

5. La validité différentielle

5.3 LE CONCEPT DE BIAIS

Les preuves de validité d'un test sont généralement récoltées pour l'ensemble de la population pour laquelle le test a été développé. On postule ainsi que la validité d'une inférence faite à partir des scores au test en question est équivalente pour tous les sujets de cette population. Depuis les années 1970, ce postulat a été largement remis en question. En effet, nous ne pouvons pas écarter a priori que la validité des inférences faites à partir des scores à un test puisse varier au sein d'une même population selon le groupe d'appartenance des sujets évalués. Par exemple, un test de mathématiques peut nous permettre d'évaluer de manière valide les compétences en résolution de problèmes à la condition que les sujets n'aient aucune difficulté pour lire les énoncés des questions. Par conséquent, l'évaluation des compétences en résolution de problèmes faite sur la base de ce test ne sera pas valide pour les sujets souffrant de troubles de la lecture. Ces sujets obtiendront systématiquement des scores faibles du fait de leur difficulté à lire les questions et non du fait de leur niveau de compétence en résolution de problèmes mathématiques. La validité des inférences faites sur la base des scores au test variera donc au sein d'une même population selon que le sujet évalué appartienne ou non au groupe des mauvais lecteurs. De même, les inférences faites sur la base des scores à un test d'intelligence peuvent avoir une validité différente pour les filles et pour les garçons s'il est constitué uniquement de problèmes de nature spatiale. En effet, les filles ont habituellement des performances un peu plus faibles que celles des garçons lorsqu'elles doivent réaliser des opérations mentales sur des représentations spatiales (Voyer et al., 1995). Elles risquent dès lors d'avoir des scores systématiquement inférieurs à ceux des garçons alors que leur capacité de raisonnement est identique.

Il apparaît dès lors nécessaire d'évaluer la validité des inférences faites sur la base de scores à un test non seulement pour les différents usages que nous souhaitons faire de ce dernier, mais aussi pour les différents groupes de la population auxquels nous aurons l'occasion de l'appliquer. On parle à ce propos d'études de la validité différentielle. Un biais existe lorsqu'une différence de validité des inférences faites sur la base des scores au test est observée entre certains groupes de la population. En d'autres termes, nous parlerons de biais lorsque « *les scores au test ont*

*des significations ou des implications pour un groupe déterminé d'utilisateurs qui
différent de leurs significations ou de leurs implications pour les autres utilisateurs »*
(Cole & Moss, 1989, p. 205).

L'évaluation de la *validité différentielle* est une procédure complexe. Comme
toute étude de validité, il s'agit d'une démarche toujours inachevée. Pour chacune
des utilisations escomptées du test, il est en effet nécessaire de produire des preuves
de l'absence de biais. L'évaluation de la validité différentielle basée sur le contenu,
les processus de réponses, la structure interne du test, les relations avec d'autres
variables et les conséquences du testing permet de récolter des preuves complémentaires concernant l'absence de biais dans le test étudié.

Soulignons d'emblée que l'existence d'une différence entre les moyennes des
scores de deux groupes de la population n'est pas en soi la preuve de l'existence
d'un biais. En fait, une différence de cette nature peut simplement refléter une différence d'opportunité d'apprentissage entre les deux groupes de sujets considérés. Par
exemple, si les filles choisissent moins souvent que les garçons les options scientifiques, il sera logique d'observer à un test de sciences un score moyen des filles inférieur à celui des garçons. Dans ce cas, nous ne pourrons bien entendu pas parler de
biais. Dans les tests cognitifs et d'acquis scolaires, l'observation de différences d'effi-
cience est inévitable, car celles-ci reflètent les différences d'opportunités d'apprentissage offertes à chacun par son milieu. Par conséquent, *« c'est l'absence de différence
observée qui devrait poser problème et mettre en doute la qualité d'un test, et non
l'inverse »* (Grégoire, 1992, p. 93). Les tests, en permettant de mettre en évidence
les différences de performances entre les groupes qui composent la population, peuvent d'ailleurs avoir une utilité sociale. Grâce à de telles observations, nous sommes
conduits à mettre en œuvre des actions de remédiation dont l'objectif est de donner
à chacun des chances d'épanouissement et de réussite les plus équitables possibles.

5.4   ÉVALUATION DE LA VALIDITÉ DIFFÉRENTIELLE

Nous avons indiqué plus haut que, pour repérer les éventuels biais dans un test, nous
devons vérifier que la validité des inférences faites sur la base des scores à ce test est
équivalente pour les différents groupes de la population. Pour ce faire, nous devons
examiner les différents types de preuves de validité du test. Dans cette section, nous
aborderons tour à tour les preuves de validité différentielle basées sur le contenu, les
relations avec d'autres variables et la structure interne du test, comme nous l'avons
fait de façon globale dans la section 3.

5.4.1   *Les preuves de validité basées sur le contenu*

L'évaluation de la validité différentielle du contenu consiste à vérifier si, au sein de
chacun des groupes de la population, le contenu des items est approprié pour mesurer la réalité souhaitée. Cette évaluation s'appuie sur les jugements de spécialistes du
domaine mesuré par le test. Ces jugements concernent les représentations et la familiarité des membres de chaque groupe par rapport au contenu des items. Ils concernent
également la présence de stéréotypes relatifs à l'un des groupes en question qui pourraient éventuellement favoriser ou défavoriser les performances. Malheureusement, ces
jugements ont l'inconvénient de rester souvent subjectifs. On se contente généralement
de passer en revue tous les items et d'éliminer ceux qui paraissent inadaptés pour
certains groupes. La limite de cette méthode est bien exprimée en anglais par l'expres-

sion ironique qui la désigne : « *armchair validity* ». Pour diminuer la subjectivité des jugements, des grilles d'analyse ont été mises au point et l'évaluation des items est généralement faite par plusieurs juges. La reconnaissance d'un item comme biaisé est alors décidée sur la base de l'ensemble des jugements. Mais les résultats ne semblent pas à la hauteur de l'effort fourni car les tests ainsi épurés des items biaisés fournissent généralement des résultats peu différents de ceux obtenus avec les tests originels (Flaugher, 1978 ; Sattler, 1988). La détection des biais ne peut donc se limiter à la seule évaluation par des juges. Cette méthode doit être complétée par une évaluation quantitative basée sur les résultats obtenus par les différents groupes étudiés.

Les évaluations quantitatives s'intéressent essentiellement à la difficulté et à la discrimination des items. Elles ont pour but de vérifier si tous les items permettent de classer les sujets de manière équitable. Pour cela, les items doivent mesurer uniquement la réalité que nous désirons évaluer et non des variables parasites liées au groupe d'appartenance. Si, par exemple, dans un test de raisonnement, certains items font appel aux règles d'un sport très pratiqué par les garçons, mais peu par les filles, ces items risquent d'être inéquitables. Ils seront en effet plus faciles pour les garçons que pour les filles du fait de l'influence d'une variable qui n'a rien à voir avec les capacités de raisonnement. De tels items présentent un fonctionnement différentiel qui conduit habituellement à les éliminer du test. Le fonctionnement différentiel d'un item n'est pas uniquement lié au contenu de la question. Il peut aussi découler des modalités de réponse à cet item. Par exemple, pour certains groupes de sujets, le système de réponse à choix multiples peut être une source de difficulté particulière. Certains groupes peuvent également choisir de ne pas répondre à une question à réponse courte dans une plus grande proportion que d'autres groupes de sujets. De même, si certains items demandent une réponse écrite, la qualité de la calligraphie des sujets peut être source d'iniquité. Certains correcteurs peuvent en effet être influencés favorablement ou défavorablement dans leur cotation par la calligraphie du texte dont ils doivent juger le contenu. Comme nous pouvons le voir, les sources d'iniquité sont nombreuses et demandent une analyse minutieuse du fonctionnement différentiel de tous les items du test dont nous évaluons la validité différentielle.

L'analyse du fonctionnement différentiel des items se fait généralement lors de la construction du test. Pour cette raison, nous détaillons les techniques d'analyse du fonctionnement différentiel dans le chapitre consacré à l'analyse des items (chapitre 5, section 7). Par ailleurs, des techniques plus sophistiquées d'analyse du fonctionnement différentiel, basées sur les modèles de réponse à l'item, sont décrites dans le chapitre consacré à la présentation de ces modèles (chapitre 7, section 6).

5.4.2 Les preuves de validité basées sur les relations avec d'autres variables

Lorsque nous étudions la validité différentielle des inférences faites sur la base des scores à un test, il est souvent important de comparer, pour différents groupes de la population, la relation entre le score au test et une mesure externe prise comme critère. En effet, cette relation sous-tend de nombreuses décisions prises à partir des résultats de tests. Par exemple, des enfants sont régulièrement orientés dans l'enseignement spécialisé sur la base de leurs faibles résultats à un test d'intelligence dont les scores sont liés à la réussite scolaire. De même, des étudiants peuvent se voir refuser l'accès à un programme d'études du fait de leur score insuffisant à un test prédictif de la réussite de ce programme. Vu l'importance de ces décisions, il est essentiel que la validité prédictive d'un test soit équivalente pour tous les groupes concernés par l'usage de ce test. Pour contrôler si un test est équitable du point de vue prédictif pour deux groupes de sujets, nous pouvons calculer dans chacun de ces deux groupes les coefficients de corrélation entre les résultats au test et les résultats au critère, puis vérifier s'il existe une différence significative entre ces coefficients. La comparaison des coefficients de corrélation est cependant insuffisante. À deux coefficients identiques peuvent en fait correspondre des systèmes de prédiction différents. Pour nous en rendre compte, nous devons déterminer, pour les deux groupes étudiés, la droite de régression qui unit les scores au test et au critère. Si cette droite est identique dans les deux groupes, nous pouvons, en première approximation, considérer que la validité prédictive du test est équitable pour les deux groupes considérés. Si les droites de régression sont, au contraire, différentes pour chaque groupe, le test doit être considéré comme biaisé, car il conduit à des prédictions différentes en fonction du groupe d'appartenance.

La figure 4.6 propose une illustration de ces deux situations. Les ovales représentent les nuages de points pour chacun des deux groupes. Dans le graphique de gauche, bien que le score moyen au test soit différent dans les deux groupes, nous constatons que la droite de régression est la même pour les deux groupes. Par conséquent, quel que soit le groupe d'appartenance, un score élevé au test implique un résultat élevé au critère, et réciproquement. Dans le graphique de droite, le score moyen au test est différent dans les deux groupes, mais les droites de régression sont également très différentes. Par conséquent, les prédictions faites sur la base des scores au test sont biaisées. Si un sujet appartient au groupe B, il devra en effet obtenir un score beaucoup plus élevé au test qu'un sujet du groupe A pour que la prédiction du résultat au critère soit la même (droites fléchées en pointillés).

La comparaison des droites de régression soulève toutefois quelques problèmes d'interprétation. Les erreurs de mesure au test et au critère peuvent en effet être différentes selon les groupes. Par conséquent, du seul fait de l'inégalité des erreurs de mesure, des différences de droite de régression peuvent apparaître entre certains groupes alors que le test n'est pas biaisé. Lors de l'évaluation de la prédiction différentielle, nous devrons donc toujours tenir compte des erreurs de mesure dans chacun des groupes considérés. Par ailleurs, l'importance de la pente de la droite peut également entraîner un biais en défaveur d'un des groupes. Cette situation est illustrée dans la figure 4.7 (d'après Camilli & Shepard, 1994) où les deux groupes partagent la

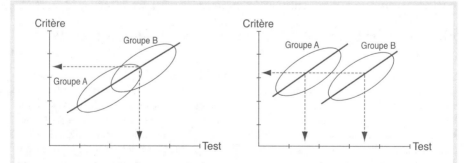

Figure 4.6 — Évaluation de la validité prédictive différentielle à l'aide des droites de régression des deux groupes comparés

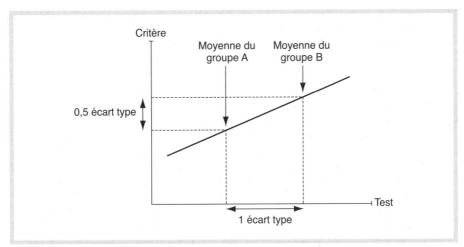

Figure 4.7 — Présence d'un biais malgré une droite de régression commune
aux deux groupes comparés

même droite de régression. Toutefois, comme nous pouvons le constater, la différence de moyenne est plus grande sur le test que sur le critère.

Si la distribution des scores est normale dans les deux groupes au test et au critère, nous pouvons aisément nous rendre compte que cette situation aboutit à une injustice à l'encontre des sujets du groupe A. Supposons que, pour sélectionner les sujets, nous fixions le score seuil au niveau du score moyen du groupe B. Dans ce cas, 50 % des sujets de ce groupe seront sélectionnés. Par contre, dans le groupe A, 16 % seulement des sujets seront sélectionnés. Pourtant, sur le critère, 31 % des sujets de ce même groupe atteignent le niveau de performance désiré. Pour résoudre ce problème, Thorndike (1971) propose de choisir un score seuil au test différent pour les deux groupes en fonction de leur performance sur le critère.

5.4.3 *Les preuves de validité basées sur la structure interne du test*

Lorsque nous apprécions la validité différentielle des inférences faites sur la base des scores à un test, nous devons nous demander si l'organisation du test, basée sur un modèle théorique donné, est valide pour les différents groupes qui composent la population. Cette organisation sous-tend en effet le calcul des scores et des sous-scores. Il est donc essentiel de vérifier si les regroupements d'items et d'ensembles d'items sont fondés, quel que soit le groupe d'appartenance des sujets évalués. Par exemple, le test d'intelligence de Wechsler pour enfants (WISC-R) est organisé en deux échelles appelées respectivement *Verbale* et *Performance*. Pour que le calcul d'un score d'échelle ait un sens, il est nécessaire que les performances aux épreuves qui composent cette échelle soient très liées entre elles. Si ce n'est pas le cas, le score d'échelle ne sera guère plus qu'un amalgame d'informations hétérogènes sans signification précise. Pour légitimer l'organisation du WISC-R en deux échelles, l'analyse factorielle a été largement utilisée. Le plus souvent, les résultats de ces analyses ont confirmé le bien-fondé de l'organisation du WISC-R pour les différents groupes de la population. Ainsi, Reschly (1978) a étudié la validité différentielle de l'organisation du WISC-R en fonction de l'origine ethnique des enfants américains : blanche, noire, hispanique et amérindienne. À partir des résultats de chaque groupe, il a réalisé une analyse en composante principale avec rotation varimax pour les solutions avec deux, trois et quatre facteurs. La solution avec deux facteurs apparaît comme la meilleure dans les quatre groupes étudiés. Cette solution bifactorielle recouvre la division du WISC-R en *Verbal* et *Performance*, et ceci pour tous les groupes. Ces résultats constituent un argument important en faveur de la validité des inférences faites sur la base des scores au WISC-R, quel que soit le groupe d'appartenance des sujets examinés.

Bien qu'apparemment simple dans son principe, l'usage de l'analyse factorielle pour étudier la validité différentielle soulève cependant une importante difficulté. Comment évaluer les similitudes et les différences entre les solutions factorielles obtenues dans différents groupes ? Il est en effet fréquent que les solutions obtenues se recouvrent plus ou moins largement selon les groupes. Il faut alors estimer si les solutions obtenues dans les différents groupes sont suffisamment proches pour être considérées comme équivalentes. Une comparaison purement subjective n'est pas suffisante et conduit à des conclusions peu consistantes. Des procédures quantitatives de comparaison ont été mises au point, comme celle proposée par Jöreskog (1971), basée sur les *modèles structuraux d'équations* (voir section 4.2.2 du présent chapitre).

CHAPITRE 5

L'ANALYSE DES ITEMS

L'analyse des items ressemble à une répétition d'orchestre. Dans un orchestre, les instruments doivent jouer de façon harmonieuse. Selon la partition, certains interviendront à un moment bien précis. D'autres devront jouer en harmonie. Le tout doit produire une sensation musicale particulière correspondant aux intentions du compositeur et du chef d'orchestre.

Une situation similaire prévaut lors de l'analyse d'items. Celle-ci doit nous permettre d'identifier les items qui ne jouent pas en harmonie avec les autres ou qui ne jouent pas au même rythme. Certains jouent trop fort, d'autres pas assez. Certains se trompent carrément de partition. Le but du constructeur de test est de s'assurer que le message fourni par les items soit clair, harmonieux et précis. En psychométrie, l'analyse des items aide le constructeur de tests à choisir les meilleurs items à partir d'un ensemble de départ souvent plus grand que nécessaire. En éducation, la situation est toute autre. Les examens de rendement scolaire sont rarement mis à l'épreuve avant la passation en salle de classe. Ceci rend l'analyse d'items encore plus essentielle. C'est alors le seul moyen dont l'enseignant dispose pour *modérer* les résultats à un examen.

Les analyses d'items peuvent prendre plusieurs formes. Celles-ci dépendront des objectifs du constructeur de test et aussi de la méthode de préparation du test. En psychométrie, il est généralement prévu au départ de construire plus d'items que nécessaire, afin de ne retenir que ceux qui sont les plus valides. L'analyse des items correspond davantage à un processus de sélection : seuls les meilleurs seront retenus. En édumétrie, c'est la fonction de l'évaluation qui décide de la forme que prend l'analyse d'items. L'analyse d'items d'un examen final, administré en vue d'une évaluation sommative, sera fort différente de celle d'un instrument de mesure critériée, administré en vue d'une évaluation diagnostique ou d'une évaluation formative. Il se peut qu'un item convenant parfaitement dans le cadre d'une évaluation formative ne possède pas les caractéristiques désirées pour une bonne évaluation sommative.

Parmi les caractéristiques qui peuvent nous aider à mieux sélectionner les items en fonction des objectifs d'évaluation d'un test, les quatre suivantes sont les plus importantes :

- l'indice de difficulté ;
- l'indice de discrimination ;
- l'indice de fidélité ;
- l'indice de validité.

Malheureusement, il n'est pas possible d'interpréter ces indices en eux-mêmes. Chacun doit être interprété en fonction du contexte dans lequel l'instrument dont il fait partie est employé. Par exemple, il n'est pas possible d'affirmer qu'un item réussi par 90 % des sujets est trop facile. La difficulté de l'item est relative au groupe (fort ou faible), mais aussi aux attentes face au groupe. S'agit-il d'un item mesurant un prérequis ? un objectif essentiel ? un objectif intermédiaire ? une aptitude complexe ? S'agit-il d'un groupe fort ? d'un groupe faible ? L'interprétation de la difficulté de l'item, ainsi que de toutes ses autres caractéristiques, dépendra de la réponse que nous ferons à ces questions.

1. La difficulté de l'item

1.1 L'INDICE DE DIFFICULTÉ

Dans le cas d'items dichotomiques, la difficulté de l'item est donnée par la proportion des répondants qui réussissent l'item. L'indice p de difficulté de l'item peut prendre des valeurs de 0 à 1 : les valeurs près de 0 indiquent un item que peu de sujets ont réussi, alors que des valeurs près de 1 indiquent un item auquel une grande proportion des participants ont répondu avec succès.

Lorsque l'item est coté sur une échelle de plusieurs points, l'indice de difficulté nous est indiqué par la moyenne des cotes accordées à cet item pour l'ensemble des sujets. C'est ce qu'indique la formule (5.1) qui donnera un indice dont la valeur variera entre 0 et 1 si l'item est noté de façon dichotomique.

$$p = \frac{\sum x}{n} \tag{5.1}$$

Plus la moyenne est élevée, plus l'item est réussi par un grand nombre de sujets. Plus elle est faible, moins l'item est réussi. Il peut être utile de diviser la moyenne de l'item par l'étendue de l'échelle, pour assurer la comparaison des résultats notés sur des échelles différentes (de 2 points, de 5 points et de 1 point). Le tableau 5.1 présente les résultats du calcul de la moyenne pour trois items notés sur des échelles différentes. Le premier item est noté sur une échelle de cinq points, le second sur une échelle de deux points et le dernier sur une échelle dichotomique. Comme on le voit, les moyennes ne permettent pas de comparer la difficulté relative à chaque item. Lorsque nous désirons comparer la difficulté relative de plusieurs items, il nous faut ramener leurs moyennes à une échelle comparable. C'est ce que nous avons fait en divisant la moyenne de chaque item par l'étendue de la note, ce qui produit une valeur décimale (entre 0 et 1) que l'on peut interpréter de manière uniforme : c'est ce que nous appellerons l'*indice de difficulté*, afin de ne pas le confondre avec la *moyenne de l'item*. Par exemple, la moyenne de l'item coté sur 5 points a été divisée par 5, ce qui a donné 3,10/5 = 0,62. Dans la dernière rangée du tableau 5.1, il ressort clairement de ces transformations que l'item corrigé sur deux points est le plus facile ($p = 0,70$).

Tableau 5.1 — Moyennes et indices de difficulté de trois items

Sujet #	Item (/5)	Item (/2)	Item (/1)	Total (/8)
1	3	2	1	6
2	5	2	0	7
3	5	2	0	7
4	5	2	1	8
5	4	2	1	7
6	3	1	1	5
7	2	1	1	4
8	2	1	1	4
9	0	0	0	0
10	2	1	0	3
Moyenne	**3,10**	**1,40**	**0,60**	**5,10**
Difficulté p	**0,62**	**0,70**	**0,60**	$\overline{p}$ = 0,64

La rangée des indices de difficulté du tableau 5.1 nous fournit une autre valeur intéressante, celle de la difficulté moyenne des items :

$$\overline{p} = \sum_{i=1}^{j} \frac{p_i}{j} = \frac{0,62 + 0,70 + 0,60}{3} = 0,64$$

où p représente le degré de difficulté de chaque item et j le nombre d'items.

Cette valeur $\overline{p}$ est souvent préférable à la moyenne du test puisque cette dernière est influencée par le système de notation. En effet, il vaut mieux dire qu'un test a une difficulté moyenne de 0,64 plutôt que d'indiquer que la moyenne obtenue est 5,1 sur 8. L'indice de difficulté moyen ne tient pas compte de la pondération individuelle des items dans le calcul de la note totale. Dans notre exemple, l'item corrigé sur une échelle de 5 points exerce un plus grand impact que les deux autres items qui se voient accorder 1 point et 2 points.

Deux facteurs peuvent influencer notre interprétation de l'indice de difficulté :

- le nombre de réponses omises ;
- la probabilité de réussir l'item au hasard.

Lorsqu'un grand nombre de personnes n'ont pu répondre à un item par manque de temps, l'indice de difficulté ne reflète pas véritablement la difficulté de l'item. Plusieurs sujets n'ayant pas répondu auraient pu réussir un ou plusieurs items additionnels s'ils avaient disposé de plus de temps. Dans une telle situation, l'indice de difficulté mesure deux choses : la difficulté de l'item et la rapidité du répondant. Le calcul d'un nouvel indice de difficulté, basé cette fois sur le nombre de sujets ayant répondu à la question plutôt qu'au test, ne résout pas vraiment le problème. L'indice de difficulté risque d'être surestimé étant donné qu'il y a de fortes chances que ceux qui ont répondu à l'item soient les plus rapides et aussi les plus forts.

Lorsque l'indice de difficulté est calculé sur un item à choix de réponses, il faut tenir compte de la probabilité de réussir l'item sans vraiment connaître la réponse. C'est ainsi qu'un item à réponse courte dont le coefficient de difficulté serait de 0,75 pourrait être considéré comme relativement facile. Ce ne serait pas le cas d'un item de type « vrai-faux » qui aurait un indice de difficulté de 0,75. Comme la probabilité de réussite au hasard est déjà de 0,50, l'item « vrai-faux » devrait être considéré comme relativement plus difficile que l'item à réponse courte.

Il est possible de corriger l'indice de difficulté pour l'effet du hasard chaque fois que l'on peut admettre que les leurres ont une chance à peu près égale d'être choisis. La formule de correction de l'indice de difficulté pour le hasard est la suivante :

$$p' = p - \left[\frac{1-p}{M-1} \right] \tag{5.2}$$

Dans l'équation (5.2), p' représente l'indice de difficulté corrigé, p représente l'indice de difficulté de départ et M le nombre de choix de réponses pour cet item.

Cette correction n'est pas nécessaire pour comparer les indices de difficulté d'un test constitué de questions semblables : par exemple, un ensemble de questions à quatre choix de réponses. On sait que, dans ce cas, la probabilité de réussite au hasard est de 1/M ou 0,25 pour toutes les questions. Par contre, si le format des questions varie ($M = 2, 3, 4, 5$), il sera nécessaire d'effectuer la correction pour pouvoir comparer la difficulté des items à partir d'une base commune.

Le tableau 5.2 illustre l'importance de cette correction lorsque l'on analyse des items comportant des nombres inégaux de choix de réponses. Dans ce tableau,

Tableau 5.2 — Correction pour l'effet du hasard

Sujet #	Item Vrai/Faux	Item à 3 choix	Item à 5 choix
1	1	1	1
2	1	1	1
3	0	0	1
4	0	0	1
5	1	0	0
6	1	1	1
7	0	0	0
8	1	1	0
9	1	1	0
10	1	1	0
Difficulté p	0,70	0,60	0,50
Difficulté p'	0,40	0,40	0,38
Écart $p - p'$	0,30	0,20	0,13

l'item vrai-faux est réussi par une proportion plus grande d'élèves que les items à 3 ou à 5 choix de réponses. Toutefois, lorsque l'on applique la correction de l'équation (5.2), on se rend compte que ces trois items sont à toutes fins pratiques de degrés de difficulté identiques. De plus, alors que la proportion de réussite p laisse entendre qu'il s'agit d'items réussis par la moitié au moins des élèves, la proportion p' révèle des items beaucoup plus difficiles, dont le pourcentage de difficulté se situe autour de 0,4.

1.2 Difficulté et distribution de l'item

Il existe un rapport étroit entre la difficulté d'un item et sa distribution. Lorsque l'item est soit trop facile, soit trop difficile, sa distribution devient asymétrique. Ce résultat est particulièrement évident dans le cas d'items dichotomiques. La figure 5.1 illustre ce rapport entre difficulté de l'item et symétrie de la distribution.

Comme l'illustrent les trois distributions de cette figure, les items trop faciles ou trop difficiles possèdent des distributions fortement asymétriques. Les items faciles permettent de bien discriminer parmi les sujets faibles et les items difficiles parmi les sujets forts. Si un sujet rate un item qui est réussi par 90 % de ses pairs, cet échec est beaucoup plus grave que s'il avait raté un item réussi par 30 % de ses pairs. C'est dans ce sens que l'on peut prétendre qu'un item facile permet de discriminer parmi les sujets faibles. Les sujets qui ratent ce genre d'item sont donc bien différents des autres. Le même raisonnement vaut pour les items difficiles. Les quelques sujets qui réussissent de tels items manifestent une habileté très supérieure à celle du groupe, pour autant qu'il ne s'agisse pas d'une réussite due au hasard. Les items difficiles permettent donc de sélectionner les meilleurs éléments d'un groupe. Par contre, les items de difficulté moyenne (p = 0,5) discriminent de manière symétrique : ils différencient aussi bien les sujets forts que les sujets faibles. C'est pourquoi cette catégorie d'items est particulièrement importante dans les évaluations où l'on souhaite différencier les sujets entre eux, quel que soit le score total obtenu.

1.3 La sélection des items selon leur difficulté

La difficulté des items a une influence importante sur le score total du test. C'est pourquoi le choix des items doit tenir compte de la proportion des répondants susceptibles de réussir ou d'échouer à ces items. Que cette proportion soit estimée à partir d'un

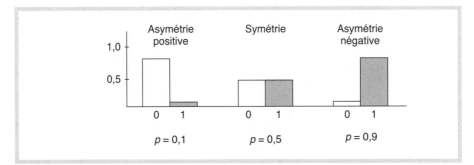

Figure 5.1 — Indice de difficulté et symétrie de la distribution des résultats à un item

jugement d'expert avant l'examen ou qu'elle provienne des résultats d'une mise à l'essai préalable, elle aura un impact sur notre capacité à discriminer au niveau du score total.

Prenons l'exemple de la figure 5.2. Les items y sont représentés par des cercles disposés sur une échelle de coefficients de difficulté de 1 à 0 (de facile à difficile). Chaque sujet y est représenté par une lettre associée à un score inscrit sur un drapeau placé à des points correspondants de l'échelle de difficulté des items. La figure décrit la distribution des indices de difficulté des 16 items du test #1 et du test #2. Tous deux ont une caractéristique en commun : ils ne possèdent aucun item de difficulté intermédiaire. Comment des individus, assez forts pour réussir des items faciles, mais trop faibles pour réussir des items très difficiles, seront-ils mesurés par ces tests ?

En fait, ni le test #1, ni le test #2 ne contribueront de façon significative à différencier de tels répondants, car aucun item ne fournit d'information à ce niveau. Dans le cas du test #1, l'éventualité la plus probable est qu'un sujet d'habileté intermédiaire (A) réussisse tous les items faciles et rate tous les items difficiles. Dans son cas, le score total ne dépend que des items faciles qu'il a réussis. Comme il n'y a aucun item de difficulté intermédiaire entre le groupe des items faciles et le groupe des items difficiles, le test #1 ne fera pas de différence entre deux sujets d'habileté intermédiaire, qu'ils soient en A ou en B.

Le test #2 ne fera pas davantage de distinction entre les deux sujets, mais il est susceptible de leur accorder un score total plus élevé car il comporte une plus grande proportion d'items faciles que d'items difficiles. Dans le test #1, on retrouve 5/16 (31 %) d'items faciles alors que dans le test #2, cette proportion passe à 11/16 (69 %).

La figure 5.3 représente une situation mieux adaptée à la différenciation des capacités de ces deux personnes. On y constate un grand nombre d'items dont la difficulté est voisine de la note de passage. Cette note de passage représente le seuil au-dessus duquel on décidera, par exemple, de retenir une candidature pour un emploi, de classer un élève à un autre niveau ou de recommander une promotion. Une telle distribution des items permet d'accroître la différenciation entre les sujets qui obtiennent des résultats voisins de ce seuil d'exigence. À cause du grand nombre d'items

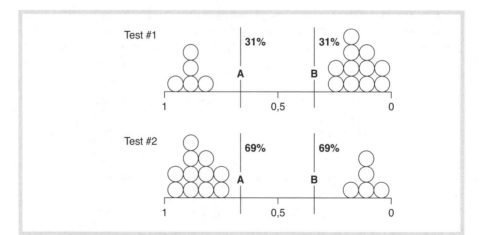

Figure 5.2 — Difficulté des items et discrimination entre les sujets

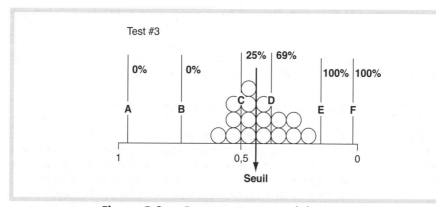

Figure 5.3 — Discrimination au seuil de réussite

dans le voisinage de la note de passage, de légères différences se traduiront par des changements importants au niveau du score total. De cette façon, le score total du sujet nous permettra de bien discriminer entre ceux qui ont atteint et ceux qui n'ont pas atteint la valeur seuil.

Le test #3 discrimine bien au seuil de réussite de 60 %. Le sujet C en dessous du seuil obtient un score bien différent (25 %) du sujet D juste au-dessus (69 %). Il y a en effet une grande proportion d'items qui mesurent l'habileté de ces deux sujets, ce qui se traduit par la possibilité de différences importantes au niveau du score total.

La situation n'est pas la même aux extrémités de la distribution pour les sujets A et B et pour les sujets E et F. A et B ne peuvent réussir que des items faciles, alors que E et F peuvent réussir virtuellement n'importe quel item, facile ou même très difficile. Comme il n'y a pas d'items ni très faciles, ni très difficiles, des sujets très faibles ou très forts sont susceptibles d'obtenir des résultats similaires. Mais dans une situation comme celle du test #3, est-il vraiment important de discriminer entre sujets qui auraient pu obtenir entre 90 % et 100 % ou entre 20 % et 30 % ? Sans doute non, puisque ces valeurs sont très différentes du seuil de passage et que dans chaque cas individuel, il est clair que les sujets ont satisfait ou non aux exigences minimales.

1.4 LA VARIANCE DE L'ITEM

Alors que le coefficient de difficulté nous indique dans quelle proportion un item est réussi, la variance de l'item nous renseigne à quel point les résultats à cet item sont dispersés ou non. Dans le cas d'items notés sur une échelle continue ou polychotomique, le calcul de la variance s'effectue au moyen de la formule habituelle (voir chapitre 2). Dans le cas d'items corrigés de façon dichotomique (0 ou 1), une formule simplifiée permet de calculer rapidement la variance. Elle est fournie par le produit de la proportion p des sujets ayant réussi l'item, par la proportion q des sujets ayant échoué à cet item (q valant $1 - p$) :

$$s^2 = pq \tag{5.3}$$

Par exemple, pour calculer la variance de l'item dichotomique du tableau 5.1, on procède de la manière suivante :

$$s^2 = pq = 0,6 \times 0,4 = 0,24 \tag{5.4}$$

La valeur maximale de variance pour un item corrigé de façon dichotomique est égale à 0,25. Cette valeur n'est possible que lorsque le coefficient de difficulté de l'item vaut 0,5. Donc, la dispersion d'un item dichotomique ne peut être maximale que lorsque la moitié des sujets ont réussi ou échoué à l'item. Tout autre coefficient de difficulté donne lieu à moins de dispersion entre les sujets.

2. La discrimination de l'item

Lorsque l'on souhaite différencier entre eux les scores, la capacité de discrimination de l'item devient particulièrement importante. En effet, dans un test nous souhaitons retrouver des items qui contribuent à départager les répondants qui ont eu un score total élevé à l'examen, de ceux qui ont eu un score total faible. Dans cette perspective, un « bon » item est un item qui serait réussi par une plus grande proportion des répondants ayant obtenu un score élevé à l'examen que par ceux ayant obtenu un score faible. Une autre caractéristique de tels items est la suivante : il y a une forte corrélation entre la réussite à l'item et le score total au test.

Un test n'a pas toujours pour objectif de différencier les répondants entre eux. Au contraire, il existe de nombreuses situations d'évaluation où nous ne souhaitons pas qu'il y ait de différences entre eux. C'est le cas de la pédagogie de la maîtrise où un objectif doit être maîtrisé par une forte proportion des élèves (80 % à 90 %) avant de passer à l'objectif d'apprentissage suivant. Puisque l'intention est que tous les élèves atteignent l'objectif, la possibilité de différencier les résultats perd de son importance. Tout au plus, l'enseignant veut-il discriminer entre ceux qui maîtrisent l'objectif et ceux qui ne le maîtrisent pas. Dans ce contexte, les items qui aideront le plus l'enseignant à faire cette distinction sont les items qui auront été les plus influencés par son enseignement. Ces items devraient être réussis par une forte proportion des élèves après l'enseignement et donner lieu à une distribution asymétrique négative des résultats. Les quelques élèves qui rateraient ce genre d'item sont ceux qui auraient besoin d'explications complémentaires ou d'un enseignement correctif. C'est le genre de discrimination que l'on veut obtenir en évaluation formative.

Il existe trois principaux types de discrimination que nous verrons dans les sections suivantes :

- l'indice de discrimination D ;
- les corrélations bisériales (r_{bis}) et de point-bisériales (r_{pbis}) ;
- l'indice de sensibilité à l'enseignement S.

2.1 L'INDICE DE DISCRIMINATION D

L'indice de discrimination D (Findley, 1956) est simplement la différence entre l'indice de difficulté d'un item pour le groupe dit « fort » (p_+) et l'indice de difficulté pour le groupe dit « faible » (p_-).

$$D = p_+ - p_- \qquad (5.5)$$

Plus l'écart D est grand, plus l'item discrimine entre les répondants ayant eu un score total élevé et ceux ayant eu un score total faible.

Le groupe fort est constitué de ceux qui ont obtenu un score total qui les situe dans la catégorie des 27 % supérieurs et le groupe faible dans la catégorie des 27 %

inférieurs (Kelley, 1939). Par exemple, dans un groupe comptant 30 répondants, on prendra les huit ($0,27 \times 30 = 8,1$) résultats les plus élevés et les huit résultats les plus bas pour calculer les deux indices de difficulté p_+ et p_-.

L'indice D peut prendre n'importe quelle valeur entre -1 et $+1$. Une valeur 0 signifie qu'un item est tout aussi bien réussi par ceux qui ont eu un score total élevé que par ceux qui ont eu un score total faible. Une valeur négative signifie que l'item a été réussi par une plus grande proportion de répondants qui ont eu un score total peu élevé à l'ensemble du test. De telles valeurs soulèvent des doutes quant à l'opportunité de conserver ce genre d'item dans le calcul du résultat total. Ebel (1965) propose les valeurs repères suivantes pour interpréter le coefficient de discrimination D :

0,40 et plus	item qui discrimine très bien ;
0,30 à 0,39	item qui discrimine bien ;
0,20 à 0,29	item qui discrimine peu ;
0,10 à 0,19	item-limite, à améliorer ;
Moins de 0,10	item sans utilité réelle pour l'examen.

L'indice D est particulièrement utile pour le calcul manuel de la discrimination. En effet, il ne porte que sur la moitié (54 %) des données, ce qui diminue le travail de calcul. De plus, il donne des résultats fort semblables à ceux des méthodes corrélationnelles plus complexes. L'indice D convient donc tout à fait à l'analyse d'items de tests scolaires, à condition que les items soient suffisamment nombreux (30 ou plus). Lorsque le nombre d'items est restreint, l'indice de discrimination est artificiellement gonflé du fait que chaque item compte pour une proportion trop importante du score total.

Le tableau 5.3 présente un cas pratique de calcul de D par la méthode de pointage. Dans une classe de 33 élèves, il y aura 9 élèves dans le groupe fort et 9 élèves dans le groupe faible. Un simple pointage des questions réussies par les élèves de chacun de ces groupes – sur une copie vierge de l'examen ou sur le solutionnaire – permet de repérer en un coup d'œil les items qui discriminent bien de ceux qui ne discriminent pas. Par exemple, les items 1 et 5 discriminent très bien. Les items 2 et 4 discriminent faiblement car ils sont presque aussi bien réussis dans chaque groupe. Enfin, l'item 3 présente un problème sérieux : il s'agit d'un item très difficile réussi par un seul élève appartenant au groupe faible. Il pourrait s'agir d'une réussite due à la chance, surtout s'il s'agit d'une question à choix de réponses.

En plus du pointage, le tableau 5.3 présente les résultats du calcul des indices p et D. Dans le cas particulier de l'indice p, une méthode approximative a été employée qui diminue la quantité de calculs. Alors que D est calculé par la différence de difficulté de chaque item pour chaque groupe, p est calculé en faisant la moyenne de ces difficultés. Cette valeur est généralement une très bonne approximation de la valeur de p calculée pour l'ensemble des sujets. Il est donc relativement simple, avec 18 élèves sur 33, de calculer l'indice de difficulté et l'indice de discrimination pour tous les items en une seule opération rapide.

Lorsque des items discriminent peu ou discriminent même négativement, il peut être nécessaire d'étudier ces items de plus près afin de mieux comprendre ce qui a pu se passer. Dans le cas de questions à choix de réponses, il est possible de considérer quel pourcentage d'élèves du groupe fort et du groupe faible a opté pour chaque choix. À partir de ces résultats, on peut alors calculer un indice de discrimination

Tableau 5.3 — Calculs des coefficients de difficulté et de discrimination (n = 33)

Question #	Groupe fort (/9)	Groupe faible (/9)	p	D
1) ...	√ √ √ √ √ √	√ √ √	10/18 (0,56)	4/9 (0,44)
2) ...	√ √ √ √ √ √ √	√ √ √ √ √ √	15/18 (0,83)	1/9 (0,11)
3) ...		√	1/18 (0,06)	−1/9 (−0,11)
4) ...	√ √ √	√	4/18 (0,22)	2/9 (0,22)
5) ...	√ √ √ √ √ √	√√	9/18 (0,50)	5/9 (0,56)

non seulement pour la bonne réponse, mais aussi pour les leurres. Ces coefficients de discrimination pour les leurres devraient être tous négatifs, car ils sont censés être choisis par une plus grande proportion d'élèves du groupe faible que du groupe fort.

Le tableau 5.4 décrit l'analyse d'un item à quatre choix de réponses. L'item ne discrimine pas. En effet, l'indice D est nul car la bonne réponse *(b)* a été choisie par autant d'élèves du groupe fort que du groupe faible. C'est plutôt le leurre *(c)* qui permet de discriminer entre ces deux groupes. L'indice D pour ce leurre est positif et relativement élevé (0,33). En fait, plus d'élèves du groupe fort ont choisi cette option de préférence à la bonne réponse. Les deux autres leurres semblent fonctionner de manière plus ou moins adéquate : *(d)* est un leurre attrayant choisi par deux fois plus d'élèves du groupe faible et *(a)* n'est pas un leurre très attrayant puisqu'un seul élève du groupe faible l'a choisi.

Face à des résultats tels que ceux du tableau 5.4, on peut se demander si l'option *(c)* n'était pas une réponse acceptable ou s'il n'y a pas eu d'erreur dans la clé de correction. Si ces explications ne conviennent pas, il serait utile de découvrir les

Tableau 5.4 — Discrimination des choix de réponses (bonne réponse = b)

Question #	Groupe fort (/9)	Groupe faible (/9)	p	D
1. ...				
a) ...		√	1/18 (0,06)	−1/9 (−0,11)
b) ...	√ √ √	√ √ √ 4	(6/18) (0,33)	(0,00)
c) ...	√ √ √ √	√	5/18 (8,28)	3/9 (−0,33)
d) ...	√ √	√ √ √	6/18 (0,33)	−2/9 (−0,22)

raisons pour lesquelles le choix *(c)* a été choisi par tant d'élèves du groupe fort. Dans un examen de rendement scolaire, on peut toujours interroger les élèves à ce sujet, une fois l'examen corrigé.

2.2 LES INDICES CORRÉLATIONNELS DE DISCRIMINATION

Les constructeurs de tests ont maintenant à leur disposition plusieurs logiciels qui effectuent l'analyse des résultats. Certains de ces logiciels fournissent une analyse d'items comprenant le calcul d'un indice de discrimination. Cet indice de discrimination porte sur l'ensemble des données et repose sur le calcul d'une corrélation entre le score à l'item et le score total à l'examen. La corrélation de Pearson, décrite à l'Annexe 1, permet de calculer de tels indices.

Le calcul de la corrélation de Pearson requiert des échelles continues de mesure. Lorsque l'item est corrigé de manière dichotomique (0, 1) ou encore de manière ordinale (A, B, C, D, E ou encore 0, 1, 2, 3 et 4 points), le r de Pearson ne fournit pas une valeur exacte de la corrélation entre deux variables.

Il existe plusieurs alternatives au r de Pearson. Elles sont décrites dans l'encadré 5.1. Le choix entre chacune de ces méthodes dépend des postulats que l'on pose sur la nature de l'échelle de mesure employée pour chacune des deux variables en corrélation. Trois catégories d'échelle sont prises en ligne de compte : l'échelle dichotomique, l'échelle dichotomisée et l'échelle continue.

Ces considérations sur la nature de l'échelle de scores sont importantes pour choisir la méthode corrélationnelle la plus appropriée au calcul de la discrimination ainsi que d'autres indices nous permettant d'approfondir notre analyse des items à l'examen. Il est possible de résumer ces considérations par les cinq points suivants :

1. Lorsque les deux variables sont continues, le r de Pearson doit être utilisé ; lorsque l'une des deux variables est ordinale et ne se distribue pas normalement, il est préférable d'utiliser la corrélation r_s de Spearman.

2. Lorsque l'une des variables est continue et que l'autre variable est réellement dichotomique (telle que le sexe), le calcul de la corrélation de Pearson peut s'effectuer au moyen du coefficient de corrélation point-bisériale. Cependant, la valeur maximale de 1 ne peut être atteinte que lorsque la variable dichotomique est symétrique, c'est-à-dire qu'il y a un nombre égal de sujets dans chaque catégorie dichotomique. Dans un cas extrême où 95 % des sujets

---

ENCADRÉ 5.1 MÉTHODES ALTERNATIVES DE CALCUL DE LA CORRELATION

Échelles de mesure → ↓	Dichotomique	Dichotomisée	Continue
Dichotomique	ϕ	ϕ_{bis}	r_{pbis}
Dichotomisée		r_{tet}	r_{bis}
Continue			r r_s

tombent dans l'une des deux catégories, Lord et Novick (1968) ont démontré que la valeur du r_{pbis} variait entre $-0,5$ et $+0,5$.

3. Lorsque l'une des variables est continue et que l'autre variable est une variable continue dichotomisée (telle qu'un item corrigé 0,1), la corrélation bisériale fournit une estimation de la corrélation de Pearson qui aurait pu être obtenue si la seconde variable n'avait pas été dichotomisée.

4. Lorsque les deux variables sont réellement dichotomiques, le calcul de la corrélation de Pearson peut être remplacé par celui de la corrélation ϕ *(phi)*. Cependant, comme dans le cas de la corrélation point-bisériale, la valeur maximale de 1 ne peut être atteinte que lorsque les deux variables sont symétriques, c'est-à-dire que la moitié des sujets se retrouvent dans chaque catégorie.

5. Lorsque les deux variables sont dichotomisées, le calcul de la corrélation tétrachorique est préférable. Le calcul de cette corrélation est complexe et difficilement réalisable, même avec les logiciels disponibles (voir Jöreskog & Sörbom, 1996). Dans le cas des items de difficulté moyenne, la corrélation ϕ et la corrélation tétrachorique fournissent les mêmes résultats. La différence est plus importante dans les cas extrêmes où des items très faciles ou très difficiles sont mis en corrélation. Le calcul des corrélations tétrachoriques est particulièrement recommandé si l'on souhaite réaliser une *analyse factorielle* sur la matrice des intercorrélations entre les items. Mis à part ce cas bien particulier, il semble qu'à défaut de pouvoir employer les corrélations tétrachoriques, les corrélations ϕ peuvent constituer une alternative pratique, quoiqu'imparfaite.

L'encadré 5.2 fournit un exemple de calcul du coefficient ϕ. Par exemple, il pourrait s'agir de déterminer la corrélation entre le fait d'avoir choisi « vrai ou faux » à une question et « vrai ou faux » à une deuxième question. Dans l'exemple, p_j et p_k représentent les proportions de ceux qui ont répondu « vrai » aux items j et k respectivement, alors que q_j et q_k représentent les proportions de ceux qui ont répondu « faux » à ces deux items. Enfin, p_{jk} représente la proportion de ceux qui ont répondu « vrai » aux deux items (1 sujet sur 5, soit 0,2). La corrélation calculée entre les deux items est relativement faible, considérant le petit nombre de sujets sur lequel se fonde la corrélation (voir section 3.2 de ce chapitre pour un test de signification sur les valeurs de corrélation).

ENCADRÉ 5.2 CORRÉLATION ϕ

Données

j	k		
1	1	$p_{jk} = 0,2$	
0	0	$p_j = 0,6$	$p_k = 0,2$
1	0	$q_j = 0,4$	$q_k = 0,8$
0	0		

Équation

$$\phi = \frac{p_{jk} - p_j p_k}{\sqrt{p_j q_j p_k q_k}} \qquad\qquad (5.6)$$

Calcul

$$\phi = \frac{0,2 - 0,6 \times 0,2}{\sqrt{0,6 \times 0,4 \times 0,2 \times 0,8}} = 0,41$$

L'encadré 5.3 illustre comment se calcule la corrélation point-bisériale. Supposons qu'il s'agisse ici de déterminer si le fait d'être un homme ou une femme permet de différencier les sujets quant au score total X. La variable dichotomique i est ici le sexe, où p représente la proportion de femmes et q la proportion d'hommes. La variable continue est X où $\bar{X}$ et s_x représentent respectivement la moyenne et l'écart type des résultats de tous les élèves, hommes et femmes, au score total X et où $\bar{X}_+$ représente la moyenne des femmes seulement *(i = 1 dans ce cas-ci)*. Enfin, p représente la proportion de femmes *(i = 1)* et q la proportion d'hommes *(i = 0)*. Notez bien : p représente toujours la proportion des sujets dont les scores entrent dans le calcul de $\bar{X}_+$.

Dans ce cas-ci, une corrélation modérée (0,73) indique que les femmes réussissent mieux au test que les hommes et qu'il y a une association entre le sexe du sujet et la probabilité qu'il réussisse le test. Si cette corrélation indiquait une différence réelle entre hommes et femmes, elle signifierait que le test mesure une habileté où les femmes sont généralement meilleures. Toutefois, il se pourrait aussi qu'une telle corrélation soit le fruit d'une mauvaise sélection des items : elle indiquerait alors un biais dans le choix des items qui défavoriserait systématiquement les hommes. Ce genre de préoccupation est particulièrement important dans les tests nationaux et internationaux dont les résultats peuvent servir à prendre des décisions importantes sur les programmes d'études ou sur l'avenir des candidats (voir section 7 de ce chapitre sur l'étude du fonctionnement différentiel des items).

L'encadré 5.4 présente un exemple de calcul de corrélation bisériale sur des données identiques à celles de l'encadré 5.3. Dans ce cas-ci, nous considérons que la variable i n'est pas une variable dichotomique comme le sexe, mais une variable dichotomisée, comme par exemple la réussite ou l'échec à un item. Plutôt que de chercher à déterminer si le score total permet de discriminer entre hommes et femmes, comme dans le cas précédent, nous chercherons à savoir si l'item permet de discriminer entre ceux qui ont eu un score total élevé et ceux qui ont eu un score faible au test.

ENCADRÉ 5.3 CORRÉLATION POINT-BISÉRIALE

Données

i	X		
1	5	→ +	$p = 0,6$
1	2	→ +	$q = 0,4$
0	1		$\bar{X}_+ = 4$
1	5	→ +	$\bar{X} = 3$
0	2		

Équation

$$r_{pbis} = \frac{(\bar{X}_+ - \bar{X})}{s_X} \sqrt{\frac{p}{q}} \qquad (5.7)$$

Calcul

$$r_{pbis} = \frac{(4-3)}{1,67} \times 1,22 = 0,73$$

ENCADRÉ 5.4 CORRÉLATION BISÉRIALE

Données

i	X		
1	5	→ +	$p = 0,6$
1	2	→ +	$q = 0,4$
0	1		$\overline{X}_+ = 4$
1	5	→ +	$\overline{X} = 3$
0	2		

Équation

$$r_{bis} = \frac{(\overline{X}_+ - \overline{X})}{s_X} \frac{p}{Y} \qquad (5.8)$$

Calcul

$$Y = 0,3867$$

$$r_{bis} = \frac{(4-3)}{1,67} \times 1,55 = 0,93$$

Dans cet exemple de calcul, la signification des symboles est la même que dans le cas de la corrélation point-bisériale, à une importante exception près : le calcul de la valeur de Y. Celle-ci correspond, comme l'indique l'encadré 5.5, à la hauteur de la courbe normale au point z correspondant à une densité de probabilité égale à p. Dans notre exemple, la valeur de p est de 0,6. Dans une distribution normale centrée réduite, une telle densité de probabilité correspond à un score $z = 0,25$. En effet, selon la distribution des probabilités de la loi normale, il y a six chances sur 10 d'obtenir un score égal ou supérieur à 0,25 écart type au-dessus de la moyenne. Cette probabilité nous est fournie par une table des valeurs de la loi normale (voir Table 1, Annexe 2). Cette même table nous fournit également la valeur de la hauteur de la courbe normale au point $z = 0,25$. Pour cette valeur de z, $Y = 0,3867$.

Dans notre exemple, une corrélation de 0,93 signifie que l'item i permet de bien discriminer les sujets forts des sujets faibles. Il s'agit là d'un item à conserver si notre intention est de discriminer entre les personnes.

Lord et Novick (1968) ont démontré que la corrélation bisériale obtenue est de 20 % supérieure au coefficient de corrélation point-bisériale. L'équation (5.6) permet de transformer une corrélation point-bisériale en corrélation bisériale.

$$r_{bis} = \frac{\sqrt{pq}}{Y} r_{pbis} \qquad (5.6)$$

Dans le cas des exemples des encadrés 3 et 4, nous pouvons constater en effet que la relation exprimée par l'équation (5.6) nous permet de retrouver la corrélation bisériale à partir de la corrélation point-bisériale. En effet, en substituant les valeurs dans l'équation (5.6), nous retrouvons :

$$r_{bis} = \frac{\sqrt{pq}}{Y} r_{pbis} = \frac{\sqrt{0,240}}{0,387} \times 0,73 \cong 0,93$$

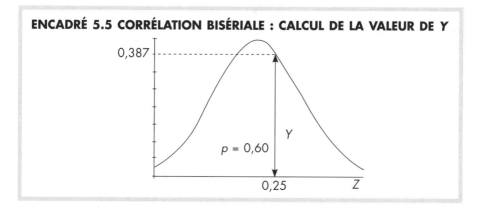

ENCADRÉ 5.5 CORRÉLATION BISÉRIALE : CALCUL DE LA VALEUR DE Y

Dans le cas de valeurs extrêmes de p ou q, Magnusson (1967) a démontré que la corrélation bisériale pouvait être jusqu'à quatre fois supérieure à la corrélation point-bisériale. Ceci est dû au fait que la faible variance des items affecte grandement la valeur maximum que peut prendre la corrélation point-bisériale, qui est un équivalent algébrique du r de Pearson. Il est donc primordial, lorsque l'on utilise un logiciel quelconque de calcul des indices de discrimination, de savoir quel type de corrélation est employé pour calculer la corrélation item-total. Enfin, en comparant les résultats publiés sur les analyses d'items de tests commerciaux, il faut également tenir compte du fait que des indices de discrimination rapportés en corrélations bisériales seront toujours plus élevés que les corrélations point-bisériales, particulièrement dans le cas de valeurs extrêmes de p ou q.

L'encadré 5.6 fournit un exemple de calcul de la corrélation par rangs de Spearman. Kendall (1938) a également proposé une formule de calcul de la corrélation par rangs, mais celle-ci fournit des résultats numériquement très différents de ceux de Pearson, ce qui les rend difficilement comparables. La formule de Spearman requiert que les résultats soient d'abord transformés en rangs et qu'un écart entre les rangs occupés par la même personne sur les deux variables soit calculé. Si une personne est la première sur l'une des deux variables, elle devrait être la première sur l'autre variable si celles-ci sont effectivement en corrélation.

Dans l'exemple de l'encadré 5.6, la variable X représente le résultat d'un élève à une question à réponse élaborée corrigée sur 10 points et la variable Y représente le résultat à une question corrigée sur 20 points. Une forte corrélation entre ces deux questions indiquerait que le correcteur a fait preuve d'une certaine cohérence dans la correction et/ou que les deux questions mesurent une caractéristique relativement homogène.

Selon Hotelling et Pabst (1936), la corrélation de Spearman possède une efficacité relative de 91 % par rapport à la corrélation r de Pearson. Ceci signifie qu'une corrélation par rangs estime la corrélation entre deux variables mesurées sur un échantillon de 100 sujets avec la même précision qu'une corrélation de Pearson portant sur 91 sujets lorsque les conditions pour le calcul d'une corrélation de Pearson sont respectées. L'avantage particulier de la corrélation de Spearman est de permettre une bonne estimation de la corrélation lorsque les postulats de base de la corrélation de Pearson ne tiennent pas, comme c'est le cas lors d'une distribution de rangs. Elle est donc recommandée chaque fois que l'une des deux variables ne se distribue pas normalement ou encore ne rencontre pas les conditions d'une échelle à intervalles égaux.

ENCADRÉ 5.6 CORRÉLATION PAR RANGS DE SPEARMAN

Données

$X \rightarrow$ rang	$Y \rightarrow$ rang	D_i
$5 \rightarrow 4$	$15 \rightarrow 4$	0
$1 \rightarrow 1$	$6 \rightarrow 1$	0
$3 \rightarrow 3$	$12 \rightarrow 2$	1
$2 \rightarrow 2$	$13 \rightarrow 3$	-1
$7 \rightarrow 5$	$19 \rightarrow 5$	0

$$\sum D_i^2 = 2$$

Équation

$$r_s = 1 - \frac{6\sum D_i^2}{n^3 - n}$$

Calcul

$$r_s = 1 - \frac{6 \times 2}{125 - 5} = 0,90$$

Les coefficients de corrélation par rangs sont particulièrement utiles lorsque l'on veut s'assurer du degré de concordance entre juges. Deux juges qui n'ordonneraient pas les sujets de la même manière lors d'une compétition ne contribueraient pas à départager un vainqueur. La corrélation de Spearman est tout à fait indiquée lorsque l'on cherche à déterminer le degré de concordance entre juges pris deux à deux. Lorsque l'on veut évaluer le degré global de concordance entre plus de deux juges, le *W de Kendall* (Siegel et Castellan, 1988) – une autre mesure de corrélation par rangs – permet d'estimer au moyen d'une seule valeur à quel point chaque juge diffère du rang moyen octroyé par l'ensemble des juges (voir chapitre 4 section 2 sur la validité).

2.3 LE CHOIX DU BON INDICATEUR DE DISCRIMINATION

Il existe donc une grande variété d'indicateurs corrélationnels s'ajoutant à l'indice de discrimination D pour déterminer si un item permet de différencier les sujets obtenant un score total élevé de ceux obtenant un score faible. Plusieurs recherches ont démontré une forte corrélation entre ces indicateurs (Englehart, 1965 ; Beuchert et Mendoza, 1979 ; Findley, 1956 ; Oosterhof, 1976). Les plus importantes différences se produisent pour les items dont les coefficients de difficulté comportent une valeur extrême (près de 0 ou de 1).

Crocker et Algina (1986, p. 319) ont formulé cinq recommandations pour faciliter le choix des indices de discrimination disponibles pour items dichotomiques :

1. Lorsque les items sont de difficulté modérée, l'ensemble des méthodes se valent. Les méthodes corrélationnelles ont cependant l'avantage de permettre un test de signification statistique. Un tel test n'existe pas pour l'indice D.

2. Lorsque l'objectif est de choisir parmi des items se situant à chaque extrémité du spectre des niveaux de difficulté, la corrélation bisériale devrait être employée.

3. Si l'on suspecte que les futurs échantillons de sujets auxquels sera administré le test seront d'habiletés fort différentes des sujets sur lesquels le test a été mis à l'essai, il est préférable d'utiliser la corrélation bisériale.

4. Si l'on s'attend à ce que le test soit utilisé avec des sujets de même niveau d'habileté, la corrélation point-bisériale semble la mieux indiquée.

5. Lorsque l'item et la variable critère sont cotés de manière dichotomique (c'est le cas lorsque le score total est transformé en « maîtrise/non maîtrise »), le coefficient tétrachorique devrait être employé surtout si item et critère prennent des valeurs extrêmes. Toutefois, il est très difficile de calculer cette valeur et plusieurs s'accommoderont du coefficient *phi (ϕ)*.

3. Rapport entre difficulté et discrimination de l'item

Peu importe le type d'indicateur de discrimination employé, lorsque l'item est trop facile ou trop difficile, l'estimation de sa contribution à la différenciation des résultats au niveau du score total devient risquée. Tant l'indice D que les indices corrélationnels sont, en effet, influencés par la difficulté de l'item.

Parfois, les constructeurs de tests sont placés face à un dilemme. D'une part, ils veulent obtenir un score total qui leur permette de différencier les répondants. D'autre part, ils ne veulent pas renoncer à poser des questions faciles ou difficiles, car elles permettent de discriminer ceux qui se situent aux extrémités de la distribution de l'aptitude mesurée. Nous avons vu dans la section 1.1 que les items difficiles, même s'ils ne permettent pas de discriminer adéquatement parmi tous les répondants, favorisent une meilleure discrimination parmi les plus forts. De même, les items faciles nous permettent de bien discriminer parmi ceux qui ont obtenu les résultats les plus faibles.

Qu'en est-il lorsque nous souhaitons discriminer aussi bien parmi les élèves forts que parmi les élèves faibles, comme c'est souvent le cas en éducation lors de l'évaluation sommative ou en psychométrie avec les tests d'aptitude ? Dans de tels cas, les items faciles ou difficiles jouent un rôle plus complexe et c'est au concepteur de s'interroger sur ce rôle en fonction des objectifs d'évaluation. L'analyse d'items peut l'aider à se poser les questions pertinentes quant au rôle joué par chaque item ainsi que sur les moyens appropriés pour améliorer la qualité de l'instrument de mesure.

3.1 LE CHOIX DU « BON » ITEM

Un « bon » item nous permet d'atteindre notre objectif d'évaluation. Cet objectif sera atteint en choisissant des items de difficulté et de discrimination adéquates. La figure 5.4 illustre comment la sélection des meilleurs items peut s'effectuer en fonction de leur difficulté et de leur discrimination (indice D).

L'abscisse de la figure 5.4 représente le coefficient de difficulté de l'item : il ne peut prendre que des valeurs positives de 0 à 1. L'ordonnée permet de situer les items en fonction de leur indice de discrimination D : il peut prendre des valeurs de -1 à $+1$. Étant donné la relation entre D et p, certaines combinaisons de valeurs sont impossibles : un item trop facile ou trop difficile ne peut avoir une valeur de discrimination élevée. C'est ce qu'indiquent les barres obliques en tirets. Elles délimitent les régions du plan cartésien où les couples de valeurs p et D ne peuvent se produire. Enfin, une série de droites horizontales indiquent les seuils critiques de D suggérés par Ebel (1965).

Une fois que nous prenons en considération l'ensemble de ces facteurs, il est possible de mieux interpréter la signification des valeurs de p et de D pour chaque item. La figure 5.4 présente 10 combinaisons différentes de difficulté et de discrimination d'items. Voici quelques interprétations possibles de chacune de ces 10 situations :

1. L'item 1 devrait être retenu. Il représente l'item idéal pour différencier les sujets : difficulté moyenne et discrimination élevée.

2. L'item 2 mérite aussi d'être retenu. C'est un item légèrement difficile, mais qui discrimine assez bien. Il se situe au-dessus du seuil recommandé par Ebel où une révision serait nécessaire.

3. L'item 3 se situe dans la zone de révision. Il discrimine peu, mais il faut tenir compte que c'est également un item très difficile. En fait, sa valeur de discrimination se situe très près du maximum possible à ce niveau de difficulté. Faut-il alors vraiment réviser cet item ? Non, car cet item nous permet de discriminer au maximum de ce à quoi l'on peut s'attendre à ce niveau.

4. L'item 4 mérite une attention particulière. Il se situe dans la zone de révision et de plus il est très en deçà du maximum qu'il peut atteindre.

5. L'item 5 présente un cas similaire à l'item 4. Item de difficulté moyenne, il n'a qu'une faible discrimination. S'il s'agit d'un item à choix de réponses, il serait intéressant de revoir la distribution des choix de réponses de chaque leurre, ainsi que de calculer un coefficient de discrimination par leurre (voir section 2.1).

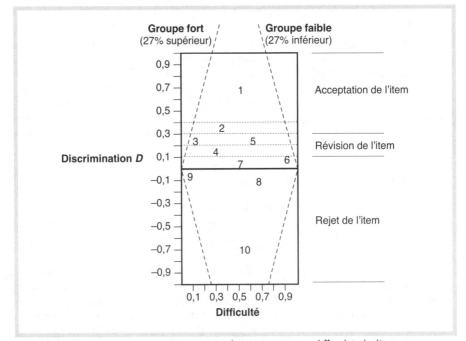

Figure 5.4 — Rapports entre discrimination et difficulté de l'item

6. Si l'on ne se fiait qu'à la discrimination, l'item 6 devrait être rejeté immédia-tement. C'est un item qui ne peut discriminer car il est réussi par la presque totalité des répondants (90 % et plus). Ce n'est pas l'item qu'il faut revoir, mais plutôt l'opportunité de l'inclure. Si l'on souhaite mesurer des prérequis jugés essentiels ou l'atteinte d'objectifs minima, alors cet item mérite d'être conservé. Il nous faut accepter cependant qu'un tel item ne nous permettra pas de différencier tous les examinés, mais qu'il pourra nous être fort utile pour identifier les plus faibles.

7. L'item 7 ne sert à rien. Il ne discrimine pas du tout parmi les examinés bien qu'il s'agisse d'un item de difficulté moyenne. On ne peut donc imputer sa faible discrimination au fait qu'il soit trop facile ou trop difficile. Il devrait être éliminé car, avec ou sans cet item, les résultats ne sont guère différents.

8. L'item 8 mérite également d'être retiré du test. C'est un cas similaire à l'item 7 avec un inconvénient en plus : s'il est conservé, il diminuera les différences entre les examinés, car il discrimine de manière négative. Cet item envoie donc un message contradictoire par rapport au message envoyé par l'ensemble des items du test.

9. L'item 9 est un cas particulier de discrimination négative. C'est un item très difficile qui est mieux réussi par ceux qui ont les moins bons résultats au test. Il peut s'agir de quelques individus qui ont répondu au hasard.

10. L'item 10 est un cas grave de discrimination négative. De difficulté moyenne, il est, comme l'item 9, réussi par un plus grand nombre de membres du groupe « faible ». À la différence de l'item 9, il n'est pas possible d'attribuer un tel résultat à une réussite au hasard, car il ne s'agit pas ici de quelques patrons de réponses aberrants. Ce genre d'item suggère plutôt une erreur dans la grille de correction ou encore un problème dans l'apprentissage antérieur des examinés.

La figure 5.4 nous permet d'articuler les indices de difficulté et de discrimina-tion dans l'analyse des items à un test. Quoique l'exemple fourni vaille pour l'indice de discrimination *D*, le même type d'analyse peut être réalisé avec les indices cor-rélationnels. Dans ce cas, les valeurs maximales de corrélation changent également en fonction de l'indice de discrimination et un test de signification sur les valeurs de corrélation remplace les seuils pratiques déterminés par Ebel (1965).

3.2 Niveau de signification des indices corrélationnels de discrimination

Lorsqu'un indice corrélationnel de discrimination est faible, il est important de déter-miner si la corrélation entre l'item et le score total est significativement différente de 0 ou si elle aurait pu être obtenue au hasard. Lorsque le nombre de sujets est supé-rieur à 50, Magnusson (1967) a démontré que l'écart type de la distribution des *r* de Pearson autour d'une moyenne de 0 était estimé par l'équation suivante :

$$s_r = \frac{1}{\sqrt{N-1}} \tag{5.7}$$

où s_r est l'écart type de la distribution de *r* et *N* le nombre de sujets ayant servi au calcul de la corrélation.

De l'équation (5.7) on peut retenir que plus l'échantillon est petit, plus grande devra être la corrélation entre deux variables avant qu'elle ne puisse être considérée comme significativement différente de 0. Par voie de conséquence, plus le nombre de répondants à un test est petit, plus l'indice de discrimination devra être grand avant que l'on considère qu'un item contribue à différencier les sujets quant à leur score total.

Le même écart type est utilisé pour déterminer le degré de signification des corrélations point-bisériale et ϕ. Dans le cas de la corrélation bisériale, l'écart type de la distribution est fourni par la formule développée par Kurtz et Mayo (1979) :

$$s_{r_{bis}} = \frac{\sqrt{pq/(N-1)}}{Y} \qquad (5.8)$$

où Y représente la valeur de l'ordonnée de la courbe normale au point z correspondant à une densité de probabilité p (voir Encadré 5.5) ; p est la proportion de répondants qui ont réussi l'item ; q représente la proportion de ceux qui ont échoué à l'item *(1-p)*. Enfin, N représente le nombre de répondants ou de couples d'observations.

Dans tous les cas, l'écart type calculé par les équations (5.7) ou (5.8) sert à déterminer un intervalle de confiance de 95 % ou 99 % autour de la moyenne 0. Si la valeur de corrélation calculée se situe à l'intérieur de cet intervalle, c'est qu'elle n'est pas significativement différente de 0 au seuil choisi de signification (0,05 ou 0,01).

La figure 5.5 fournit un exemple d'un test de signification d'une valeur de corrélation. Supposons que nous soyons intéressés à déterminer à partir de quelles valeurs une corrélation calculée sur un échantillon de 82 personnes est significativement différente de 0. Nous devons d'abord estimer la valeur de dispersion des corrélations autour de $r = 0$ selon l'équation (5.9) :

$$s_r = \frac{1}{\sqrt{82-1}} = \frac{1}{9} = 0,11 \qquad (5.9)$$

Les valeurs comprises entre $\pm 1,96s_r$ déterminent un intervalle de confiance à l'intérieur duquel se situent 95 % des valeurs de corrélations qui peuvent se produire au hasard entre 82 couples de données pour lesquels il n'y a pas de corrélation. Si la

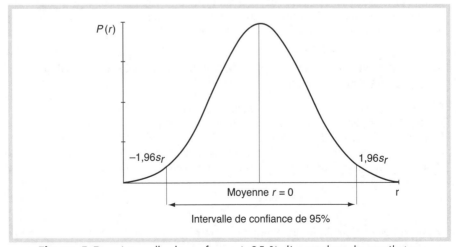

Figure 5.5 — Intervalle de confiance à 95 % d'une valeur de corrélation

valeur observée de corrélation excède les limites de cet intervalle, alors nous pouvons la considérer comme significativement différente de 0 avec un risque d'erreur de type I de 0,05. Dans le cas qui nous intéresse, cet intervalle est compris entre ± 0,22. Une corrélation de 0,34 serait donc considérée comme significativement différente de 0.

3.3 CALCULS PRATIQUES DES INDICES DE DIFFICULTÉ ET DE DISCRIMINATION

Lors de l'analyse des items d'examens de rendement scolaire, il n'est pas toujours nécessaire d'employer tout l'arsenal des outils statistiques à notre disposition. De plus, il n'est pas toujours possible, ni simple, d'avoir recours à un programme d'ordinateur. Enfin, l'analyse des items nécessite que les données de chaque individu soient entrées pour chaque item, ce qui peut représenter une tâche considérable en soi.

Pour l'avenir prévisible, il y a de bonnes raisons de croire que l'analyse des résultats à un examen se fera encore de façon artisanale. Toutefois, elle peut être plus efficace si nous savons exploiter les rapports qui existent entre les principaux indicateurs statistiques. C'est ainsi que nous avons démontré dans la section 2.1 que nous pouvions estimer l'indice de difficulté et l'indice de discrimination à partir des résultats d'environ la moitié des sujets. Ceci constitue un allégement important des efforts de calcul.

Il est possible d'aller encore plus loin et d'utiliser les propriétés des indices de discrimination pour estimer l'écart type des résultats et la cohérence interne d'un test. En effet, plus la discrimination moyenne des items est élevée, plus on peut s'attendre à une grande dispersion des résultats et à une forte intercorrélation entre les items, comme nous l'avons démontré au chapitre 3, section 1.

Wiersma et Jurs (1990) ont démontré que la somme des indices de discrimination est environ 2,45 fois plus grande que l'écart type des scores totaux. On peut donc estimer l'écart type au moyen de l'équation suivante :

$$s_X \cong \frac{\sum D}{2,45} \tag{5.10}$$

De la même manière, Wiersma et Jurs proposent les alternatives suivantes au calcul des valeurs de *KR20* et *KR21* :

$$KR20 = \frac{j}{j-1}\left[1 - \frac{6\sum pq}{Y\left(\sum D\right)^2}\right] \tag{5.11}$$

$$KR21 = \frac{j}{j-1}\left[1 - \frac{6\bar{X}\left(j - \bar{X}\right)}{j\left(\sum D\right)^2}\right] \tag{5.12}$$

Dans les deux équations précédentes, j représente le nombre d'items. Pour calculer l'écart type, nous n'avons besoin que de la somme des indices de discrimination D. Pour calculer *KR20* et *KR21*, nous avons besoin aussi de la moyenne des scores totaux $\bar{X}$. En utilisant les formules précédentes, nous pouvons donc réaliser une analyse fort complète des résultats à un examen à partir des résultats de la moitié des élèves seulement.

4. Indices de discrimination pour la mesure critériée

Les indices de discrimination que l'on vient de voir conviennent particulièrement aux tests qui ont pour objectif de différencier les répondants entre eux. Ce n'est pas l'objectif poursuivi par tous les tests. Dans le cadre d'une pédagogie de maîtrise ou d'une évaluation formative, nous ne nous attendons pas à ce que l'instrument de mesure discrimine également entre tous les élèves. Par contre, nous voulons savoir s'il permet de faire la différence entre ceux qui maîtrisent et ceux qui ne maîtrisent pas un objectif au seuil de réussite fixé à l'avance.

Les items les plus utiles en mesure critériée sont ceux qui sont les plus sensibles à l'enseignement. Si l'enseignement a été profitable, le degré de difficulté de ces items devrait changer considérablement. De plus, lorsque nous devons nous prononcer sur la maîtrise d'un objectif, ces items devraient nous permettre de prendre des décisions appropriées. Enfin, si les items en question proviennent d'un même domaine d'items, les répondants devraient conjointement réussir ou échouer à ces items.

4.1 INDICE DE SENSIBILITÉ À L'ENSEIGNEMENT

Cox et Vargas (1966) ont proposé l'indice de sensibilité à l'enseignement pour déterminer quels items sont les plus affectés par l'enseignement. Cet indice est calculé en faisant la différence entre la difficulté d'un item avant $(p_{pré})$ et après l'enseignement (p_{post}) :

$$S = p_{post} - p_{pré} \qquad (5.13)$$

Plus l'écart S est élevé, plus la mesure porte sur des items permettant de mesurer l'effet de l'enseignement. Moins S est élevé, moins l'item est utile car il a porté sur une question qui était tout aussi bien réussie avant l'enseignement qu'après. Un tel item ne permet pas de discriminer l'effet de l'enseignement.

Si un item est réussi au prétest par 23 % des élèves et qu'il est réussi au posttest par 82 %, la valeur de sensibilité à l'enseignement $S = 0{,}82 - 0{,}23 = 0{,}59$. Un tel résultat peut être interprété comme indiquant que l'item discrimine bien parmi les élèves qui ne réussissaient pas l'item avant l'enseignement et les élèves qui le réussissent maintenant.

Une valeur négative de S ou une valeur de 0 peuvent être interprétées de deux façons :

1. L'item ne convient pas, car il ne porte pas sur l'enseignement.
2. L'enseignement n'a eu aucun effet sur la réussite des élèves.

4.2 DISCRIMINATION AU SEUIL DE MAÎTRISE

Brennan (1972) a proposé un indice similaire à celui de Findley (1956) pour le calcul de la discrimination de l'item au seuil de maîtrise. Cet indice B est l'équivalent de l'indice D sauf que les groupes forts et faibles sont remplacés par les groupes qui ont atteint ou non le seuil de maîtrise au score total. L'indice B peut être calculé de la manière suivante :

$$B = p_M - p_{NM} \qquad (5.14)$$

Tableau 5.5 — Organisation des données pour le calcul du coefficient de Brennan

Item		Non maîtrise $a + c$	Maîtrise $b + d$
	Réussi $a + b$	$a = 4$	$b = 8$
	Échoué $c + d$	$c = 12$	$d = 2$

Test

p_M représente l'indice de difficulté de l'item pour ceux qui ont atteint le seuil de maîtrise au test entier et p_{NM} représente l'indice de difficulté de l'item pour ceux qui ne l'ont pas atteint. *B* peut varier de − 1 à + 1. Un indice négatif signifie que l'item ne discrimine pas dans la même direction que les autres items au test. Un indice positif indique quel pourcentage d'élèves dans le groupe « maîtrise » a mieux réussi l'item que dans le groupe « non-maîtrise ».

Le tableau 5.5 présente l'organisation des données pour le calcul du coefficient *B*. L'item de ce tableau discrimine bien au seuil de maîtrise puisque, par rapport au groupe « non-maîtrise », il y a 55 % en plus d'élèves du groupe « maîtrise » qui le réussissent. C'est certainement un item adéquat pour différencier au seuil de maîtrise. Ce seuil est déterminé préalablement à l'examen. Un enseignant peut décider qu'un élève doit réussir 80 % des items d'un même domaine pour démontrer qu'il maîtrise un objectif. L'élève qui obtient 80 % et plus au test sera considéré comme appartenant au groupe « maîtrise », alors que les autres élèves (moins de 80 %) feront partie du groupe « non-maîtrise ». C'est de cette manière que les sujets du tableau 5.5 ont été répartis en deux groupes de maîtrise et de non-maîtrise : 16 n'ont pas réussi au moins 80 % des items du test (a+c = 16) et 10 élèves (b+d = 10) ont réussi 80 % des items et plus. Parmi les 10 élèves qui maîtrisent 80 % et plus des items du test, 8 sur 10 (b/b+d = 8/10) ont également réussi l'item pour lequel nous calculons le coefficient de Brennan. Cependant, 4 des 16 élèves qui n'ont pas maîtrisé 80 % des items ont également réussi cet item particulier. Le coefficient de Brennan calcule l'écart entre le pourcentage de réussite de l'item pour ceux qui ont atteint le seuil de maîtrise au test entier et le pourcentage de réussite pour ceux qui ne l'ont pas atteint.

$$p_M = \frac{b}{b + d} = \frac{8}{8 + 2} = 0,8 \tag{5.15}$$

$$p_{NM} = \frac{a}{a + c} = \frac{4}{4 + 12} = 0,25 \tag{5.16}$$

$$B = p_M - p_{NM} = 0,8 - 0,25 = 0,55 \tag{5.17}$$

4.3 ÉQUIVALENCE DES ITEMS APPARTENANT À UN MÊME DOMAINE

La préparation d'instruments de mesure critériée nous amène à construire des items faisant partie d'un même domaine. L'analyse des items devrait nous permettre de vérifier a posteriori si tel est bien le cas. Les répondants devraient conjointement réussir ou échouer des items appartenant à un même domaine, ce qui devrait se traduire par un manque d'indépendance dans la distribution conjointe de ces deux items.

Un test du χ^2 permet de vérifier si la distribution des fréquences conjointes est significativement différente de celle à laquelle on pourrait s'attendre si une telle distribution s'était produite aléatoirement. Le tableau 5.6 présente un exemple de données servant au calcul du χ^2 entre deux items.

Il y a deux façons de calculer la valeur du χ^2 au tableau 5.6. La première, plus générale, s'applique à toutes les situations. Elle nécessite le calcul de fréquences théoriques *FT* (inscrites dans les ellipses de chaque cellule du tableau) qui se produiraient s'il n'y avait aucune association entre les deux items. Plus les fréquences observées *FO* (a, b, c, d) sont différentes des fréquences théoriques *FT*, plus il est permis de croire que les items ne sont pas indépendants entre eux, mais qu'ils sont associés et mesurent le même domaine.

Le calcul des fréquences théoriques est fort simple. Il s'agit de trouver, pour chaque cellule du tableau de contingence, la fréquence qui respecte les proportions des totaux marginaux. Ainsi, si 20 élèves sur 30 ont réussi l'item A et que 18 élèves sur 30 ont réussi l'item B, alors 20/30 des 18 élèves de l'item B devraient réussir conjointement les items A et B, soit 12 élèves. Les autres fréquences théoriques se déduisent par soustraction. Pour trouver les fréquences théoriques de la cellule a, il suffit de soustraire la fréquence théorique 12 du total marginal de cette rangée : 20 – 12 = 8. La somme des fréquences théoriques pour chaque rangée et chaque colonne doit correspondre aux totaux marginaux.

Une fois élevée au carré et divisée par la fréquence théorique, la somme des écarts entre fréquences théoriques et fréquences observées nous donne la valeur du χ^2. L'équation (5.18) résume le calcul du χ^2 selon cette méthode.

$$\chi^2 = \sum \frac{(FT - FO)^2}{FT} \tag{5.18}$$

Dans le cas de l'exemple du tableau 5.6, la valeur calculée du χ^2 serait :

$$\chi^2 = \sum \frac{(8 - 6)^2}{8} + \frac{(12 - 14)^2}{12} + \frac{(6 - 4)^2}{6} + \frac{(4 - 6)^2}{4} = 2,50 \tag{5.19}$$

Lorsque chaque item ne peut prendre que deux valeurs, l'équation (5.18) peut être remplacée par l'équation (5.20) où n'interviennent que les fréquences observées :

$$\chi^2 = \frac{N(ad - bc)^2}{(a + b)(c + d)(b + d)(a + c)} \tag{5.20}$$

Tableau 5.6 — Association entre deux items A et B

Item A		Item B		
	Réussi	$a = 6$ $\quad$ $FT = 8$	$b = 14$ $\quad$ $FT = 12$	$a + b = 20$
	Échoué	$c = 6$ $\quad$ $FT = 4$	$d = 4$ $\quad$ $FT = 6$	$c + d = 10$
		Échoué $a + c = 12$	Réussi $b + d = 18$	$N = 30$

Item B

Chaque lettre correspond aux cellules du tableau 5.6. En substituant chaque lettre par la fréquence observée correspondante, on retrouve la même valeur de χ^2 calculée par l'équation (5.18). En effet,

$$\chi^2 = \frac{30(24 - 84)^2}{20 \times 10 \times 12 \times 18} = 2,50 \tag{5.21}$$

Comment interpréter la valeur calculée du χ^2 ? Pour cela, il est nécessaire de consulter une table des probabilités des valeurs du χ^2 pour un degré de liberté (voir Table 1, Annexe 2). La valeur critique pour $\alpha = 0,05$ étant de 3,84, nous savons qu'une valeur de 2,5 a plus de 5 chances sur 100 de se produire au hasard. Comme la valeur obtenue est inférieure à la valeur critique, nous pouvons considérer ces deux items comme indépendants, donc sans association entre l'un et l'autre. Il serait donc difficile de considérer ces deux items comme provenant du même domaine.

Lorsque le nombre de catégories de chaque item excède deux, l'équation (5.20) ne permet pas de calculer la valeur du χ^2. Il faut alors avoir recours à l'équation (5.18). Le nombre de degrés de liberté est égal à *[(c – 1) (r – 1))]*, où *r* et *c* représentent le nombre de catégories de l'item A (rangées) et de l'item B (colonnes).

En règle générale, il est préférable d'employer l'équation (5.18). D'abord, parce qu'elle permet de découvrir dans quelle(s) cellule(s) les différences entre fréquences observées et fréquences théoriques sont les plus grandes. Ensuite, parce que la valeur du χ^2 est biaisée lorsque plus de 20 % des fréquences théoriques sont inférieures à 5 ou encore lorsqu'elles sont inférieures à 1 ou égales à 0.

Il n'est pas toujours nécessaire de calculer un χ^2 pour se faire une opinion à propos du *degré de concordance* entre deux items A et B. Harris et Pearlman (1977) ont proposé de calculer une proportion d'accord, tel que *(b+c)/n*. C'est un moyen simple de calculer quelle proportion d'élèves a fourni le même résultat aux deux items. Dans le cas de l'exemple du tableau 5.6, la proportion d'accord est de 20/30, soit 0,67. Cette proportion signifie que 33 % des élèves ont réussi un item sans avoir réussi l'autre. Il s'agit d'une proportion suffisamment élevée pour ne pas considérer les deux items comme provenant du même domaine.

Harris et Pearlman (1977) ont également proposé un moyen de vérifier si deux items sont de même difficulté. En effet, si deux items sont rédigés à partir du même objectif d'apprentissage et qu'ils ont fait l'objet en classe d'efforts de préparation comparables, ceux-ci devraient être de difficultés sensiblement identiques. Un test de signification sur la différence entre la difficulté de deux items devrait nous permettre de décider si un écart est suffisamment grand pour considérer les items comme appartenant à deux domaines différents ou s'il est possible que la différence observée soit purement fortuite.

Pour tester ces possibilités, Harris et Pearlman proposent le test du χ^2 suivant avec un degré de liberté :

$$\chi^2 = \frac{\left(|b - c| - 1\right)^2}{b + c} \tag{5.22}$$

Il est possible d'appliquer la procédure proposée par Harris et Pearlman (1977) à l'exemple du tableau 5.6. Les items A et B ont respectivement 20/30 et 18/30 comme indices de difficulté. Une différence de 2/30 est-elle suffisante pour considérer que les deux items ont des degrés de difficulté différents ou cet écart peut-il être attribué aux effets de l'échantillonnage ? Pour répondre à cette question, calculons la valeur de χ^2

selon l'équation (5.22) en substituant b et c par leurs valeurs respectives. Ceci nous fournit le résultat suivant :

$$\chi^2 = \frac{\left(|14 - 6| - 1\right)^2}{14 + 6} = 2,45 \tag{5.23}$$

La valeur calculée est inférieure à la valeur critique de 3,84 pour un niveau de signification $\alpha = 0,05$. Il faut donc considérer que les items A et B ne sont pas de degrés de difficulté significativement différents, puisqu'il y a plus de cinq chances sur 100 qu'un écart de 2/30 entre les deux items soit dû aux fluctuations d'échantillonnage.

Il peut sembler paradoxal que deux items que nous avons déclarés comme appartenant à des domaines différents possèdent des degrés de difficulté équivalents. En fait, si deux items appartiennent au même domaine, ils seront nécessairement de même degré de difficulté. Par contre, deux items de domaines différents, tels que les items A et B au tableau 5.6 peuvent être de degrés de difficulté semblables. Même en appartenant à des domaines différents, rien n'empêche qu'ils puissent être réussis par des proportions égales de sujets. Ce serait le cas, par exemple, d'un item de géographie et d'un item de français réussis par 12 élèves sur 24 (50 %).

En guise de conclusion, soulignons que ce dernier test de Harris et Pearlman ne nous permet pas de nous prononcer de manière certaine quant à savoir si deux items appartiennent au même domaine. En effet, comme nous venons de le voir, l'absence de différences significatives des degrés de difficulté de deux items constitue une condition nécessaire, mais non suffisante pour qu'ils appartiennent au même domaine.

5. Les indices de fidélité et de validité

En plus des indices de difficulté et de discrimination, il existe deux autres indices fort utiles lors d'une analyse d'items : l'*indice de fidélité* et l'*indice de validité*. La contribution respective de chaque item à la fidélité et à la validité des résultats au test entier peut nous aider à optimiser notre instrument de mesure en ne choisissant que les items les plus pertinents pour nos objectifs d'évaluation.

Ces indices nous sont donnés par la corrélation item-total de chaque item pondérée par son écart type. La corrélation item-total est calculée soit avec un critère interne (X = score total au test), soit avec un critère externe (Y = score total au critère). Dans le premier cas, nous obtenons l'indice de fidélité. Dans le second cas, il s'agit de l'indice de validité.

L'indice de fidélité est donc fourni par le produit $s_i r_{iX}$, où s_i est l'écart type de l'item et r_{iX} est la corrélation item-total. L'indice de validité se calcule de la même manière par le produit $s_i r_{iY}$. Dans ce dernier cas, r_{iY} représente la corrélation item-critère.

5.1 Analyse des items à partir des indices de fidélité et de validité

La figure 5.6 présente la forme que pourrait prendre une analyse d'items visant à optimiser la validité et la fidélité d'un test à partir de ces indices. En situant chaque item en fonction de son indice de fidélité et de son indice de validité dans un plan cartésien, il devient relativement simple de choisir ceux qui contribuent à accroître

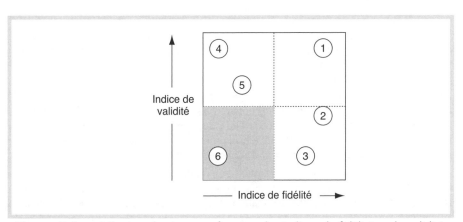

Figure 5.6 — Sélection des items en fonction des indices de fidélité et de validité

simultanément la fidélité du score total au test et sa validité par rapport au critère choisi. Les items 1 à 6 présentent à cet égard six situations caractéristiques :

1. L'item 1 est l'item idéal. Il possède des indices élevés de fidélité et de validité. C'est certainement le genre d'item que nous souhaiterions conserver.

2. L'item 2 est un item fidèle, mais de validité moyenne. Il contribue à la précision des résultats au test, mais peu à leur pertinence par rapport au critère.

3. L'item 3 est un item sans validité. Si la fidélité du test était notre seul souci, on pourrait opter pour le conserver. Mais à quoi sert-il de conserver un item qui n'est pas valide ? Ce n'est pas l'item à privilégier si nous cherchons à accroître la validité des résultats au test.

4. L'item 4 est un item ayant une meilleure relation avec le critère qu'avec le score total au test. C'est donc un item qui mesure une caractéristique importante dans l'estimation du critère qui n'est pas mesurée par le test actuel. Il faudrait considérer si un nouveau test constitué de ce genre d'items ne donnerait pas lieu à des résultats plus valides que le test actuel. L'autre solution serait de créer deux sous-tests, chacun mesurant des caractéristiques différentes et complémentaires du critère.

5. L'item 5 est un item semblable à l'item 4, sauf qu'il est un peu moins valide.

6. L'item 6 est le prototype des items qui ne sont d'aucune utilité, que ce soit sur le plan de la validité des résultats ou de leur fidélité. Tous les items de la zone grise devraient être rejetés ou révisés en profondeur. En effet, ils constituent une perte de temps puisqu'ils contribuent très peu à la précision et à la pertinence des résultats au test.

5.2 OPTIMISATION D'UN TEST

En préparant un nouveau test, il est préférable de rédiger un plus grand nombre d'items que ce que nous prévoyons utiliser. Ceci permettra d'élaborer un meilleur test en ne choisissant que les items qui auront les caractéristiques souhaitées : c'est ce que nous appelons l'*optimisation* des caractéristiques d'un test.

À cet égard, les indices de fidélité et de validité possèdent des propriétés intéressantes qu'il nous est possible d'exploiter lors d'une étude d'optimisation. Par exemple, on peut démontrer que la variance des scores totaux à un test est égale à la somme des indices de fidélité.

$$s_x^2 = \left(\sum s_i r_{iX} \right)^2 \tag{5.24}$$

Le concepteur d'un test peut donc choisir d'additionner les indices de fidélité des items jusqu'à ce qu'il obtienne la variance des résultats souhaitée. Il débutera par les items dont les indices de fidélité sont les plus élevés jusqu'à ce qu'il ait atteint la variance souhaitée avec le minimum d'items nécessaires.

Le même exercice peut être répété en ce qui concerne la fidélité de cohérence interne. En effet, on peut démontrer que le coefficient α peut également s'exprimer en fonction des indices de fidélité. L'équation (5.25) exprime cette relation de la manière suivante :

$$\alpha = \frac{j}{j-1} \left[1 - \frac{\sum s_i^2}{\left(\sum s_i r_{iX} \right)^2} \right] \tag{5.25}$$

Au dénominateur de l'équation (5.25), on reconnaît l'expression de la variance totale du test exprimée en fonction de la somme des indices de fidélité des items (voir équation 5.24). Au numérateur, on retrouve la somme des variances des items. Cette équation permet donc d'estimer la fidélité qu'aurait le score à un test calculé au moyen des j items sélectionnés.

La même procédure peut également servir à calculer la validité à partir des j meilleurs items. Dans ce cas, la validité du nouveau score total formé de la somme de j items sélectionnés est donnée par le rapport de la somme des indices de validité à la somme des indices de fidélité pour les j items :

$$r_{XY} = \frac{\sum s_i r_{iY}}{\sum s_i r_{iX}} \tag{5.26}$$

Il ne faut pas oublier que ces procédures d'optimisation ne sont qu'approximatives car elles sont basées sur les corrélations item-total et item-critère calculées sur *l'ensemble* des items. Si, suite à l'élimination de certains items, ces corrélations devaient être fort différentes de ce qu'elles étaient initialement, les valeurs de variance, fidélité et validité calculées par les équations (5.24 à 5.26) pourraient être différentes de celles que l'on aurait obtenues en refaisant les calculs à partir des nouveaux scores totaux. Pour en savoir plus sur le développement de ces équations, on peut consulter Gulliksen (1950) et Lord et Novick (1968).

6. Exemple d'analyse d'items à l'aide de *IBM SPSS Statistics*

Il existe plusieurs logiciels dédiés à l'analyse d'items basée sur la théorie classique des scores. Certains logiciels plus généraux offrent également la possibilité de réaliser une telle analyse. C'est le cas, par exemple, du logiciel d'analyse statistique *IBM SPSS Statistics version 19* qui comprend un module appelé *Analyse de la fiabilité*. Bien que moins complet que d'autres logiciels, ce programme a l'avantage d'être aisément accessible et facile à mettre en œuvre. Pour cette raison, nous avons choisi d'illustrer une analyse d'items à l'aide de ce programme.

Nous avons utilisé comme données d'analyse, les résultats à douze items auxquels ont répondu 232 adultes des deux sexes et de différents niveaux éducatifs. Tous ces items sont dichotomiques et ont été cotés 1 ou 0. Dans les tableaux suivants, nous présentons les principaux résultats obtenus à partir de ces données avec le module *Analyse de la fiabilité*. Ces résultats n'incluent pas tous ceux produits par le programme. Nous nous sommes limités aux analyses les plus utiles détaillées dans ce chapitre et dans les chapitres précédents.

Le tableau 5.7 présente la moyenne et la variance des scores des 232 sujets à chacun des 12 items de l'échelle. La dernière ligne du tableau donne quant à elle la moyenne et la variance du score total à l'échelle. On y trouve également la valeur de l'alpha de Cronbach (ch.3, §3.3). Comme les items sont cotés 1 ou 0, la moyenne du score à un item correspond à l'indice de difficulté de cet item. Nous pouvons constater qu'à une seule exception près, tous les items ont un indice de difficulté supérieur à 0,5. Leur degré de difficulté s'étend de *moyen* à *facile*. Un item apparaît même très facile puisque son indice p est de 0,9698. Le score moyen à l'ensemble de l'échelle est d'ailleurs assez élevé (8,2414 pour un maximum de 12). Quant à la valeur de l'alpha, elle est satisfaisante compte tenu de la longueur relativement réduite de cette échelle. Elle indique un degré élevé de covariance entre les items.

Ces items ont été mis à l'essai dans le cadre de la mise au point de la version française de la WAIS-III. Nous remercions les ECPA (Paris) de nous autoriser à utiliser ces données.

Tableau 5.7 — Statistiques descriptives des items et de l'échelle

N° item	moyenne	Écart Type
1	0,8578	0,3501
2	0,6336	0,4829
3	0,9698	0,1714
4	0,6681	0,4719
5	0,7759	0,4179
6	0,5474	0,4988
7	0,7284	0,4457
8	0,6767	0,4687
9	0,8060	0,3963
10	0,4655	0,4999
11	0,5733	0,4957
12	0,5388	0,4996
Échelle : moyenne = 8,2413 variance = 10,4004 alpha = 0,8442		

Tableau 5.8 — Caractéristiques de l'échelle si l'on supprime un item

N°	moyenne	variance	corrélation item/ total	alpha
	**Valeur statistique si l'item était supprimé**			
1	7,3836	9,2245	0,4954	0,8342
2	7,6078	8,8888	0,4440	0,8378
3	7,2716	10,2852	0,0780	0,8516
4	7,5733	8,5747	0,5800	0,8269
5	7,4655	8,7521	0,5960	0,8264
6	7,6940	8,6635	0,5067	0,8330
7	7,5129	8,4674	0,6686	0,8203
8	7,5647	9,1906	0,3484	0,8448
9	7,4353	8,6798	0,6697	0,8219
10	7,7759	8,8413	0,4404	0,8385
11	7,6681	8,5517	0,5529	0,8291
12	7,7026	8,2358	0,6678	0,8192

Les données présentées dans le tableau 5.8 apportent des informations complémentaires très utiles pour pouvoir repérer les items problématiques qui nécessitent d'être soit écartés, soit révisés (ch.5, §2.2). À la lecture de la colonne à l'extrême droite du tableau, on peut constater que la valeur de l'alpha diminue lorsque l'on retire un des items de l'échelle, sauf dans deux cas où cette valeur augmente. Le retrait de l'item 8 n'entraîne qu'une infime élévation de la valeur de l'alpha. Par contre, cette valeur augmente nettement lorsque l'on élimine l'item 3. L'augmentation de l'alpha indique que l'item en question ne présente qu'une faible covariance avec les autres items. Ce phénomène peut être dû au fait que l'item incriminé mesure une caractéristique distincte de celle des autres items. Dans le cas présent, il découle plutôt de la réduction de l'étendue des scores. L'item 3 est en effet un item très facile, réussi par la quasi totalité des sujets. Ses possibilités de covarier avec les autres items sont dès lors réduites. On constate d'ailleurs que l'élimination de cet item affecte peu la variance du score total, alors que le retrait des autres items entraîne une forte chute de cette variance. De même, la corrélation entre l'item 3 et le score total est proche de zéro du seul fait de la réduction de l'étendue des scores.

Faut-il écarter cet item de la version définitive de l'échelle ? Dans le cas présent, la réponse doit être nuancée. Au regard des seules valeurs statistiques, cet item devrait sans doute être éliminé. Toutefois, ces valeurs sont la conséquence directe de la très grande facilité de l'item et de la réduction de l'étendue des scores qui en découle. Sur la base des informations disponibles, nous ne pouvons affirmer que cet item mesure une caractéristique différente de celle mesurée par les autres items. Un tel item ne devrait pas être rejeté du seul fait de sa grande facilité car cette dernière caractéristique peut parfois être souhaitable. Ainsi, un item très facile présenté en début de test permet de mettre à l'aise les répondants et évite de les faire démarrer par un échec. Il peut également être

Tableau 5.9 — Résultats de la méthode de bissection

	N	moyenne	variance	écart type	alpha
Partie 1	6	4,4526	2,3181	1,5225	0,6662
Partie 2	6	3,7888	3,6738	1,9167	0,7687
Total	12	8,2414	10,4004	3,2250	0,8442
Corrélation entre parties 1 et 2 = 0,7553 Corrélation après correction de Spearman-Brown = 0,8606					

utile pour discriminer ceux qui sont de très faible niveau. Par conséquent, l'élimination d'un item ne doit pas se faire de manière automatique, mais sur la base d'une appréciation de l'ensemble des exigences auxquelles doit satisfaire le test dont il fait partie.

Les résultats que nous venons d'analyser sont produits par la procédure par défaut proposée par *IBM SPSS Statistics*. Des procédures alternatives d'analyse d'items sont possibles. Ainsi, l'option *split-half* calcule un coefficient de fidélité selon la méthode de bissection (ch.3, §3.2). À titre d'exemple, nous avons analysé les mêmes données avec cette procédure. Les résultats sont présentés dans le tableau 5.9. La « partie 1 » est constituée des six premiers items du test et la « partie 2 » des six items suivants. On peut constater que ces deux parties ne sont pas équivalentes. La première est à l'évidence plus facile que la seconde. De plus, sa variance et son coefficient alpha sont sensiblement plus faibles. Le coefficient de fidélité obtenu en calculant la corrélation entre les deux parties se révèle nettement inférieur au coefficient alpha calculé pour cette même échelle. Cette différence entre les deux coefficients de fidélité est, en partie, due au fait qu'avec la méthode de bissection, le coefficient est calculé sur la base des résultats à un test de six items, alors que le coefficient alpha est calculé sur une base de 12 items. Lorsque le coefficient de fidélité obtenu par la méthode de bissection est corrigé à l'aide de la formule de Spearman-Brown (chapitre 3, formule 3.33), la valeur de ce coefficient dépasse celle de l'alpha. Malgré tout, le coefficient alpha devrait être préféré au coefficient calculé par la méthode de bissection car cette dernière est dépendante de la manière dont l'échelle est divisée en deux parties. Dans notre exemple, une autre répartition des items dans les deux parties pourrait produire un coefficient de fidélité différent.

7. Le fonctionnement différentiel des items

Lors de la construction d'un test, une attention particulière doit être portée à la validité différentielle du contenu de ce test pour les différents sous-groupes qui composent la population à laquelle il est destiné. Cette validité de contenu peut être évaluée de deux manières. La première s'appuie sur l'évaluation de chaque item par un groupe d'experts. La seconde est mathématique et utilise des techniques statistiques appliquées aux données recueillies pour les items étudiés.

Différentes recherches (Hambleton & Jones, 1994) ont montré que les méthodes statistiques d'analyse de contenu sont les plus objectives et les plus efficaces pour repérer les items biaisés au sein d'un test. Dans ce type d'analyse, *« un item est considéré comme non biaisé lorsque la probabilité de réussir cet item est la même pour tous les sujets de la population possédant la même aptitude, indépendamment de leur sous-groupe d'appartenance »* (Osterlind, 1989, p. 11). Ainsi, il est erroné de croire qu'un item est biaisé uniquement parce qu'il existe une différence de performance entre deux groupes. Pour qu'il y ait biais, il est nécessaire que les sujets des deux groupes se situent au même niveau d'aptitude. Vu le caractère général de la notion de biais et les problèmes d'interprétation qui en résultent, certains auteurs (p.ex. Holland & Thayer, 1988, p. 129) ont proposé plutôt l'expression « *fonctionnement différentiel de l'item* » (« *differential item functioning* », en abrégé DIF). À présent, l'usage de ce dernier terme a largement supplanté celui de biais dans la littérature consacrée à l'analyse des items. Nous l'utiliserons donc dans la suite de cette section.

Les méthodes statistiques permettant d'analyser le fonctionnement différentiel des items (FDI) peuvent être regroupées en deux grandes catégories (Scheuneman & Bleinstein, 1989) : (1) les méthodes basées sur les résultats observés aux items et sur le score au test et qui se réfèrent au modèle classique de la mesure ; (2) les méthodes basées sur les aptitudes « vraies » et qui se réfèrent aux modèles de la réponse à l'item (voir chapitre 7).

Du fait de leur simplicité théorique et de leur facilité pratique, les méthodes appartenant au premier groupe ont été les premières développées et appliquées. Parmi celles-ci, une méthode a connu un succès particulier : la *méthode du graphique Delta* (« *delta-plot method* ») développée par Angoff (Osterlind, 1989 ; Scheuneman & Bleinstein, 1989). Cette méthode consiste, pour chaque groupe, à calculer l'indice de difficulté de chaque item (sa valeur p). Les valeurs p sont ensuite converties en valeurs Δ dont la moyenne est égale à 13 et l'écart type à 4. Cette transformation permet de placer les valeurs p des deux groupes sur une même échelle. La distribution bivariée de la difficulté des items ainsi transformés est alors représentée sur un graphique (Figure 5.7). Sur l'abscisse, on reporte la valeur Δ de chaque item dans le premier groupe et, sur l'ordonnée, on reporte la valeur Δ des mêmes items dans le second groupe. Si chaque item présente une même difficulté dans les deux groupes, la

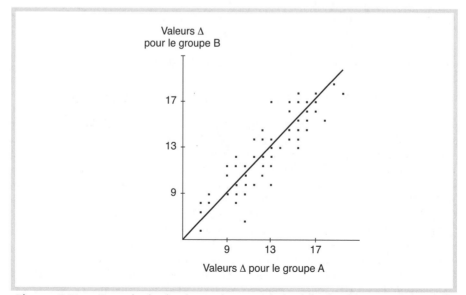

Figure 5.7 — Exemple de distribution bivariée de la difficulté des items (valeurs Δ)

relation entre les valeurs Δ de ces deux groupes prend la forme d'une droite. Mais, le plus souvent, cette relation a la forme d'un nuage de points. Les items présentant un fonctionnement différentiel sont ceux qui s'écartent le plus de la droite de régression qui peut être tracée au sein du nuage de points.

La méthode du graphique Delta a été vivement critiquée (Cole & Moss, 1989, p. 209) car elle postule que les sujets des deux groupes possèdent le même niveau d'aptitude. Or, le plus souvent, ce n'est pas le cas. Comme la méthode du graphique Delta ne prend pas en compte les propriétés de discrimination des items, cela conduit à considérer erronément certains items comme fonctionnant de manière différentielle. Pour éviter ce type de problème, il est nécessaire d'utiliser des méthodes conditionnelles, c'est-à-dire des méthodes qui comparent la difficulté des items uniquement entre sujets de même niveau d'aptitude. Certaines de ces méthodes, comme celle de Mantel-Haenszel présentée ci-dessous, se réfèrent à la théorie classique des tests. D'autres s'appuient sur les modèles de réponse à l'item (MRI). Nous parlerons plus en détail de ces dernières dans le chapitre 6, consacré aux MRI.

La méthode de Mantel-Haenszel a été largement adoptée par les psychométriciens car elle a l'avantage d'être simple à utiliser et de permettre un bon repérage des items problématiques à partir d'échantillons de taille moyenne (N = 200 par groupe). Par ailleurs, elle comprend un test de signification ainsi qu'un indice permettant d'apprécier l'importance du fonctionnement différentiel.

Cette méthode a été développée il y a plus de 30 ans dans le domaine médical par Mantel et Haenszel. Mais elle n'a été utilisée que récemment en psychométrie sous l'impulsion de Holland et Thayer (1988) qui ont démontré son intérêt pour l'analyse du fonctionnement différentiel des items.

La méthode de Mantel-Haenszel consiste à comparer la chance de réussir un item pour les membres de deux groupes après que les individus eurent été pairés sur base d'une aptitude déterminée. Le groupe dont on veut étudier les résultats aux items est habituellement appelé le groupe focal (F). Le groupe dont les performances sont prises comme base de comparaison est appelé le groupe de référence (R). La première étape de l'analyse consiste à déterminer le niveau d'aptitude de chaque individu au sein des deux groupes. L'aptitude en question est celle mesurée par le test dont on étudie les items. Elle peut être évaluée à l'aide d'un critère externe comme, par exemple, le résultat à un autre test. Mais, le plus souvent, le score total au test étudié est pris comme critère interne de classement des individus. Une fois les sujets rangés en catégories d'aptitude, il est alors possible d'apparier celles-ci entre le groupe focal et le groupe de référence.

Pour chaque catégorie, une table de contingence 2×2 peut alors être construite. Cette table compare la fréquence de réussite et d'échec d'un item dans le groupe focal et dans le groupe de référence. Pour chaque item du test, il y a autant de tables de contingence 2×2 que de catégories d'aptitude. Le tableau 5.10 (d'après Holland & Thayer, 1988, p. 130) illustre la forme générale de chaque table de contingence. Dans ce tableau, T_j représente le nombre total de sujets d'un niveau d'aptitude donné, nR_j représente le nombre de sujets du groupe R et A_j représente le nombre de sujets du groupe R qui ont réussi l'item. Les autres entrées du tableau se définissent de manière similaire.

L'hypothèse selon laquelle un item ne présente pas de fonctionnement différentiel correspond à l'hypothèse nulle. Dans ce cas, pour tous les niveaux j d'aptitude,

Tableau 5.10 — Table de contingence pour la $j^{ème}$ catégorie pairée
de sujets des groupes R

Groupes		Résultat à l'item		
		1	0	Total
Groupes	R	A_j	B_j	nR_j
	F	C_j	D_j	nF_j
	Total	m_{1j}	m_{oj}	T_j

le groupe focal et le groupe de référence ont des performances identiques à l'item en question. Cette hypothèse peut être testée au moyen du test χ^2 de Mantel-Haenszel (χ^2_{m-h}). Sous l'hypothèse nulle, χ^2_{M-H} se distribue approximativement comme χ^2 avec un degré de liberté.

$$\chi^2_{M-H} = \frac{\left(\left|\sum A_j - \sum E(A_j)\right| - 0,5\right)^2}{\sum s^2(A_j)} \tag{5.27}$$

Dans cette équation,

$$E(A_j) = \frac{n_{Rj}m_{1j}}{T_j} = \text{valeur attendue de } A_j \tag{5.28}$$

$$s^2(A_j) = \text{variance de } A_j \tag{5.29}$$

Outre un test de signification, la procédure proposée par Mantel et Haenszel inclut une estimation du rapport des résultats entre les deux groupes. Cette estimation est donnée par l'équation suivante :

$$\hat{\alpha} = \sum \frac{A_j D_j}{T_j} \bigg/ \sum \frac{B_j C_j}{T_j} \tag{5.30}$$

La valeur de $\hat{\alpha}$ peut varier de 0 à ∞. Une valeur égale à 1 signifie qu'il n'y a pas de fonctionnement différentiel. Vu sa distribution asymétrique, ce coefficient est peu aisé à interpréter. Pour cette raison, on préfère utiliser le logarithme de $\hat{\alpha}$ qui permet d'obtenir un index, appelé Delta (Δ), qui se distribue symétriquement autour de 0 qui est la valeur nulle :

$$\Delta = 2,35\ln(\hat{\alpha}) \tag{5.31}$$

La valeur absolue de Δ représente la différence du niveau moyen de difficulté entre les deux groupes. Le signe de Δ indique la direction de cette différence. Une valeur positive indique que l'item est relativement plus facile pour le groupe focal. Inversement, une valeur négative indique que l'item est relativement plus facile pour le groupe de référence. Selon Dorans (1989), il faut considérer qu'un item présente un fonctionnement différentiel important lorsque la valeur du test χ^2_{M-H} est significative et que la valeur absolue de Δ est égale ou supérieure à 1,50.

Nous avons souligné plus haut les nombreux avantages de la méthode de Mantel-Haenszel. Elle présente cependant certaines limites. La première concerne le critère permettant de définir et ensuite de pairer les niveaux d'aptitude des sujets des deux groupes. Nous avons souligné que, le plus souvent, le critère utilisé est le score total au test lui-même. L'usage d'un critère interne ne va pas sans problème.

En effet, les items qui présentent un fonctionnement différentiel important interviennent dans le score total et peuvent donc le fausser. Pour éviter ce problème, il est d'usage (Hambleton et al., 1993) d'appliquer la méthode de Mantel-Haenszel en deux étapes. Lors de la première étape, tous les items interviennent dans le score total. Les items repérés comme présentant un fonctionnement différentiel sont alors exclus du score total et une seconde analyse est réalisée. Lors de cette seconde étape, l'usage d'un score total épuré permet un repérage mieux assuré des items problématiques. Il semble que cette manière de faire soit préférable à l'usage d'un critère externe dont l'adéquation et la fidélité risquent d'être moins bonnes (Angoff, 1993).

Un autre problème, lié au choix du critère, est celui du nombre de catégories au sein desquelles regrouper les sujets. Holland et Thayer (1988) recommandent d'utiliser $k + 1$ catégories, k étant le nombre d'items du test. Différentes recherches (Hambleton et al., 1993) ont montré que la réduction du nombre de catégories n'améliorait que faiblement la puissance du test statistique lorsque la distribution de l'aptitude était équivalente dans les deux groupes. Par contre, lorsque la distribution de l'aptitude est inégale dans les deux groupes, la réduction du nombre de catégories améliore la détection des items problématiques, mais au prix d'une augmentation de l'erreur de type I. Par conséquent, afin d'améliorer la puissance du test statistique, il est préférable d'augmenter la taille des échantillons plutôt que de réduire le nombre de groupes de sujets.

Un autre problème concerne la taille des échantillons. Nous avons souligné qu'un des avantages de la méthode de Mantel-Haenszel est de ne nécessiter que des échantillons de taille moyenne. Plusieurs recherches (Mazor et al., 1992) indiquent que la taille minimum de chaque échantillon devrait être d'environ 200 sujets. En dessous de cette taille, le nombre d'items problématiques non repérés augmente notablement. D'une manière générale, plus la taille des échantillons est grande, plus sensible est l'évaluation des items. Toutefois, si l'objectif est de repérer les items les plus problématiques, la méthode de Mantel-Haenszel reste la méthode de choix lorsque l'on ne dispose que d'échantillons réduits.

Enfin, un dernier problème posé par la méthode de Mantel-Haenszel concerne la détection du fonctionnement différentiel non uniforme de certains items. Il s'agit d'items dont le sens de la différence entre groupes varie selon le niveau d'aptitude des sujets. Par exemple, chez les sujets possédant un faible niveau d'aptitude, un item pourra être plus difficile dans le groupe F que dans le groupe R. Par contre, lorsque les sujets possèdent un haut niveau d'aptitude, nous pourrions observer le phénomène inverse (figure 5.8). On constate que la méthode de Mantel-Haenszel détecte mal de tels items (Hambleton & Rogers, 1989). Dans ce cas, le recours à d'autres méthodes s'impose, comme celles basées sur la comparaison des courbes caractéristiques d'items (voir chapitre 6).

Dans le cas de tests construits à partir de vastes banques d'items, certains chercheurs choisissent d'éliminer de manière systématique tous les items repérés comme problématiques à la suite des analyses statistiques. Mais, dans la majorité des cas, une telle politique n'est économiquement pas possible. Il est en effet difficile de créer et de prétester à grande échelle plus d'un certain nombre d'items. Il est dès lors nécessaire d'analyser le cas de chaque item repéré et de voir s'il ne vaut pas mieux le conserver malgré de mauvais indices statistiques. Plusieurs règles doivent être suivies lors de cette interprétation (Nandakumar et al., 1993). La première est de tenir compte du risque d'erreur de type I (rejeter erronément H_0) dû au grand nombre de tests statistiques réalisés de manière simultanée (Dechef & Laveault, 1993). Par exemple,

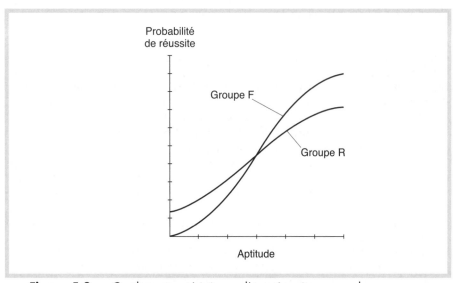

Figure 5.8 — Courbes caractéristiques d'un même item pour deux groupes
dans le cas d'un fonctionnement différentiel non uniforme

si nous testons au même moment le fonctionnement différentiel de 150 items, nous devons nous attendre à observer un certain nombre de χ^2 significatifs alors que H_0 est vraie (absence de fonctionnement différentiel entre les deux groupes).

Un autre principe à prendre en compte lors de l'interprétation des items problématiques est leur poids effectif au sein du test. Un seul item présentant un léger fonctionnement différentiel dans un test de 30 items n'est pas véritablement un problème. Un principe complémentaire de celui-ci est d'être attentif à l'équilibre entre les items problématiques dans les deux groupes étudiés. Si, par exemple, un test comprend deux items qui favorisent les garçons et deux items qui favorisent les filles, le résultat global à ce test ne sera pas affecté par le fonctionnement différentiel des items qui le composent. Les différents items problématiques se contrebalancent en effet au niveau du score total (Grégoire, 1995, pour une illustration).

8. Choisir l'analyse d'items appropriée au type d'évaluation

Les techniques d'analyse d'items sont nombreuses et variées. Chacune poursuit un but précis et nous fournit une information précieuse sur le rôle joué par chaque item dans le score total. L'analyse d'items est donc indispensable à l'obtention de résultats valides et fidèles.

Chaque type d'évaluation fait appel à des techniques particulières d'analyse d'items. C'est ce que résume le tableau 5.11. Si le but de l'évaluation est de discriminer parmi les sujets, comme c'est le cas en psychologie avec les tests de sélection du personnel ou en éducation lorsqu'il s'agit d'évaluation sommative des élèves, l'analyse d'items va privilégier les items qui discriminent fortement les sujets, de même que les items dont les indices de validité et de fidélité sont élevés. Enfin, une analyse

Tableau 5.11 — Techniques d'analyse d'items selon le type d'évaluation

	Indices de difficulté	Indices de discrimination	Indices de fidélité et de validité	Indicateurs de biais
Évaluation sommative, épreuves de sélection	p p_c	D r_{pbis} r_{bis}	r_{iX}, r_{iY}	χ^2_{M-H}
Évaluation formative (mesure critériée, tests de maîtrise)	p	S B	χ^2	–

démontrant un fonctionnement différentiel de certains items pourra contribuer à éliminer ceux qui mesurent une caractéristique sans rapport avec le trait mesuré et qui, s'ils n'étaient pas supprimés, contribueraient à biaiser les résultats en faveur d'un groupe ou d'un autre.

La plupart de ces indicateurs ne sont guère utiles en évaluation formative, que celle-ci repose sur des épreuves de maîtrise ou des instruments de mesure critériée. La différenciation des sujets n'est pas une priorité et la validité et la fidélité, quoique toujours importantes, ne donnent pas lieu à des analyses poussées puisque l'évaluation ne va pas aboutir à une décision finale quant au classement de l'élève. Le but de l'évaluation formative est plutôt d'aider et de remédier à une situation qui comporte des difficultés pour l'élève. Pour les mêmes raisons, l'étude du fonctionnement différentiel des items intéresse fort peu l'évaluation formative.

L'analyse d'items en évaluation formative porte surtout sur les approches formelles instrumentées, telles que les tests de maîtrise et les instruments de mesure critériée. Dans le cas de tests de maîtrise, la discrimination la plus importante se situe au seuil de réussite. L'indice de Brennan est particulièrement utile dans ce contexte. Dans le cas de tests critériés, les tests du khi-carré permettent de vérifier si les habiletés mesurées sont de difficultés comparables ou si elles proviennent du même domaine. Ce genre de vérification peut être utile surtout si l'on songe à regrouper les réussites à certaines catégories d'items pour constituer non pas un score total, mais un *profil de scores*.

L'ensemble des techniques précédentes permet d'analyser les propriétés des items en rapport avec les valeurs des scores observés des sujets. Ces techniques conviennent particulièrement en éducation et en psychologie lorsque les échantillons sont petits. Il faut toutefois se rappeler que la valeur des conclusions de ces analyses se limite aux échantillons étudiés et aux populations dont ils sont tirés.

Lorsque l'on souhaite faire porter l'analyse sur les caractéristiques sous-jacentes aux items (traits latents), les analyses d'items permises par les modèles des réponses aux items sont beaucoup plus puissantes en autant que nous disposions de grands échantillons de sujets et d'items. C'est pourquoi ces analyses, décrites dans le chapitre 6, conviennent particulièrement aux opérations de testing à grande échelle telles que les enquêtes nationales ou internationales.

CHAPITRE 6

TRANSFORMATION ET INTERPRÉTATION DES SCORES

1. Scores et patrons de réponses

Avant même de comparer entre eux les scores obtenus par différents sujets, il importe de se demander à quel point la valeur absolue de chaque score est représentative de la façon de répondre de l'ensemble des participants. Des scores totaux identiques obtenus par deux personnes peuvent voiler des différences importantes quant à la manière dont chacune a répondu aux questions du test. Ce n'est pas parce que ces deux personnes ont le même score total qu'elles ont nécessairement répondu de la même manière aux questions ou réussi aux mêmes items. Par exemple, dans un examen de rendement scolaire, un élève peut avoir réussi une section complète de l'examen portant sur l'art de la Renaissance, alors qu'il a moins bien réussi la section portant sur le Moyen-Âge. Un autre élève ayant obtenu le même score aura, quant à lui, mieux répondu aux questions sur le Moyen-Âge et échoué à presque toutes les questions portant sur la Renaissance.

L'examen attentif du patron de réponses de chaque sujet peut révéler à quel point celui-ci est conforme au patron global ou « moyen » de l'ensemble des sujets. On s'attend normalement à ce qu'un individu ayant obtenu un faible score à un examen ait réussi principalement les questions les plus faciles et raté les questions les plus difficiles. Ceci ne va pas jusqu'à signifier qu'un individu qui a réussi trois questions aura répondu correctement aux trois questions les plus faciles du test, comme c'est le cas des scores reproductibles que nous avons étudiés à la section 4.1 du chapitre 4. On s'attend, par contre, à ce que certains patrons soient hautement improbables. Ce serait le cas si, parmi les 50 questions que comporte un test, le sujet ne réussissait que les trois plus difficiles.

Il existe donc plusieurs façons d'obtenir un score donné en répondant à un test. Le nombre de patrons de réponses possibles est mathématiquement très grand, mais, dans la pratique, certains patrons sont plus habituels que d'autres. L'étude des patrons de réponses peut signaler des cas inhabituels pour lesquels nous devrons faire preuve de plus de prudence quant à l'interprétation du score total. Un patron inhabituel peut se produire chez un sujet dont l'expérience antérieure est fort différente de celle des autres participants. Par exemple, un élève qui n'a jamais circulé dans les transports en commun d'une grande ville pourra éprouver de la difficulté à réussir un test dont le sujet principal est l'interprétation des horaires d'autobus et de trains de banlieue. Un élève qui n'a jamais répondu à des questions à choix de réponses pourra éprouver une plus grande difficulté que d'autres élèves plus familiers avec ce format de questions.

Parmi les facteurs qui peuvent entraîner des scores totaux qui ne sont pas conformes aux patrons de réponses de l'ensemble des sujets, mentionnons principalement les suivants :

1. En éducation, comme nous venons de le voir, des différences dans l'enseignement reçu ou le curriculum scolaire, la familiarité avec le format de question, la culture ou la langue feront que certains élèves réussiront mieux certaines questions que d'autres en fonction de leur contenu.

2. En psychologie comme en éducation, des facteurs liés au stress et à l'anxiété peuvent amener un individu à changer subitement sa façon de répondre à un questionnaire.

3. En psychologie et en éducation, le plagiat peut aussi entraîner des patrons aberrants ; un élève qui copie peut réussir des questions difficiles et échouer à des questions plus faciles dont il n'a pu copier la réponse correcte.

4. En situation de testing informatisé, un mauvais encodage des réponses sur la feuille à lecture optique entraînera également des patrons de réponses suspects. Ceux-ci apparaîtront si un élève ne noircit pas les bonnes cases ou commet une erreur systématique dans l'entrée de ses réponses.

1.1 Indicateurs de conformité

L'examen visuel des patrons de réponses est une opération fastidieuse. De plus, elle ne permet pas une mesure précise de l'écart entre le patron de chaque sujet et celui obtenu par l'ensemble des participants de son groupe de référence. Harnisch & Linn (1981) regroupent en deux catégories les indicateurs numériques qui permettent de déterminer à quel point le patron de réponses d'un individu peut être considéré comme inhabituel :

- Les *indicateurs de conformité* tirés des modèles de réponse aux items (voir chapitre 7 pour une présentation de ces modèles).

- Les *indicateurs de conformité* dont le calcul est basé directement sur le patron de réponses, dont l'indice de « prudence » (*caution index*) de Sato (1975).

Après avoir comparé huit indicateurs basés sur le patron de réponses, Harnisch & Linn (1981) recommandent d'utiliser l'indicateur modifié de prudence (« *modified caution index* ») de Sato. Par rapport aux autres indicateurs de sa catégorie, il a l'avantage de ne pas être corrélé avec le score total. La mesure du degré de conformité du patron de réponses par l'indicateur de Sato n'est donc pas affectée par le score total, ce qui est un net avantage puisque tous les sujets seront traités de manière équivalente.

Le tableau 6.1 présente des données qui seront utilisées pour le calcul de l'indice de prudence de Sato. Il s'agit en fait des mêmes données que celles du tableau 4.7, chapitre 4. En guise de rappel, signalons que les données des 10 sujets du tableau 4.7 nous avaient permis de conclure que les cinq items formaient une échelle hiérarchique et que, par conséquent, les scores totaux étaient reproductibles. La plupart des sujets de ce tableau réussissent les items dans un ordre s'approchant de très près de l'ordre de difficulté des items établi pour l'ensemble des participants.

Dans le tableau 6.1, le sujet 4 n'a réussi qu'un seul item, en l'occurrence l'item le plus difficile. Par conséquent, son patron de réponses est très inhabituel dans ce tableau de données. Nous nous attendons donc à ce que le sujet 4 obtienne le score de conformité le plus élevé, tel que calculé par l'indice de prudence de Sato ou par l'indice de prudence modifié.

1.2 INDICE DE SATO

L'indice de prudence de Sato est fourni par la formule suivante :

$$C_i = \frac{\sum_{j=1}^{n_{i.}} 1 - U_{ij} n_{.j} - \sum_{j=n_{i.}+1}^{J} U_{ij} n_{.j}}{\sum_{j=1}^{n_{i.}} n_{.j} - n_{i.} \dfrac{\sum_{j=1}^{J} n_{.j}}{J}} \tag{6.1}$$

C_i = indice de prudence pour le sujet i

i = indice des sujets 1 à 10

j = indice des items 1 à 5

U_{ij} = réponse observée du sujet i à l'item j

$n_{i.}$ = nombre total de réussites pour le sujet i

$n_{.j}$ = nombre total de réussites à l'item j

Pour simplifier les calculs, Harnisch & Linn (1981) proposent de remplacer la formule précédente par la suivante, algébriquement équivalente :

$$C_i = \frac{J \sum_{j=1}^{n_{i.}} n_{.j} - J \sum_{j=1}^{J} u_{ij} n_{.j}}{J \sum_{j=1}^{n_{i.}} n_{.j} - n_{i.} \sum_{j=1}^{J} n_{.j}} \tag{6.2}$$

En substituant les données du tableau 6.1 dans l'équation précédente, nous obtenons :

U_{4j} = réponse observée du sujet 4 aux items 1 à 5 = 0 0 0 0 1

$n_{4.}$ = nombre total de réussites aux items 1 à 5 pour le sujet 4 = 1

$n_{.j}$ = nombre total de réussites à chacun des 5 items pour les 10 sujets = 7 6 6 4 2

Ce qui, une fois les données replacées dans l'équation de Sato, fournit le résultat suivant :

$$C_4 = \frac{5 \sum_{j=1}^{1} n_{.j} - 5 \sum_{j=1}^{5} (0,0,0,0,1) \times (7,6,6,4,2)}{5 \sum_{j=1}^{1} n_{.j} - 1 \sum_{j=1}^{5} (9,7,5,5,2)} = \frac{(5 \times 7) - (5 \times 4)}{(5 \times 7) - (1 \times 25)} = \frac{25}{10} = 2,50$$

Tableau 6.1 — Données servant au calcul de l'indice de prudence de Sato

Sujet #	Item 3	Item 2	Item 5	Item 1	Item 4	$n_{i.}$	#erreurs	C_i	$C_{i\,\text{modifié}}$
3	1	1	1	1	1	5	0	0,00	0,00
10	1	1	1	1	0	4	0	0,00	0,00
9	1	1	1	1	0	4	0	0,00	0,00
5	1	1	1	0	0	3	0	0,00	0,00
2	1	1	1	0	0	3	0	0,00	0,00
7	1	1	1	0	0	3	0	0,00	0,00
6	0	0	0	1	0	1	2	1,50	0,60
1	1	0	0	0	0	1	0	0,00	0,00
4	0	0	0	0	1	1	2	2,50	1,00
8	0	0	0	0	0	0	0	0,00	0,00
$n_{.j}$	7	6	6	4	2				

Deux observations s'imposent en ce qui concerne les résultats du tableau 6.1. À l'exception des sujets 4 et 6, toutes les valeurs des indices de conformité sont égales à 0. Dans une échelle hiérarchique dont le coefficient de reproductibilité (voir chapitre 4) est égal ou supérieur à 0,90, il est normal que les patrons de la plupart des sujets soient conformes à l'ordre de difficulté du groupe. La seconde observation a trait aux sujets 4 et 6. Ils ont tous les deux réussi un seul item, mais pas l'item le plus facile. Le sujet 4 a réussi l'item le plus difficile et le sujet 6 a réussi un item deux fois plus facile. L'indice de conformité est sensible à cette différence entre les deux sujets. Entre deux sujets n'ayant réussi qu'un seul item, le score le plus suspect se retrouve chez celui qui a réussi le plus difficile des deux items, dans ce cas-ci, le sujet 4.

L'indice de conformité de Sato pouvant prendre n'importe quelle valeur positive, il est difficile à interpréter et à comparer. Que signifie un indice de 2,5 ? À partir de quelles valeurs un patron de réponses devient-il suspect ? Il n'y a pas de réponses simples aux deux questions précédentes puisqu'il n'y a pas de test de signification statistique de l'indice de Sato. Plus sa valeur est grande, plus le score total mérite notre attention. Il existe par ailleurs un indice modifié de Sato qui ramène toutes les valeurs de conformité sur un intervalle s'étendant de 0 à 1. La comparaison des indices en est simplifiée puisque l'on connaît la valeur maximale de l'indice et que celle-ci est fixée à 1.

L'indice de conformité modifié de Sato est fourni par l'équation suivante :

$$C_i = \frac{\displaystyle\sum_{j=1}^{n_{i.}} 1 - u_{ij} n_{.j} - \sum_{j=n_{i.}+1}^{J} u_{ij} n_{.j}}{\displaystyle\sum_{j=1}^{n_{i.}} n_{.j} - \sum_{j=J+1-n_{i.}}^{J} n_{.j}} \tag{6.3}$$

Pour calculer l'indice modifié pour le sujet 4, on substitue dans l'équation précédente les valeurs suivantes tirées du tableau 6.1 :

$$C_4^* = \frac{\sum_{j=1}^{1}(1,1,1,1,0) \times (7,6,6,4,2) - \sum_{j=2}^{5}(0,0,0,0,1) \times (7,6,6,6,4,2)}{\sum_{j=1}^{1}(7,6,6,4,2) - \sum_{j=5}^{5}(7,6,6,6,4,2)}$$

$$= \frac{7-2}{7-2} = \frac{5}{5} = 1,00$$

Dans le cas du sujet 4, l'indice modifié prend la valeur maximale de 1,00 puisque la situation est la plus inhabituelle que l'on puisse concevoir : il ne réussit qu'un seul item et c'est le plus difficile. S'il s'agissait d'un item à choix de réponses, nous pourrions inférer que cette seule réussite est l'effet du hasard. Dans le cas du sujet 6, la valeur de l'indice modifié est plus faible, car l'item réussi n'est pas parmi les plus difficiles et de plus, il est deux fois plus facile que l'item le plus difficile : en effet, quatre sujets l'ont réussi au lieu de deux. Ceci explique pourquoi l'indice pour le sujet 6 est de 0,60 au lieu de 1,00.

1.3 AUTRES APPLICATIONS DES INDICES DE CONFORMITÉ

Dans les exemples présentés jusqu'ici, il a été question surtout de la conformité des patrons de réponses des sujets par rapport à celui de leur groupe de référence. La même question peut se poser en ce qui concerne la conformité du patron de réponses d'un groupe restreint par rapport à un groupe plus grand. Harnisch et Linn (1981) ont en effet utilisé les indices de conformité pour comparer les patrons de réponses de classes et d'écoles par rapport aux résultats d'un examen appliqué à l'ensemble de l'État d'Illinois. Cette information diagnostique permet de mieux comparer les résultats d'écoles obtenant les mêmes moyennes, mais des patrons de réussite fort différents. Dans les écoles où l'enseignement diverge considérablement du curriculum prescrit, les patrons de réponse peuvent, dans ces cas précis, prendre des formes inhabituelles.

2. Les normes

2.1 ÉCHELLES NORMÉES ET NON NORMÉES

Dans le cadre d'une évaluation normée, tester des sujets consiste toujours à les comparer, à les distinguer entre eux. Sans référence aux résultats d'autres sujets, les notes brutes d'un individu à un test donné sont sans signification précise. En effet, d'un test à l'autre, la nature et la difficulté des items varient. Sur la base d'un score brut, nous ne pouvons donc déterminer si un sujet est faible ou brillant. Pour pouvoir interpréter les résultats, il est nécessaire de faire correspondre les notes brutes à celles d'une échelle de référence qui possède une valeur normative. Nous verrons plus loin que cette échelle peut prendre différentes formes plus ou moins commodes pour le praticien.

L'étalonnage d'un test est la graduation de l'échelle des résultats qui va permettre la comparaison des scores de différents individus. Pour étalonner un test, celui-ci doit avoir été administré à un échantillon représentatif de la population choisie. Les résultats obtenus serviront alors de normes pour cette population et pour elle seule. En effet, des écarts parfois sensibles existent non seulement entre les performances de populations dont la culture et le système éducatif sont très différents, mais aussi entre des populations plus proches en apparence. Par exemple, Deltour (1973) observe qu'à l'échelle de Wechsler pour les jeunes enfants (WPPSI), les sujets belges obtiennent en moyenne un QI de performance inférieur de 8 à 9 points à celui des sujets français du même âge, alors qu'*a priori*, les contextes culturels et éducatifs des enfants belges francophones et des enfants français sont très proches.

La relativité des normes n'est pas seulement synchronique, mais elle est aussi diachronique. En effet, les caractéristiques d'une population ne restent pas stables au cours du temps. La composition d'une population peut changer et, surtout, les conditions éducatives peuvent se modifier. Par exemple, dans les pays occidentaux, on observe que diverses modifications bio-environnementales (amélioration des conditions sanitaires, élévation du niveau moyen de scolarité...) entraînent une augmentation des performances aux tests d'intelligence (Grégoire, 2009). C'est ce que constate Flynn (1987) dans une importante recherche internationale. Entre autres, l'auteur rapporte des données très robustes à propos des performances des appelés au service militaire hollandais qui, chaque année, forment un important échantillon d'hommes âgés de 18 ans. Entre 1952 et 1982, tous ces appelés ont passé le même test d'intelligence, en l'occurrence les *Matrices de Raven*. Si nous prenons comme normes de référence celles de 1952, nous constatons que le QI moyen de l'échantillon de 1982 atteint 121,10 points. En trente ans, nous observons ainsi un bond de plus de vingt points de QI à un test d'intelligence non verbale. Des données similaires ont été recueillies sur les appelés belges à l'aide du même test de Raven, mais l'étude a été faite sur une période plus brève (de 1958 à 1967). Sur cette période, on observe une augmentation du QI de 6,47 points chez les Belges francophones et de 7,82 points chez les Belges néerlandophones. En France, toujours chez les appelés et toujours avec le test de Raven, le saut quantitatif est encore plus spectaculaire puisque, entre 1949 et 1974, le Q.I. moyen a augmenté de 25,12 points.

Le praticien doit donc garder en tête que les normes vieillissent. La vitesse de la dégradation de la qualité des normes varie toutefois selon le type de test. Les normes d'un test de développement psychomoteur bougent sans doute moins avec le temps. Par contre, les normes d'un test de vocabulaire ou d'un questionnaire de personnalité risquent de devenir obsolètes plus rapidement. Un réétalonnage régulier des tests est donc indispensable.

Angoff (1971), constatant que les échelles qui possèdent une signification normée sont condamnées à devenir obsolètes avec le temps, souligne l'intérêt de créer des échelles non normées, c'est-à-dire indépendantes de tout groupe de sujets. Les échelles construites dans le cadre de l'évaluation critériée sont un exemple d'échelles non normées. Mais c'est surtout dans le cadre des modèles de réponse à l'item que des échelles non normées ont pu être développées. Dans ce cas, la difficulté d'un item est considérée comme un paramètre invariant, indépendant de l'échantillon de sujets qui a permis de l'estimer. Avec un ensemble d'items, il est dès lors possible de construire une échelle de référence sans caractère normé. Cette question, loin d'être triviale, sera traitée plus en détail dans le chapitre 7 consacré aux modèles de réponse à l'item.

2.2 Établissement des normes

2.2.1 Définition de la population

Comme nous l'avons indiqué plus haut, la procédure d'étalonnage d'un test comprend la passation de ce test par un échantillon de la population de référence. Il est donc nécessaire de débuter la procédure par une définition claire de cette population. Rappelons que, du point de vue statistique, une population correspond à tous les cas possibles au sein d'un ensemble déterminé. Cet ensemble peut être fini ou infini. La population peut parfois être constituée d'un petit nombre de cas qui peuvent être tous mesurés. Mais, le plus souvent, la taille de la population rend difficile, voire impossible, toute collecte exhaustive de mesures. Il faut alors se limiter à un échantillon à partir duquel les caractéristiques de la population seront inférées.

La définition de la population doit être appropriée à l'usage qui sera fait du test. Par exemple, si un test est destiné à diagnostiquer les troubles du développement sensori-moteur, la population visée peut être celle des enfants âgés de 0 à 3 ans. Et si un questionnaire est destiné à évaluer le développement social des handicapés mentaux, la population de référence sera celle des handicapés mentaux. D'une manière générale, il est nécessaire que la population de référence soit suffisamment homogène, c'est-à-dire que tous les individus susceptibles d'être évalués à l'aide du test en fassent clairement partie.

Lorsqu'un test est développé par un éditeur commercial, il est fréquent que les normes soient nationales. L'avantage majeur de se référer à une population nationale est de permettre la production d'un système unique de normes, valable pour un très grand nombre de sujets. L'intérêt commercial et la facilité d'usage sont évidents. Cependant, la référence à la population nationale n'implique pas que les normes de différents tests soient *ipso facto* comparables. En effet, cette population n'est pas toujours définie de la même manière par les éditeurs. En particulier, ces derniers ne s'accordent pas toujours à propos de l'inclusion de certains groupes atypiques dans la population de référence. Par exemple, les handicapés mentaux sont parfois inclus et d'autres fois exclus de la population lors de l'étalonnage de tests cognitifs ou d'acquis scolaires. Il en résulte des différences sensibles entre les normes de certains tests qui, pourtant, se réfèrent tous à la population nationale. Par ailleurs, les normes nationales souffrent parfois de leur trop grande généralité. En effet, il est souvent plus pertinent pour les praticiens de prendre des décisions en s'appuyant sur des normes plus spécifiques. Par exemple, pour un psychologue travaillant dans des milieux scolaires socio-économiquement défavorisés, il sera généralement plus utile de disposer de normes déterminées sur ce type de population.

Pour cette dernière raison, mais aussi pour des motifs financiers, il est fréquent de ne développer que des normes locales. Dans ce cas, la population de référence sera plus circonscrite. Elle correspondra, par exemple, aux élèves des écoles de toute une ville ou encore aux patients d'une institution d'accueil pour handicapés. Les normes qui seront générées en référence à ces populations serviront habituellement à des objectifs très précis : aider à orienter des élèves vers différents établissements ou constituer des groupes homogènes pour les apprentissages. Les limites des normes locales découlent de cette très grande spécificité. En effet, pour d'autres usages du test ou du questionnaire, il sera nécessaire de développer de nouvelles normes.

2.2.2 L'échantillonnage

Dans le paragraphe précédent, nous avons souligné qu'il n'est généralement pas possible d'établir des normes en testant toute la population de référence. Nous sommes donc contraints d'inférer les caractéristiques de la population à partir des informations contenues dans les résultats d'un échantillon. Les normes ne constituent dès lors qu'une estimation de certains paramètres de la population, comme la moyenne et la variance des scores. Le but de la procédure d'échantillonnage est de minimiser l'erreur d'estimation de ces paramètres. Nous allons passer en revue les principales techniques utilisées pour constituer un échantillon d'étalonnage.

Pour des raisons d'économie, il est fréquent de recourir à un *échantillon de convenance*. Il est en effet beaucoup plus commode pour le praticien d'utiliser des sujets de son entourage ou des personnes qui se sont présentées volontairement suite à une annonce. Malheureusement, cette procédure d'échantillonnage doit être déconseillée, car elle entraîne de sérieux biais dans l'estimation des paramètres de la population. En effet, l'importante place laissée au jugement du praticien ne conduit généralement pas à la constitution d'un échantillon représentatif de la population, car les erreurs dues au biais de sélection ne sont pas contrôlées. De plus, la procédure n'étant pas aléatoire, il n'est pas possible d'évaluer l'importance de l'erreur d'estimation des paramètres.

Angoff (1971) fait remarquer qu'avec les tests cognitifs, l'usage d'échantillons de convenance conduit habituellement à une surestimation des scores de la population. En effet, les sujets volontaires appartenant à l'environnement du chercheur constituent souvent un sous-groupe socioculturellement favorisé au sein de la population. Mais l'exemple le plus célèbre d'erreur d'estimation due au biais de sélection est certainement celui des sondages précédant l'élection présidentielle américaine de 1948. Tous les instituts de sondage avaient en effet prévu une victoire écrasante de Thomas E. Dewey alors que, finalement, ce fut Harry Truman qui triompha. À cette époque, la technique la plus utilisée était *l'échantillonnage par quotas*. Cette technique consiste à sélectionner l'échantillon de manière systématique afin que ses caractéristiques correspondent exactement à celles de la population. Par exemple, si la population est composée de 49 % d'hommes, on demande aux enquêteurs d'interroger des hommes jusqu'au moment où l'échantillon en inclut exactement 49 %. La faiblesse de cette méthode d'échantillonnage est de laisser une trop grande place à la subjectivité des interviewers. Un biais, en partie inconscient, risque en effet d'intervenir dans la sélection des répondants. Ce phénomène s'est d'évidence produit dans les sondages de 1948 et a conduit à une sérieuse mise en question de la méthode d'échantillonnage par quotas.

De manière à contrôler l'erreur d'échantillonnage, c'est-à-dire l'erreur d'estimation des paramètres de la population, il est nécessaire d'exclure toute subjectivité de la procédure et de constituer l'échantillon de manière purement aléatoire. Un échantillon peut être considéré comme aléatoire si chaque sujet de la population a une probabilité égale d'être sélectionné. Si c'est le cas, l'estimation des paramètres de la population sera non biaisée. Par ailleurs, il nous sera possible de calculer l'erreur type d'estimation des différents paramètres et de déterminer un intervalle de confiance autour des valeurs calculées à partir des scores de l'échantillon. Il existe diverses techniques d'échantillonnage aléatoire : (1) l'échantillonnage aléatoire simple, (2) l'échantillonnage aléatoire stratifié, (3) l'échantillonnage systématique et (4) l'échantillonnage par grappes.

Nous parlons d'*échantillonnage aléatoire simple* si, dans une population de taille *N*, nous tirons un échantillon de taille *n* afin que chaque individu de la population ait la même probabilité d'être sélectionné. La procédure d'échantillonnage aléatoire simple consiste à assigner un numéro spécifique à chaque individu de la population puis à tirer au sort parmi les numéros un échantillon dont la taille a été définie au préalable. Pour réaliser ce tirage au sort, nous pouvons utiliser soit une table de nombres aléatoires, soit le générateur de nombres aléatoires inclus dans la plupart des programmes de statistiques actuels (p. ex. SAS, SPSS). Les tables de nombres aléatoires sont construites pour obtenir une distribution uniforme. Les programmes statistiques permettent, en plus, de générer des nombres aléatoires avec différents types de distribution (distribution normale, distribution de *t*, distribution de χ^2...). Dans le cas d'une procédure d'échantillonnage entreprise en vue d'établir des normes, il sera nécessaire de choisir la procédure générant des nombres aléatoires avec une distribution uniforme ou rectangulaire. Celle-ci accorde à chaque membre de la population une probabilité égale d'être choisi.

Une fois l'échantillon constitué, chaque individu sélectionné passe le test que l'on souhaite étalonner. Sur la base des scores de l'échantillon, les statistiques désirées sont ensuite calculées. Elles seront considérées comme autant d'estimations des paramètres de la population. Les erreurs d'échantillonnage étant inévitables, il importe également d'évaluer l'erreur d'estimation des paramètres. À titre d'illustration, nous prendrons le cas de la moyenne.

Comme nous l'avons vu dans le chapitre 2, du fait des erreurs aléatoires d'échantillonnage, la moyenne que nous calculons à partir des scores de l'échantillon risque d'être sensiblement différente de celle que nous pourrions calculer à partir de tous les scores de la population. Si nous tirions un grand nombre d'échantillons au sein de la population et que nous calculions chaque fois la moyenne des scores, les différentes moyennes tendraient à se distribuer normalement et leur moyenne serait égale à la moyenne de la population. L'écart type de cette distribution de moyennes est appelé l'erreur type de la moyenne et se note $s_{\bar{x}}$. À partir de l'échantillon que nous avons sélectionné, cette valeur peut être estimée de manière non biaisée au moyen de la formule suivante :

$$\hat{s}_{\bar{x}} = \sqrt{\frac{s^2}{n} \; \frac{N-n}{N}} \qquad (6.4)$$

s^2 = variance des scores de l'échantillon

n = taille de l'échantillon

N = taille de la population

Dans cette formule, le terme *(N-n)/N* est appelé la correction pour population finie. Cette correction prend en compte le fait qu'une estimation basée sur un échantillon de 20 participants tiré d'une population de 60 sujets contient plus d'information à propos de la population qu'un échantillon de 20 participants tirés d'une population de 10.000 sujets. Cette correction peut être ignorée lorsqu'elle est supérieure ou égale à 0,95, c'est-à-dire lorsque n ≤ (1/20)N. Dans ce cas, la formule 6.4 s'écrit de manière plus simple :

$$\hat{s}_{\bar{x}} = \sqrt{\frac{s^2}{n}} \qquad (6.5)$$

La connaissance de l'erreur type de la moyenne nous permet de construire un intervalle de confiance autour de la moyenne de l'échantillon. Cet intervalle nous oblige à relativiser la valeur obtenue à partir de l'échantillon et à prendre conscience de l'importance de l'erreur d'estimation de la moyenne. Si nous souhaitons avoir 95 % de chance que la moyenne de la population se trouve dans l'intervalle de confiance, il nous suffit de multiplier l'erreur type de la moyenne par 1,96 lorsque notre échantillon est de taille supérieure à 30, ce qui est généralement le cas lorsque l'on souhaite établir des normes. Puis, à l'aide de cette valeur, nous déterminons la borne inférieure et la borne supérieure de l'intervalle en la soustrayant et en l'additionnant au score moyen de l'échantillon. Par exemple, si la moyenne de l'échantillon est 53,21 et l'erreur type est 3,20, l'intervalle de confiance à 95 % sera égal à [53,21 − (3,20 × 1,96) ; 53,21 + (3,20 × 1,96)], c'est-à-dire [46,94 ; 59,48].

La formule 6.5 permet de nous rendre compte aisément que l'erreur type de la moyenne dépend de deux variables : la variance des scores et la taille de l'échantillon. Plus la taille de l'échantillon est grande et plus la variance des scores est petite, plus l'erreur type de la moyenne est faible ; c'est-à-dire plus précise est l'estimation de la moyenne de la population. Par ailleurs, partant de cette formule, il est possible de déterminer *a priori* la taille minimum de l'échantillon d'étalonnage nécessaire pour atteindre un niveau d'erreur d'estimation donné. Cette information est économiquement très utile puisqu'elle nous permet d'obtenir la précision d'estimation souhaitée au moindre coût. La taille de l'échantillon peut être déterminée à l'aide de la formule suivante :

$$n = \frac{N\sigma^2}{ND + \sigma^2} \qquad (6.6)$$

N = taille de la population

σ^2 = variance des scores de la population

$D = \dfrac{B^2}{4}$

B est la borne de l'erreur d'estimation que nous avons choisie et correspond à deux fois l'erreur type d'estimation. Cette valeur, définie a priori, doit nous permettre de construire un intervalle de confiance de 95 % autour de la moyenne de l'échantillon. Quant à la variance des scores de la population, elle nous est inconnue. Il est donc nécessaire d'estimer celle-ci à partir des résultats d'un échantillon. Souvent, les résultats recueillis lors d'une première expérimentation du test sont utilisés à cet effet. La taille de l'échantillon devra cependant être suffisante pour permettre une estimation assez précise de la variance de la population.

Nous pouvons illustrer l'utilisation de la formule 6.6 par l'exemple d'un test d'orthographe, constitué de 80 mots d'usage, que l'on souhaite étalonner pour la 4e année de l'enseignement primaire belge francophone (âge moyen = 10 ans) dont la population est de 117.395 élèves. On désire déterminer la taille minimale de l'échantillon nécessaire pour estimer la moyenne des scores de cette population avec une marge d'erreur égale à 2 points (en plus ou en moins). Une première expérimentation du test sur un échantillon de 75 élèves a permis d'estimer la variance des scores de la population, qui est approximativement égale à 225. Par conséquent :

$$B = 2$$

$$D = \frac{2^2}{4} = 1$$

$$n = \frac{117\,395 \times 225}{(117\,395 \times 1) + 225} = 225$$

Il faudrait donc tirer un échantillon aléatoire simple de 225 élèves au sein de cette année scolaire pour pouvoir estimer la moyenne de la population au test d'orthographe avec 95 % de chance que la moyenne de la population soit incluse dans l'intervalle de ± 2 points autour de la moyenne de l'échantillon. Si l'on désire que cet intervalle soit de ± 1 point, la taille de l'échantillon devra être au minimum de 894 élèves. Nous constatons que, dans ce cas, l'amélioration de la précision implique une augmentation très importante de la taille de l'échantillon nécessaire.

L'échantillonnage aléatoire stratifié consiste à rassembler les individus de la population au sein de groupes sans recouvrement, appelés strates, et à ensuite sélectionner un échantillon aléatoire simple dans chacune des strates ainsi constituées. Par exemple, pour étalonner un test de mémoire de séries de chiffres, nous pouvons diviser la population en cinq groupes définis par le niveau d'études puis tirer au hasard dans chaque groupe un nombre d'individus proportionnel à l'importance de ce groupe au sein de la population. Dans ce cas, aucune des strates ne se recouvre puisqu'un individu ne peut appartenir qu'à une seule strate. Par conséquent, les échantillons sélectionnés dans les différentes strates seront indépendants les uns des autres.

Le principal avantage de l'échantillonnage aléatoire stratifié est de permettre une estimation des paramètres de la population plus précise que celle obtenue avec un échantillon aléatoire simple de même taille. Cet avantage n'est cependant effectif que si la population est divisée en strates relativement homogènes sur la base d'une ou plusieurs variables corrélées avec la variable mesurée par le test. C'est le cas dans notre exemple, car la mémoire de séries de chiffres est corrélée avec le niveau d'études. La variance au sein de chaque strate est dès lors plus faible que la variance au sein de la population. Dans cet exemple, il est possible d'encore réduire la variance intra-strates en définissant chacune de celles-ci sur la base des variables « niveau d'études » et « âge ». En effet, l'âge est également corrélé avec la mémoire de séries de chiffres. Les strates définies en tenant compte du niveau d'études et de l'âge seront dès lors plus homogènes que celles définies en tenant compte du seul niveau d'études.

Un second avantage de l'échantillonnage aléatoire stratifié est de nous permettre d'estimer aisément les paramètres de sous-groupes de la population. Nous pouvons par exemple estimer le score moyen de mémoire de chiffres selon l'âge et selon le niveau scolaire. Enfin, un dernier avantage de l'échantillonnage aléatoire stratifié est de donner plus de crédibilité aux normes. Les utilisateurs de tests accordent en effet une plus grande confiance à des normes basées sur un échantillon qui respecte la composition démographique de la population, même si certaines caractéristiques de cette population ne sont nullement corrélées avec la variable mesurée par le test.

Avec un échantillon aléatoire stratifié, le calcul de l'erreur d'estimation est plus complexe qu'avec un échantillon aléatoire simple. L'erreur type de la moyenne peut être estimée à l'aide de la formule suivante :

$$\hat{s}_M = \sqrt{\frac{1}{N^2} \sum N_i^2 \left(\frac{N_i - n_i}{N_i}\right)\left(\frac{s_i^2}{n_i}\right)} \tag{6.7}$$

N = taille de la population

N_i = taille de la i-ème strate au sein de la population

n_i = taille de l'échantillon tiré au sein de la *i-ème* strate

s_i^2 = variance des scores de l'échantillon tiré au sein de la *i-ème* strate

Le nombre d'individus dans une strate de la population affecte la quantité d'information incluse dans un échantillon tiré au sein de cette strate. Par conséquent, la taille de l'échantillon tiré dans chaque strate est habituellement proportionnelle à la taille de la strate au sein de la population. Si ce principe est respecté, l'estimation de la moyenne à partir d'un échantillon aléatoire stratifié équivaut à celle estimée à partir d'un échantillon aléatoire simple.

L'échantillonnage systématique consiste à choisir de manière aléatoire un individu au sein d'une liste (ou de tout autre cadre de référence) puis, à partir de cet individu, de sélectionner tous les *k-ièmes* individus de la liste. Par exemple, un praticien qui souhaite étalonner un test de lecture au sein d'une école utilisera la liste alphabétique des élèves au sein de laquelle il choisira de manière aléatoire un premier sujet. À partir de celui-ci, il sélectionnera systématiquement tous les 10e sujets tout au long de la liste jusqu'à la fin de celle-ci.

Le principal avantage de l'échantillonnage systématique réside dans sa facilité de mise en œuvre. L'échantillonnage aléatoire simple et l'échantillonnage aléatoire stratifié représentent des procédures nettement plus coûteuses en temps. Il faut en effet numéroter tous les individus de la population avant de réaliser un tirage aléatoire. Cette procédure est particulièrement laborieuse lorsque la taille de la population est très grande, et elle est même impossible lorsque nous ne connaissons pas la taille de la population et/ou que nous n'en possédons pas de liste exhaustive. Dans ce cas, l'échantillonnage systématique se révèle une procédure de choix. En effet, nous pouvons sélectionner les sujets à partir d'une liste (par exemple un fichier alphabétique ou un annuaire téléphonique). Nous pouvons aussi les choisir en possédant seulement une définition en compréhension, mais non en extension, de la population de référence. Par exemple, un psychologue peut étalonner un questionnaire de qualité de vie, destiné aux patients de l'hôpital où il travaille, en le faisant passer par un individu sur trois vus en consultation. Dans ce cas, la taille de la population est inconnue et aucune liste des individus n'est évidemment disponible. Lorsque nous possédons une liste exhaustive de la population, la règle pour déterminer la périodicité de la sélection est de choisir une valeur k plus petite ou égale au rapport entre la taille de la population et la taille de l'échantillon (c'est-à-dire $k \leq N/n$). Par exemple, si la population est égale à 2 000 et l'échantillon est égal à 50, k devra être égal ou inférieur à 40.

Pour un échantillon systématique, l'estimation de l'erreur type de la moyenne se calcule selon la même formule que pour l'échantillon aléatoire simple (formule 6.4). Lorsque la taille de la population est inconnue, la formule 6.5 devra être utilisée. Toutefois, l'identité des formules utilisées n'implique pas que l'estimation de la moyenne de la population est similaire selon les deux procédures d'échantillonnage. En réalité, elle n'est équivalente que si la liste des individus de la population est aléatoire, c'est-à-dire si la corrélation est nulle entre le critère d'organisation de la liste et la variable mesurée par le test. Par exemple, la corrélation entre le classement alphabétique des élèves et leur niveau de lecture est, selon toute vraisemblance, nulle ce qui nous permet de considérer le fichier alphabétique des élèves comme une liste aléatoire. Le praticien devra être attentif à cette question car la succession des individus n'est pas toujours indépendante de la variable mesurée et l'estimation des paramètres de la population risque dès lors d'être biaisée. Par exemple, le niveau moyen de dépression peut varier en fonction des périodes de l'année. Par conséquent, le psychologue qui sélectionne de manière systématique un échantillon sur une période restreinte risque d'obtenir des normes biaisées.

L'échantillonnage en grappe consiste en la sélection aléatoire de collections de sujets, appelées *grappes*. L'unité tirée au sort n'est dès lors plus un individu, mais un ensemble d'individus. Cette technique est, dans un certain nombre de situations, la moins coûteuse à mettre en œuvre. C'est le cas lorsque nous ne possédons pas de liste des individus de la population et/ou que le testing individuel de chaque sujet se révèle difficile. Imaginons, par exemple, un test d'acquis scolaires devant être étalonné pour des élèves de l'enseignement secondaire. Si nous utilisons une des techniques d'échantillonnage précédemment décrites, nous allons devoir extraire un ou deux élèves d'un grand nombre de classes dans le but de les tester. Cette procédure est évidemment laborieuse et perturbante pour le bon fonctionnement des classes. Dans ce cas, il est souvent plus simple de sélectionner aléatoirement des classes entières et de tester tous les élèves qui en font partie.

L'échantillonnage en grappes est d'autant plus efficace que les grappes sont hétérogènes. Nous récoltons alors un maximum d'informations à propos de la population au moindre coût. Par contre, lorsque les grappes sont très homogènes, nous sommes obligés de tester un grand nombre d'individus pour recueillir une information relativement limitée. Par ailleurs, pour que notre échantillon soit aléatoire, il est nécessaire de pouvoir constituer une liste de toutes les grappes de la population. Nous pourrons alors tirer au sort un échantillon de grappes en utilisant la technique décrite pour l'échantillonnage aléatoire simple. Un échantillonnage par grappes ne nous donne une estimation non biaisée de la moyenne de la population qu'à la condition que les grappes soient de tailles identiques et qu'elles soient suffisamment nombreuses. Ces conditions sont souvent difficiles à remplir, ce qui risque d'entraîner des biais d'estimation des normes. Pour un échantillon par grappes, l'estimation de l'erreur type de la moyenne peut être calculée au moyen de la formule suivante :

$$\hat{s}_M = \sqrt{\frac{N-n}{Nn\bar{M}^2} \frac{\sum\left(y_i - \bar{y}m_i\right)^2}{n-1}} \tag{6.8}$$

N = nombre de grappes dans la population

n = nombre de grappes sélectionnées dans l'échantillon

$\bar{M}$ = taille moyenne des grappes dans la population

y_i = total des scores dans la *i-ème* grappe

m_i = nombre de sujets dans la *i-ème* grappe

$\bar{y}$ = moyenne des scores de l'échantillon

Une question que se posent fréquemment les praticiens lorsqu'ils définissent les normes d'un test concerne le niveau acceptable des erreurs d'estimation. De la réponse à cette question découle la détermination de la taille de l'échantillon nécessaire pour établir les normes. Comme le souligne justement Angoff (1971, p. 558), *« on ne peut malheureusement pas répondre à cette question dans l'abstrait »*. Le niveau acceptable des erreurs d'estimation dépend en effet de l'usage qui sera fait des normes et du coût que nous sommes prêts à consacrer à la constitution de ces dernières. Or l'arbitrage entre la précision et le coût est un problème spécifique à chaque situation. Le praticien doit en priorité prendre en compte l'importance des décisions qui seront prises sur la base des normes et mettre en balance le coût d'une mauvaise décision et le coût d'une augmentation de la précision des normes. Pour aider le praticien, Angoff (1971) propose de prendre également en compte une règle simple : l'erreur type de la moyenne ne devrait pas dépasser de 14 % l'erreur type de mesure des scores à un test.

2.3   La transformation des scores

Les résultats recueillis dans l'échantillon d'étalonnage ne sont habituellement pas utilisés tels quels. Pour permettre une interprétation plus aisée des résultats de tests, les scores bruts de l'échantillon d'étalonnage sont généralement transformés et présentés sur une échelle familière aux praticiens. Il existe de nombreuses échelles destinées à exprimer les normes. Nous ne présenterons ici que les plus courantes. Nous expliciterons chaque fois la procédure de transformation des scores puis nous discuterons des avantages et inconvénients de l'échelle en question.

2.3.1 Les échelles en niveaux d'âge

Les normes peuvent être exprimées en termes d'âges moyens auxquels diverses performances sont réussies. Les sujets testés se verront alors attribuer un niveau d'âge en fonction de leurs résultats bruts. L'étalonnage en niveaux d'âge se déroule selon les étapes suivantes :

(1) Des échantillons de sujets pour les âges considérés sont constitués. Habituellement, un âge est défini comme un intervalle plus ou moins large autour de l'âge en question. Par exemple, un échantillon d'enfants de six ans comprendra des sujets âgés de 6 ans plus ou moins 2 mois, c'est-à-dire situés dans l'intervalle 5 ans 10 mois – 6 ans 2 mois.

(2) Le score moyen de chaque groupe d'âge est calculé.

(3) Éventuellement, les scores de certaines tranches d'âge sont estimés par interpolation. Cette procédure est utilisée lorsque certains âges n'ont pas été inclus

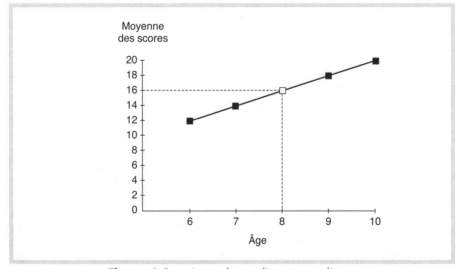

Figure 6.1 – Interpolation d'un niveau d'âge

dans l'échantillon d'étalonnage ou que l'on désire présenter des normes par mois, et pas seulement par année. La procédure d'interpolation repose sur le postulat d'une progression linéaire des caractéristiques évaluées par le test. Elle consiste à calculer la valeur intermédiaire entre les valeurs recueillies dans l'échantillon d'étalonnage. Par exemple, si le score moyen obtenu au test par les enfants de 7 ans est de 14 points et que celui obtenu par les enfants de 9 ans est de 18 points, on peut estimer que le score moyen des enfants de 8 ans est de 16 points (figure 6.1).

Le niveau d'âge le plus connu est certainement l'âge mental qui représente le niveau de développement intellectuel atteint par un sujet. Mais on peut utiliser le principe du niveau d'âge pour caractériser n'importe quelle capacité ou aptitude (la motricité, la connaissance du schéma corporel, etc.) pour peu que celle-ci varie avec l'âge. Ceci représente d'ailleurs la limite essentielle de l'expression des normes en niveaux d'âge. Ce principe est en effet inapplicable lorsque le trait mesuré ne varie pas spécifiquement avec l'âge (par exemple l'anxiété) ou lorsqu'il est arrivé au terme de son développement (par exemple l'intelligence adulte). Par ailleurs, même lorsque le trait mesuré évolue avec l'âge, la corrélation entre les variables « âge » et « performance » est rarement parfaite. Pour que ce soit le cas, il faudrait que la relation entre l'évolution de l'âge et celle de la performance soit rigoureusement linéaire, ce qui est rarement le cas. Durant l'enfance, les progrès ne sont en effet pas proportionnels à l'âge et se font à des rythmes variés. Le lien entre âge et performance est donc assez lâche. Par conséquent, le niveau d'âge attribué à une performance sera plus ou moins adéquat en fonction du degré de corrélation linéaire entre ces deux variables.

Un autre problème soulevé par les niveaux d'âge concerne leur interprétation. Ainsi, les praticiens ont souvent tendance à assimiler le raisonnement de tous les sujets de même âge mental. En fait, cette assimilation n'est pas en accord avec la réalité psychologique. Un adulte handicapé dont l'âge mental est de 8 ans ne raisonne pas comme un enfant de 8 ans de même âge mental. Dans le premier cas, nous avons affaire à une pensée figée, marquée par les stéréotypies, alors que, dans le second cas, il s'agit d'une intelligence mobile dont l'évolution n'est pas achevée. Les performances des deux sujets sont quantitativement similaires, mais les compétences sous-jacentes sont loin d'être identiques du point de vue qualitatif.

Enfin, un dernier problème posé par l'utilisation des niveaux d'âge provient de la relativité des unités d'âge. Ainsi, un retard d'un an à 4 ans (âge chronologique) n'a pas la même valeur qu'un retard d'un an à 12 ans. Le même problème se pose de façon plus évidente au niveau de la taille. Une différence de 5 cm est en effet beaucoup plus importante entre deux nouveau-nés qu'entre deux adultes.

Pour résoudre cette difficulté, nous pouvons calculer un quotient en divisant le niveau d'âge par l'âge réel du sujet. Il est possible de calculer non seulement des quotients intellectuels, mais aussi des quotients de développement moteur, des quotients de mémoire, etc. De cette façon, nous évitons de considérer le niveau d'âge comme une valeur absolue et nous l'interprétons comme une valeur relative à l'âge chronologique. Si le niveau d'âge d'un sujet évolue parallèlement à son âge chronologique, alors son quotient restera constant au cours du développement. Toutefois, cette façon de procéder ne doit pas nous faire oublier que le rapport ainsi calculé s'appuie sur une mesure en niveaux d'âge dont nous avons souligné les sérieuses faiblesses.

2.3.2 Les échelles en niveaux scolaires

L'expression des normes en niveaux scolaires a d'importantes similitudes avec celle en niveaux d'âge. La procédure d'étalonnage est en effet semblable, à cette différence près que nous constituons des groupes de niveau scolaire (par exemple, 1re année primaire, 2e année primaire…) au lieu de groupes d'âge. Une performance caractéristique d'une année scolaire correspondra à la médiane ou à la moyenne des résultats des élèves. Nous considérerons, par exemple, qu'un score brut donné est du niveau de la 4e année primaire s'il est obtenu par 50 % des élèves de cette année scolaire.

Les désavantages des niveaux scolaires sont similaires à ceux des niveaux d'âge. Derrière la simplicité apparente de l'interprétation se cachent en effet les mêmes problèmes, mais accentués. Parmi ceux-ci, le plus fondamental est que la corrélation entre les niveaux scolaires et les niveaux de performance est loin d'être parfaite. Pour que ce soit le cas, il faudrait admettre que l'évolution des acquis est régulière et continue tout au long de l'année, ce qui est peu vraisemblable. Il faudrait également que la variabilité des performances entre les classes et les établissements scolaires soit faible. Or, c'est le phénomène inverse qui est régulièrement observé : le niveau moyen de performance varie fortement d'une école à l'autre, et même d'une classe à l'autre. Cette variabilité est due aux caractéristiques sociologiques des populations de chaque école, mais aussi aux différences de pratiques d'enseignement et de promotion (redoublements fréquents ou non) entre les écoles. En découlent des recouvrements importants entre les performances des élèves des différentes années. Dans ces conditions, prendre comme référence le niveau moyen de performance correspondant à un niveau scolaire précis conduit souvent à d'importantes erreurs d'appréciation et à des prises de décision inadéquates.

2.3.3 Les échelles en rangs percentiles

La valeur d'un résultat peut être exprimée en termes de place ou de rang au sein de la population. Les centiles (ou percentiles) sont une des modalités les plus fréquentes de graduation des rangs. La distribution des résultats bruts est alors ramenée à 99 échelons afin qu'entre chaque échelon se trouve 1 % des sujets. Cette transformation des résultats en centiles s'appelle le centilage. La procédure de calcul des rangs centiles est présentée en détail dans le § 2.2 du deuxième chapitre.

Chaque valeur de la distribution est prise comme ordinale et non comme cardinale. Par exemple, le centile 80 indique la 80e place et non 80 points. Dans ce cas, 80 % des sujets ont des résultats bruts inférieurs à celui de l'individu testé. Plus faible sera le résultat d'un sujet, plus bas sera le percentile et inversement. N'oublions donc pas que, contrairement aux places d'un concours (la première place est attribuée au meilleur résultat), dans une échelle en centiles, le premier rang est donné au score brut le plus faible et inversement.

Dans la pratique, il n'est pas toujours nécessaire ni possible d'établir 100 divisions, soit que la variable a moins d'extension, soit qu'une discrimination aussi détaillée n'est pas nécessaire. On peut alors utiliser une notation en déciles (9 rangs) ou en quartiles (3 rangs).

L'expression des normes en centiles (ou en déciles, ou en quartiles) présente un important inconvénient. Une telle distribution des notes est rectangulaire alors que la distribution des notes brutes est généralement normale. Autrement dit, la transformation en centiles ne respecte pas la forme de la distribution originale et modifie donc les rapports entre les résultats. Le problème apparaît clairement sur la figure 2. Au voisinage de la moyenne, les sujets sont nombreux et, par conséquent, les centiles sont très proches. Par contre, aux extrémités de la distribution, les sujets se raréfient et les centiles sont donc de plus en plus éloignés les uns des autres. Ainsi, l'écart entre le centile 50 et le centile 60 n'est pas égal à l'écart entre le centile 80 et le centile 90. Il en découle un sérieux problème de comparaison entre sujets. Les centiles ne nous renseignent que sur le rang d'un sujet, mais non sur l'écart qui le sépare des autres. N'oublions pas que nous avons affaire à une échelle ordinale avec toutes les limites statistiques que cela représente.

2.3.4 *Les échelles en scores standard*

La transformation en scores standard résout différents problèmes rencontrés avec les percentiles. Cette transformation ne modifie pas la forme de la distribution des scores bruts car elle préserve au sein de la nouvelle distribution les relations numériques existant dans la distribution originale (figure 6.2). En effet, pour chaque valeur de la distribution des notes brutes, nous ne faisons que retrancher une constante ($\overline{X}$)

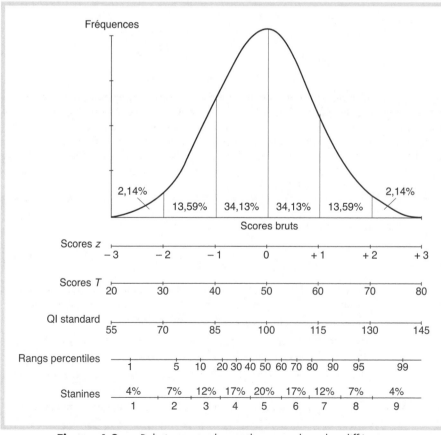

Figure 6.2 — Relation entre la courbe normale et les différents types de scores transformés

et diviser par une constante (s). Si, pour une distribution donnée, nous représentons graphiquement les coordonnées entre chaque score brut et le score standard correspondant, nous pourrons tracer une droite passant exactement par tous les points ainsi représentés. Pour cette raison, la transformation en scores standard est qualifiée de linéaire puisqu'elle est du type $Y = aX + b$ (voir annexe 1). Les échelles en scores standard peuvent être considérées comme des échelles d'intervalle dont elles possèdent les avantages en termes de traitements statistiques. Comment s'effectue pratiquement la transformation des scores bruts en scores standard ?

Il est tout d'abord nécessaire de calculer la moyenne et l'écart type de la distribution des notes brutes. Connaissant ces valeurs, nous pouvons alors transformer chaque score brut en calculant la distance qui le sépare de la moyenne avec une unité égale à l'écart type. Nous obtenons ainsi des scores z. La formule de transformation en score z est la suivante :

$$z_i = \frac{X_i - \overline{X}}{s} \tag{6.9}$$

Par exemple, si dans une distribution de scores bruts $\overline{X} = 60$ et $s = 5$ alors :

pour $X = 65$ $\qquad\qquad z = \dfrac{65 - 60}{5} = + 1{,}00$

pour $X = 58$ $\qquad\qquad z = \dfrac{58 - 60}{5} = - 0{,}40$

Les scores z ont comme inconvénient de présenter des décimales et d'être de signe négatif pour tous les scores inférieurs à la moyenne. C'est pourquoi il est d'usage d'utiliser une moyenne et un écart type arbitraires qui permettent de transformer les scores bruts en des valeurs entières et positives. Concrètement, la procédure consiste à multiplier chaque score z par un même écart type puis à lui ajouter une même valeur moyenne. Soulignons que cette procédure préserve le caractère linéaire de la transformation. La formule 6.9 devient alors :

$$Y_i = s' z_i + \overline{X}' \tag{6.10}$$

Ce qui peut s'exprimer de manière plus détaillée :

$$Y_i = s' \left(\frac{X_i - \overline{X}}{s} \right) + \overline{X}' \tag{6.11}$$

Dans ces deux formules, s' et $\overline{X}'$ sont respectivement les valeurs arbitraires de l'écart type et de la moyenne. Il existe quelques valeurs courantes pour s' et $\overline{X}'$:

- pour la transformation en *score T* , $s' = 10$ et $\overline{X}' = 50$
- pour la transformation en *QI standard*, utilisée dans les échelles de Wechsler et bien d'autres tests, $s' = 15$ et $\overline{X}' = 100$
- pour la transformation en *score CEEB* (College Entrance Examination Board), $s' = 100$ et $\overline{X}' = 500$

À titre d'exemple, reprenons les données présentées ci-dessus et transformons-les en *scores T* :

pour $X = 65$ $\qquad\qquad Y = 10 \left(\dfrac{65 - 60}{5} \right) + 50 = 60$

$$\text{pour } X = 58 \qquad Y = 10 \left(\frac{58 - 60}{5} \right) + 50 = 46$$

Comme nous venons de le voir, la transformation en score standard présente des avantages certains. Elle demande toutefois aux praticiens d'être attentifs à la valeur de l'écart type utilisée pour la transformation. De grossières erreurs d'interprétation des scores peuvent en effet découler d'une méconnaissance de cette valeur. Par exemple, nous avons vu que les tests de Wechsler utilisent une moyenne de 100 et un écart type de 15. Par contre, dans le *Culture Free Test*, Cattell utilise une moyenne de 100 et un écart type de 24. Par conséquent, un sujet qui se situe à un écart type en dessous de la moyenne aura un QI de 85 au test de Wechsler et de 76 au *Culture Free Test*. La différence entre les scores transformés est importante, alors que la position du sujet dans la distribution des scores bruts est identique. On conçoit aisément le type d'erreur qui pourrait être commise par simple ignorance des caractéristiques de l'échelle sur laquelle sont présentées les normes.

2.3.5 *Les échelles en scores standard normalisés*

Nous avons vu que la transformation en score standard est une transformation linéaire qui ne modifie pas la forme de la distribution des scores bruts. Cependant, il est parfois raisonnable de penser que le trait mesuré se distribue normalement et que la non normalité de la distribution des scores bruts résulte d'erreurs aléatoires d'échantillonnage. Ainsi, les constructeurs de tests d'intelligence s'appuient généralement sur le postulat d'une distribution normale de l'intelligence au sein de la population. Dans ce cas, il est d'usage d'effectuer une transformation en scores standard qui va rendre normale la distribution des scores bruts. Cette transformation est intéressante car la distribution normale possède des caractéristiques bien connues et les résultats sont dès lors plus faciles à interpréter. Nous avons vu dans la section 3 du chapitre 2 que nous connaissons précisément le pourcentage de cas qui se situent en dessous et au-dessus de chaque valeur de la distribution normale réduite.

Puisqu'elle modifie la forme de la distribution d'origine, la transformation en score standard normalisé est non linéaire. La technique de transformation la plus simple se fait en deux étapes. Les scores bruts sont tout d'abord transformés en percentiles en utilisant la formule présentée dans la section 2 du chapitre 2. Les percentiles ainsi obtenus sont ensuite transformés en scores z à l'aide de la table de la distribution normale réduite. Par exemple, si un score brut correspond au percentile 80, nous chercherons dans la table de la distribution normale réduite la valeur de z sous laquelle se trouvent 80 % des cas. En l'occurrence, cette valeur est égale à 0,84. Si nous opérons de la sorte pour tous les scores bruts de la distribution, nous ferons correspondre à chacun de ceux-ci des scores z dont la distribution sera parfaitement normale. Pour éviter les valeurs décimales et négatives des scores z, il nous suffira d'appliquer la formule de transformation présentée plus haut en utilisant une moyenne et un écart type adéquats. Dans notre exemple, nous pourrions ainsi faire correspondre à 0,84 la valeur 113 au sein d'une distribution dont la moyenne est égale à 100 et l'écart type est égal à 15.

Dans certains cas, la transformation que nous venons de décrire procure une échelle inutilement fine pour l'usage auquel le test est destiné. Par exemple, si nous souhaitons évaluer le niveau de connaissance en anglais que possèdent des adultes afin de les orienter vers différents programmes de perfectionnement, nous n'aurons pas besoin d'un test gradué en cent échelons. La normalisation se fait alors selon un nombre de catégories plus limité. La transformation en *stanine (« standard nine »)* en est un exemple bien connu (figure 2). Dans ce cas, les scores standard normalisés sont limités à 9 avec une moyenne égale à 5 et un écart type approximativement égal à 2. Le stanine 5 au centre de la distribution (des rangs percentiles 40 à 59) contient 20 % des cas. Le premier et le dernier stanine contiennent 4 % des cas, le second et le huitième 7 %, le troisième et le septième 12 %, le quatrième et le sixième 17 %.

La figure 6.3 illustre la relation existant entre les scores bruts et les rangs centiles. Lorsque la distribution des scores bruts est parfaitement normale, cette relation prend la forme d'une ogive normale (celle d'un « s » allongé). Mais habituellement, du fait d'erreurs d'échantillonnage, les coordonnées entre les scores bruts et les rangs percentiles ne correspondent qu'approximativement à cette courbe. Cela signifie qu'en fonction des échantillons, un même score brut peut correspondre à différents rangs percentiles. Pour atténuer cet effet de l'erreur d'échantillonnage, nous pouvons recourir à la *technique du lissage* qui complexifie quelque peu la procédure de normalisation. La manière la plus rigoureuse d'effectuer le lissage constitue à déterminer la fonction mathématique qui s'ajuste le mieux aux coordonnées entre scores bruts et rangs percentiles. Sur la base de cette fonction, nous pouvons alors tracer la courbe lissée. Les différents points de cette courbe constituent les nouvelles coordonnées entre les scores bruts et les rangs percentiles. Nous obtenons ainsi une correspondance entre la distribution originale des scores et une distribution des scores dans laquelle les erreurs d'échantillonnage ont été nettoyées. À titre d'exemple, nous avons représenté dans la figure 6.3 la relation entre un score brut de 20 et le centile 50 qui lui correspond. Partant des rangs centiles, nous déterminons ensuite les scores z (et éventuellement les scores standard) selon la procédure décrite plus haut.

La procédure de lissage suppose que la distribution des scores bruts de l'échantillon ne s'écarte pas trop de celle de la population. En effet, si l'écart est important, la courbe lissée risque d'être mal estimée et de s'écarter sensiblement de

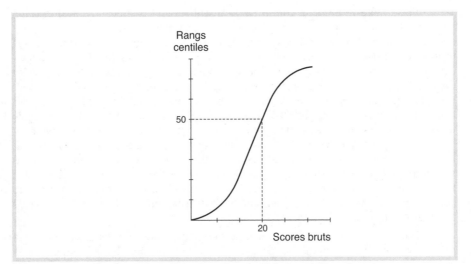

Figure 6.3 — Représentation graphique de la relation
entre scores bruts et rangs percentiles

celle qui pourrait être tracée sur la base des scores de la population. Par conséquent, l'utilisation de la procédure de lissage suppose un échantillonnage rigoureux en vue de minimiser les erreurs d'estimation.

D'une manière générale, la transformation en scores standard normalisés n'est envisageable que si la distribution des scores bruts est relativement proche de la distribution normale. Par ailleurs, l'existence au sein de la population d'une distribution normale du trait mesuré doit être conceptuellement plausible. Par exemple, il est logique que la distribution des scores à un questionnaire de dépression présente une forte asymétrie négative. La majorité des sujets tout-venant auront en effet un score de dépression très faible. Par contre, les sujets déprimés auront des scores qui s'étaleront vers la droite de la distribution. Normaliser une telle distribution n'aurait aucun sens. La procédure de normalisation des scores ne peut donc pas être appliquée de manière automatique. Elle doit s'appuyer sur une analyse détaillée de la distribution des scores bruts et sur une compréhension effective de la réalité mesurée.

3. Équivalence entre les scores de différents tests

3.1 CONDITIONS POUR LA MISE EN ÉQUIVALENCE DE SCORES

Le praticien peut être amené à comparer des résultats obtenus à différents tests mesurant une même réalité. Pour effectuer une telle comparaison, il est nécessaire de rendre équivalents les scores aux tests considérés. Ceci implique que les scores d'un des tests soient convertis dans la métrique de l'autre test. On note habituellement y* les scores au test X convertis dans la métrique du test Y. La mise en équivalence des scores de deux tests est qualifiée d'*horizontale* lorsque ces tests ont le même degré de difficulté. On parlera de mise en équivalence *verticale* lorsque les deux tests ont des niveaux de difficulté différents. C'est le cas lorsque l'on veut mettre en équivalence les résultats de tests d'aptitude construits pour évaluer des sujets appartenant à différentes tranches d'âges.

Le principe général de la mise en équivalence peut être illustré par la conversion des degrés Fahrenheit en degrés Celsius. Dans ce cas, les deux thermomètres utilisés mesurent une même réalité, à savoir la température, mais sur des échelles différentes. La conversion en degrés Celsius (°C) des températures relevées en degrés Fahrenheit (°F) s'effectue en soustrayant 32 de la température exprimée en Fahrenheit et en multipliant le résultat par 5/9. Selon cette formule de conversion, 50° F sont équivalents à 10° C. Une fois la conversion effectuée, toutes les températures enregistrées initialement en degrés Fahrenheit sont strictement équivalentes à celles enregistrées en degrés Celsius. Du fait de cette possibilité de mise en équivalence, il est indifférent d'observer les températures à l'aide d'un thermomètre gradué en degrés Fahrenheit ou en degrés Celsius.

Cette propriété des scores mis en équivalence se retrouve dans le cas des tests. En effet, selon Lord (1977, p. 128), *« des scores transformés y* et des scores bruts x peuvent être qualifiés d'équivalents si et seulement s'il est indifférent que les sujets soient évalués avec le test X ou le test Y »*. Pour que les scores à deux tests X et Y puissent être mis en équivalence, un certain nombre de conditions doivent dès lors être remplies (Lord, 1980) :

(1) Les deux tests doivent mesurer la même caractéristique,

(2) Les mesures réalisées avec les deux tests doivent être équitables. Cela signifie que certains sujets ne doivent pas être défavorisés en passant le test X plutôt que le test Y, et réciproquement. Pour que cette équité soit garantie, il est nécessaire que le score vrai d'un sujet au test Y soit identique à son score vrai au test Y* (c'est-à-dire au test X dont les scores ont été convertis dans la métrique du test Y). Il faut également que l'erreur de mesure soit égale au test Y et au test Y*,

(3) La conversion doit être indifférente aux groupes qui ont servi à élaborer les tables de transformation des scores,

(4) La conversion doit être symétrique. Cela signifie qu'il est indifférent de réaliser la transformation du test X vers le test Y ou du test Y vers le test X.

Ces conditions sont d'évidence difficiles à satisfaire dans la pratique. Pour que ce soit le cas, il faudrait que les tests X et Y soient strictement parallèles, ce qui est pratiquement impossible. En particulier, la seconde des quatre conditions est sans doute celle qui soulève le plus de problèmes (Petersen et al., 1988). Il est en effet peu vraisemblable de pouvoir construire deux tests dont la fidélité serait égale à tous les niveaux d'aptitude et qui présenteraient dès lors des distributions de fréquences conditionnelles identiques. Certains psychométriciens (Morris, 1982) ont donc suggéré de remplacer cette condition d'équité forte par une condition d'équité faible. Selon celle-ci, seul le score *moyen* conditionnel doit être identique au test Y et au test Y*. En d'autres termes, le *score attendu* d'un sujet doit être le même avec le test Y qu'avec le test Y*. Cette exigence, certainement plus réaliste, rend possibles des mises en équivalence dans le cadre de la théorie classique des scores.

Toutefois, nous devons reconnaître que, dans les faits, ces mises en équivalence restent souvent approximatives, car les conditions requises ne sont qu'imparfaitement remplies. Nous sommes ici confrontés aux limites de la théorie classique. Nous verrons dans le chapitre 7 que les modèles de réponse à l'item apportent des solutions certainement plus satisfaisantes aux problèmes de mise en équivalence. Nous présentons cependant les deux techniques de mise en équivalence les plus fréquemment utilisées dans le cadre de la théorie classique, car elles sont les seules applicables lorsqu'on ne dispose que de petits échantillons. Ces deux techniques sont la mise en équivalence linéaire et la mise en équivalence équipercentile.

3.2 La mise en équivalence linéaire

Cette technique est basée sur le postulat d'une relation linéaire entre les scores au test X et au test Y. On suppose alors que les distributions des scores aux deux tests ne diffèrent que par leurs moyennes et leurs écarts types. Si c'est le cas, nous pouvons écrire que :

$$y = ax + b \tag{6.12}$$

où $a = \dfrac{s_Y}{s_X}$

$b = \overline{Y} - \dfrac{s_Y}{s_X} \overline{X}$

La formule de conversion des scores au test X dans la métrique du test Y s'écrit dès lors :

$$y^* = \frac{s_Y}{s_X}(x - \overline{X}) + \overline{Y} \qquad (6.13)$$

Puisque la relation entre les deux distributions est linéaire, des scores équivalents au test X et au test Y correspondent au même score z. Il est par conséquent possible de réaliser la conversion des scores entre les deux tests via la correspondance des scores z.

La mise en équivalence linéaire peut se faire en utilisant divers plans expérimentaux. Le plus simple consiste à faire passer les deux instruments à un même groupe de sujets. Souvent, l'ordre de passage de chaque test est déterminé de manière aléatoire pour éviter un effet d'ordre. L'inconvénient de cette procédure est d'être assez lourde pour les sujets qui, tous, doivent passer les deux tests. Pour cette raison, on préfère parfois utiliser un autre plan expérimental où chacun des tests est passé par un groupe différent de sujets. Pour ces derniers, la procédure est ainsi plus légère. Pour les praticiens par contre, elle exige de constituer les groupes de manière strictement aléatoire afin de garantir leur équivalence statistique.

Un troisième plan expérimental consiste à faire passer chaque test à des groupes différents tout en administrant à chacun de ceux-ci une épreuve commune relativement courte, qualifiée de test d'ancrage. L'intérêt de cette procédure est de maintenir dans des limites raisonnables le temps de passation de chaque sujet, tout en contrôlant l'équivalence des différents groupes. L'usage d'un *test d'ancrage* implique toutefois des exigences supplémentaires (Angoff, 1971, p. 578). Il faut tout d'abord que le test d'ancrage soit corrélé avec les tests à mettre en équivalence. Utiliser, par exemple, une épreuve de psychomotricité pour mettre en équivalence des tests de vocabulaire n'aurait guère de sens. De plus, le test d'ancrage doit représenter une tâche équivalente pour les différents groupes de sujets. Par ailleurs, bien que sa forme générale soit la même, l'équation permettant de déterminer les scores y^* est sensiblement plus complexe que pour les autres plans expérimentaux. Dans cette équation, la lettre « z » désigne les scores au test d'ancrage Z. L'indice « 1 » est utilisé pour les scores au test Z du groupe ayant passé le test X et l'indice « 2 » est utilisé pour les scores au test Z du groupe ayant passé le test Y.

$$y^* = a(x - c) + d \qquad (6.14)$$

Détaillons les différentes composantes de cette formule :

$$a = \sqrt{\frac{s_Y^2 + b_{YZ_2}^2(s_Z^2 - s_{Z_2}^2)}{s_X^2 + b_{XZ_1}^2(s_Z^2 - s_{Z_1}^2)}} \qquad (6.15)$$

s_X^2 = variance des scores du premier groupe au test X

s_Y^2 = variance des scores du second groupe au test Y

s_Z^2 = variance des scores des deux groupes au test Z

$s_{Z_1}^2$ = variance des scores du premier groupe au test Z

$s_{Z_2}^2$ = variance des scores du second groupe au test Z

b_{XZ_1} = pente de la droite de régression de X sur Z (groupe 1)

b_{YZ_2} = pente de la droite de régression de Y sur Z (groupe 2)

$$c = \overline{X} + b_{XZ_1}(\overline{Z} - \overline{Z}_1) \qquad (6.16)$$

$\overline{X}$ = moyenne des scores du premier groupe au test X

Tableau 6.2 — Moyennes et variances des scores de deux groupes
à deux tests et à un test d'ancrage.

	Test 1	Test d'ancrage	Test 2
Groupe 1	$\bar{X} = 23{,}097$ $s_X^2 = 58{,}338$	$\bar{Z}_1 = 12{,}464$ $s_{Z_1}^2 = 85{,}618$	
Groupe 2		$\bar{Z}_2 = 13{,}433$ $s_{Z_2}^2 = 70{,}694$	$\bar{Y} = 19{,}506$ $s_Y^2 = 69{,}655$
Groupe 1 + Groupe 2		$\bar{Z} = 12{,}949$ $s_Z^2 = 78{,}562$	

$\bar{Z}$ = moyenne des scores des deux groupes au test Z

$\bar{Z}_1$ = moyenne des scores du premier groupe au test Z

$$d = \bar{Y} + b_{YZ_2}(\bar{Z} - \bar{Z}_2) \tag{6.17}$$

$\bar{Y}$ = moyenne des scores du premier groupe au test Y

$\bar{Z}_2$ = moyenne des scores du second groupe au test Z

    Un exemple permettra d'illustrer cette dernière technique de mise en équivalence linéaire. Le tableau 6.2 présente les moyennes et les variances des scores de deux groupes aux deux tests à mettre en équivalence ainsi qu'à un test d'ancrage. Par ailleurs, la valeur de la pente de la droite de régression de X sur Z et celle de Y sur Z ont été calculées selon la procédure présentée en annexe. Ces valeurs sont les suivantes :

$$b_{XZ_1} = 0{,}598 \text{ et } b_{YZ_2} = 0{,}623$$

À partir des différents résultats dont nous disposons, nous pouvons calculer les valeurs de a, c et d :

$$a = \sqrt{\frac{69{,}655 + 0{,}623^2(78{,}562 - 70{,}694)}{58{,}338 + 0{,}598^2(78{,}562 - 85{,}618)}} = 1{,}141$$

$$c = 23{,}097 + 0{,}598(12{,}949 - 12{,}464) = 23{,}387$$

$$d = 19{,}506 + 0{,}623(12{,}949 - 13{,}433) = 19{,}205$$

Grâce à ces valeurs, nous pouvons à présent calculer le score y^* qui correspond à un score x donné. Par exemple, si $x = 18$, alors :

$$y^* = 1{,}141(18 - 23{,}387) + 19{,}205 = 13{,}058 \cong 13$$

Cette dernière valeur signifie qu'un score de 18 points sur le premier test est équivalent à un score de 13 points sur le second test.

3.3 La mise en équivalence équipercentile

La mise en équivalence linéaire repose sur des postulats particulièrement exigeants qu'il est difficile de satisfaire dans la pratique. Pour cette raison, une procédure s'appuyant sur des postulats plus faibles peut être préférée : la mise en équivalence équipercentile.

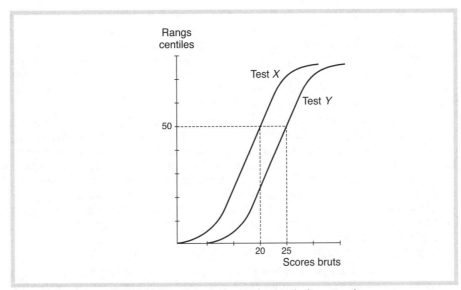

Figure 6.4 — Illustration graphique de la procédure
de mise en équivalence équipercentile

Cette procédure est toutefois plus compliquée à mettre en œuvre que la mise en équivalence linéaire. De plus, elle tend à produire des erreurs de mise en équivalence sensiblement plus importantes. Selon cette méthode, des scores au test X et au test Y sont considérés comme équivalents si leurs rangs percentiles sont égaux. Concrètement, la procédure de mise en équivalence équipercentile est la suivante :

(1) Un groupe passe les deux tests dont les scores doivent être mis en équivalence (ou deux groupes équivalents tirés aléatoirement au sein d'une même population passent chacun un des tests).

(2) Pour chaque instrument, les équivalents percentiles des différents scores bruts sont calculés.

(3) Pour chaque instrument, la relation entre les scores bruts et les rangs percentiles est représentée graphiquement et les courbes sont lissées (voir section 2.3.5).

(4) Les scores bruts des deux instruments sont mis en équivalence via les percentiles correspondants. La figure 6.4 illustre cette dernière étape de la procédure. Les deux courbes lissées des tests X et Y sont tracées sur le même graphique. Il est alors aisé de mettre en relation les percentiles et de déterminer les scores bruts qu'ils représentent dans chaque distribution des scores bruts. Ainsi, dans la figure 6.4, un score de 20 au test X est considéré comme équivalent à un score de 25 au test Y, car ils correspondent tous les deux au percentile 50.

3.4 LA MODÉRATION STATISTIQUE

La modération statistique est une procédure de transformation des scores particulièrement répandue en éducation. Elle consiste à ajuster les notes obtenues à une évaluation spécifique par les élèves d'une même classe ou d'un même établissement en fonction de leurs résultats à une épreuve uniforme, généralement une épreuve unique administrée à tous les élèves de la même juridiction scolaire, locale ou nationale. Le but de la modération est d'assurer que les résultats issus du processus d'évaluation des apprentissages des élèves en classe soient comparables et ainsi d'introduire plus de justice et d'équité dans ce processus. Il s'agit ainsi de s'assurer que les variations observées dans les modalités d'évaluation en classe et dans le jugement des enseignants n'affectent pas indûment les résultats des élèves.

La modération statistique, lorsqu'elle est employée à bon escient, parvient à corriger les variations des résultats institutionnels. Les résultats modérés statistiquement dépendent cependant de l'algorithme de calcul employé et d'un certain nombre de choix administratifs et statistiques qui peuvent contribuer à changer les résultats individuels. Parmi les algorithmes de calcul principalement utilisés, on retrouve ceux reposant sur la mise en équivalence linéaire et la mise en équivalence équipercentile (sections 3.2 et 3.3). Là s'arrête cependant la correspondance, car la modération statistique ne cherche pas à exprimer deux épreuves sur la même échelle de mesure, mais plutôt à assigner à une échelle de mesure (celle des notes de l'enseignant) la métrique de l'épreuve uniforme (celle de la juridiction nationale par exemple).

Cet ajustement des notes des élèves accordées par l'enseignant en fonction des résultats de l'élève et de son groupe à une épreuve uniforme repose sur la série d'hypothèses suivantes :

- Le classement des élèves par les enseignants est essentiellement le même que le classement des élèves obtenus par l'épreuve de calibration.
- Seule change la valeur absolue du résultat (en fonction du niveau d'exigence ou de sévérité de l'enseignant). La valeur relative (rang de l'élève) par rapport à son groupe ne change pas.
- Durant une certaine période de temps, l'enseignant évalue les élèves essentiellement sur les mêmes connaissances et compétences que l'épreuve uniforme (Burton et Linn, 1994).
- Les résultats classe ou école portent sur les mêmes notions et contenus que l'épreuve uniforme.

Du point de vue du public, la modération vers le bas pose un plus grand problème que vers le haut (Wilmut and Tuson, 2004:50, 7.6). En effet, un élève peut trouver injuste de voir la note attribuée par son enseignant diminuée parce que son groupe-classe a moins bien performé à l'épreuve uniforme. Peu importe la procédure de modération statistique utilisée, il y aura toujours des modérations vers le bas qu'il faudra expliquer ou justifier au grand public. La modération vers le bas peut être la conséquence d'un mauvais alignement de l'enseignement sur le curriculum scolaire officiel ou encore d'un trop grand laxisme dans l'attribution des notes de la part de l'enseignant.

Exemple de calcul

Prenons l'exemple de calcul d'un élève dont les résultats ont été ajustés à la baisse. Éric a obtenu une note globale de 58 % pour son cours de Physique de 12e année. La moyenne de son groupe-classe a été de 72 % et les résultats des 24 élèves de sa classe se sont distribués avec un écart type de 7. À l'examen national, le groupe d'Éric a obtenu une moyenne bien inférieure à celle assignée par l'enseignant, soit 66 % pour un écart type légèrement moindre de 6. La moyenne des élèves à l'épreuve uniforme tend à indiquer que les élèves sont surévalués par leur enseignant car leurs résultats y sont inférieurs. De plus, ils y sont moins dispersés (écart type = 6) que ceux de la note spécifique à la classe ou à l'école (note locale). Voici la liste des données de notre exemple et leur représentation symbolique :

N_i = note locale d'Éric = 58

$\overline{N_i}$ = moyenne des notes locales des élèves de la classe = 72

S_i = écart type des notes locales des élèves de la classe = 72

$\overline{N_u}$ = moyenne des notes de la classe à l'épreuve uniforme = 66

S_u = écart type des notes de la classe à l'épreuve uniforme = 6

N_m = note locale d'Éric après modération statistique

Aux fins de notre exemple, nous utiliserons une procédure de transformation linéaire pour effectuer la modération statistique. Il s'agira dans un premier temps de calculer le score z d'Éric en rapport avec sa note locale :

$$Z_i = \frac{N_{i-}\overline{N_i}}{s_i} = \frac{58 - 72}{7} = -2$$

Dans un deuxième temps, il s'agira de calculer à quel résultat à l'épreuve uniforme correspond le score z local calculé en effectuant la transformation linéaire suivante :

$$N_m = (s_u \times z_i) + \overline{N_u} = (6 \times -2) + 66 = 54$$

La modération statistique a donc contribué à ajuster à la baisse la note attribuée par cet enseignant à Éric en fonction de sa note locale et des résultats de son groupe-classe à l'épreuve uniforme. La note locale d'Éric passe donc de 58 à 54 après modération. Dans la province de Québec où une procédure de modération statistique est couramment employée (Cadre d'évaluation des apprentissages du Ministère de l'Éducation, du Loisir et du Sport du Québec, 2011, section 7.5.2), la note finale d'Éric qui serait versée à son dossier de fin d'études secondaires, serait composée à parts égales de la note locale modérée et de la note à l'épreuve uniforme. Dans le cas d'Éric, ce résultat serait la moyenne de 58 et 54, soit 56.

La modération statistique n'est pas une panacée. À elle seule, elle ne peut réussir à corriger les problèmes qui se produisent lorsqu'un enseignant dispense une formation qui n'est pas conforme aux objectifs du programme d'études ou qu'il n'évalue pas correctement les apprentissages visés par la formation (Wilmut & Tuson, 2004:6). C'est pourquoi dans plusieurs juridictions où la modération statistique est employée, celle-ci s'accompagne d'un minimum de procédures d'harmonisation (« social moderation ») visant à assurer un alignement de l'enseignement et de l'évaluation sur les objectifs du curriculum qui servent à préparer les épreuves uniformes. L'amélioration de la modération statistique ne vise pas à réduire le nombre de modérations par le bas, mais d'éviter les situations où celles-ci sont extrêmes ou injustifiées à cause de graves anomalies dans le processus.

En conclusion, la modération statistique peut s'avérer utile lorsque les hypothèses de départ sont respectées et que les résultats de la modération ne se traduisent pas par des changements extrêmes. Des modérations trop importantes à la hausse ou à la baisse sont le signe que quelque chose ne va pas dans l'alignement de l'enseignement et de l'évaluation en salle de classe avec le programme d'étude prescrit. C'est pourquoi plusieurs juridictions privilégient une approche mixte et accompagnent les procédures de modération statistique de procédures complémentaires d'harmonisation des pratiques d'évaluation entre enseignants (« social moderation » : Wyatt-Smith, Klenowski & Gunn, 2010) ou encore de procédures d'inspection des modalités d'évaluation utilisées par les enseignants ou encore d'audit des établissements ou des systèmes d'évaluation scolaire.

4. Le calcul d'un score seuil

4.1 L'IDENTIFICATION D'UN SEUIL DE PERFORMANCE

4.1.1 Le concept de seuil de performance

Dans la section précédente, nous avons vu comment nous pouvions construire une échelle de mesure à partir des performances d'un échantillon représentatif de la population. Les graduations ainsi déterminées sont utiles pour comparer les performances d'un sujet à celles de la population à laquelle il appartient. Mais d'autres comparaisons intéressent également les praticiens. En particulier, ceux-ci peuvent désirer situer les performances d'un sujet par rapport à un niveau de performance souhaité. Dans ce cas, il est nécessaire de déterminer un score qui permettra de ranger les sujets en deux catégories : ceux qui atteignent le niveau souhaité et ceux qui ne l'atteignent pas. Un tel score de référence est qualifié de *score seuil*. Pour un même test, il est possible de fixer plusieurs scores seuils. Par exemple, pour un test de langue étrangère, nous pouvons déterminer différents scores correspondant chacun à un niveau nécessaire pour faire partie d'un groupe d'apprentissage.

Mais, le plus souvent, le praticien n'a besoin que d'un seul score seuil. C'est le cas lorsqu'il s'agit de décider si un élève atteint un niveau de maîtrise suffisant dans une matière donnée. Le score seuil est alors pris comme l'indicateur d'un niveau minimum de compétence. C'est également le cas lorsqu'il s'agit de décider si un candidat possède les compétences nécessaires pour occuper un poste de travail donné.

Comment déterminer un score seuil ? La réponse est loin d'être triviale. Les scores déterminés à partir d'impressions globales se sont, le plus souvent, révélés très peu valides. Ainsi, pour les examens scolaires, il est d'usage d'estimer le pourcentage acceptable d'erreurs et, sur cette base, de déterminer le résultat minimum souhaité. Généralement, ce résultat est fixé à 50 ou 60 % de réponses correctes. La pertinence de ces valeurs est rarement fondée. Pour limiter au maximum les erreurs lors de prises de décision, il est nécessaire d'utiliser des méthodes plus rigoureuses pour déterminer les scores seuil. Comme nous le verrons plus loin, les méthodes actuelles restent imparfaites. Elles soulèvent plusieurs problèmes difficiles à résoudre. Dès à présent nous en soulignons deux. Le premier provient du fait que la plupart des variables mesurées sont continues alors que nous souhaitons évaluer les compétences de manière dichotomique (compétent/non compétent). Le second problème découle de notre difficulté à définir les compétences minimales. Cette définition est souvent imprégnée par la subjectivité des juges et reste, par conséquent, relative.

Depuis le début des années 1950 jusqu'aujourd'hui, un très grand nombre de méthodes ont été créées pour déterminer des seuils de performance les plus valides possible. Le lecteur intéressé en trouvera une large présentation dans l'ouvrage de V. de Landsheere (1988) « *Faire réussir, faire échouer* ». Dans la présente section, nous ne détaillerons que les six méthodes qui semblent être aujourd'hui les plus utilisées (Kane, 1994). Nous pouvons les ranger en deux grandes catégories : (1) celles qui se basent sur le contenu du test et (2) celles qui se basent sur les performances des sujets.

4.1.2 *Méthodes basées sur le contenu du test*

Pour toutes ces méthodes, plusieurs juges passent en revue le contenu des items et, sur cette base, décident du niveau de performance suffisant pour réussir le test. Les diverses méthodes diffèrent par la technique utilisée pour atteindre cet objectif. Pour chacune d'elles, il existe plusieurs variantes que nous ne détaillerons pas ici.

La méthode de Nedelsky (1954) a été créée pour le cas des items à choix de réponses. Pour chaque question, on demande aux juges de déterminer les choix de réponse qu'un sujet, possédant une compétence minimale, pourrait repérer comme incorrects. On peut dès lors déterminer la probabilité de répondre correctement à une question en choisissant une des alternatives restantes au hasard. Par exemple, si cinq choix de réponses sont proposés et qu'un sujet possédant une compétence minimale peut déterminer que trois de ces choix sont incorrects, le choix final de ce sujet ne se fera qu'entre les deux choix restants. Par conséquent, en répondant au hasard, ce sujet a une chance sur deux de choisir la réponse correcte. Son score probable est donc de 1/2 (ou de 0,50).

Une fois que l'on a déterminé par cette procédure le score probable à chaque item du test, on peut les additionner pour obtenir le score total probable pour l'ensemble du test. Chaque juge ayant procédé de la sorte, il faut calculer la moyenne entre les scores probables déterminés par les différents juges. Cependant, il faut bien se rappeler que le calcul d'une moyenne pour l'ensemble des juges n'est valable que s'il n'y a pas de cas extrêmes et que s'il existe déjà un certain degré d'accord entre les juges. Trop de dispersion dans les évaluations des juges rendrait cette moyenne non représentative des résultats. En fin de parcours, la valeur moyenne sera considérée comme le score le plus faible que peut obtenir un sujet possédant une compétence minimale. Ce score définit ainsi un seuil entre les individus suffisamment compétents et les individus insuffisamment compétents.

Le tableau 6.3 présente une illustration de la détermination par un juge du score total probable pour un test de sept questions à choix multiple. Chaque choix de réponse est indiqué par une lettre. Le choix correct est indiqué en italique. La lettre est barrée si le juge estime qu'un sujet possédant une compétence minimale pourra déterminer que ce choix est incorrect. Nous pouvons constater que la somme des scores probables est égale à 3,11. En d'autres termes, si un sujet possède une

Tableau 6.3 — Détermination du score seuil selon la méthode de Nedelsky

question	réponses	score probable
1	A *B* C D E	1/2 = 0,50
2	A B C D *E*	1/4 = 0,25
3	A B C D *E*	1/3 = 0,33
4	A B C D *E*	1/2 = 0,50
5	A *B* C D E	1/1 = 1,00
6	A B C D *E*	1/5 = 0,20
7	A B C D *E*	1/3 = 0,33
total :		3,11

Tableau 6.4 — Détermination du score seuil suivant la méthode d'Angoff

question	% de réussites	pourcentage/100
1	50	0,5
2	70	0,7
3	30	0,3
4	0	0,0
5	20	0,2
6	80	0,8
7	30	0,3
total :		2,8

compétence minimale, il devrait obtenir au moins 3 points au test en question. La valeur de 3 points est ainsi le score seuil à ce test. La présente valeur n'a toutefois été déterminée que par un seul juge. Pour obtenir le score seuil de référence, il nous faudra encore calculer la moyenne des scores seuil déterminés par les différents juges.

La méthode d'Angoff (1971) est vraisemblablement la plus utilisée aujourd'hui (Kane, 1994). Elle est applicable pour toutes les formes de questions, pour autant qu'elles soient cotées de manière dichotomique. Elle consiste à demander aux juges d'estimer la probabilité qu'un sujet possédant une compétence minimale aurait de réussir chacun des items du test. Cette méthode est simple dans son principe, mais complexe dans sa réalisation. Il n'est en effet pas facile de traduire la compétence minimale en termes de probabilité. Pour cette raison, il est d'usage d'aider les juges dans leur tâche en leur proposant d'imaginer un groupe de 100 sujets possédant une compétence minimale et d'estimer le nombre d'entre eux qui répondraient correctement à l'item en question. Chaque juge calcule un score seuil au test en additionnant les proportions de réussites aux différents items. Le tableau 6.4 illustre cette procédure. Le score seuil de référence est obtenu en calculant les moyennes des scores seuil déterminés par les différents juges.

La méthode d'Ebel (1972) est plus complexe que les deux précédentes car on demande aux juges de prendre en compte la pertinence et la difficulté des questions du test. Le travail des juges se déroule habituellement en deux temps. Lors de la première étape, chaque juge est invité à ranger les items dans un tableau en fonction de leur importance pour le programme d'apprentissage (ou pour l'activité professionnelle...) et en fonction de leur degré de difficulté. Le tableau 6.5 présente une illustration d'un tel classement.

Une fois que tous les items ont été classés, on demande aux juges d'estimer le pourcentage de questions de chaque catégorie susceptibles d'être réussies par un sujet possédant une compétence minimale. Les proportions ainsi déterminées sont alors multipliées par le nombre d'items correspondants. Par exemple, si le juge estime que le sujet sera capable de réussir 80 % des items importants et difficiles, il faudra multiplier le nombre d'items de cette catégorie par 0,8. Nous obtiendrons ainsi le score probable d'un sujet ayant une compétence minimale dans la catégorie d'items en question. Le score seuil au test est obtenu en additionnant les scores

Tableau 6.5 — Détermination du score seuil suivant la méthode d'Ebel

importance et difficulté	nombre d'items	proportion de réussite	score probable
Très important			
– très difficile	6	0,8	$6 \times 0,8 = 4,8$
– difficile	8	0,9	$8 \times 0,9 = 7,2$
– facile	6	1,0	$1 \times 6,0 = 6,0$
Important			
– très difficile	2	0,7	$2 \times 0,7 = 1,4$
– difficile	4	0,8	$4 \times 0,8 = 3,2$
– facile	4	0,9	$4 \times 0,9 = 3,6$
Peu important			
– très difficile	2	0,4	$2 \times 0,4 = 0,8$
– difficile	4	0,5	$4 \times 0,5 = 2,0$
– facile	0	0,0	$0 \times 0,0 = 0,0$
total :			**29,0**

probables aux différentes catégories d'items. Enfin, le score seuil de référence est déterminé en calculant la moyenne des scores seuil déterminés par les différents juges.

La méthode de Jaeger (1989) permet d'éviter le problème de la référence générale, et finalement assez abstraite, à un sujet possédant une compétence minimale. Cette méthode, présentée pour la première fois par Jaeger en 1978, est beaucoup plus contextualisée que les précédentes. Elle a, par ailleurs, la caractéristique

Tableau 6.6 — Détermination du score seuil suivant la méthode de Jaeger

question	doit-elle être réussie ?	score attendu
1	oui	1
2	non	0
3	oui	1
4	oui	1
5	oui	1
6	oui	1
7	non	0
8	oui	1
9	oui	1
10	oui	1
11	oui	1
12	oui	1
total :		**10**

d'être itérative. Elle consiste en une suite de réévaluations des mêmes items associées à la communication de renseignements à propos de ces items.

Avant d'évaluer les questions, les juges sont invités à passer eux-mêmes le test afin de se familiariser avec les items qu'ils vont devoir évaluer. Il leur est ensuite demandé, pour chaque item, de répondre par oui ou par non à la question suivante (tableau 6.6) : « *Tous les sujets qui bénéficieront d'une décision favorable sur la base des résultats du test [...] devraient-ils être capables de répondre correctement à cet item ?* » (Jaeger, 1989, p.494). Les juges doivent ainsi explicitement faire référence aux sujets réels qui seront évalués avec le test (par exemple, les élèves qui recevront un diplôme d'études secondaires sur la base des résultats au test). Lorsque tous les items ont été évalués une première fois, les juges sont informés des estimations de leurs collègues et du pourcentage de sujets ayant réussi chacun de ces items lors d'un prétest. Les juges sont alors invités à réévaluer tous les items. On leur montre ensuite le pourcentage de ceux qui échoueraient si leurs évaluations des items étaient effectivement utilisées à des fins de classement. Après cela, les juges réévaluent une dernière fois l'ensemble des items. Le score seuil de référence est déterminé en calculant la médiane des scores seuil déterminés par chaque juge.

4.1.3 *Méthodes basées sur la performance des sujets*

Ces méthodes tentent de réduire la subjectivité dans la définition du score seuil en utilisant des données empiriques, en l'occurrence les résultats recueillis avec le test sur un échantillon de sujets. Pour que ces méthodes soient efficaces, il est nécessaire que les juges aient une expérience suffisante des sujets qui vont avoir à passer le test. Ils vont en effet les classer en fonction de leur niveau de compétence. La suite de la procédure consistera en la passation du test par les sujets préalablement classés et en la détermination d'un score seuil sur la base des scores observés.

Deux méthodes principales s'appuient sur les performances des sujets :

- Dans la *méthode des groupes limites* (Livingstone & Zielsky, 1982), les juges doivent sélectionner au sein d'un groupe les sujets dont les compétences sont proches du niveau minimum attendu. Ceux qui sont nettement plus faibles ou nettement plus forts sont donc écartés. Pour réaliser correctement cette tâche de sélection, on choisit habituellement comme juges des enseignants ou des formateurs qui connaissent bien les participants de l'échantillon. Lorsque les sujets « limites » ont été sélectionnés, chacun de ceux-ci passe le test. Le score seuil est ensuite déterminé en calculant le score médian de la distribution des résultats des sujets « limites ». Le score seuil ainsi calculé n'a, bien entendu, de valeur que si l'ensemble des résultats est bien groupé autour de la médiane.

- Dans la *méthode des groupes contrastés* (Livingstone & Zielsky, 1982), les juges sont invités à classer les participants en deux groupes. D'un côté ceux qu'ils jugent compétents et de l'autre ceux qu'ils jugent non compétents. Tous les sujets passent ensuite le test. Le plus souvent le score seuil est alors déterminé à l'aide d'une technique graphique (figure 6.5). Les distributions de scores des sujets compétents et des sujets non compétents sont représentées simultanément. Le point d'intersection entre ces deux distributions représente le score seuil. La valeur correspondant au point d'intersection réduit au maximum les erreurs de classement des sujets. On minimise en effet le nombre de *faux négatifs*, c'est-à-dire de sujets classés comme non compétents sur la base

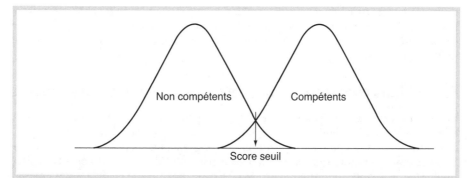

Figure 6.5 — Détermination du score seuil par la méthode des groupes contrastés

de leur résultat au test alors que les juges les avaient estimés compétents, et de *faux positifs*, c'est-à-dire de sujets classés comme compétents sur la base de leur résultat au test alors que les juges les avaient estimés non compétents (voir tableau 6.7, section 4.2).

4.1.4 *Validité des scores seuils*

Toutes les méthodes que nous venons de présenter font appel à des jugements dont les racines sont difficilement contrôlables. Cette part de subjectivité dans l'évaluation des items entraîne une certaine relativité des scores seuil déterminés selon ces méthodes. Deux groupes de juges évaluant le même ensemble d'items peuvent ainsi déterminer des scores seuil différents.

Les spécialistes de l'évaluation se sont donc attachés à réduire la subjectivité des juges afin d'améliorer la validité des scores seuil. On insiste à présent sur la nécessité d'utiliser un nombre suffisant de juges et de choisir ceux-ci de manière aléatoire. Il apparaît également nécessaire de soumettre les juges à un entraînement préalable et de leur donner des instructions claires à propos du contexte d'usage du test.

Un point qui a particulièrement retenu l'attention des chercheurs concerne la définition de la compétence minimale. Nous avons vu que la plupart des méthodes font appel à cette notion. Or les juges sont, au moins implicitement, influencés par les performances des sujets qu'ils connaissent lorsqu'ils se construisent une représentation de la compétence minimale. Celle-ci n'apparaît jamais *ex nihilo*. Plutôt que de tenter d'éliminer toute référence à des expériences antérieures (ce qui est impossible), il apparaît plus judicieux d'amener les juges à en prendre clairement conscience. C'est l'option prise par la méthode de Jaeger. La prise de conscience des références subjectives conduit chaque juge à un meilleur contrôle des facteurs qui influencent ses propres estimations.

Mais la volonté de contrôler la subjectivité des juges ne doit pas masquer une question plus essentielle : est-il vraiment possible de définir des compétences minimales ? Comme le fait très justement remarquer de Landsheere (1988, p. 133), *« le savoir ne se construit pas de façon simplement additive et linéaire : la maîtrise d'une nouvelle compétence peut aider à la maîtrise d'une autre qui n'avait pu se réaliser antérieurement »*. Si tel est le cas, la référence à des compétences minimales pour classer des sujets et pour prendre des décisions à leur propos risque d'être non pertinente et même injuste. Il n'est pas certain que la définition d'une compétence minimale ait toujours un sens. Avant de vouloir rassembler des juges et de les contraindre à respecter une méthodologie complexe d'évaluation d'items, le praticien doit d'abord s'interroger sur la possibilité et la pertinence de définir des compétences minimales dans le domaine qu'il souhaite évaluer.

4.2 L'utilisation d'un score seuil comme critère d'un trouble

Les scores seuil ne sont pas seulement utilisés pour déterminer la compétence des élèves. Ils servent également dans le domaine clinique comme critère de présence d'un trouble ou de sa probable apparition. Par exemple, une performance à un test de langage oral inférieure à un score seuil peut permettre d'anticiper l'apparition d'un trouble de la lecture un an plus tard. Sur la base de ce résultat, il sera possible de mettre en place un programme de remédiation destiné à éviter l'apparition du trouble de la lecture. Cet exemple montre le rôle important que peut jouer le score seuil, puisqu'il va servir à identifier les enfants qui pourront bénéficier d'un programme de remédiation. Si ce score seuil a été choisi adéquatement, il permettra d'identifier un maximum d'enfants ayant réellement besoin d'aide. Ces derniers seront qualifiés de « vrais positifs » (tableau 6.7). Ce score seuil devrait réduire au minimum le risque de négliger des enfants ayant besoin d'être aidés (faux négatifs) et de prendre en charge des enfants qui n'en ont pas besoin (faux positifs).

Sur la base du score seuil, il est possible de calculer plusieurs indicateurs de la validité diagnostique d'un test :

- La *sensibilité* correspond au *taux de vrais positifs*, c'est-à-dire à la proportion d'individus identifiés comme souffrant d'un trouble sur la base de leur score au test qui se révèlent être effectivement malades. Elle se calcule à l'aide de la formule VP/(VP+FN). Une sensibilité égale à 1 signifie que 100 % des personnes identifiées comme malades par le test le sont effectivement. Les valeurs inférieures à 1 indiquent qu'un certain pourcentage de sujets malades ne sont pas identifiés par le test (faux négatifs).
- La spécificité correspond au *taux de vrais négatifs*, c'est-à-dire à la proportion d'individus considérés comme sains sur la base de leur score au test qui sont effectivement en bonne santé. Elle se calcule à l'aide de la formule VN/(VN+FP). Une spécificité égale à 1 signifie qu'aucune personne saine n'est considérée comme malade sur la base du test (absence de faux positifs).
- Le *taux de faux positifs* correspond à la proportion d'individus qui sont erronément identifiés comme malades sur la base de leur score au test. Il se calcule à l'aide de la formule FP/(FP+VN) et est égal à (1 − la spécificité).

Tableau 6.7 — Classification en fonction de la présence effective d'un trouble et de son anticipation sur la base du score à un test diagnostique

		Présence effective du trouble	
		Oui	Non
Anticipation du trouble sur la base du score au test	Oui	Vrais positifs (VP)	Faux positifs (FP)
	Non	Faux négatifs (FN)	Vrais négatifs (VN)

Tableau 6.8 — Exemple de classification sur la base du score seuil à un test diagnostique

		Présence effective du trouble		
		Oui	Non	
Présence du trouble sur la base du score seuil	Oui	80	20	*100*
	Non	30	70	*100*
		110	*90*	*200*

Le tableau 6.8 présente un exemple de classification de 200 patients sur la base d'un score seuil à un test de mémoire. On postule que les patients dont le résultat est inférieur au score seuil présentent un risque de développer une maladie d'Alzheimer dans les cinq ans à venir. Par la suite, on constate que 80 personnes classées comme étant à risque ont effectivement développé la maladie (vrais positifs). Par contre, 20 personnes classées comme étant à risque n'ont pas développé la maladie (faux positifs). Par ailleurs, 30 personnes qui ont développé la maladie n'avaient pas été identifiées comme étant à risque sur la base de leur résultat au test (faux négatifs).

En utilisant le score seuil choisi, la sensibilité du test est égale à 0,73 et sa spécificité à 0,78. Quant au taux de faux positifs, il est égal à 0,22, ce qui correspond à (1 – la spécificité). La sensibilité et la spécificité sont des valeurs interdépendantes. Si nous modifions le score seuil pour augmenter la sensibilité, nous allons du même coup diminuer la spécificité. La figure 6.6 permet de comprendre aisément cette relation. Si nous déplaçons le score seuil vers la droite, le nombre de faux négatifs va diminuer et, du même coup, la sensibilité du test sera meilleure. Mais cette amélioration se fait au prix d'une augmentation du nombre de faux positifs et donc d'une diminution de la spécificité. Le phénomène inverse se produit si nous déplaçons le score seuil vers la gauche. Le choix du bon positionnement du score seuil doit dès lors être une décision mûrement réfléchie. Vaut-il mieux équilibrer le pourcentage de faux positifs et de faux négatifs ? Ou avoir un pourcentage

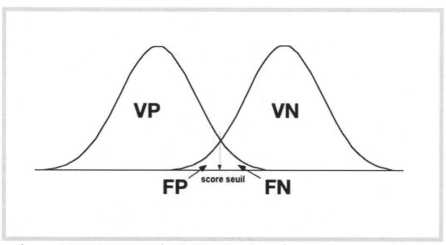

Figure 6.6 — Proportions de VP, VN, FP et FN en fonction du score seuil choisi

inférieur des uns ou des autres ? Il n'y a pas de réponse absolue à cette question. Cela dépend en effet des enjeux et des risques du diagnostic. Si le but est d'identifier les enfants qui devraient bénéficier d'une aide au développement de leur langage oral, réduire au maximum le nombre de faux négatifs est sans doute le bon choix. Par contre, si le but est d'identifier les personnes qui risquent de développer une maladie d'Alzheimer, alors que nous ne disposons d'aucun traitement permettant d'empêcher l'évolution vers la pathologie, le bon choix est sans doute de diminuer au maximum le nombre de faux positifs. En effet, l'annonce du pronostic à des personnes qui ne vont pas développer la maladie peut avoir des conséquences préjudiciables.

L'efficacité d'un test diagnostic en fonction des divers scores seuil peut être évaluée au moyen des courbes ROC (*Receiver Operating Characteristic*). Ces courbes ont été initialement développées dans le cadre de la détection des signaux radar et appliquées par la suite dans le champ médical pour le repérage de certains troubles. Aujourd'hui, elles sont de plus en plus souvent utilisées dans le champ du diagnostic psychologique (Swets, 1996).

Pour tracer une courbe ROC, nous utilisons la sensibilité et le taux de faux positifs qui est égal à (1 – la spécificité). La figure 6.7 présente deux exemples de ROC pour deux épreuves de mémoire destinées à la détection précoce de la maladie d'Alzheimer. Chaque point de la courbe correspond aux coordonnées de la sensibilité et de (1 – la spécificité) pour chaque score seuil possible. Pour la coordonnée (0 ; 0), il n'y a aucun faux positif (taux de faux positifs = 0 %), ni aucun vrai positif (sensibilité = 0 %). Pour la coordonnée (1 ; 1), il y a 100 % de faux positifs et 100 % de vrais positifs. Pour la coordonnée (0 ; 1), le taux de faux positifs est nul et le taux de vrais positifs atteint 100 %. Dans ce cas, l'identification des sujets est toujours exacte (aucune erreur de diagnostic). Par conséquent, la courbe ROC d'un bon test diagnostique devra tendre vers ce point. C'est ce que nous observons dans le graphique de droite où la courbe est nettement meilleure que dans le graphique de gauche.

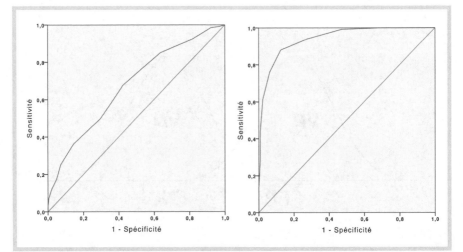

Figure 6.7 — Exemples de deux courbes ROC

Dans la figure 6.7, la diagonale représente la situation où le critère de classification correspond au hasard, c'est à dire où le taux de faux positifs et la sensibilité
sont chacun de 50 %, ce qui correspond aux coordonnées (0,5 ; 0,5). Un bon test diagnostique devrait présenter une courbe ROC supérieure à la diagonale. Si la courbe se
situe sous la diagonale, cela signifie que la qualité de la classification réalisée à l'aide
du test diagnostique est inférieure à celle que l'on aurait pu obtenir aléatoirement.
L'aire entre la courbe et la diagonale peut être calculée, associée à un test de signification statistique. Ces informations sont particulièrement utiles pour sélectionner le
meilleur indicateur diagnostique parmi plusieurs mesures possibles.

CHAPITRE 7

LES MODÈLES DE RÉPONSE À L'ITEM

1. De la théorie classique aux modèles de réponse à l'item

La relativité des propriétés métriques des items est une caractéristique générale de la théorie classique des scores. Tous les indices que nous pouvons calculer dépendent en effet de l'échantillon utilisé. Ainsi, nous avons vu que la difficulté d'un item (sa valeur p) est définie comme la proportion des répondants qui répondent correctement à l'item. Par conséquent, si les individus testés sont faibles, l'item sera considéré comme difficile. Par contre, s'ils possèdent un niveau de compétence élevé, l'item sera considéré comme facile. Cette relativité de la valeur p a d'évidentes implications lors de l'utilisation ultérieure des items. En effet, la capacité des répondants étant appréciée sur la base d'une valeur p relative, le niveau de cette capacité sera lui-même relatif. En d'autres termes, les caractéristiques des items sont dépendantes du groupe de personnes et les caractéristiques des personnes sont dépendantes des items.

Le problème de la relativité des propriétés métriques des items est particulièrement aigu dans le cas d'une banque d'items (c'est-à-dire un vaste ensemble d'items dans lequel on puise pour construire des tests). En effet, les items qui la composent ne sont habituellement pas analysés avec le même groupe de répondants. À chaque création d'un nouvel ensemble d'items, une étude de leurs propriétés métriques est réalisée. Les répondants utilisés pour cette étude changent, mais aussi le moment où le test est administré. Ce dernier point est crucial lorsqu'il s'agit d'items évaluant des acquis scolaires. En effet, les élèves testés en octobre ont généralement un niveau de compétence inférieur à celui des élèves testés en mai car les premiers sont en début d'apprentissage alors que les seconds ont bénéficié d'une longue période d'exercice. Par conséquent, les items qui composent la banque auront des caractéristiques métriques non comparables. Comment dès lors composer un test avec de tels items ?

Pour construire une banque d'items efficace, l'idéal est de pouvoir obtenir des caractéristiques d'items indépendantes du groupe qui a permis de les calculer. Pour de nombreuses applications en psychologie et en éducation, il apparaît très utile de pouvoir construire des échelles de mesure indépendantes d'un groupe particulier. En effet, la signification du score total à de telles échelles n'est plus relative aux caractéristiques d'un groupe particulier. Une tentative pour développer des échelles de ce type a été faite au début des années 1950 par Guttman dans le but de mesurer des attitudes. Sur une échelle de Guttman, un sujet qui répond par l'affirmative à une question reflétant une attitude très marquée doit également répondre par l'affirmative à une question reflétant un degré moins marqué de la même attitude. Et réciproquement. Une illustration d'une échelle de Guttman utilisée dans le cadre du modèle piagétien du développement cognitif est présentée dans le chapitre 4 (§ 4.1).

Lorsque nous sommes en présence d'une échelle de Guttman parfaite, la seule connaissance du score total nous permet de déterminer avec exactitude les scores obtenus à chacun des items. Les résultats à un test qui satisfait les exigences du modèle de Guttman peuvent être qualifiés d'*homogènes*, d'*unidimensionnels* et de *fidèles* (Angoff, 1971, p. 529). En effet, tous les items de ce test évaluent un seul et même trait psychologique et permettent de situer de manière très précise ce trait sur le continuum mesuré. Dans la réalité, de tels tests sont rares, car les exigences du modèle de Guttman sont difficiles à satisfaire. La performance des répondants doit en effet être entièrement déterminée par leur seule position sur le continuum mesuré. Aucune autre variable ne doit influencer cette performance. Pour cette raison, le modèle de Guttman est qualifié de strictement déterministe (Matalon, 1965, p. 33).

La figure 7.1 illustre de manière graphique le modèle déterministe proposé par Guttman. Le trait mesuré est représenté en abscisse et la probabilité de réussir l'item est représentée en ordonnée. Selon le modèle de Guttman, un item a une probabilité nulle d'être réussi au-dessous d'un certain niveau de capacité. Par contre, à partir de ce niveau et au-dessus de celui-ci, la réussite de l'item est certaine. Ce passage d'une probabilité nulle à une probabilité égale à 1 est représenté par une droite perpendiculaire à l'abscisse (A). Du fait des inévitables erreurs de mesure, on comprend aisément qu'il soit peu vraisemblable de rencontrer une telle situation dans la réalité. Pour cette raison, des modèles probabilistes ont aujourd'hui remplacé le modèle déterministe de Guttman. Dans ce cas, plus le sujet se situe à un niveau élevé

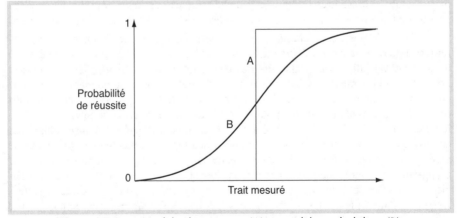

Figure 7.1 — Modèle déterministe (A) et modèle probabiliste (B)
de réponse à un item

sur le trait, plus sa probabilité de réussir l'item augmente. La courbe B illustre cette élévation progressive de la probabilité de réussite en fonction du degré de capacité.

Les modèles probabilistes s'appuient sur le postulat qu'une réponse correcte à l'item est déterminée par le trait mesuré, la difficulté de l'item et la discrimination de l'item. En d'autres termes, la probabilité de réussite d'un item est une fonction du trait mesuré et des propriétés métriques de l'item (sa difficulté et sa discrimination). Les psychométriciens ont proposé divers modèles de relation fonctionnelle entre l'item et le trait mesuré. Ces modèles partagent le postulat que tous les items d'un test mesurent une même caractéristique, mais que la distribution des réponses à ces items peut être affecté par des erreurs aléatoires. Tous ces modèles ont également pour objectif de permettre, d'une part, une estimation des propriétés métriques des items invariantes au travers des populations et, d'autre part, une estimation des traits indépendante des items utilisés pour les mesurer.

Les modèles probabilistes sont aujourd'hui rassemblés dans la catégorie générale des *modèles de réponse à l'item* (MRI). Nous présentons les plus importants de ces modèles dans la section suivante.

2. La fonction caractéristique de l'item

Le postulat de base des MRI est que la performance à un item peut être expliquée par un facteur appelé *trait latent*. Ce dernier terme a ici un sens très général. En effet, le trait latent peut être un trait de personnalité, une aptitude cognitive, une compétence scolaire, etc.

La relation entre les performances à l'item et le trait latent peut être décrite au moyen d'une fonction appelée *fonction caractéristique de l'item*. Il s'agit d'une fonction logistique représentée par une courbe qui prend la forme d'un S plus ou moins allongé. Cette courbe, appelée *courbe caractéristique de l'item* (CCI), a deux asymptotes : les droites d'équation y = 0 et y = 1. La figure 7.2 présente un exemple de CCI. Le trait latent apparaît en abscisse et est traditionnellement représenté par la lettre grecque θ *(thêta)*. Le niveau de difficulté moyen des items au sein d'un groupe est représenté par la valeur 0. Sur la figure 7.2, nous avons indiqué des graduations

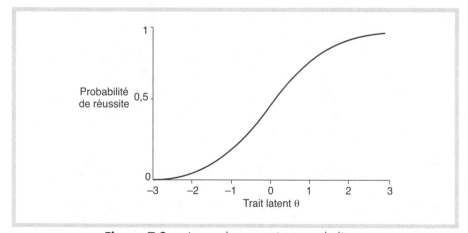

Figure 7.2 – La courbe caractéristique de l'item

allant de −3 à +3 de part et d'autre de 0. Un item situé au niveau −3 est très facile, alors qu'un item situé au niveau 3 est très difficile. Si nous souhaitons inclure des niveaux de difficulté encore plus faibles ou plus élevés, nous pouvons bien entendu faire débuter la graduation de l'abscisse par une valeur inférieure à −3 et l'étendre au-delà de +3.

Sur le même graphique, la probabilité de donner une réponse correcte à l'item apparaît en ordonnée. Les valeurs de y s'étendent de 0 à 1. Plus un individu se situe à un niveau élevé sur le trait latent, plus sa probabilité de répondre correctement à l'item est grande, et réciproquement. La probabilité de réussite dépend également de la difficulté de l'item. À valeurs égales de θ, la valeur de y augmente ou diminue selon ce niveau de difficulté. Par convention, la valeur qui représente la difficulté d'un item est égale à la valeur de θ pour laquelle la probabilité de donner une réponse correcte est de 0,5 qui correspond au point d'inflexion de la CCI. Sur la figure 3, l'item correspondant à la courbe A possède une difficulté égale à −1 et l'item correspondant à la courbe B possède une difficulté égale à +1. Le niveau de difficulté d'un item représente un premier paramètre permettant de décrire la CCI de cet item.

L'unité de mesure de l'échelle de difficulté est le *logit*. À la différence de l'échelle des scores bruts, qui n'est qu'une échelle ordinale, l'échelle graduée en *logit* est une véritable échelle d'intervalle. Un écart d'une unité entre deux items représente en effet une même différence de difficulté tout au long de l'échelle. Il ne s'agit toutefois pas d'une échelle proportionnelle, faute d'un zéro absolu. Le centrage de l'échelle sur le niveau de difficulté moyen des items dans le groupe qui sert au calibrage de ces derniers reste donc relatif. Nous en reparlerons plus loin lorsque nous aborderons la procédure de liaison. Le *logit* est une valeur dérivée du rapport de vraisemblance de la réussite (*odds*, en anglais). Le rapport de vraisemblance de la réussite d'un événement comme « *obtenir 6 lors d'un jet de dé* » est égal au rapport entre la probabilité de cet événement (1/6) et l'événement complémentaire (1-1/6), c'est-à-dire à 1/5 ou 0,20. Le *logit* est le logarithme népérien de ce rapport (*log-odds unit*). Il correspond à l'accroissement d'aptitude nécessaire pour augmenter le rapport

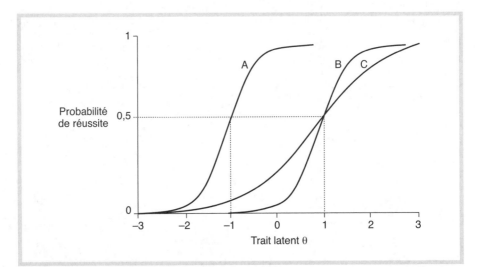

Figure 7.3 − CCI pour trois items dont la difficulté et la discrimination diffèrent

de vraisemblance de la réussite d'un item par un facteur de 2,71 (= exp(1)). Une présentation plus détaillée de la notion de *logit* peut être trouvée dans l'ouvrage de Penta, Arnould et Decruynaere (2005).

La difficulté n'est pas le seul paramètre en jeu dans la définition de la CCI. Un second paramètre important est la capacité de l'item à discriminer les sujets. La discrimination d'un item est représentée par la pente de la CCI. Celle-ci peut être plus ou moins inclinée. Plus la pente est abrupte, plus l'item est discriminatif, et inversement. Sur la figure 7.3, les items représentés par les courbes A et B sont très discriminatifs. Par contre, la courbe C est caractéristique d'un item dont la discrimination est moins forte.

Les premiers travaux à propos de la fonction qui relie un item au trait latent remontent au début des années 1950. Les contributions de Lord (1953a ; 1953b) ont été importantes. Mais les développements théoriques et les applications des MRI ont été particulièrement stimulés par la publication, en 1960, d'un article du mathématicien danois Georg Rasch : « *Probalistic models for some intelligence and attainment tests* ». Rasch semble avoir été le premier à avoir utilisé une fonction logistique pour définir les relations entre les données dans le cadre de la construction d'un test psychologique (Wright & Stone, 1979). Le modèle proposé par Rasch est le plus simple des MRI. Il s'appuie en effet sur le postulat que tous les items possèdent un même pouvoir discriminatif. Par conséquent, le seul paramètre des items à estimer concerne leur difficulté.

Le modèle à un paramètre, souvent appelé « *modèle de Rasch* », est aujourd'hui le plus simple à utiliser des MRI. Selon ce modèle, la probabilité de réussir un item peut être estimée par la formule suivante :

$$P_i(\theta) = \frac{e^{(\theta - b_i)}}{1 + e^{(\theta - b_i)}} \tag{7.1}$$

$P_i(\theta)$ = probabilité qu'un sujet quelconque, possédant une aptitude θ, réponde correctement à l'item i,

b_i = paramètre de difficulté de l'item i,

e = constante de Neper qui correspond au nombre irrationnel 2,718281…

Le modèle de Rasch est particulièrement exigeant puisqu'il postule que tous les items d'un test possèdent la même discrimination. Cette exigence peut être satisfaite lorsque les items sont très semblables comme, par exemple, dans les tests d'acquis scolaires focalisés sur un domaine précis. Mais, dans beaucoup d'autres cas, cette exigence n'est pas aisée à satisfaire. Pour cette raison, un modèle qui prend également en compte la discrimination des items a rapidement été proposé. Le modèle logistique à deux paramètres (difficulté et discrimination) a été développé par Birnbaum (1968). Suivant ce modèle, la probabilité de réussir un item peut être estimée par la formule suivante, qui est une extension de l'équation 7.1 :

$$P_i(\theta) = \frac{e^{Da_i(\theta - b_i)}}{1 + e^{Da_i(\theta - b_i)}} \tag{7.2}$$

a_i = paramètre de discrimination de l'item i, proportionnel à la pente de la courbe au point b_i,

D = facteur d'échelonnement (*scaling factor*) dont la valeur est une constante égale à 1,7.

La valeur de a_i se situe habituellement entre 0 et 2. Lorsque cette valeur est négative, cela signifierait que la probabilité de réussir l'item diminue en fonction de l'augmentation du trait mesuré. Une telle situation n'a guère de sens. Par conséquent, un item qui présente un paramètre de discrimination négatif est habituellement éliminé ou, au minimum, révisé. Par ailleurs, il est rare de rencontrer des items dont la valeur a_i soit supérieure à 2. Une telle valeur indique une pente particulièrement raide. Du fait des inévitables erreurs de mesure, il est peu probable d'observer une discrimination plus marquée.

La majorité des recherches sur les MRI ont été réalisées avec des items à choix multiple ou dont les réponses étaient du type « vrai/faux ». Lorsque l'on utilise de telles modalités de réponse, le risque existe que des sujets ne possédant aucune habileté réussissent malgré tout un item en répondant au hasard. Dans ce cas, l'asymptote la plus basse de la CCI est nettement supérieure à zéro (figure 7.4). Pour faire face à une telle éventualité, il a été proposé d'inclure un troisième paramètre dans l'équation 7.2 : le paramètre de « *pseudo-chance* ». Cette dénomination peut étonner. En fait, comme les valeurs de ce paramètre sont habituellement inférieures à celles auxquelles correspondrait un choix totalement aléatoire, on considère qu'il n'est pas exact de l'appeler « *paramètre de chance* » (Hambleton, Swaminathan & Rogers, 1991, p. 17). L'équation suivante correspond au modèle à trois paramètres :

$$P_i(\theta) = c_i + (1 - c_i) \frac{e^{Da_i(\theta - b_i)}}{1 + e^{Da_i(\theta - b_i)}} \tag{7.3}$$

c_i = paramètre de pseudo-chance.

L'avantage majeur des MRI que nous venons de présenter est de nous permettre de déterminer les paramètres caractéristiques d'un item (difficulté, discrimination et pseudo-chance) indépendamment des caractéristiques des répondants qui ont permis de les estimer. Cette propriété d'invariance des paramètres rend possible l'usage d'une banque d'items. En effet, le praticien désireux de constituer un test peut sélectionner des items qui n'ont pas été analysés avec les mêmes échantillons

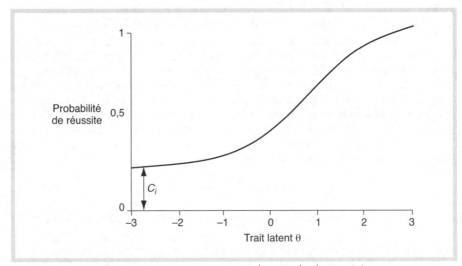

Figure 7.4 — Le paramètre de pseudo-chance (c_i)

de sujets. Une multitude de combinaisons d'items est dès lors possible. Ceci est particulièrement intéressant lorsque l'on veut retester des personnes en évitant l'effet de répétition des mêmes items. Un autre avantage est de pouvoir comparer des répondants qui ont passé des ensembles d'items différents comme, par exemple, lors de testing adaptatifs (voir § 6.2.). En effet, les résultats obtenus sont indépendants des items particuliers qui ont été utilisés.

L'invariance des paramètres peut étonner les praticiens habitués à la relativité des analyses classiques. Une comparaison simple peut aider à comprendre cette propriété (Hambleton, Swaminathan & Rogers, 1991, p. 19). Dans le modèle de régression linéaire, la relation entre une variable X et une variable Y est représentée par une droite de régression. Cette droite est décrite par une équation dont les paramètres sont la pente et l'ordonnée à l'origine. Ces paramètres sont estimés à partir d'un ensemble restreint de valeurs observées de X et de Y. Si le modèle de régression linéaire est adéquat, tout autre ensemble de valeurs observées de X et de Y devrait aboutir à la mise en évidence des mêmes paramètres. Il est logique que cette propriété d'invariance des paramètres s'applique aussi aux MRI qui peuvent être vus comme des modèles de régression non linéaire.

Bien que les MRI apparaissent comme très séduisants au premier abord, le praticien ne doit pas perdre de vue qu'ils reposent sur des postulats très forts. Avant d'utiliser les MRI, il est par conséquent indispensable de vérifier si certaines exigences sont satisfaites au niveau des items et de la réalité qu'ils mesurent. Les deux postulats sur lesquels s'appuient les MRI que nous venons de présenter sont : l'unidimensionnalité et l'indépendance locale.

L'*exigence d'unidimensionnalité* signifie que tous les items d'un test doivent mesurer un seul et même trait. Dans la pratique, ce critère n'est jamais parfaitement rencontré du fait des inévitables erreurs de mesure et de la complexité des traits mesurés. Diverses méthodes ont été mises au point pour évaluer l'unidimensionnalité d'un ensemble d'items. Les plus courantes de ces méthodes sont discutées dans la section 5. Lorsque l'unidimensionnalité d'un ensemble d'items ne peut être démontrée, les MRI ne peuvent être utilisés. Des MRI multidimensionnels ont été développés pour surmonter cette contrainte d'unidimensionnalité, mais ils ne sont guère utilisés (Reckase, 2009). Ces modèles sont en effet complexes et soulèvent de nombreuses questions quant à leurs conditions d'application.

L'*exigence d'indépendance locale* signifie quant à elle que le trait qui fait l'objet de l'évaluation doit être le seul facteur qui détermine la variabilité des réponses aux items d'un test. Une fois que le trait mesuré a été pris en compte, aucune relation ne doit exister entre les réponses d'un sujet aux différents items. Si, par exemple, les consignes d'un test donnent des indices permettant de répondre plus facilement à certains items, l'exigence d'indépendance locale n'est plus respectée. Certains sujets peuvent en effet remarquer cet indice et d'autres pas. Par conséquent, le score au test ne dépendra pas seulement du trait que l'on veut mesurer, mais également de la capacité à repérer certains indices utiles. L'exigence d'indépendance locale n'est pas non plus satisfaite si, par exemple, dans un test de mathématiques, certains items font appel à des connaissances en géographie. En effet, la réussite de ces items n'est pas déterminée par le seul trait latent que nous souhaitons mesurer. Les sujets qui possèdent de bonnes connaissances en géographie auront une probabilité plus élevée que les autres sujets d'obtenir un score élevé aux items de mathématiques qui y font appel.

Lorsque l'exigence d'unidimensionnalité est satisfaite, l'exigence d'indépendance locale l'est aussi. L'inverse n'est cependant pas vrai. Nous pouvons observer un espace latent multidimensionnel et en même temps une indépendance locale des items du test. Cette situation se produit lorsqu'un second facteur influence tous les items de manière égale. Par exemple, dans un test de mathématiques, les sujets peuvent avoir à lire de courts énoncés. Si tous les sujets lisent couramment, ce facteur ne les différenciera pas. Il y aura alors indépendance locale : les sujets se distingueront selon leur seule compétence en mathématiques. Pourtant, le test ne pourra être considéré comme unidimensionnel puisque les performances seront sous-tendues par au moins deux facteurs.

Par ailleurs, l'utilisation des MRI implique certaines contraintes méthodologiques. Il est évident que l'utilisation pratique de ces modèles est plus complexe que celle des techniques issues de la théorie classique des tests. Elle demande aux praticiens de sérieuses compétences théoriques et des outils informatiques puissants. Ceci limite certainement le champ d'application des MRI. Parmi les contraintes méthodologiques, les deux plus importantes concernent l'estimation des paramètres et la procédure de liaison.

La première contrainte méthodologique concerne *l'estimation des paramètres*. La procédure d'estimation des paramètres est souvent appelée « *calibrage* » des items. Cette procédure est relativement complexe et, bien que certains aient proposé des procédures manuelles de calcul (Wright & Stone, 1979, pp. 28-44), le recours à l'ordinateur est indispensable, d'autant plus que le nombre d'items et de sujets nécessaires pour un calibrage précis des paramètres est assez élevé (Hulin, Lissak & Drasgow, 1982). Il existe aujourd'hui sur le marché de nombreux programmes permettant de calibrer les items pour les MRI à un, deux ou trois paramètres. Parmi les plus courants, nous pouvons citer ACER CONQUEST 3.0.1 (Adams, Wu & Wilson, 2012), BILOG-MG3 (Zimowski, Muraki, Mislevy & Bock 2003), CONSTRUCTMAP (Wilson, 2005), RUMM2030 (Andrich, Sheridan & Luo, 2012) et XCALIBRE-4 (Guyer & Thompson, 2011)

Une étape délicate du processus de calibrage est la vérification que les données observées sont bien ajustées aux exigences du modèle. Deux exemples de représentation graphique de la relation entre les scores observés et les scores attendus sont donnés dans la figure 7.5. Il s'agit de deux items, appartenant à un ensemble plus large, analysés à l'aide du logiciel *RUMM2030* (Andrich, Sheridan & Luo, 2012) qui permet d'estimer les paramètres selon le modèle de Rasch. Les deux courbes représentent la relation attendue entre l'aptitude des répondants et leurs scores aux items en question. Les points noirs représentent les résultats effectivement observés (chaque point représente un groupe de personnes de même niveau d'aptitude). On peut constater que l'ajustement des données au modèle est très bon dans le cas de l'item 1. Par contre, dans le cas de l'item 2, des écarts plus ou moins prononcés sont observés entre les données et le modèle. Pour évaluer l'importance de ces écarts, nous pouvons calculer les résidus, c'est-à-dire les différences entre les scores observés et les scores attendus sur la base du modèle. Les résidus standardisés sont ensuite calculés en divisant les résidus par l'écart type des scores attendus. Partant des résidus standardisés, il est alors possible de calculer un indice d'ajustement χ^2. Une valeur de χ^2 statistiquement significative est indicative d'un mauvais ajustement. Inversement, lorsque la valeur du χ^2 est non significative, cela signifie que les données sont bien ajustées au modèle et que l'item en question peut être sélectionné pour figurer dans l'échelle de mesure.

Remarquons ici que la création de banques d'items découle en partie des contraintes d'estimation des paramètres. Comme le souligne Van Der Linden (1986, p. 330), « *Une*

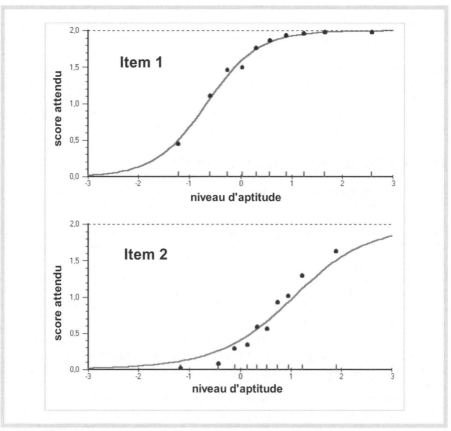

Figure 7.5 — Exemple de représentation graphique de l'ajustement
entre les résultats observés et les résultats attendus sur la base du modèle

banque d'items sans MRI est irréalisable. Mais il est également vrai que le potentiel des MRI peut seulement se réaliser en combinaison avec une banque d'items ». En effet, souvent, la détermination des paramètres ne se fait pas en une fois, mais, au contraire, par approximations successives. À chaque utilisation d'un item, les résultats sont incorporés à l'ensemble des résultats antérieurs, ce qui permet d'améliorer le calibrage de cet item. Il existe ainsi une relation réciproque et dynamique entre une banque d'items et les tests construits à partir d'elle.

La seconde contrainte méthodologique concerne *la procédure de liaison (linking).* Nous avons souligné plus haut que, dans le cadre des MRI, les paramètres des items étaient invariants. Cela signifie que le positionnement des items les uns par rapport aux autres et la distance qui les sépare du point de vue de leur difficulté ne dépend pas de l'échantillon qui a servi à déterminer ces informations. Toutefois, comme nous l'avons déjà souligné, l'échelle ainsi construite reste une échelle d'intervalle, car elle ne possède donc pas de zéro absolu. Lors de la procédure d'estimation des paramètres, le point zéro de l'échelle de difficulté des items est arbitrairement centré sur la moyenne des estimations de θ pour le groupe de répondants inclus dans l'analyse. La position du zéro variant selon les groupes, les paramètres obtenus sont *ipso facto* relatifs à ce point zéro. Ce problème peut heureusement être résolu assez aisément, car les paramètres d'un item sont invariants d'un échantillon de répondants à l'autre, compte tenu d'une transformation linéaire qui permet de les placer tous sur une échelle commune. Pour ce faire, lors du calibrage des items, il est nécessaire de déterminer une constante qui permettra de transformer les paramètres obtenus dans un échantillon donné et de les ajuster à l'échelle de référence. Cette procédure de liaison peut être réalisée selon plusieurs méthodes (Vale, 1986) : placer des items communs dans les différents ensembles d'items ou utiliser des répondants communs lors des passations des divers groupes d'items, ou les deux à la fois.

3. L'estimation des paramètres

L'estimation des paramètres des items est une opération cruciale. En effet, c'est la qualité de cette estimation qui donne son sens à l'utilisation des MRI. Si l'estimation est mauvaise, les paramètres seront instables d'un échantillon de répondants à l'autre. Par conséquent l'intérêt des MRI sera perdu puisque nous n'obtiendrons pas d'invariance des paramètres. De nombreuses procédures d'estimation des paramètres ont été proposées depuis les premiers travaux de Rasch. La plus utilisée aujourd'hui est certainement la *méthode du maximum de vraisemblance marginale (marginal maximum likelihood)*. Elle est en effet utilisée par les programmes informatiques les plus courants comme BILOG-MG3 (Zimowski, Muraki, Mislevy & Bock, 2003) ou XCA-LIBRE-4 (Guyer & Thompson, 2011).

Lorsque nous voulons estimer les paramètres d'un ensemble d'items, les réponses des sujets sont les seules informations dont nous disposons. Nous sommes alors contraints d'estimer en même temps le trait θ des sujets et les paramètres des items. La réalisation de cette double estimation est loin d'être évidente. Pour en comprendre la logique, il est nécessaire de partir d'une situation plus simple où les paramètres sont connus et où seul le trait θ doit être estimé sur la base du patron de résultats de chaque répondant. La probabilité qu'un individu possédant une capacité θ obtienne une réponse U_j ($U_j = 1$ si la réponse est correcte et 0 si elle est fausse) se note $P(U_j|\theta)$. En vertu du postulat d'indépendance locale, la probabilité d'observer un patron de réponses à un ensemble de n items est égale au produit des probabilités de réussite et d'échec à chacun de ces items :

$$P(U_1, U_2, ..., U_n | \theta) = \prod P(U_j | \theta) \tag{7.4}$$

Dans la mesure où U_j peut avoir pour seules valeurs 1 ou 0, la formule 7.4 peut être exprimée de la manière suivante :

$$P(U_1, U_2, ..., U_n | \theta) = \prod P_j^{U_j} Q_j^{1-U_j} \tag{7.5}$$

$P_j = P(U_j| \theta)$

$Q_j = 1 - P(U_j| \theta)$

Si nous plaçons dans cette formule le patron de réponses effectivement observé, celle-ci ne peut plus être interprétée de manière probabiliste. Dans ce cas, U_j est égal à u_j qui correspond à la réponse observée à l'item j. La fonction que nous obtenons alors est appelée la *fonction de vraisemblance* :

$$L(u_1, u_2, ..., u_n | \theta) = \prod P_j^{U_j} Q_j^{1-U_j} \tag{7.6}$$

L'estimation du trait θ d'un sujet consiste dès lors à calculer la valeur de θ qui maximise la fonction de vraisemblance 7.6. Pour trouver la valeur maximale de cette fonction, on utilise une procédure par approximations successives dont la plus courante est celle de Newton-Raphson. Aucune valeur finie ne peut toutefois être trouvée lorsque les réponses d'un sujet sont toutes correctes ou toutes erronées. Dans ce cas, l'estimation qui maximise la fonction de vraisemblance est $\theta = +\infty$ ou $\theta = -\infty$.

Lorsque nous ne connaissons ni les valeurs de θ ni les valeurs des paramètres, la situation est encore plus complexe car nous devons considérer en même temps l'ensemble des n items du test et les patrons de réponses des N personnes qui ont répondu à ces items. Dans ce cas, la fonction de vraisemblance s'écrit :

$$L(u_1, u_2, ..., u_j, ..., u_N \mid \theta, a, b, c) = \prod_{i=1}^{N} \prod_{j=1}^{n} P_{ij}^{U_{ij}} Q_{ij}^{1 - U_{ij}} \qquad (7.7)$$

Dans la formule 7.7, nous avons envisagé le cas où trois paramètres doivent être estimés (a, b et c). La même formule peut, bien entendu, être adaptée pour les cas où seulement un ou deux paramètres doivent être estimés.

Pour déterminer les valeurs de θ et les paramètres des items qui maximisent la fonction de vraisemblance 7.7, deux méthodes peuvent être suivies : (1) l'estimation du maximum de vraisemblance conjointe (ou conditionnelle) ; (2) l'estimation du maximum de vraisemblance marginale (ou inconditionnelle).

La méthode du maximum de vraisemblance conjointe présente certaines faiblesses. La première est qu'il n'est pas possible d'estimer les paramètres des items auxquels tous les sujets ont soit échoué, soit réussi. Il en est de même pour les valeurs de θ lorsque les sujets n'obtiennent que des réponses correctes ou des réponses fausses. Pour cette raison, les logiciels qui utilisent la procédure du maximum de vraisemblance conjointe éliminent d'emblée les sujets et les items dont les scores sont uniquement 1 ou uniquement 0. Une seconde faiblesse de la méthode apparaît avec les modèles à deux et trois paramètres pour lesquels les estimations sont instables si l'on n'utilise pas un très grand nombre de sujets et d'items. Pour cette dernière raison, la méthode du maximum de vraisemblance conjointe n'est plus aujourd'hui utilisée que dans les logiciels qui réalisent des analyses selon le modèle de Rasch (par exemple, ConstructMap, Wilson, 2005). Dans les autres cas, on lui préfère la méthode du maximum de vraisemblance marginale. Cette méthode est beaucoup plus lourde en calculs que la précédente, mais permet d'obtenir des estimations plus stables pour les modèles à deux ou trois paramètres.

Quelle que soit la procédure utilisée, les caractéristiques de l'échantillon de sujets jouent un grand rôle dans la qualité de l'estimation des paramètres des items. En particulier, « *un échantillon homogène de sujets entraînera des estimations instables des paramètres du modèle* » (Hambleton, 1994b, p. 541). Dans le but de garantir cette hétérogénéité et de réduire l'impact des erreurs de mesure, un échantillon de sujets suffisamment important est nécessaire. Hulin et al. (1982) ont évalué la taille optimale de cet échantillon pour les modèles à deux et à trois paramètres. Pour ce faire, ils ont généré des données simulées pour des échantillons de 200, 500, 1 000 et 2 000 personnes à des tests de 15, 30 et 60 items. Ces données ont été analysées avec le logiciel LOGIST. Il apparaît que, pour le modèle à deux paramètres, un test de 30 items et un échantillon de 500 sujets permettent d'obtenir des estimations de paramètres relativement stables. Avec le modèle à trois paramètres, le même objectif peut être atteint avec un test de 60 items et un échantillon de 1000 sujets. Dans le cas du modèle à un paramètre, Wright & Stone (1979) recommandent d'utiliser un minimum de 20 items et un échantillon de 200 sujets pour obtenir des estimations satisfaisantes. Excepté dans ce dernier cas, nous pouvons nous rendre compte que l'estimation des paramètres est une procédure relativement coûteuse puisqu'elle impose une importante récolte de données. Cette exigence constitue une réelle limite pour l'application des MRI les plus sophistiqués.

Dans la pratique, les données utilisées pour l'estimation des paramètres ne s'ajustent jamais parfaitement au modèle choisi. Nous avons vu plus haut que des tests statistiques, comme le χ^2, peuvent être utilisés pour évaluer le degré d'ajustement au modèle. Lorsque le défaut d'ajustement d'un item est statistiquement significatif, cet item devrait être écarté. Toutefois, il y a lieu d'être prudent avant de rejeter un item, car les tests d'ajustement sont très sensibles à la taille des échantillons. Lorsque cet échantillon est petit, des problèmes d'ajustement relativement importants peuvent ne pas être détectés. Par contre, lorsque l'échantillon est très grand, des problèmes d'ajustement mineurs risquent de conduire au rejet des items incriminés. Dans le tableau 7.1, nous reprenons, à titre d'illustration, les résultats présentés à ce propos par Hambleton et Murray (1983). Les données ont été analysées à l'aide du programme BICAL (Wright & Stone, 1979). Ce programme permet de réaliser une analyse des items selon le modèle de Rasch à l'aide de la procédure du maximum de vraisemblance conjointe. Il calcule également la valeur de t pour détecter les items mal ajustés au modèle au seuil de .01 et .05. Comme nous pouvons nous en rendre compte à la lecture du tableau 7.1, le nombre d'items mal ajustés que détecte le programme BICAL varie sensiblement selon la taille de l'échantillon de sujets.

Le problème que nous venons de souligner n'est pas spécifique à un logiciel informatique ni à un test d'ajustement. Il s'agit, au contraire, d'un problème tout à fait général. Par conséquent, Hambleton & Swaminathan (1985) suggèrent de ne pas utiliser uniquement les tests d'ajustement pour juger de l'adéquation entre le modèle et les données. Ils recommandent de mener une investigation plus large sur cette question. Les réponses à cette question doivent en effet découler de la convergence d'un ensemble d'indices. Trois catégories d'indices devraient retenir l'attention des praticiens (pour une présentation plus détaillée, voir Hambleton & Swaminathan, 1985, pp. 155-167 et Hambleton & al., 1991, pp. 55-74) :

1. *Les renseignements concernant la validité des postulats du modèle utilisé pour analyser les données.* Par exemple, les résultats des analyses concernant l'unidimensionnalité de l'ensemble des items font partie de ces renseignements.

Tableau 7.1 — Nombre d'items mal ajustés en fonction de la taille de l'échantillon (Hambleton & Murray, 1983)

Taille de l'échantillon	Nombre d'items mal ajustés sur un total de 50	
	$p < 0,05$	$p < 0,01$
150	20	5
300	25	17
600	30	18
1 200	38	28
6 000	42	38

2. *Les renseignements concernant les propriétés attendues sur base du modèle.* Par exemple, on peut évaluer si la propriété d'invariance des paramètres est confirmée en comparant les paramètres obtenus sur plusieurs échantillons de sujets appartenant à la même population.

3. *Les renseignements concernant les prédictions réalisées sur la base du modèle.* Par exemple, nous pouvons comparer la différence entre les performances effectives d'un groupe de répondants à un item et celles qui ont pu être prédites sur la base du niveau d'aptitude (la valeur de θ) de ces mêmes personnes.

4. La fonction d'information de l'item et du test

Les paramètres d'un item peuvent nous renseigner à propos du degré d'information que nous procure cet item. L'information donnée par un item est maximale lorsque sa difficulté correspond au niveau d'aptitude du sujet évalué. Ainsi, un item de difficulté moyenne sera le plus informatif à propos des sujets dont le niveau d'aptitude est proche de la moyenne. Par contre, il ne nous apprendra pas grand-chose à propos des sujets faibles, ni des sujets brillants dont le niveau d'aptitude se situe en amont ou en aval de l'item en question. Par ailleurs, l'information sera d'autant plus importante que la discrimination de l'item est élevée. Inversement, un item qui discrimine peu fournira peu d'information permettant de différencier les sujets à un niveau d'aptitude donné. Enfin, plus le risque de réponse aléatoire est faible, plus l'item fournira de l'information. Lorsque nous avons affaire à des items dichotomiques, l'information que nous procure un item à propos d'un trait donné peut être évaluée à l'aide de la formule suivante :

$$I_i(\theta) = \frac{\left[P_i'(\theta)\right]^2}{P_i(\theta)Q_i(\theta)} \qquad (7.8)$$

$I_i(\theta)$ = fonction d'information d'un item i à propos du trait θ,

$P_i(\theta)$ = fonction caractéristique de l'item selon les modèles à un paramètre (équation 7.1), deux paramètres (équation 7.2) ou trois paramètres (équation 7.3),

$P_i'(\theta)$ = dérivée première de $P_i(\theta)$, $Q_i(\theta) = 1 - P_i(\theta)$.

Connaissant les fonctions d'information des items, nous pouvons calculer l'information que nous donne un test en fonction de θ. Du fait de l'indépendance locale des items, la fonction d'information d'un test est égale à la somme des fonctions d'information des items qui composent ce test :

$$I(\theta) = \sum I_i(\theta) \qquad (7.9)$$

Cette formule est particulièrement utile pour les constructeurs de tests. Comme les items contribuent de manière indépendante à l'information donnée par le test dans son ensemble, il est relativement aisé de comparer différentes combinaisons d'items afin d'obtenir le test qui procure le maximum d'information dans la zone d'aptitude souhaitée. La figure 7.6 présente de manière graphique les fonctions d'information de deux tests d'aptitude. Les deux fonctions ont été obtenues à l'aide du logiciel RASCAL 3.5 (Assessment Systems Corporation, 1992) qui permet de réaliser une analyse d'items selon le modèle de Rasch en utilisant la procédure du maximum de vraisemblance conjointe. Par conséquent, l'information que nous procure chaque test est relative aux seuls paramètres de difficulté des items. Le premier test (A) comprend

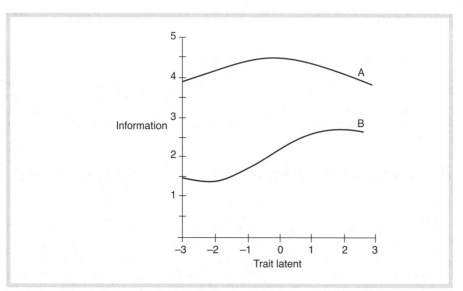

Figure 7.6 — Exemples de fonctions d'information de deux tests

46 items. Nous pouvons constater qu'il nous permet d'obtenir un niveau élevé d'information sur toute l'étendue du trait mesuré. Le second test (B) comprend 22 items. Par rapport au test A, l'information qu'il nous procure dépend nettement plus du niveau d'aptitude du sujet évalué. En fait, le test B comprend beaucoup d'items difficiles et même très difficiles. Par contre, il manque d'items de difficulté moyenne et inférieure à la moyenne. Remarquons ici que la fonction d'information d'un test ne doit pas a priori correspondre à un modèle particulier. La qualité de la courbe d'information d'un test dépend avant tout des besoins du praticien. Si son but est d'évaluer uniquement des performances très élevées, un test informatif dans la seule zone supérieure du trait fera certainement l'affaire. Si, par contre, le praticien souhaite pouvoir évaluer des performances de tous niveaux, le test devra lui procurer suffisamment d'information sur toute l'étendue du trait. Par conséquent, avant de sélectionner les items d'un test, il est nécessaire de déterminer la courbe d'information souhaitée.

À partir de la fonction d'information du test, nous pouvons calculer l'erreur type d'estimation du niveau du trait à l'aide de la formule suivante :

$$SE(\hat{\theta}) = \frac{1}{\sqrt{I(\theta)}} \qquad (7.10)$$

Connaissant l'information du test à un point donné de θ, nous pouvons ainsi déterminer un intervalle de confiance autour de l'estimation du trait d'un individu se situant à ce point θ. Comme dans la théorie classique, plus cet intervalle de confiance est étroit, plus l'estimation de l'aptitude ou de tout autre trait peut être considérée comme précise. L'erreur type d'estimation dépend du nombre d'items utilisés pour estimer l'aptitude d'un sujet. Elle dépend également de la capacité de discrimination des items et de l'adéquation de leur niveau de difficulté au niveau d'aptitude du sujet évalué. À la différence de ce que postule la théorie classique, cette erreur d'estimation peut varier selon le niveau du trait des sujets puisqu'elle dépend de la fonction d'information des items correspondant aux différentes valeurs de θ.

Tableau 7.2 — Analyse selon le modèle de Rasch des items d'un test de vocabulaire. Extrait des résultats (Grégoire et al., 1996)

N° item	Difficulté	Erreur – type	χ^2
...	...	...	...
11	– 2.803	0.254	17.489
12	– 0.884	0.202	14.146
13	– 1.659	0.219	23.396
14	– 1.298	0.210	16.518
15	– 0.766	0.200	16.634
16	– 2.213	0.234	8.375
17	0.578	0.185	132.520**
18	– 0.463	0.195	30.337*
19	0.276	0.187	15.350
20	0.511	0.185	12.073
21	1.413	0.187	20.133
22	1.906	0.193	12.535
23	0.578	0.185	41.004**
24	– 0.390	0.194	21.537
25	0.678	0.185	39.142**
26	– 0.245	0.192	13.616
...	...	...	...

Le tableau 7.2 illustre ce phénomène de variabilité de l'erreur d'estimation en fonction du niveau de θ. Il présente un extrait des résultats de l'analyse des items d'un test de vocabulaire réalisée avec le logiciel RASCAL 3.5. (Assessment System Corporation, 1992). Pour chaque item, ce tableau indique le niveau de difficulté, l'erreur type de mesure et le résultat du test d'ajustement χ^2. Les valeurs de χ^2 suivies d'un ou deux astérisques indiquent des items mal ajustés aux exigences du modèle. À la lecture de la seconde colonne, nous pouvons observer que les items varient en difficulté. Le niveau du trait θ nécessaire pour avoir 50 % de chance de les réussir s'étend en effet de – 2,803 (item 11) à 1,906 (item 22). Dans la troisième colonne, nous constatons que l'erreur type de mesure diffère sensiblement d'un item à l'autre. La précision de l'estimation de l'habileté sera affectée par ces différences d'erreur type. L'évaluation des répondants de faible niveau sur le trait (θ inférieur à – 1) sera moins précise que celle des sujets de niveau moyen (θ entre – 1 et + 1).

5. L'évaluation de la dimensionnalité

Comme nous l'avons vu plus haut, le postulat d'unidimensionnalité joue un rôle crucial dans les MRI que nous venons de présenter. Ces modèles ne s'appliquent en effet que s'il existe un seul trait latent qui sous-tend l'ensemble des items qui constituent le test. Il est fréquent que les utilisateurs de ces modèles croient que les tests d'ajustement produits par les logiciels d'analyse MRI permettent de contrôler de manière efficace que le postulat d'unidimensionnalité est satisfait. Un item qui ne s'ajuste pas au modèle est dès lors considéré comme mesurant d'autres dimensions que le trait latent visé par le test. Cette croyance est malheureusement fausse. De multiples facteurs peuvent expliquer le défaut d'ajustement d'un item. Nous avons vu dans le tableau 7.1 que le nombre d'items mal ajustés est lié à la taille de l'échantillon. En fait, les statistiques d'ajustement sont très sensibles à la taille. Inversement, ils ne repèrent pas nécessairement des violations flagrantes du postulat d'unidimensionnalité. Ainsi Gustaffson et Lindblad (cités par Hattie, 1985) ont constaté que certains tests d'ajustement n'identifiaient pas l'inadéquation de scores générés sur la base d'un modèle orthogonal avec deux facteurs. Par ailleurs, les tests d'ajustement dépendent de la pertinence du choix fait entre les différents MRI unidimensionnels (Hambleton, 1994b). Par exemple, si l'on utilise un modèle à un seul paramètre alors que le modèle à deux paramètres aurait été plus adéquat, un certain nombre d'items ne seront pas ajustés à ce modèle, même si l'ensemble des items est unidimensionnel.

Par conséquent, les MRI ne permettent pas de tester la dimensionnalité d'un ensemble d'items. Au contraire, il est indispensable de prouver l'unidimensionnalité de cet ensemble si l'on souhaite réaliser une analyse d'items sur la base d'un MRI. Mais quels sont les critères valides d'unidimensionnalité ? Dans une importante revue de la littérature, Hattie (1985) a évalué 30 indices d'unidimensionnalité. À l'issue de cette évaluation, il conclut (p. 158) : « *Nous n'avons pas encore connaissance d'indices satisfaisants. Aucune des tentatives faites pour investiguer l'unidimensionnalité n'a permis de mettre en évidence un critère de décision claire.* » Il est utile de s'arrêter quelques instants sur quelques critères classiques d'unidimensionnalité afin d'en préciser les limites :

1. L'indice de reproductibilité de Guttman (voir chapitre 4, § 4.1) peut apparaître comme un bon critère d'unidimensionnalité puisqu'il a été conçu pour cette fonction. Pourtant, il est possible d'obtenir un excellent indice de reproductibilité sans que les données soient unidimensionnelles. Si nous prenons 10 élèves de 6 à 16 ans et 10 questions correspondant chacune à un apprentissage spécifique à l'année scolaire dans laquelle se trouve chaque élève, nous pourrons obtenir un indice de reproductibilité parfait, même si les items mesurent des variables très différentes.

2. Le coefficient alpha est également un indice d'unidimensionnalité insatisfaisant. En effet, alpha n'est pas une fonction monotone de l'unidimensionnalité. Cronbach lui-même avait déjà constaté que la valeur d'alpha s'accroît en fonction du nombre d'items du test. Or, d'un point de vue conceptuel, on ne peut pas concevoir que la dimensionnalité d'un test soit liée à sa longueur (voir Chapitre 3, section 3.4.2).

3. Une autre technique possible est de réaliser une analyse en composantes principales et d'évaluer la première composante extraite. Comme la première composante principale explique la plus grande part de variance d'un test, il est tentant de l'utiliser comme une mesure d'unidimensionnalité : plus le pourcentage de variance expliqué par la première composante est élevé, plus le test est proche de l'unidimensionnalité. Le problème est que ce critère reste subjectif. Quel est le pourcentage suffisant pour parler d'unidimensionnalité ? Des valeurs ont été proposées, mais aucune ne repose sur une argumentation solide.

4. L'analyse factorielle est souvent considérée comme une technique de choix pour tester l'unidimensionnalité d'un test. Dans ce cas, l'analyse est réalisée à partir de la matrice de corrélations (tétrachoriques) entre items et le nombre de dimensions est évalué sur la base des racines caractéristiques supérieures à 1. Malheureusement, un sérieux problème apparaît lorsque l'analyse factorielle est utilisée avec des items dichotomiques. Les analyses factorielles classiques sont linéaires et, avec ce format d'item, elles ne parviennent pas à

évaluer correctement les saturations des items faciles et des items difficiles. Ces items peuvent alors apparaître comme mesurant une dimension différente de celle mesurée par les autres items. Par ailleurs, lorsque l'analyse factorielle linéaire est réalisée à partir d'une matrice de corrélations φ, elle a tendance à surestimer le nombre de dimensions sous-jacentes aux items (Hambleton & Rovinelli, 1986).

Existe-t-il aujourd'hui d'autres méthodes, plus satisfaisantes, pour évaluer la dimensionnalité d'un test ?

Une première méthode adéquate est l'*analyse factorielle non linéaire*, laquelle peut être réalisée grâce au logiciel NOHARM (Fraser & McDonald, 1988). Comme son nom l'indique, cette méthode ne postule pas de relation linéaire entre les variables elles-mêmes, ni entre les variables et les traits latents. Or la relation entre les items est souvent non linéaire, ce qui rend cette méthode d'analyse factorielle tout à fait appropriée à l'évaluation du nombre de dimensions sous-jacentes aux items d'un test. En fait, *« il est raisonnable de considérer qu'un ensemble de n tests ou de n items dichotomiques est unidimensionnel si et seulement s'il s'ajuste à un modèle factoriel non linéaire avec un seul facteur commun. Dans le cas de tests, il est généralement correct de considérer que la régression de chaque score au test sur le facteur commun est linéaire. [...]. Dans le cas de données dichotomiques ce postulat n'est jamais correct, car la régression de l'item sur le facteur est [...] une probabilité conditionnelle dont les bornes sont zéro et un »* (McDonald, 1981, pp. 104-105). Lorsque l'on réalise une analyse factorielle non linéaire, le nombre de dimensions correspond au nombre de facteurs nécessaires pour rendre compte des résultats observés. Les résultats d'études empiriques ont montré que cette méthode rendait correctement compte du nombre de dimensions sous-jacentes à un ensemble de données (Hambleton & Rovinelli, 1986).

Une autre approche de l'évaluation de la dimensionnalité d'un test envisage le concept d'unidimensionnalité de manière plus souple. Il est en effet peu réaliste d'espérer trouver des ensembles d'items qui ne soient déterminés que par un et un seul trait latent. Pour cette raison, Stout (1987, 1990) a proposé de parler d'*unidimensionnalité essentielle* lorsqu'un ensemble d'items est déterminé par une dimension dominante à laquelle s'ajoute l'influence de plusieurs dimensions mineures. Sur la base du concept d'unidimensionnalité essentielle, Stout a développé une procédure, appelée DIMTEST, qui permet d'évaluer l'unidimensionnalité d'un ensemble d'items dichotomiques. Il part du principe que, pour déterminer l'unidimensionnalité d'un groupe d'items, il est nécessaire et suffisant d'identifier un trait tel qu'à chaque niveau de ce trait, les réponses aux items soient indépendantes. Stout considère que cette exigence est remplie si, pour les sujets qui possèdent un même niveau sur le trait latent, la covariation entre les items est égale à zéro. La procédure DIMTEST consiste à vérifier que ce critère d'indépendance locale est globalement satisfait lorsque l'on répartit les sujets évalués en sous-groupes de même niveau sur le trait latent. Il est possible de tester la signification statistique du résultat obtenu (indice T de Stout). Lorsque T est suffisamment petit, l'hypothèse d'indépendance locale et d'unidimensionnalité peut être acceptée. Lorsque T est grand, cette hypothèse est rejetée. Plusieurs études réalisées sur des données réelles et simulées ont permis de vérifier l'efficacité de la procédure DIMTEST pour évaluer l'unidimensionnalité d'un ensemble d'items (Nandakumar, 1993 ; Hattie, Krakowski, Rogers & Swaminathan, 1996).

Récemment, la procédure DIMTEST a été étendue à l'évaluation de l'uni-dimensionnalité d'items polychotomiques. Cette procédure élargie, appelée Poly-DIMTEST, s'est révélée efficace dans l'évaluation de l'unidimensionnalité de données simulées (Nandakumar, Yu, Li & Stout, 1998)

6. Applications des MRI

6.1 ANALYSE DU FONCTIONNEMENT DIFFÉRENTIEL DES ITEMS

Il est possible de comparer le fonctionnement d'un item dans deux sous-groupes de la population en traçant sur un même graphique les CCI de cet item pour chacun des sous-groupes en question. La figure 7.7 présente les courbes caractéristiques d'un même item pour deux sous-groupes de la population. Dans ce cas, le fonctionnement différentiel est uniforme, c'est-à-dire que les deux CCI ne se croisent pas. Le groupe A est en effet avantagé par cet item à tous les niveaux d'aptitude. En d'autres termes, à un même niveau d'aptitude, un répondant appartenant au groupe A aura plus de chance de réussir cet item qu'un répondant du groupe B. Sur le graphique, nous avons indiqué la différence de probabilité de réussite selon le groupe d'appartenance pour deux personnes se situant à la valeur 0,8 sur le trait latent.

Dans la figure 7.7, la différence entre les fonctions caractéristiques d'un même item se situe au niveau du paramètre de difficulté. Mais la différence peut aussi appa-raître au niveau des paramètres de discrimination et de pseudo-chance. Ces deux cas peuvent donner lieu à un fonctionnement différentiel non uniforme, ce qui signifie que l'avantage ne bénéficie pas au même groupe à tous les niveaux du trait. Dans le cas d'un test d'aptitude, l'item peut ainsi être plus facile pour un groupe aux niveaux d'aptitude les plus faibles, alors qu'il est plus facile pour l'autre groupe à des niveaux d'aptitude plus élevés. Par rapport aux autres méthodes, les MRI sont particulièrement

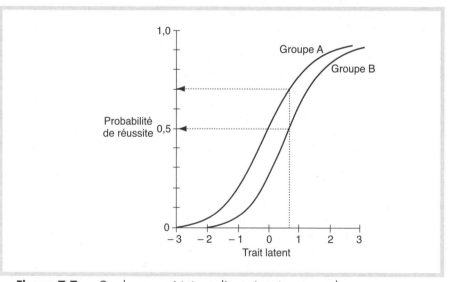

Figure 7.7 — Courbe caractéristique d'un même item pour deux sous-groupes de la population.

puissants pour repérer un fonctionnement différentiel non uniforme, pour autant que nous utilisions un modèle à deux ou à trois paramètres.

Les méthodes de détection du fonctionnement différentiel des items basées sur les MRI peuvent se ranger en deux grandes catégories : (1) celles qui utilisent les paramètres et (2) celles qui utilisent le calcul de l'aire.

L'indice le plus simple pour comparer le fonctionnement différentiel d'un item est la différence entre les estimations du paramètre de difficulté (*b*) de deux groupes. Le signe de cette différence indique pour quel groupe l'item est le plus facile. Il est également possible de comparer les paramètres de discrimination (*a*) et de pseudo-chance (*c*). Toutefois, ces dernières comparaisons ne sont pas recommandées, car l'estimation des paramètres *a* et *c* est généralement moins stable que celle du paramètre *b*. Par conséquent, ces comparaisons sont moins fidèles. Elles sont d'ailleurs peu utilisées (Camilli & Shepard, 1994, p. 69). Un test de signification pour la différence entre les paramètres *b* a été proposé par Lord (1980) :

$$d = \frac{\Delta b}{S_{\Delta b}} \tag{7.11}$$

Δb = différence entre les estimations de *b* dans les deux groupes,

$S_{\Delta b} = \sqrt{S_A^2 + S_B^2}$ = erreur type de la différence,

S_A et S_B sont respectivement l'erreur type d'estimation de *b* dans le groupe A et dans le groupe B.

Comme *d* se distribue à peu près normalement, la table de *z* peut être utilisée pour tester l'hypothèse $H_0 : \Delta b = 0$.

Un autre groupe de méthodes de détection du fonctionnement différentiel utilise le calcul de l'aire entre les deux courbes. Rudner et al. (1980) ont proposé la formule suivante pour évaluer l'importance de cette aire :

$$Aire = \int \left(P_A(\theta) - P_B(\theta) \right) d\theta \tag{7.12}$$

Il existe diverses variantes de cette formule permettant de prendre en compte le fonctionnement différentiel non uniforme et l'existence d'une différence de fidélité entre certaines portions des CCI.

6.2 LE TESTING ADAPTATIF[1]

6.2.1 *Différences entre testing traditionnel et testing adaptatif*

Le testing traditionnel se caractérise par la construction de tests à l'intention de groupes particuliers de candidats. Ces tests sont administrés avec un degré élevé de standardisation (Auger, 1989). On utilise les mêmes items ou un groupe équivalent d'items qui est le même pour tous les candidats. Les items sont choisis en fonction de l'habileté moyenne des groupes ciblés. Leur ordre ne varie pas et le nombre d'items est toujours le même. Les tests ainsi créés sont généralement de type papier

---

[1] Pour plus de renseignements sur le testing adaptatif sur ordinateur, le lecteur pourra consulter la référence suivante, dont plusieurs extraits de la conclusion ont été utilisés dans cette section : Dechef, H. et Laveault, D. (1999). Le testing adaptatif sur ordinateur. *Psychologie et psychométrie, 20* (2/3), 151-179.

crayon. On en fixe la durée à l'avance, en imposant une limite de temps raisonnable. Le testing traditionnel se traduit donc par une sélection des items et des procédures d'administration extrêmement rigides. À ce manque de souplesse s'ajoute une perte de précision dans l'estimation de l'habileté des personnes qui s'écartent de l'habileté moyenne du groupe cible (Carlson 1993-1994 ; Auger, 1989 ; Weiss, 1985). Le testing traditionnel est associé à la théorie classique des scores (TCS).

Le testing adaptatif se distingue du testing traditionnel par une conception davantage axée sur l'individu. On cherche à estimer l'habileté des candidats en évitant de leur présenter des items trop faciles ou trop difficiles. Pour ce faire, les items sont sélectionnés au cours de la séance d'examen à partir de l'habileté démontrée par le candidat aux items précédents. Le testing adaptatif suppose donc une banque d'items dont les paramètres sont connus et une méthode de sélection des items au cours de la séance d'examen. Il suppose aussi une procédure d'administration des items, un critère de fin d'examen et une méthode d'estimation de l'habileté du candidat pendant la séance d'examen. Le nombre d'items administrés peut être fixe ou variable. Dans le premier cas, chaque personne reçoit le même nombre d'items. Dans le second cas, la séance d'examen se poursuit jusqu'à ce que l'habileté de chaque candidat soit estimée avec une précision satisfaisante. Il en résulte une efficacité accrue dans l'estimation de l'habileté des sujets à tous les niveaux et une plus grande souplesse dans l'administration des items.

Le principe du testing adaptatif remonte à l'origine des tests psychologiques. En effet, dès 1909, Binet proposait déjà de n'administrer aux sujets que les items les plus proches de leur niveau d'aptitude. Par exemple, à un enfant de 9 ans, on proposait d'abord les items réussis en moyenne par les enfants de cet âge. S'il réussissait, on passait à des items plus difficiles ; si au contraire il échouait à ces items, on présentait des items plus faciles. En procédant de la sorte, on évitait de présenter à l'enfant un grand nombre d'items trop faciles ou trop difficiles. On pouvait ainsi réduire le temps de passation tout en obtenant une mesure suffisamment précise. Toutefois, ce n'est qu'avec l'avènement des MRI et la disponibilité de micro-ordinateurs que le testing adaptatif a pu atteindre une flexibilité et une efficacité maximales (Laveault et Grégoire, 1997 ; Hambleton, Swaminathan et Rogers, 1991).

Le testing adaptatif est donc un testing « sur mesure » (*tailored testing*) qui a pour principal avantage le gain de temps et le gain de précision. Il évite ainsi que le répondant se démotive en ayant à répondre à un grand nombre d'items trop simples ou en ayant à subir une longue liste d'items auxquels il échoue systématiquement. Cette démotivation peut avoir un impact sur la qualité de la mesure recueillie. Le testing adaptatif permet généralement d'accroître l'efficacité relative du testing et d'obtenir une meilleure mesure au moindre coût.

Toutefois, le testing adaptatif complexifie la procédure de passation. Jusqu'il y a peu, ce mode de testing n'était possible qu'en situation d'évaluation individuelle. Il fallait en effet que le praticien réalise le travail de sélection des items tout au long de la passation. L'introduction du testing sur ordinateur a permis de sortir de ce carcan. L'informatique permet de réaliser un testing sur mesure mieux ajusté aux niveaux d'habileté des personnes testées que ne le permettait la méthode non automatisée. Chaque personne prend connaissance des items sur écran et y répond généralement à l'aide du clavier ou de la souris. En fonction de la qualité de la réponse, l'ordinateur choisit un autre item, et ainsi de suite, jusqu'au moment où la mesure atteint le degré de précision souhaité.

6.2.2 *Testing adaptatif et MRI*

Un testing adaptatif efficient n'est guère réalisable dans le cadre de la théorie classique des tests. En effet, nous avons déjà souligné que les caractéristiques métriques des items sont alors relatives. Ce problème est particulièrement aigu dans le cas des tests adaptatifs car l'ordinateur doit disposer d'une vaste banque d'items où il peut sélectionner les items les plus adéquats. Or, nous avons déjà souligné plus haut que, du fait de leur nombre, tous les items d'une telle banque ne sont habituellement pas analysés avec les mêmes groupes de sujets. Par conséquent, si nous utilisons la théorie classique, les items qui composeront la banque posséderont des caractéristiques métriques relatives. Comment dès lors composer un test sur mesure avec de tels items ? Une seconde limite de la théorie classique pour le testing adaptatif vient du fait que le coefficient de fidélité et l'erreur type de mesure sont toujours calculés pour l'entièreté du test. Si nous changeons la composition du test, l'erreur type de mesure est automatiquement modifiée. Or, le principe même du testing adaptatif est d'évaluer les répondants à partir d'ensembles d'items constitués sur mesure. Comment, avec des ensembles d'items différents, déterminer l'erreur d'estimation ? Cette information est essentielle pour le testing adaptatif car la procédure consiste à réduire progressivement l'erreur d'estimation jusqu'à un seuil déterminé a priori.

Pour les deux raisons principales que nous venons d'examiner, il est nécessaire de se tourner vers les MRI lorsque nous voulons réaliser des tests adaptatifs. Ces modèles

Tableau 7.3 — Exemple numérique d'une procédure de testing adaptatif (d'après Urry, 1977)

Présentation	Numéro des items	Réponse	Estimation de l'aptitude	Erreur d'estimation
1	43	réussite	0,47	0,86
2	57	réussite	0,93	0,75
3	55	réussite	1,27	0,64
4	12	réussite	1,44	0,57
5	13	réussite	1,59	0,53
6	54	réussite	1,77	0,50
7	114	réussite	1,88	0,47
8	26	réussite	1,98	0,43
9	103	*échec*	1,80	0,39
10	79	réussite	1,87	0,38
11	78	réussite	1,95	0,37
12	149	*échec*	1,80	0,34
13	15	réussite	1,85	0,33
14	76	réussite	1,88	0,32
15	74	réussite	1,94	0,32

nous permettent en effet d'obtenir des paramètres d'items invariants. Ils nous permettent également de déterminer un intervalle de confiance pour chaque estimation du trait θ sur base de l'ensemble des items effectivement présentés.

Dans les programmes de testing adaptatif, l'algorithme utilisé prend en compte la fonction d'information de chaque item (Thissen & Mislevy, 1990). Ainsi, à chaque fois que le sujet a répondu à un item, l'ordinateur estime à nouveau son habileté et recalcule l'erreur type de cette estimation. Sur base de l'estimation obtenue et de sa marge d'erreur, l'ordinateur peut alors choisir l'item qui procurera le plus d'information au niveau θ considéré. Habituellement, la procédure commence par un item de difficulté moyenne. À partir de la réussite ou de l'échec à ce premier item, un second item est choisi. Et ainsi de suite. Au cours de cette procédure, le niveau d'habileté du sujet est systématiquement recalculé ainsi que l'erreur d'estimation. Le testing s'arrête lorsque l'on atteint un niveau d'erreur spécifié à l'avance ou lorsqu'il n'est plus possible d'accroître la précision avec les items restants de la banque d'items. Le tableau 7.3 illustre cette procédure. On peut constater qu'à partir d'un moment, les estimations du niveau d'habileté et de la marge d'erreur se stabilisent. Il n'y a dès lors plus lieu de continuer la procédure de testing.

Les tests adaptatifs nous permettent d'obtenir une mesure très précise avec un minimum d'items. Toutefois, il faut avoir conscience que pour réaliser une telle évaluation, une importante banque d'items est nécessaire. Il n'est pas rare que cette banque comprenne plusieurs centaines d'items alors que chaque personne testée individuellement n'en voit qu'une quinzaine. Enfin, même s'il y a de nombreux avantages à recourir à une procédure de testing adaptatif, il faut tenir compte de nombreuses contraintes et limites, liées tant aux modèles statistiques utilisés qu'à la technologie informatique actuelle.

6.2.3 Avantages et limites du testing adaptatif

Le testing adaptatif sur ordinateur (TAO) constitue l'une des applications pratiques les plus intéressantes des MRI. En fait, il est maintenant difficile de concevoir le TAO sans les MRI, même si, comme nous l'avons mentionné, le testing adaptatif existait bien avant que les MRI n'apparaissent comme modèles de la mesure en psychologie et en éducation. Grâce à l'invariance des paramètres d'items et d'habileté et à la mesure locale de la précision, les MRI contribuent à solutionner plusieurs problèmes inhérents au TAO :

1. elles permettent de construire une banque d'items dont les paramètres sont connus et tous exprimés sur une échelle commune ;

2. elles permettent d'estimer l'habileté au moyen d'une procédure de sélection d'items qui tient compte de l'habileté démontrée par le répondant aux items précédents et qui est conçue de manière à réduire l'erreur de mesure.

L'utilité du TAO se heurte encore à de nombreux obstacles. Certains de ces obstacles, il faut cependant le reconnaître, se retrouvent également en testing traditionnel. D'autres sont plus spécifiques au TAO. Ces obstacles se rassemblent en quatre catégories :

1. les limites associées aux questions à choix de réponse ;

2. les limites associées à la construction de la banque d'items ;

3. les limites associées à la méthode de sélection des items ;

4. les limites associées aux MRI.

A. LIMITES ASSOCIÉES AUX QUESTIONS À CHOIX DE RÉPONSE

Une partie des limites du TAO provient des possibilités restreintes du format des items à choix de réponses. Si l'habileté mesurée se prête difficilement à ce format d'items, le TAO ne peut être utilisé. Par contre, il est possible que ces limites, imputables en partie à la procédure traditionnelle de testing, puissent être repoussées au moyen du TAO. Les modèles polychotomiques permettent de mesurer plus efficacement les habiletés des sujets en tenant compte de l'importance relative des erreurs associées au choix de mauvaises réponses. Ces nouveaux modèles permettent d'envisager la conception de nouveaux tests où une importance plus grande sera accordée à la conception des leurres et au choix des questions.

Une autre avenue intéressante et relativement peu explorée de ces nouveaux modèles polychotomiques porte sur la création de « testlets » (Wainer & Kiely, 1987). Un testlet est une grappe d'items portant sur la même situation : p.ex. plusieurs items de compréhension de texte à choix de réponses, portant sur le même extrait. Or, la réussite à ces items est liée puisqu'ils portent sur le même texte. Wainer & Kiely (1987) ont démontré que ce genre de test serait mieux traité au moyen d'une approche polychotomique des MRI, qui considère tous les items liés comme des catégories particulières d'un seul « testlet », plutôt que par une approche qui corrige individuellement chaque item de façon dichotomique. La création de « testlets » associée à des MRI polychotomiques est de nature à étendre l'application d'items à choix de réponses à des études de cas ou à des questions portant sur la solution de problèmes complexes.

B. LIMITES ASSOCIÉES À LA BANQUE D'ITEMS

La précision avec laquelle le TAO parvient à estimer l'habileté des sujets dépend de la disponibilité et de la qualité des items pour chaque niveau d'habileté dans la banque d'items. Pour assurer la comparabilité des paramètres d'items, plusieurs devis peuvent être employés, chacun comportant des contraintes particulières et des limites propres. Au-delà des considérations liées à la calibration, il demeure que si la banque ne comporte que peu d'items pour certains niveaux d'habileté, il ne sera pas possible de mesurer avec autant de précision les individus à ces niveaux. Cette limite, il faut l'admettre, n'est pas particulière au TAO. Dans les mêmes conditions, un test traditionnel de type papier crayon comporterait les mêmes limites.

C. LIMITES ASSOCIÉES À LA MÉTHODE DE SÉLECTION DES ITEMS

Dans le contexte du TAO, le choix du premier item présenté et du critère de fin d'examen ont une importance capitale pour l'efficacité du test. De plus, lorsque la méthode de sélection des items se fonde uniquement sur un critère de maximum d'information, les items qui discriminent le mieux au niveau d'habileté estimé risquent d'être choisis fréquemment. Lorsque le test à administrer doit assurer une certaine représentativité du contenu, la méthode de sélection des items doit être assortie de nouvelles conditions dont les effets peuvent réduire l'efficacité du TAO pour ce qui est du nombre total d'items à administrer et de la durée totale du testing.

Enfin, les méthodes de sélection des items possèdent une autre limite importante : celle de ne pas permettre aux examinés de réviser leurs choix de réponses. En changeant une réponse à un item, toute la procédure de sélection de l'item le mieux apparié au niveau d'habileté du sujet se trouve faussée. Lunz, Bergstrom et Wright

(1992) ont voulu évaluer les effets de la révision des réponses sur l'estimation des habiletés des sujets en situation de TAO. Leurs résultats indiquent que la corrélation entre habileté mesurée avant et après révision est très élevée (r = 0,98) et que la perte d'information imputable à la révision serait facilement compensée par l'administration d'un item supplémentaire. Ils notent aussi que le groupe qui a eu la possibilité de réviser ses réponses présente des performances légèrement supérieures à celles d'un groupe de référence équivalent. Les auteurs attribuent la légère augmentation de performance du groupe expérimental à la perception de contrôle accrue sur la situation de testing.

D. LIMITES ASSOCIÉES AUX MRI

Lorsque le TAO fait appel aux MRI pour calibrer les items ou encore pour choisir les items à administrer, les limites des MRI s'appliquent également au TAO. Les résultats à chaque item doivent s'ajuster au modèle choisi (un, deux ou trois paramètres). Enfin, l'un des postulats les plus importants de plusieurs MRI est celui de l'unidimensionnalité. L'influence de la dimensionnalité sur l'estimation de l'habileté par le TAO a fait l'objet de plusieurs études sur la robustesse des estimations obtenues par des modèles unidimensionnels à partir de données comportant deux dimensions ou plus.

Reckase, Ackerman et Carlson (1988) ont conclu que le postulat d'unidimensionnalité de plusieurs MRI ne signifie pas que le test doive mesurer une seule habileté, mais plutôt le même ensemble d'habiletés interreliées. DeAyala (1992) a démontré que dans le cas de données bidimensionnelles, le TAO fournit des estimations d'habiletés qui ont tendance à se situer à la moyenne des habiletés sur chaque dimension. Ceci peut ne pas causer de problèmes aux utilisateurs de TAO principalement intéressés à ordonner les sujets quant à leur habileté à résoudre certains types de problèmes qui nécessitent les deux habiletés à la fois.

6.3 UTILITÉ DU TAO

L'utilité du TAO dépend de la puissance des modèles théoriques à partir desquels il a été conçu, mais également des considérations pratiques qui en découlent. Le TAO combine les avantages et les inconvénients des MRI, du testing adaptatif et du testing sur ordinateur. Il serait donc inadéquat de considérer que le TAO possède ces caractéristiques en propre. Jusqu'à présent, plusieurs des limites du TAO sont imputables à un arrimage imparfait ou incomplet entre ces trois composantes. Il est à prévoir que meilleure sera leur articulation, plus le TAO pourra devenir flexible tout en conservant une grande efficacité.

Théoriquement, le TAO permet généralement une plus grande efficacité dans la mesure des habiletés des répondants. Toutefois, cette efficacité est souvent acquise grâce à une simplification de la procédure de testing qui se traduit par l'impossibilité de réviser les réponses, la surutilisation des « meilleurs » items et par conséquent, le risque de suréchantillonner un contenu particulier.

Les dernières innovations en TAO démontrent comment celui-ci peut devenir plus flexible tout en conservant une grande efficacité par rapport au testing traditionnel. En voici quelques exemples :

- en développant les modèles polychotomiques des MRI qui permettent une meilleure utilisation de l'information partielle contenue dans les leurres ;

- en développant les modèles multidimensionnels des MRI lorsqu'il est important de situer le répondant sur plusieurs habiletés différentes et indépendantes ;
- en tenant compte de variables externes telles que le choix exprimé par le répondant, ou encore, son degré de certitude en la réponse choisie.

À leur tour, chacune de ces innovations possède un coût qui peut en restreindre l'utilité. Par exemple, l'utilisation de modèles polychotomiques rend moins nécessaire le développement de grandes banques d'items et réduit les inconvénients liés à la calibration de nombreux items sur des groupes de répondants différents. Par contre, l'estimation des paramètres d'items pour les modèles polychotomiques nécessite beaucoup plus de répondants que les modèles dichotomiques, à moins d'utiliser des modèles non paramétriques (Ramsay, 1991 ; 1993). Selon qu'il est plus facile et moins coûteux de construire des items que de les tester sur un nombre plus ou moins grand de personnes, le constructeur de test optera pour une solution ou l'autre.

Dans de nombreuses circonstances, le choix d'une procédure de TAO se fait à partir de considérations pratiques, comme dans le cas précédent. Une autre limite importante du TAO concerne la disponibilité de logiciels permettant la programmation aisée d'algorithmes de testing adaptatif. Le développement de logiciels conviviaux est indispensable à la poursuite des innovations et à leur mise en application (Auger et Laveault, 1991. Enfin, le caractère relativement récent des MRI et de leurs possibilités d'application constitue sans doute le dernier frein à l'utilisation répandue du TAO.

Il serait donc utopique d'envisager le TAO comme une solution de rechange adéquate à toutes les situations de testing. Lorsque les coûts de développement d'une banque d'items et d'une stratégie de TAO peuvent être amortis par l'utilisation répétée du test adaptatif sur un grand nombre de sujets, alors le TAO constitue certainement une alternative de choix. En effet, le coût de développement d'un test adaptatif sur ordinateur s'ajoute aux coûts de l'étude de validation. Bref, nous pourrions conclure par cette paraphrase : « Le TAO si nécessaire, mais pas nécessairement le TAO ».

7. Quel MRI choisir ?

Quel modèle choisir parmi les trois modèles de réponse à l'item que nous avons présentés ? Actuellement, le modèle de Rasch semble être le plus couramment utilisé. Un des arguments qui joue le plus en faveur de ce modèle est la taille relativement réduite de l'échantillon de sujets nécessaire pour obtenir une estimation correcte du paramètre de difficulté. Toutefois, nous ne devons pas perdre de vue que ce modèle repose sur le postulat d'une égale discrimination de tous les items. Ce postulat peut conduire à écarter un grand nombre d'items mal ajustés au modèle. Comme le fait remarquer Hambleton (1994b), il est alors légitime de se demander si le modèle lui-même ne doit pas être remis en question. En éliminant des items dont le degré d'adéquation au modèle de Rasch est insuffisant, nous risquons en effet de nous priver de certains de nos items les plus valides. Dans ce cas, il est raisonnable de vérifier si les modèles à deux ou à trois paramètres ne conviennent pas mieux à nos données que le modèle à un seul paramètre. Le choix du modèle doit nous permettre d'obtenir un meilleur ajustement de nos données et, par là même, une estimation plus précise et plus stable des paramètres des items.

Les logiciels actuels, qu'ils soient basés sur un modèle à un, deux ou trois paramètres, ont tous été conçus pour réaliser des analyses d'items dichotomiques, c'est-à-dire d'items cotés 1 ou 0. Or, les praticiens ont souvent affaire à des items polychotomiques. Par exemple, de nombreux questionnaires demandent de répondre sur une échelle de 1 à 7. Un logiciel comme BILOG-MG3 ne permet pas de traiter de telles données. Par conséquent, si nous désirons réaliser une analyse selon un des MRI, nous sommes obligés de d'abord dichotomiser les résultats à chaque item. Ceci entraîne une perte d'information et soulève des questions de validité parfois insurmontables. Par exemple, lorsqu'un item est coté 0, 1 ou 2, vaut-il mieux regrouper les résultats 0 et 1 ou les résultats 1 et 2 ? Depuis les années 1980, de nombreux chercheurs ont élaboré des modèles de MRI permettant de traiter des formats d'items autres que dichotomiques (voir van der Linden & Hambleton, 1997, pour une revue). Ces modèles ont stimulé le développement de logiciels qui permettent aux praticiens d'analyser des données polychotomiques de divers formats. Parmi ceux-ci, on peut citer XCALIBRE-4 (Guyer & Thompson, 2011), RUMM2030 (Andrich, Sheridan & Luo, 2012) et ConQuest 3 (Adams, Wu & Wilson, 2012).

Un autre problème des MRI actuels concerne le postulat d'unidimensionnalité. Nous avons déjà souligné que, si les données ne satisfont pas à ce postulat, l'utilisation d'un des MRI présentés plus haut n'est pas adéquate. Or, en psychologie et en éducation, les performances à de nombreux tests sont déterminées par plusieurs facteurs sous-jacents, indépendants ou corrélés. Dans ce cas, le postulat d'unidimensionnalité n'est pas défendable et l'analyse des items selon un des MRI unidimensionnels n'est pas possible. Le développement de modèles multidimensionnels s'est fait lentement, sans doute du fait « *qu'une grande part des développements mathématiques durant ces cinquante dernières années s'est concentrée trop exclusivement sur le cas particulier des modèles logistiques unidimensionnels* » (Goldstein & Wood, 1989, p. 164). Une autre raison tient à la complexité de ces modèles et à la difficulté de les mettre en œuvre sur le terrain. Peu de programmes statistiques sont opérationnels et de nombreuses questions restent en suspens quant aux conditions d'application des procédures d'analyse multidimensionnelle (Reckase, 2009 ; Reckase, 1997b). Par exemple, combien d'items sont nécessaires pour permettre d'identifier une dimension ? Quelle relation y a-t-il entre la taille de l'échantillon, l'hétérogénéité de la population de référence et le nombre de dimensions que l'on peut identifier ? D'évidence, les MRI multidimensionnels constituent un champ de recherche encore largement ouvert.

NOTIONS D'INFÉRENCE STATISTIQUE

Les méthodes présentées dans le chapitre 2 ont permis de décrire un échantillon ou encore toute une population à condition de pouvoir avoir accès à tous ses membres. Ce n'est pas toujours possible. En éducation et en psychologie, nous avons souvent pour objectif de connaître une population à partir d'un échantillon représentatif de ses membres. C'est là le domaine des *statistiques inférentielles* qui feront l'objet de cette annexe.

1. ÉCHANTILLON ET POPULATION

La mesure, qu'elle soit *critériée* ou *normative*, repose généralement sur des estimations. En effet, on ne peut questionner un individu particulier sur tous les items d'additions, pas plus que l'on ne peut comparer la réussite de tous les individus pour lesquels un test d'addition a été développé. Nos conclusions s'appuient généralement sur les estimations que nous faisons au moyen :

1. d'un échantillonnage d'items selon des critères précis, dans le cas de la *mesure critériée* ;

2. d'un échantillonnage représentatif de personnes, dans le cas de la *mesure normative*.

Chaque type de mesure accorde donc priorité à un type d'*échantillonnage* : échantillonnage des items de l'univers de contenu, en mesure critériée ; échantillonnage des personnes de la population d'intérêt, en mesure normative. Traditionnellement, l'éducation s'est particulièrement intéressée au premier problème d'échantillonnage. La psychométrie, pour sa part, s'est surtout attachée au deuxième. Ceci se traduit par des procédures différentes de construction des tests.

En éducation, ou plus précisément en édumétrie, la définition a priori de l'univers de contenu à mesurer a pour effet que le principal travail de sélection des items se fait avant le testing. En psychométrie, lorsque les résultats des tests sont employés pour différencier des individus entre eux, il est parfois très difficile de savoir à l'avance quels items vont accroître la discrimination entre les personnes. Ce n'est qu'a posteriori qu'une sélection des items peut véritablement avoir lieu, soit une fois que ceux-ci ont été administrés à un premier échantillon représentatif de la population d'intérêt.

Dans la pratique, si nous souhaitons différencier des individus en fonction de leur intelligence, nous chercherons à utiliser des items qui nous permettent de discriminer dans toute la population. Il ne serait pas approprié de mettre à l'essai notre test sur un échantillon restreint de la population, comme, par exemple, les étudiant(e)s de niveau universitaire ou les élèves de classes spéciales, à moins que notre but ne soit précisément d'établir des différences parmi les individus de chacune de ces sous-populations. Si nous voulons discriminer dans l'ensemble de la population, nous chercherons plutôt à obtenir un échantillon *représentatif* de toute la population. Pour ce faire, il existe plusieurs méthodes d'échantillonnage plus ou moins bien adaptées à différents problèmes d'estimation. Celles-ci seront décrites en détail dans le chapitre 6, section 2.2.2.

Historiquement, la problématique de la différenciation des personnes pose le problème de l'estimation d'une norme à laquelle sont comparés tous les individus d'une même population. Cette norme est généralement la moyenne de la population des individus. L'estimation de cette moyenne au moyen d'un échantillon représentatif est donc de première importance, car cette norme est la valeur par rapport à laquelle chaque personne sera comparée.

Parce que les valeurs de l'échantillon et de la population correspondent à des réalités différentes, les conventions en statistiques veulent que les paramètres d'une population soient exprimés au moyen d'une lettre grecque, alors que les paramètres de l'échantillon sont exprimés par la lettre correspondante de l'alphabet romain. La moyenne de la population s'écrit donc μ et la moyenne de l'échantillon s'écrit m. L'écart type de la population s'écrit σ, alors que celui de l'échantillon s'écrit s.

Lorsque nous décrivons des valeurs estimées, les conventions veulent que nous utilisions une lettre grecque accompagnée d'un accent circonflexe. Par exemple, on écrira $\hat{\sigma}_x^2$ pour signifier la variance de la population estimée à partir de la variance de l'échantillon des valeurs de X. Toutefois, pour alléger la notation algébrique, nous décrirons de la même façon les valeurs de l'échantillon et les valeurs estimées à partir de l'échantillon, au moyen de caractères romains. Ainsi, S_x^2 signifiera tout autant, *variance de l'échantillon* que *variance de la population calculée à partir de l'échantillon*. Le contexte sera habituellement suffisant pour distinguer ces deux situations lorsque ce sera nécessaire.

1.1 INFÉRENCE ET ESTIMATION

L'inférence fait partie des opérations mentales à notre disposition pour saisir une information non présente. Legendre (1993) définit l'inférence comme un « mode de raisonnement qui consiste à tirer une conséquence ou une conclusion logique d'un ensemble de données ». Ce mode de raisonnement est relativement fréquent et plutôt familier dans les situations de la vie courante, « mais dans les cas où certains domaines du savoir s'éloignent des lieux communs et présentent un degré d'abstraction élevé, ou si ces domaines ne sont pas suffisamment familiers au sujet, il lui devient particulièrement difficile de faire les inférences demandées » (Legendre, 1993, p. 714). C'est le cas notamment en statistiques.

Pour mieux saisir cette notion d'inférence, faisons appel à une situation de la vie quotidienne. Supposons que vous vous promeniez dans votre quartier. Vous ne vous attendez pas à croiser sur votre chemin une personne mesurant plus de 2 mètres. Si, avant votre départ, on vous demandait de faire une prédiction à propos d'un tel événement, vous parieriez probablement que vous ne rencontrerez pas une telle personne, et vous auriez une grande confiance en votre prédiction.

Votre assurance repose sur une inférence très simple. Vous connaissez bien les gens qui habitent votre quartier et vos observations antérieures lors de vos nombreuses promenades vous ont appris qu'il n'y a personne de cette taille dans votre environnement. Pour que vous croisiez une personne mesurant plus de 2 mètres, cette personne devrait provenir de l'extérieur du quartier et se promener au même moment que vous. Vous en concluez que la probabilité de rencontrer une personne mesurant plus de 2 mètres est tellement faible que vous préférez rejeter cette possibilité a priori.

En inférence statistique, nous raisonnons de la même manière. Nous estimons les probabilités qu'un événement se produise au hasard afin de prendre une décision. Si un événement a très peu de chances de se produire au hasard, alors nous préférons accepter une autre hypothèse, *l'hypothèse alternative*, selon laquelle l'événement dont nous sommes témoins est imputable à autre chose que les simples fluctuations aléatoires. Toutefois, aucune des décisions que nous prenons dans le contexte de l'inférence statistique n'est absolument certaine, puisque nous fondons notre décision sur des probabilités. Il y a donc un risque d'erreur associé à chaque décision et les tests statistiques nous permettent de l'estimer.

1.2 Échantillonnage et estimation de la moyenne d'une population

En estimation, nous ne sommes pas seulement intéressés par les statistiques de l'échantillon. En effet, les sondages électoraux seraient bien peu intéressants si ce qu'ils nous apprenaient se limitait aux intentions de vote des seules personnes sondées. Il en va de même de nombreuses caractéristiques humaines qui sont mesurées en éducation et en psychologie. Bien souvent les caractéristiques de l'échantillon ne nous intéressent que dans la mesure où elles sont représentatives de la population entière dont est tiré l'échantillon.

Pour qu'un échantillon soit représentatif de la population, les membres de la population doivent être choisis au hasard avec une chance égale d'être sélectionnés. Nous nous limiterons ici à la méthode d'échantillonnage aléatoire simple. Cette méthode nous permet d'obtenir un échantillon représentatif de la population. Ceci ne signifie pas que les caractéristiques de l'échantillon soient exactement celles de la population. L'échantillon permet seulement d'estimer les caractéristiques de la population avec une marge d'erreur plus ou moins grande. Plus nous sélectionnons une proportion importante de la population, plus nous pouvons avoir confiance dans cette estimation.

Par exemple, pour déterminer la qualité de l'eau d'un lac, il ne suffira pas de puiser l'eau à un seul endroit. Il faudra prendre des échantillons d'eau à différents points du lac et à des profondeurs différentes. Pour ne pas biaiser notre échantillon, nous choisirons ces endroits et ces profondeurs au hasard. Plus nous puisons l'eau à des endroits variés choisis au hasard, plus nous pouvons avoir confiance en notre estimation de la qualité de l'eau. Il en va de même lorsque nous tentons, par des techniques d'échantillonnage, d'estimer les caractéristiques d'une population entière. Par exemple, nous pouvons nous demander quel est le score moyen d'indépendance du champ (*field independence*) d'élèves de cinquième année. Au lieu d'interroger tous les élèves de cinquième année – ce qui pourrait s'avérer irréaliste ou impossible pour toutes sortes de raisons pratiques et économiques – nous choisissons de ne retenir qu'un échantillon représentatif de ceux-ci, tiré au hasard de la population.

Quelle serait la moyenne, la variance de la caractéristique « indépendance du champ » estimée sur base de notre échantillon ? Les lois de l'inférence statistique nous apprennent que la meilleure estimation de la moyenne de la population est la moyenne de notre échantillon. Nous exprimerons ce premier principe par l'équation suivante, où $\bar{X}$ représente la moyenne de l'échantillon et μ celle de la population :

$$\bar{X} = \mu \tag{A.1}$$

Toutefois, nous n'avons aucune certitude que la moyenne $\bar{X}$ de notre échantillon soit véritablement celle de la population. Si notre échantillon a été tiré au hasard, il est possible d'évaluer la probabilité que la moyenne de l'échantillon soit différente de celle de la population. Sur cette base, nous pouvons construire un *intervalle de confiance* autour de la moyenne de l'échantillon à l'intérieur duquel la moyenne de la population a une certaine probabilité de se trouver. Pour déterminer cet intervalle de confiance, il nous faut connaître la variance des moyennes des échantillons tirés au hasard au sein de la population. Or, le bon sens nous incite à croire que plus les échantillons tirés de la population seront grands, plus petite sera l'incertitude entourant l'estimation de la moyenne de la population. De fait, les lois de l'inférence statistique nous indiquent que la variance des moyennes $s_{\bar{X}}^2$ calculée à partir d'échantillons aléatoires de taille *n*, sera *n* fois plus petite que la variance s_X^2 des *n* scores tirés de l'échantillon. L'équation suivante représente ce deuxième principe :

$$s_{\bar{X}}^2 = \frac{s_X^2}{n} \tag{A.2}$$

L'estimation de la variance des moyennes calculée à partir d'échantillons de taille *n* constitue ce que l'on appelle l'*erreur d'estimation de la moyenne*. Puisque les moyennes des échantillons se distribuent normalement, il nous est donc possible de calculer un intervalle de confiance autour de la moyenne de l'échantillon à l'intérieur duquel existe une probabilité de 95 % de retrouver la moyenne de la population.

Appliquons le calcul de l'erreur d'estimation de la moyenne au problème de l'estimation du quotient intellectuel moyen d'un groupe de 200 élèves tirés au hasard. Nous savons que les quotients d'intelligence se distribuent dans la population avec une moyenne de 100 et un écart type de 15 (c'est le cas des Q.I. calculés au moyen de l'échelle Weschler). L'erreur type de la moyenne est obtenue au moyen du calcul suivant :

$$s_{\bar{X}}^2 = \frac{s_X^2}{n} = \frac{225}{200} = 1{,}125$$
$$s_{\bar{X}} = \sqrt{1{,}125} = 1{,}061 \tag{A.3}$$

L'erreur d'estimation nous permet de reconstruire la distribution des moyennes d'échantillons de 200 sujets tirés d'une population de moyenne 100 et d'écart type 15. Cette distribution des moyennes aura pour moyenne globale la même valeur, 100, et pour écart type l'erreur d'estimation 1,06. Lorsque la taille des échantillons est supérieure à 30, la distribution des moyennes suit la distribution normale des résultats et il y a 95 % de chances que la moyenne d'un échantillon de 200 personnes se trouve dans un intervalle compris entre ± 1,96$s_{\bar{x}}$ ce qui, dans l'exemple, est égal à (± 1,96 x 1,06) = ± 2,08.

En conclusion, un chercheur qui prétendrait tirer un échantillon représentatif de la population du point de vue du quotient d'intelligence et qui obtiendrait à partir d'un groupe de 200 sujets sélectionnés au hasard un quotient intellectuel moyen de 105, pourrait difficilement prétendre que son échantillon a été tiré de la population décrite précédemment puisque la moyenne se situe en dehors de l'intervalle de confiance de 95 % compris entre 100± 2,08 (entre 97,92 et 102,08). Un groupe de 200 sujets dont la moyenne des QI serait de 105 a donc moins de 5 chances sur 100 d'avoir été tiré au hasard dans une population dont la moyenne serait 100 et l'écart type serait 15. Cet événement statistique est possible, mais il est très rare. C'est pourquoi le chercheur préférera conclure que l'échantillon n'est pas représentatif de la population. En prenant cette décision, le chercheur risque de se tromper. En effet, chaque fois que de tels échantillons, bien que rares, sont effectivement tirés au hasard, le chercheur se trompera. Toutefois, ce risque d'erreur est inférieur à 5 %. Nous verrons dans la section suivante comment le risque d'erreur influence la prise de décision et la puissance des tests statistiques.

1.3   INFÉRENCE STATISTIQUE ET LOIS DE PROBABILITÉ

La figure 1 illustre la différence entre *erreur d'estimation* et *écart type*. Lorsque les moyennes des Q.I. sont calculées à partir de grands échantillons (dans ce cas-ci n = 100), l'erreur d'estimation de la moyenne est beaucoup plus petite que l'écart type des scores bruts. Même si un Q.I. de 105 est relativement fréquent dans une

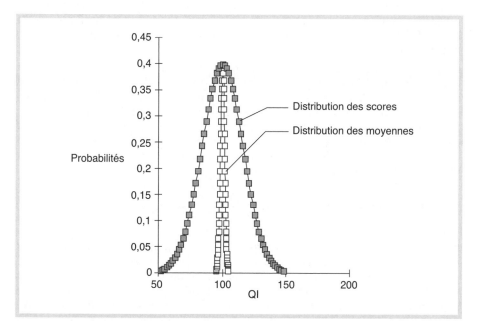

Figure 1 — Erreur d'estimation et écart type des Q.I. pour n=100

distribution de scores bruts, un Q.I. moyen de 105, calculé sur une centaine de sujets tirés au hasard, a une probabilité très faible.

Les calculs précédents valent pour des échantillons de grande taille (*n* supérieur à 30). Dans de tels cas, la *loi normale* sert au calcul des probabilités des moyennes. Lorsque les échantillons comportent moins de 30 sujets, l'estimation de la variance de la population a plus de chances d'être sous-estimée que surestimée. Les valeurs extrêmes de la population contribuant de façon importante à la variance de la population risquent peu de se retrouver dans un petit échantillon. Pour de petits échantillons, la distribution des moyennes ne suit pas exactement la loi normale, mais une distribution platykurtique, *la loi t de Student*. L'intervalle de confiance à 95 % est alors supérieur à $\pm$ 1,96$\sigma_{\bar{x}}$ et correspond à $\pm$ $t_{0,05}\sigma_{\bar{x}}$. La valeur de *t* est obtenue en consultant les tables de probabilités du *t de Student* (voir Table 3, Annexe 2) pour le nombre de *degrés de liberté* (nombre de sujets de l'échantillon moins 1). Nous expliquerons plus loin cette notion de *degrés de liberté*. Notez finalement que la valeur de $t_{0,05}$ est toujours supérieure à 1,96.

Si nous refaisions les calculs pour les données de l'exemple sur l'erreur d'estimation de la moyenne des QI et que nous les appliquions au cas d'un échantillon de 16 sujets tirés de la même population, l'erreur d'estimation de la moyenne serait alors :

$$s_{\bar{x}}^2 = \frac{s_x^2}{n} = \frac{256}{16} = 16$$

$$s_{\bar{x}} = \sqrt{16} = 4$$

(A.4)

Comme prévu, l'erreur d'estimation de la moyenne est beaucoup plus grande à cause de la taille réduite de l'échantillon. De plus, du fait de l'incertitude plus grande entourant l'estimation de la variance de la population, l'intervalle de confiance sera supérieur à l'intervalle habituel de $\pm$ 1,96$s_{\bar{x}}$ pour de grands échantillons. Nous devons calculer un nouvel intervalle à partir de la valeur de $t_{0,05}$ > 1,96 pour un nombre de degrés de liberté *(dl)* égal à *16 – 1 = 15* (voir Table 3, Annexe 2). Le nouvel intervalle calculé sera égal à $\pm$ 2,131$s_{\bar{x}}$, soit $\pm$ 7,99.

Comme on peut le constater, la marge d'incertitude s'est beaucoup accrue en utilisant un échantillon plus petit. Avec un échantillon de 100 sujets, nous réduisions considérablement la possibilité qu'une moyenne de 105 puisse provenir d'une population dont la moyenne est égale à 100. Avec un échantillon de 30 sujets maintenant, la même valeur (105) se situe à l'intérieur de l'intervalle de confiance à 95%, soit entre 92 et 108. Nous serions donc conduits à accepter la possibilité qu'une moyenne de 105, lorsqu'elle est calculée à partir d'un échantillon de 16 sujets, puisse provenir d'une population dont la moyenne est 100.

1.4 Inférence statistique et prise de décision

L'inférence statistique va bien au-delà du calcul de l'erreur d'estimation de la moyenne de la population. Nous pouvons tenter de déterminer si les moyennes des populations d'où sont tirés nos deux échantillons peuvent être considérées comme différentes. Pour résoudre ce problème, il faut savoir quelle est la probabilité d'observer une certaine différence entre les moyennes de deux échantillons tirés de la même population. S'il est peu probable que les moyennes des deux échantillons aient été tirées de la même population, alors nous considérons qu'un facteur quelconque est intervenu pour créer cet écart entre les deux moyennes – en d'autres termes, pour *biaiser* l'estimation de l'une des deux moyennes.

Un exemple permettra de mieux comprendre la situation précédente. Supposons qu'en vous promenant dans la rue vous faites la rencontre de deux personnes, l'une mesurant 1,9 m et l'autre 1,7 m. Rien de surprenant là-dedans puisque 1,9 m et 1,7 m sont des hauteurs probables dans la population. Supposons, toutefois, que vous rencontriez 20 personnes dont la hauteur moyenne est de 1,9 m, puis 20 autres dont la hauteur moyenne est de 1,7 m. Vous commencez à vous interroger. Si les valeurs individuelles de 1,7 m et 1,9 m ont des chances raisonnables de se produire dans la population, un écart de 20 cm entre deux groupes de 20 personnes l'est beaucoup moins. Vous serez porté à croire que les individus de chacun de ces groupes ne sont pas représentatifs de la population en général et que cette différence de 20 cm, pourtant normale entre deux individus, ne l'est pas entre deux groupes. Ce serait d'autant plus vrai si ces deux groupes étaient formés d'un nombre encore plus grand d'individus tirés au hasard. Dans ce cas-ci, vous pourriez avoir assisté à la sortie des joueurs d'une équipe de basket-ball, suivie quelques minutes plus tard par celle d'un groupe de karaté. Ces groupes sont différents et ne peuvent donc être considérés comme tirés de la même population.

2. COMPARAISON DE DEUX MOYENNES

Deux techniques statistiques apparentées à la loi normale ou à la loi *t de Student*, selon la taille des échantillons en jeu, nous permettent de calculer la probabilité des différences entre deux moyennes. Elles permettent toutes de répondre à la question suivante : *à partir de quel moment peut-on considérer deux moyennes comme significativement différentes l'une de l'autre ?* Pour répondre à cette question, il faut connaître la probabilité que de telles différences entre moyennes se produisent au hasard lorsque les deux moyennes proviennent de la même population ou de deux populations dont la moyenne est identique. La loi de probabilité du t de Student – que nous venons d'étudier dans le cas de l'estimation de la moyenne pour de petits échantillons – permet le calcul des probabilités de ces différences entre moyennes. Il existe deux façons de calculer la valeur de *t* pour la comparaison de deux moyennes :

1. la méthode pour deux *échantillons indépendants* ;
2. la méthode pour deux *échantillons pairés*, dite aussi *des échantillons liés*.

La première méthode est la plus simple. Nous tirons au hasard deux échantillons, indépendamment l'un de l'autre, dont nous calculons les moyennes. Il s'agit alors de calculer l'écart entre les deux moyennes. La seconde méthode introduit un élément supplémentaire. Plutôt que de comparer les deux groupes dans leur ensemble, il s'agit de comparer les individus des deux groupes par paires, en choisissant de calculer la différence entre les résultats obtenus entre les individus d'une même paire, puis de calculer la moyenne de ces différences. Bref, la méthode pour échantillons indépendants vise à déterminer si *la différence entre les moyennes* de deux groupes est significative, alors que la méthode pour échantillons pairés vise à déterminer si *la moyenne des différences* est significative.

Pour que la méthode pour échantillons pairés ait un sens et qu'elle donne lieu à des résultats réellement différents de la méthode pour échantillons indépendants, il faut que le *pairage* entre les sujets soit pertinent. C'est le cas lorsque, pour déterminer la valeur de deux méthodes d'apprentissage, nous comparons les résultats d'individus de mêmes quotients d'intelligence. Nous savons que les capacités d'apprentissage sont fortement influencées par les aptitudes intellectuelles. En ne comparant que les résultats d'individus de mêmes aptitudes, nous éliminons la possibilité que les différences observées entre les résultats soient imputables à cette variable. La comparaison que nous faisons alors entre les deux groupes est d'autant plus pertinente. Par contre, si nous avions choisi de pairer les individus selon leur taille, il est fort probable que la comparaison n'aurait rien apporté puisque la taille n'a aucune influence sur l'apprentissage.

Le pairage des sujets vaut également lors de mesures répétées. Le sujet est alors comparé à lui-même. Cette situation se rencontre lorsque nous souhaitons étudier le progrès individuel en éducation. C'est le cas aussi des protocoles expérimentaux de type avant et après traitement, que ce soit en psychologie ou en sciences de l'éducation.

Le pairage des sujets permet d'effectuer de meilleures comparaisons, en particulier lorsque les échantillons sont petits. Plus les échantillons sont petits, plus il est possible de rencontrer accidentellement deux groupes dont les aptitudes intellectuelles sont différentes. Or, cette seule différence dans les aptitudes intellectuelles peut expliquer, totalement ou en partie, l'écart dans les résultats d'apprentissage des deux groupes. Le pairage permet d'éliminer cette possibilité, au prix cependant d'un travail plus complexe d'échantillonnage. Tout comme la méthode pour échantillons indépendants, les sujets seront tirés au hasard. Puis, des paires de sujets semblables – à l'intérieur d'une certaine marge de tolérance – seront constituées. Par exemple, on considérera comme de même niveau d'intelligence deux personnes dont le QI se situe entre 105 et 110. Le hasard interviendra à nouveau pour déterminer à quel groupe sera assigné chaque membre de la paire. Le pairage des sujets peut donner lieu à des difficultés imprévues. Pour constituer des paires de sujets comparables, il peut être nécessaire de tirer plusieurs sujets. Mais cet effort en vaut la peine. Dans la mesure où la variable de pairage exerce une influence réelle sur les données des deux groupes, la comparaison entre ceux-ci s'en trouve améliorée. En termes statistiques, nous dirons que la méthode pour deux échantillons pairés, lorsqu'elle s'avère pertinente, donne lieu à un test plus *puissant* des différences entre les deux groupes.

Le tableau 1 présente un exemple employant les deux méthodes. Dans le cas d'échantillons indépendants, il n'est pas possible d'identifier entre quels sujets les écarts entre les deux groupes peuvent être calculés. C'est pourquoi la moyenne des deux groupes est calculée sur l'ensemble des sujets et la différence est établie entre les deux moyennes. Dans le cas d'échantillons pairés, l'écart est calculé pour chaque paire et c'est la moyenne des écarts qui sert d'indicateur de la différence entre les deux groupes. Dans l'exemple du tableau 1, les mêmes données ont été employées dans chaque groupe.

Le tableau 1 présente également les valeurs de t pour chaque méthode. La valeur t est une mesure de la différence entre les deux groupes qui tient compte de leurs moyennes et de leurs variances respectives. Moins les distributions des deux groupes se chevauchent, plus leurs moyennes sont séparées l'une de l'autre, plus la valeur de t est élevée, quelle que soit la méthode par laquelle elle est calculée. Lorsque la valeur de t est élevée, il y a peu de chances que les moyennes des deux groupes proviennent de la même population. C'est ce qu'indiquent les probabilités associées à chacune des valeurs de t calculées dans le tableau 1.

Tableau 1 — Comparaison de deux moyennes

échantillons indépendants			échantillons pairés			
	groupe 1	groupe 2	paires	groupe 1	groupe 2	différences
	10	14	1	10	15	– 5
	12	15	2	12	14	– 2
	21	19	3	13	15	– 2
	17	19	4	16	17	– 1
	16	18	5	16	19	– 3
	16	17	6	17	18	– 1
	13	15	7	18	19	– 1
	18	20	8	21	20	1
moyennes	15,38	17,13	moyennes	15,38	17,13	– 1,75
écarts types	3,54	2,23	écarts types	3,54	2,23	1,75
erreurs d'estimation	1,25	0,79	erreurs d'estimation	1,25	0,79	
valeur de t		0,95	valeur de *t*			2,29
degrés de liberté		14,00	degrés de liberté			7,00
probabilité		0,26	probabilité			0,03

La figure 2 présente les distributions normales des moyennes de chaque groupe en tenant compte de leurs erreurs d'estimation respectives. Comme on peut le constater, il y a peu de chevauchement entre les deux distributions de moyennes. Il y a donc peu de chances qu'elles proviennent toutes deux de la même population. Ce graphique illustre également qu'il y a deux façons de réduire le chevauchement entre les deux distributions. La plus simple, sans aucun doute, est d'accroître l'écart entre les moyennes des deux groupes. La seconde, moins évidente, est de réduire l'erreur d'estimation, dont la variance est N fois plus petite que celle de l'échantillon. En choisissant des échantillons plus grands, l'erreur d'estimation aurait été plus petite et le chevauchement encore moindre.

La valeur de t pour échantillons indépendants se calcule au moyen de l'équation suivante :

$$t = \frac{\left(\bar{X}_1 - \bar{X}_2\right)}{\sqrt{\dfrac{s_1^2}{n_1} + \dfrac{s_2^2}{n_2}}} \tag{A.5}$$

où le numérateur indique la différence entre les moyennes des deux groupes $\left(\bar{X}_1 - \bar{X}_2\right)$ et où s_1^2, s_2^2 représentent les variances de chaque échantillon indépendant de taille n_1 et n_2.

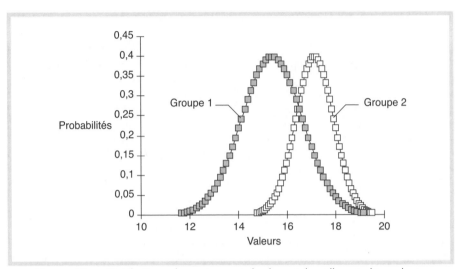

Figure 2 — Distributions des moyennes de deux échantillons indépendants
(données du tableau 1)

La valeur de t pour échantillons pairés se calcule différemment. Elle fait intervenir une nouvelle valeur, D, qui est l'écart entre les deux valeurs de chaque paire. Dans l'équation (a.6), $\bar{D}$ représente la moyenne des différences de chaque paire, s_D l'écart type des valeurs de différences et n représente le nombre de paires.

$$t = \frac{\bar{D}}{\frac{s_D}{\sqrt{n}}} \tag{A.6}$$

Quelle que soit la manière de calculer la différence entre deux échantillons, t est le résultat d'une transformation mathématique de la différence qui nous permet d'en estimer la probabilité. Pour connaître cette probabilité, il faut aussi tenir compte de la valeur des *degrés de liberté (dl)*. Cette valeur *dl* indique le nombre de résultats libres de varier dans chaque situation. Elle se retrouve dans tous les tests d'inférence statistique et est nécessaire pour connaître la probabilité d'un résultat statistique. Dans le cas de la méthode pour deux échantillons indépendants, il y a sept valeurs libres de varier dans chaque échantillon une fois que la moyenne est fixée, puisqu'il y a huit sujets dans chaque échantillon. Le nombre de degrés de liberté pour deux échantillons indépendants est fourni par l'équation suivante :

$$dl = (n_1 - 1) + (n_2 - 1) = n_1 + n_2 - 2 = 8 + 8 - 2 = 14 \tag{A.7}$$

Lorsque la méthode pour échantillons pairés est employée, c'est le nombre n de paires qui est pris en considération. La moyenne des différences étant fixée, le nombre de différences libres de varier est fourni par le nombre de paires moins 1, tel que calculé dans l'équation suivante :

$$dl = N - 1 = 8 - 1 = 7 \tag{A.8}$$

Une fois calculées les valeurs de t et de *dl*, il est possible de connaître la probabilité que les moyennes des deux groupes proviennent de la même population en consultant la table de probabilités de Student (Table 3, Annexe 2). Ces deux valeurs, celles de t

et de *dl*, sont nécessaires pour juger de la probabilité de telles différences. Plus *t* est élevé, plus l'écart entre les échantillons est grand. Plus *dl* est élevé, plus la valeur de *t* peut être considérée comme représentative, puisqu'elle repose sur de grands échantillons. C'est pourquoi plus *t* et *dl* sont élevés, plus la probabilité que les moyennes de deux groupes proviennent de la même population est faible. Enfin, notez que lorsque le nombre de degrés de liberté est supérieur à 100, la distribution des valeurs de t suit de très près celle de la loi normale et l'utilisation du Tableau 3 de l'Annexe 2 peut être remplacée par l'utilisation du Tableau 4 sur la distribution des valeurs de z.

2.1 TYPES D'ERREUR EN INFÉRENCE STATISTIQUE

Prenons maintenant un exemple tiré de la pratique psychologique. Supposons que l'on vous demande de prédire quels élèves inscrits à votre école, âgés de 14 à 18 ans, risquent de commettre une tentative de suicide au cours des trois prochaines années. Vous consultez les statistiques nationales et vous apprenez que, chaque année, 4 jeunes de cette population sur 10 000 attentent à leur vie. Sur cette base, vous pourriez prédire qu'un jeune se suicidera ou ne se suicidera pas. Si, par exemple, vous rencontrez 2 500 élèves et que vous prédisez à chacun qu'il ne se suicidera pas, votre prédiction sera beaucoup plus souvent exacte qu'inexacte. En fait, vous avez 4 chances sur 10 000 de vous tromper, ce qui correspond à 1 chance sur 2 500.

Il y a dans cet exemple deux types d'erreur possible : (1) vous pouvez déclarer qu'un élève qui n'est pas suicidaire risquera d'attenter à sa vie ; (2) vous pouvez déclarer qu'un élève suicidaire n'attentera pas à sa vie. Dans ce cas-ci, comme dans bien des cas que nous rencontrons en statistiques, les deux types d'erreur n'ont pas la même importance. L'erreur consistant à ne pas prédire qu'un élève suicidaire attentera à sa vie a de plus graves conséquences que l'erreur consistant à prédire qu'un élève qui n'est pas suicidaire attentera à sa vie.

Il y aurait peu d'intérêt à développer un outil de dépistage de prévention du suicide chez la population des 14-18 ans, la probabilité d'un tel événement étant déjà tellement faible qu'il serait peu probable qu'un tel outil fasse mieux qu'une prédiction « nulle », c'est-à-dire prédire que tous ces sujets ne se suicideront pas. Par contre, si l'on pouvait démontrer qu'un jeune sur deux âgé de 14 à 18 ans, ayant décroché de l'école, s'étant retrouvé sans emploi et ayant eu des antécédents d'alcoolisme ou de dépendance narcotique risque d'effectuer une tentative de suicide, alors la mise au point d'un tel outil de dépistage pourrait être profitable, car, sur la seule base du hasard, nous aurions une chance sur deux (50 %) de faire une prédiction exacte.

Ce sont de tels éléments de probabilité que les compagnies d'assurance utilisent pour le calcul des primes d'assurance automobile. Par exemple, un conducteur célibataire, fumeur, de sexe masculin, de moins de 18 ans, conduisant une voiture sport, travaillant à plus de 15 km de son domicile et ayant des antécédents de mauvaise conduite constitue un risque plus grand que la moyenne générale des conducteurs. Ce risque est pris en compte dans le calcul des primes individuelles. Ceci ne veut pas dire que ce conducteur fera inévitablement un accident, mais qu'il fait partie d'un groupe où le risque est plus grand que dans la population générale.

Tout comme l'actuaire, le chercheur scientifique doit soupeser les probabilités associées à différents risques d'erreur lorsqu'il se sert des statistiques pour prendre une décision. Tout comme nous l'avons vu dans l'exemple de la prédiction du risque de suicide, il existe deux types d'erreur en inférence statistique :

- *l'erreur de type I* consiste à affirmer, sur la base de probabilités extrêmement faibles, qu'un événement ne s'est pas produit au hasard, alors que de fait, un événement extrêmement rare, mais possible, vient de se produire.

- *l'erreur de type II* consiste à affirmer, sur la base de probabilités obtenues, qu'un événement a toutes les chances de s'être produit au hasard, alors que de fait, cet événement est le résultat d'un effet expérimental non négligeable.

Voyons maintenant comment ces deux types d'erreur s'appliquent à un cas concret tel que celui du test *t* de comparaison de deux moyennes. Après avoir comparé la moyenne de deux groupes de 25 élèves à un examen de mathématiques, un praticien calcule une valeur de *t* égale à 3,1 (*dl* = 48), ce qui d'après les tables de probabilités de la loi *t* de Student, se produit moins d'une fois sur 100. Deux interprétations s'offrent alors au praticien :

1. affirmer que les deux groupes ne sont pas différents quant à leur rendement en mathématiques et que l'écart observé résulte d'un effet du hasard qui se produit moins d'une fois sur 100 ;

2. affirmer que les deux groupes sont différents quant à leur rendement en mathématiques et que l'écart observé résulte d'un effet autre que le hasard.

En ce qui concerne la première hypothèse, appelée *hypothèse nulle (H_0)*, il sera très difficile de contredire les personnes qui feront valoir qu'il est très peu probable que les groupes soient semblables. Considérant qu'un écart tel que celui observé ne se produit au hasard qu'une fois sur 100 entre deux groupes de moyennes identiques, il faudrait avoir été bien malchanceux pour tomber précisément sur cette possibilité. Il est préférable de considérer qu'il existe une réelle différence entre les deux groupes et d'admettre l'autre hypothèse, que nous appelons *hypothèse alternative (H_1)* .

Il se peut cependant que l'hypothèse nulle soit, malgré tout, correcte. C'est le cas chaque fois qu'un tel écart se produit effectivement au hasard, soit une fois sur 100 : c'est le deuxième type d'erreur. À première vue, cette alternative est peu défendable. Mais si le praticien vous informait que sur les quelque 80 tests de mathématiques administrés aux deux groupes depuis le début de l'année, c'est la première fois qu'un tel écart se manifeste, l'acceptation de l'hypothèse nulle pourrait être défendable.

2.2 PRISE DE DÉCISION STATISTIQUE ET NIVEAU DE SIGNIFICATION

La prise de décision statistique fait intervenir plusieurs facteurs. Il existe toujours un certain degré d'incertitude qui dépend de ce que nous considérons comme un risque acceptable ou non. En effet, quel pourcentage des différences s'étant produites au hasard entre deux groupes sommes-nous prêts à considérer comme extrême au point de nous faire préférer l'hypothèse alternative pour expliquer les résultats ?

Dans la pratique, certains chercheurs opteront pour des pourcentages, appelés *niveaux de signification*, de l'ordre de 5 % et moins. Ce pourra être 5 %, 1 % ou même 0,1 % (respectivement 0,05, 0,01 et 0,001). Le choix d'un niveau de signification dépend directement du risque d'erreur de type I que nous sommes prêts à tolérer : c'est-à-dire, la probabilité de rejeter l'hypothèse de non-différence (hypothèse nulle) alors qu'elle est vraie. Ce degré de tolérance nous est en partie dicté par des considérations scientifiques et pratiques.

Quels facteurs entrent en jeu dans le choix d'un niveau de signification plutôt qu'un autre ? Un chercheur qui en est à la phase exploratoire d'un programme de recherche ne voudra pas commettre l'erreur qui consiste à déclarer non significative une différence même petite. Il cherchera à réduire l'erreur de type II et pour cela, il choisira un niveau de signification plus grand, tel que 0,05. Parce qu'il ne veut pas fermer la porte à des différences qui, même petites, présentent un potentiel de recherche, il acceptera donc comme significatifs un plus grand nombre d'événements statistiques, parmi les moins fréquents, que s'il avait choisi un niveau de signification tel que 0,01 ou 0,001. Par contre, avant de déclarer qu'il existe des différences entre individus de races différentes, il voudra s'assurer qu'il n'est pas tombé par hasard sur une différence inhabituellement grande. Dans de telles circonstances, étant donné l'importance et les répercussions qu'auront ses conclusions, le chercheur choisira de réduire l'erreur de type I en choisissant des niveaux de signification tels que 0,01 ou mieux encore 0,001. Il y a en effet un risque important à déclarer que deux races sont différentes quant à une certaine caractéristique, alors qu'un écart tel que celui observé pourrait se produire au hasard 5 fois sur 100 entre deux groupes pour lesquels il n'existe aucune différence. Plus les conséquences de rejeter l'hypothèse nulle sont graves, plus le chercheur voudra se prémunir d'une erreur en adoptant un niveau de signification sévère (0,01 ou 0,001). Par contre, si c'est l'acceptation de l'hypothèse nulle qui constitue le plus grand risque, tel que de déclarer qu'une variable est sans effet alors qu'elle l'est réellement, alors le chercheur optera pour des niveaux tels que 0,05 et même 0,10.

2.3 PUISSANCE STATISTIQUE APPLIQUÉE À LA COMPARAISON DE DEUX MOYENNES

Plusieurs facteurs affectent la validité de la prise de décision statistique. Dans le cas de la comparaison de deux moyennes tirées de la même population, l'un de ces facteurs a trait à la taille des échantillons. Plus les échantillons sont grands, plus nous nous attendons à ce que les moyennes soient similaires et plus nous serons portés à déclarer significatifs de faibles écarts. Un autre facteur a trait au risque que nous sommes prêts à prendre. Puisque nos décisions se fondent sur la probabilité que se produisent les différences observées, nous serons plus facilement enclins à déclarer des écarts significatifs lorsque nous acceptons une erreur de type I plus élevée. Enfin, le dernier facteur a trait à la méthode de calcul de la différence entre les moyennes.

Le tableau 2 résume les notions d'inférence statistique décrites dans la section précédente. On y retrouve les types I et II d'erreur ainsi qu'un nouveau concept, celui de la *puissance statistique*. En effet, même si certains risques sont associés à la prise de décision statistique et qu'aucune certitude n'existe à ce sujet, la probabilité d'en arriver à la bonne décision varie selon les situations. C'est ainsi que la probabilité de prendre la bonne décision est parfois tellement faible qu'il est inutile d'entreprendre la recherche. Cette probabilité de prendre la bonne décision est ce que nous appelons la *puissance statistique*.

La puissance statistique est intimement liée au risque d'erreur. Le tableau 2 indique que le type I d'erreur se produit lorsque l'on rejette l'hypothèse nulle à partir des données de notre échantillon alors que l'hypothèse nulle est vraie dans la population. La probabilité de commettre l'erreur de type I est égale au niveau

Tableau 2 — Puissance et risques d'erreur associés à la décision statistique

		Situation dans la population	
		Hypothèse nulle vraie	Hypothèse nulle fausse
Décision statistique	Rejeter l'hypothèse nulle	*Type I d'erreur* $p = \alpha$	*Décision correcte* $p = 1 - \beta$ = puissance
	Ne pas rejeter l'hypothèse nulle	*Décision correcte* $p = 1 - \alpha$	*Type II D'erreur* $p = \beta$

de signification choisi au départ, soit α. Quant à l'erreur de type II, elle consiste à prendre la décision de ne pas rejeter l'hypothèse nulle, alors qu'elle est fausse dans la population. La probabilité de l'erreur de type II nous est donnée par β. La complémentaire de l'erreur de type II, $1 - \beta$, nous donne la probabilité de rejeter l'hypothèse nulle lorsqu'elle est fausse, ce qui constitue la puissance statistique d'un test. C'est pourquoi nous retrouvons toujours les valeurs de β dans les tables statistiques associées au calcul de la puissance d'un test.

Malheureusement, il est impossible, sans changer les conditions expérimentales, de minimiser à la fois les risques d'erreur de type I et de type II. Si l'on diminue la probabilité d'une erreur de type I, l'on accroît la probabilité de commettre une erreur de type II. Comment faire pour réduire simultanément les deux types d'erreur et, par conséquent, accroître la puissance de notre décision statistique ? Nous savons que plus l'échantillon est grand, meilleures seront les estimations des paramètres de la population. Par conséquent, nous pouvons parvenir à un meilleur test d'hypothèse en augmentant la taille des échantillons.

Une autre façon d'accroître la puissance d'un test consiste à utiliser la technique statistique qui représente le meilleur modèle de la situation que nous voulons tester. Certains tests statistiques sont mieux adaptés pour mettre à l'épreuve certaines hypothèses. C'est ce que nous avons vu avec l'exemple présenté dans le tableau 1. Dans cet exemple, nous avons testé l'hypothèse nulle qu'il n'existe aucune différence entre deux moyennes en utilisant deux tests statistiques différents : le test t pour échantillons indépendants et le test t pour échantillons pairés. Alors que l'écart entre les moyennes demeure le même dans chacun des cas, la valeur de t et la probabilité qui lui est associée varient. Dans le cas du test t pour deux échantillons indépendants, la probabilité associée à la valeur de t (0,26) est bien supérieure au niveau de signification que nous exigeons habituellement pour rejeter l'hypothèse nulle. Cette probabilité indique qu'une valeur de t comme celle que nous avons obtenue a 26 chances sur 100 de se produire au hasard, ce qui ne constitue pas un événement suffisamment rare pour que nous rejetions l'hypothèse nulle et acceptions l'hypothèse alternative. Par contre, dans le cas du test t pour deux échantillons pairés, la probabilité associée à la valeur de t (0,03) est telle que nous sommes conduits à rejeter l'hypothèse nulle et à accepter l'hypothèse alternative, puisque la probabilité qu'une telle valeur de t se produise n'est que de 3 sur 100. Comme nous étions prêts à déclarer significatifs des événements statistiques qui se produisent 5 fois sur 100 et moins, nous rejetons d'autant plus aisément l'hypothèse nulle en faveur de l'hypothèse alternative.

Comment expliquer de tels écarts entre les résultats de ces deux tests statistiques, alors que les moyennes des deux groupes sont les mêmes ? La réponse réside dans la façon dont la procédure statistique traite les résultats. Dans le cas du test *t* pour échantillons indépendants, il n'est pas possible de comparer chaque sujet à un sujet bien précis de l'autre groupe puisqu'il n'existe aucune raison valable d'associer un sujet d'un groupe avec un sujet de l'autre groupe. La comparaison est donc globale et le test *t* porte sur l'écart des moyennes des deux groupes. Dans le cas du test *t* pour échantillons pairés, il existe un tel rationnel. La comparaison est donc spécifique et le test *t* porte sur la moyenne des écarts observés entre chaque paire. Plus le pairage est efficace, plus la variable externe associée au pairage est importante dans l'explication des différences entre les résultats des deux sujets, plus le test *t* pour échantillons pairés est puissant par rapport au test *t* pour deux échantillons indépendants, car il prend en compte la corrélation entre les données pairées.

L'observation des données pour deux échantillons pairés indique que, même si les données sont les mêmes que pour deux échantillons indépendants, elles ont été réorganisées par paires. Le pairage démontre également que l'individu le plus faible du groupe 1 est généralement le plus faible dans le groupe 2, et que le plus fort dans le groupe 1 est le plus fort dans le groupe 2. Les deux échantillons sont liés et le pairage a donc réussi (nous pourrions dire également que les échantillons sont *corrélés*). Bien que la moyenne des différences et la différence des moyennes soient identiques pour chaque méthode (écart = – 1,5), la valeur de *t* passe de 0,95 (*dl* = 16) à 2,29 (*dl* = 7) dans le cas de deux échantillons pairés. La probabilité que ces deux échantillons proviennent de la même population passe de 0,26 à une valeur beaucoup plus faible, soit 0,03. Il y a donc un lien entre les deux groupes qui s'explique par l'effet du pairage. Cet effet du pairage fait que le test *t* pour échantillons pairés est un modèle plus adéquat pour traiter les données. Un chercheur qui aurait traité les données de ces deux échantillons pairés au moyen d'un test pour deux échantillons indépendants n'aurait pas rejeté l'hypothèse nulle alors qu'elle est fausse. Il aurait ainsi commis une erreur de type II à cause d'un test statistique moins puissant.

Que se produirait-il si le pairage n'avait aucun effet ? Si nous avions pairé les sujets en fonction de leur taille, le test *t* pour échantillons pairés n'aurait pas été plus puissant. En l'absence d'une variable adéquate de pairage, c'est le modèle pour échantillons indépendants qui convient le mieux.

3. COMPARAISON DE PLUS DE DEUX MOYENNES

Lorsque nous devons comparer plus de deux moyennes, le problème de la comparaison se pose différemment. Il est fréquent de vouloir déterminer si *k* échantillons sont tirés de la même population ou si au moins l'un d'entre eux peut être considéré comme provenant d'une population différente. La tentation est forte d'utiliser le test *t* que nous venons de décrire en multipliant les comparaisons. Dans le cas d'un test impliquant cinq groupes, le nombre possible de tests *t* serait égal au nombre de combinaisons de deux dans cinq, soit 10 comparaisons deux à deux, comme suit :

$$C_k^N = \frac{N!}{k!(N-k)!} = C_2^5 = \frac{5!}{2!(5-2)!} = \frac{5 \times 4 \times 3!}{2!3!} = 10 \qquad (A.9)$$

En plus d'être peu pratique, une telle façon de procéder accroît considérablement les chances de déclarer significatives des différences occasionnées par les fluctuations d'échantillonnage, puisque nous effectuons 10 comparaisons de moyennes, chacune avec un risque d'erreur de type I égale au niveau de signification *par comparaison*. Mises ensemble, ces erreurs de type I dépassent ce qui est normalement accepté en inférence statistique pour prendre la décision d'accepter ou de rejeter l'hypothèse nulle.

3.1 COMPARAISONS MULTIPLES ET TAUX D'ERREUR

Les comparaisons multiples entraînent deux taux d'erreur :

    1. le taux d'erreur par expérience (*experimentwise error rate*) ;

    2. le taux d'erreur de l'ensemble (*familywise error rate*).

    Le premier se produit lorsque nous effectuons plusieurs comparaisons à partir de données recueillies sur les mêmes échantillons. Chacune de ces comparaisons ne peut être considérée comme indépendante des autres puisque les mêmes échantillons sont employés à chaque fois. C'est le cas lorsque nous comparons les moyennes des garçons et des filles pour chacune des 50 questions comprises dans un questionnaire. Pour l'ensemble de ces comparaisons, le taux par expérience est beaucoup plus élevé que le taux choisi par comparaison. Si le risque d'erreur par comparaison a été fixé à 0,05, le taux pour l'ensemble de cette expérience sera c fois plus grand, tel que calculé dans l'équation suivante :

$$\alpha = c\alpha' = 50 \times 0,05 = 2,5 \tag{A.10}$$

Un tel taux d'erreur indique que parmi les 50 comparaisons, la probabilité est très forte que deux ou trois tests statistiques donneront lieu à une erreur de type I. Par conséquent, le chercheur déclarera significatives des différences produites par les fluctuations d'échantillonnage.

    Parfois, nous sommes intéressés non pas à réaliser toutes les comparaisons possibles, mais une famille de comparaisons indépendantes entre elles. C'est le cas, lorsqu'en comparant les moyennes de cinq groupes, nous choisissons celles qui ont un intérêt particulier pour notre étude. Si le groupe 5 est le groupe contrôle et que les quatre autres groupes constituent autant de groupes expérimentaux, il se peut que quatre comparaisons nous intéressent vraiment : celles entre les quatre groupes expérimentaux et le groupe contrôle. Ces quatre comparaisons sont indépendantes et le taux d'erreur pour l'ensemble des comparaisons se calcule différemment du taux par expérience. Il est donné par l'équation suivante :

$$\alpha = 1 - (1 - \alpha')^c = 1 - (1 - 0,05)^4 = 0,1855 \tag{A.11}$$

Le taux calculé (0,1855) pour l'ensemble des quatre comparaisons est bien supérieur au risque d'erreur de type I pour chacune des comparaisons ($\alpha' = 0,05$). Le caractère cumulatif du risque d'erreur doit donc être pris en considération lorsque nous multiplions les tests de comparaison.

3.2 ANALYSE DE VARIANCE ET CALCUL DU RAPPORT *F*

Pour éviter d'accroître l'erreur de type I au moyen de comparaisons multiples, nous avons besoin d'un test d'hypothèse qui nous permette d'effectuer, en une seule fois, la comparaison de plusieurs moyennes. L'analyse de variance (ANOVA) permet un test simple de l'hypothèse selon laquelle k échantillons ont été tirés d'une même population ou de populations équivalentes. Comme son nom l'indique, cette technique statistique met à profit l'analyse des différentes formes d'estimation de la variance afin de pouvoir confirmer ou infirmer cette hypothèse.

Le tableau 3 présente la simulation du tirage de cinq échantillons de 25 sujets tirés au hasard de la même population en ce qui concerne les quotients d'intelligence (moyenne = 100 ; écart type = 15). Si les cinq échantillons ont été tirés de la même population, les différences entre les moyennes des cinq groupes devraient s'expliquer uniquement par les fluctuations d'échantillonnage. Mais, comment en être sûr ?

Tableau 3 — Simulation #1 : tirage de cinq échantillons de 25 sujets (μ=100 ; σ=15)

Sujets	Groupe 1	Groupe 2	Groupe 3	Groupe 4	Groupe 5
1	56,77	112,35	85,78	128,90	100,40
2	80,89	97,58	123,69	121,31	104,84
3	76,94	119,50	102,99	104,99	86,73
4	106,41	79,18	110,04	94,96	128,03
5	106,28	115,87	86,52	109,05	114,24
6	113,62	115,78	105,43	92,11	91,31
7	85,42	116,86	113,69	104,87	128,16
8	109,25	84,32	136,10	103,81	94,38
9	92,48	79,03	71,42	90,79	86,02
10	98,14	97,13	101,00	110,43	94,39
11	114,03	106,69	107,57	123,02	107,95
12	86,81	116,29	67,09	111,18	104,56
13	113,29	105,71	99,85	102,13	106,83
14	99,57	59,67	103,00	111,47	89,96
15	113,46	115,75	62,25	100,35	117,33
16	76,50	107,87	98,01	110,20	96,06
17	103,38	110,49	130,00	87,93	57,56
18	100,02	104,20	110,78	110,71	101,08
19	80,13	96,20	101,20	85,16	97,66
20	110,51	120,02	109,24	103,41	142,82
21	84,53	105,08	90,48	126,09	97,96
22	108,26	90,86	91,08	87,27	96,87
23	126,55	77,26	100,18	98,93	92,57
24	100,19	91,84	111,22	104,52	103,34
25	76,44	123,17	92,87	124,75	134,40

Tableau 4 — Statistiques descriptives et ANOVA des résultats du tableau 3

Groupe	Fréquence	Somme	Moyenne	Variance	Écart type
Groupe 1	25	2 419,87	96,79	270,78	16,46
Groupe 2	25	2 548,71	101,95	267,00	16,34
Groupe 3	25	2 511,50	100,46	308,99	17,58
Groupe 4	25	2 648,33	105,93	154,15	12,42
Groupe 5	25	2 575,45	103,02	314,13	17,72
Moyenne			**101,63**	**263,01**	**16,22**
Variance des moyennes			**11,32**		

ANOVA

Source	SC	dl	MC	F	Prob. de F	Valeur crit. F
Variance inter	1 132,38	4	283,10	1,08	0,37	2,45
Variance intra	31 561,34	120	263,01			
Total	**32 693,72**	**124**				

En inspectant les statistiques descriptives des résultats des cinq groupes au tableau 4, il est difficile de se prononcer sur l'existence d'une différence quelconque entre les moyennes. Le groupe 1 est celui dont la moyenne est la plus basse (96,79) et le groupe 4, celui dont la moyenne est la plus élevée (105,93). À l'exception de ces deux valeurs extrêmes, les moyennes des autres groupes gravitent autour de la valeur de la moyenne de la population. Pour nous prononcer sur l'existence d'une différence entre une ou plusieurs des moyennes, il faudrait déterminer si les écarts observés entre les moyennes des cinq groupes sont le résultat de fluctuations normales d'échantillonnage. Bref, il nous faudrait connaître la probabilité de tirer au hasard cinq moyennes telles que celles que nous avons tirées.

Nous disposons déjà d'un moyen simple de déterminer le degré de variation possible entre les moyennes tirées d'une même population. Dans la section 1.2, portant sur l'estimation de la moyenne d'une population, nous avons vu que la variance des moyennes était n fois plus petite que celle des résultats, n représentant la taille de l'échantillon. En effet, plus les moyennes de chaque groupe sont calculées à partir d'échantillons de grande taille, plus petite devrait être leur variation. Est-ce bien le cas dans l'exemple du tableau 4 ?

Pour calculer la variance de moyennes, nous procédons de la même manière que pour la variance des résultats. Voici un exemple de calcul à partir des données du tableau 4 :

$$s_{moy}^2 = \sum \frac{\left(\bar{X} - \bar{M}\right)^2}{k} = \frac{(96,79 - 101,63)^2 + ... + (103,02 - 101,63)^2}{5} = 11,32 \quad \text{(A.12)}$$

où $\bar{M}$ représente la moyenne des moyennes de chaque groupe et k = nombre de moyennes (ou de groupes).

La variance des moyennes est bien inférieure à n'importe quelle variance des résultats observée pour chacun des cinq groupes. En effet, la variance des résultats s'étend de 154,15 pour le groupe 4 jusqu'à 308,99 pour le groupe 3. Selon ce que nous savons des lois d'estimation de la moyenne, la variance des moyennes devrait être 25 fois plus petite que la variance des résultats. Or, dans le cas du groupe 4, elle est 15 fois plus petite, alors que dans le cas du groupe 3, elle est environ 30 fois plus petite. Quelle devrait être notre décision ?

Nous serions sans doute mieux renseignés si, au lieu de comparer la variance des moyennes à la variance des résultats de chaque groupe, nous utilisions les résultats de tous les groupes pour calculer la variance des résultats. C'est ce que nous avons fait en calculant *la moyenne des variances* pour les cinq groupes, ce qui nous a donné 263,01. Il est normal que les variances des résultats de chaque groupe, même lorsque ces groupes sont tirés de la même population, ne soient pas identiques. La moyenne des variances nous fournit donc une meilleure estimation de la variance des résultats dans la population que ne pourrait le faire un seul groupe à la fois.

Nous pouvons donc comparer deux estimations de la variance des résultats de la population. L'une est calculée à partir de la variance des moyennes que nous savons être *n* fois plus petite que la variance des résultats. L'autre est calculée à partir de la moyenne de la variance des résultats, que nous savons être la meilleure estimation possible de la variance des résultats dans la population. Or, si les cinq groupes en présence ont été tirés de la même population (ou de populations aux caractéristiques identiques), il ne devrait pas y avoir de différences remarquables entre ces deux estimations.

Dans l'exemple du tableau 4, on peut estimer la variance des résultats de la population à partir de la variance des moyennes en utilisant la formule (a.3). Dans ce cas-ci, nous chercherons à résoudre cette équation non pas pour $s_{\bar{x}}^2$, mais pour s_x^2. En substituant par leurs valeurs respectives nous obtenons :

$$s_x^2 = n s_{\bar{x}}^2 = 25 \times 11,324 = 283,10 \tag{A.13}$$

La variance des moyennes étant 25 fois plus petite que celle des résultats, nous pouvons estimer que la variance des résultats devrait être 283,10. Nous appelons *variance inter-groupes* ou *variance inter,* la variance des résultats de la population estimée de cette manière. Nous appelons *variance intra-groupes* ou *variance intra*, la variance des résultats estimée en calculant la moyenne des variances de chacun des groupes. Nous savons que celle-ci vaut 263,01, tel qu'indiqué dans le tableau 4. Cette valeur est simplement la moyenne des variances des cinq groupes :

$$\frac{270,78 + 267,00 + 308,99 + 154,15 + 314,13}{5} = 263,01 \tag{A.14}$$

La comparaison de ces deux valeurs confirme que la variance des moyennes n'est pas inhabituelle. En effet, si nous faisons le rapport – appelé *F* d'après le nom de l'initiateur de cette méthode, le statisticien Fisher – entre les deux valeurs estimées de la variance des résultats de la population, la *variance inter* et la *variance intra*, nous obtenons une valeur voisine de 1 :

$$F = \frac{\text{Variance inter}}{\text{Variance intra}} = \frac{283,10}{263,01} = 1,08 \tag{A.15}$$

Un rapport *F = 1* indique que les deux estimations sont égales. Si le rapport *F* calculé entre les deux estimations de la variance des résultats dans la population n'est pas très différent de 1, alors nous avons de bonnes raisons de croire que les écarts entre les moyennes sont purement aléatoires et que tous les groupes en présence peuvent être considérés comme ayant été tirés de la même population. Pour en être vraiment convaincu, il faudrait connaître de façon précise la probabilité d'obtenir la valeur observée de F ou une valeur plus extrême, *lorsque l'hypothèse nulle est vraie*. Nous aborderons cette question lorsque nous parlerons de la loi des probabilités de F.

Voyons maintenant ce qui se passerait si certains des groupes tirés au hasard ne provenaient pas de la même population. C'est ce que nous avons tenté de simuler dans le tableau 5. Pour réaliser cette simulation, nous avons soustrait 3 de tous les résultats du groupe 1 et nous avons additionné 5 à tous les résultats du groupe 4. Ces valeurs correspondent à un effet expérimental qui pourrait se produire si, dans le cas des résultats de QI, nous avions tiré notre échantillon de populations différentes : par exemple, une population d'étudiants ayant terminé leur scolarité obligatoire (+5) et une population d'étudiants ne l'ayant pas terminée (– 3).

Comme l'illustre la simulation 3 de la figure 3, l'addition de ces effets expérimentaux a eu pour résultat d'éloigner les groupes 1 et 4 des autres groupes situés plus près de la moyenne générale de la population. Mais cet écart est-il suffisant pour être déclaré significatif ? Pour répondre à cette question, il faut calculer la probabilité que de telles différences se produisent au hasard.

En ajoutant deux effets expérimentaux aux groupes 1 et 4, nous avons changé la variance entre les moyennes des cinq groupes. Celle-ci est maintenant de 37,63 (au lieu de 11,32), ce qui traduit bien les conséquences des effets expérimentaux. Par contre, la variance des résultats pour chacun des groupes n'a pas changé. Il en est de même lorsque nous calculons la moyenne des variances des cinq groupes : celle-ci demeure inchangée par rapport à la situation initiale où nous n'avions ajouté aucun effet expérimental.

Tableau 5 — Simulation #2. Effets expérimentaux : Groupe 1 = (– 3) ; Groupe 4 = (+ 5)

Groupes	Fréquence	Somme	Moyenne	Variance
(Groupe 1)–3	25	2 344,87	93,79	270,78
Groupe 2	25	2 548,71	101,95	267,00
Groupe 3	25	2 511,50	100,46	308,99
(Groupe 4)+5	25	2 773,33	110,93	154,15
Groupe 5	25	2 575,45	103,02	314,13
Moyenne			**102,03**	**263,01**
Variance des moyennes			**37,63**	

ANOVA

Source	sc	dl	MC	F	Prob. de F	Valeur crit F
Inter groupes	3 763,40	4	940,85	3,58	0,01	2,45
Intra groupes	31 561,34	120	263,01			

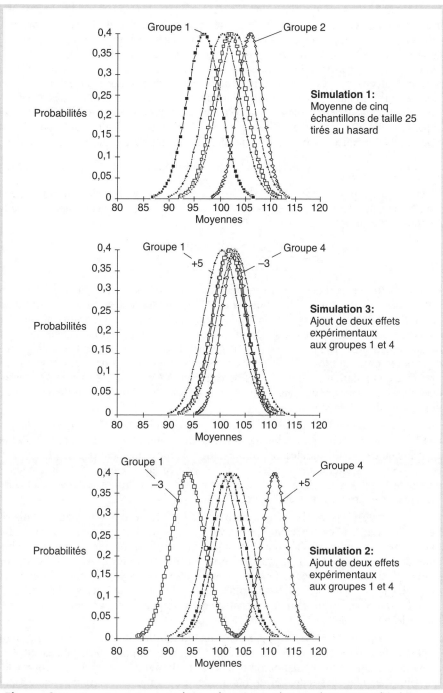

Figure 3. — Représentation graphique de trois simulations d'ANOVA (distributions des moyennes de chaque groupe et erreurs d'estimation)

L'addition d'effets expérimentaux aux résultats de deux des cinq groupes n'a pas les mêmes conséquences sur l'estimation de la variance de la population, que celle-ci s'effectue à partir de la variance des moyennes (variance inter) ou à partir de la moyenne des variances des résultats de chaque groupe (variance intra). La variance intra, calculée à partir de la moyenne des variances à l'intérieur de chaque groupe, n'est pas affectée par les effets expérimentaux. Elle constitue donc une estimation *non biaisée* de la variance de la population. Par contre, la variance des moyennes est affectée par ces effets expérimentaux et est donc une estimation *biaisée* de la variance de la population. En effet, si l'on cherche à estimer la variance des résultats de la population à partir de la variance entre les moyennes dans l'exemple du tableau 5, nous trouvons :

$$s_X^2 = ns_{\bar{X}}^2 = 25 \times 37,63 = 940,85 \qquad (A.16)$$

Cette valeur est plus de trois fois supérieure à celle de la variance des résultats de la population calculée à partir de la moyenne des variances de chaque groupe, tel que le démontre le calcul du rapport F :

$$F = \frac{\text{Variance inter}}{\text{Variance intra}} = \frac{940,85}{263,01} = 3,58 \qquad (A.17)$$

L'ajout d'effets expérimentaux a provoqué une hausse importante du rapport F, faisant passer celui-ci d'une valeur voisine de 1, lorsque les seules variations sont dues aux effets d'échantillonnage, à une valeur de 3,58 lorsque nous avons ajouté des effets expérimentaux à deux des cinq groupes. F est donc un bon indicateur du degré de différence entre les moyennes. Il nous permet de déterminer si les fluctuations que nous observons entre les moyennes des groupes sont probables pour des échantillons tirés d'une population où il n'y a pas de différences (H_0 *vraie*). La probabilité associée à cet indicateur peut nous servir à prendre une décision quant à l'existence ou non d'une différence significative.

La décision prise à partir du rapport F peut être entachée d'erreur. Nous devons considérer le caractère particulier de la simulation précédente. La valeur de l'effet expérimental + 5 a été ajoutée au groupe 4, dont la moyenne était déjà la plus élevée, et la valeur de l'effet expérimental – 3 a été ajoutée au groupe 1, dont la moyenne était déjà la plus basse. Ceci a eu pour conséquence d'accroître les écarts entre les moyennes des groupes tirés au hasard.

Lorsque nous réalisons une recherche, les effets expérimentaux se distribuent au hasard. C'est ainsi que pour évaluer cinq méthodes d'apprentissage des mathématiques, nous choisissons 125 sujets que nous associons au hasard à chacune des cinq méthodes. Il n'y a pas de raison de suspecter que les individus de faible QI aient une probabilité plus grande d'être associés à la moins bonne des méthodes (– 3) et que les sujets les plus intelligents soient associés à la meilleure (+5). L'effet le plus fort peut se voir attribuer à n'importe quel groupe, tout comme l'effet le plus faible.

Nous pouvons donc envisager une situation où l'effet +5 est ajouté au groupe le plus faible, alors que l'effet – 3 est ajouté au groupe le plus fort (tableau 6). Les conséquences de cette simulation, la deuxième de la figure 3, sont de rapprocher les moyennes les unes des autres et de réduire les écarts observés lors des fluctuations normales d'échantillonnage.

3.3 ÉCHANTILLONNAGE ET ANALYSE DE VARIANCE

La troisième simulation dont les résultats apparaissent dans le tableau 6, présente une situation où la variance inter est plus petite que la variance intra. Le rapport F est inférieur à 1 ($F = 0,1$) ce qui indique que les variations entre les moyennes ne sont que le dixième de ce que nous serions en droit d'attendre si elles avaient varié aléatoirement. Lorsque l'hypothèse nulle est vraie et que nos procédures d'échantillonnage sont adéquates, les variations d'échantillonnage n'entraînent que très rarement des valeurs de F très inférieures à 1. Lorsque de telles valeurs se produisent, il faut s'interroger sur la valeur de notre dispositif d'échantillonnage ou de notre méthode d'attribution des différents traitements expérimentaux.

D'autres procédures d'échantillonnage ont pour effet d'exagérer les écarts entre les moyennes. En éducation, de telles situations sont fréquentes. C'est le cas lorsqu'un *échantillonnage par grappes* (voir chapitre 6) est employé au lieu d'un échantillonnage aléatoire. Ceci se produirait si au lieu de tirer au hasard les 125 sujets de l'ensemble de la population des élèves de cinquième année de la ville d'Ottawa, un chercheur avait choisi – pour des raisons pratiques – cinq classes de 25 sujets. Une fois qu'une classe est choisie, tous les élèves de cette classe deviennent sujets de l'étude. Dans ce cas-ci, il est possible que les élèves d'une même classe soient plus homogènes qu'un groupe de 25 élèves tirés de l'ensemble de la population. La variance intra risque donc d'être sous-estimée. De plus, les moyennes de chaque classe risquent de refléter le milieu socio-économique des écoles dont elles font partie. Les écarts entre les moyennes de classes provenant de milieux différents risquent donc d'être exagérés. La variance inter risque de surestimer la variance de la population. Les deux facteurs mis ensemble font qu'il est beaucoup plus facile, au moyen d'un échantillonnage par grappes, d'obtenir un rapport F élevé puisque la variance

Tableau 6 — Simulation #3. Effets expérimentaux : Groupe 1 = (+ 5) ; Groupe 4 = (– 3)

Groupes	Fréquence	Somme	Moyenne	Variance
(Groupe 1) + 5	25	2 544,87	101,79	270,78
Groupe 2	25	2 548,71	101,95	267,00
Groupe 3	25	2 511,50	100,46	308,99
(Groupe 4) – 3	25	2 573,33	102,93	154,15
Groupe 5	25	2 575,45	103,02	314,13
Moyenne			**102,03**	**263,01**
Variance des moyennes			**1,08**	

ANOVA						
Source	SC	dl	MC	F	Prob. de F	Valuer crit. F
Variance inter	108,00	4	27,00	0,10	0,98	2,45
Variance intra	31 561,34	120	263,01			
Total	31 669,34	124				

inter surestimera la variance de la population et la variance intra la sous-estimera. Lord (1959) a démontré qu'il fallait des échantillons de taille 12 à 30 fois plus grande pour réaliser avec un échantillonnage par grappes des estimations de la moyenne similaires à celles d'un échantillonnage aléatoire simple.

3.4 POSTULATS DE L'ANALYSE DE VARIANCE

Ces dernières observations nous permettent d'énoncer un certain nombre de conditions garantissant une utilisation appropriée de l'analyse de variance. Ces postulats sont les suivants :

1. les échantillons sont tirés au hasard d'une population normale ;
2. les observations sont indépendantes entre elles ;
3. les variances de l'ensemble des échantillons sont homogènes.

Ces postulats vont de soi. Si les variances des échantillons sont trop différentes, la variance intra, calculée à partir de la moyenne des variances de chaque groupe, n'est plus une estimation fiable de la variance de la population. Si les observations ne sont pas indépendantes, comme dans le cas d'un échantillonnage par grappes, l'estimation des variances inter et intra devient biaisée. Enfin, les distributions des résultats doivent permettre de considérer que chaque groupe a été tiré d'une population normale. Il serait difficile de comparer des moyennes provenant de distributions qui diffèrent entre elles par leur symétrie, leur kurtose, etc.

3.5 LOI DE PROBABILITÉ DE F

Si tous les postulats de l'analyse de variance sont respectés, alors les sources de variation de la valeur F, lorsque l'hypothèse nulle est vraie, se limitent à deux :

1. le nombre de groupes ;
2. La taille de l'échantillon de chaque groupe.

Plus le nombre de groupes est élevé, plus la variance inter s'appuie sur un grand échantillon de moyennes pour estimer la variance de la population. De la même façon, plus la taille des groupes est élevée, plus l'estimation de la variance intra sera précise. En conclusion, la probabilité de F dépend de deux valeurs de degrés de liberté : le nombre de moyennes des groupes libres de varier *(k-1)* et le nombre de résultats libres de varier à l'intérieur de chaque groupe *(n-1)*.

Pour connaître la valeur de probabilité de F, il faut consulter une *table de Fisher* (voir Table 2, Annexe 2). Cette table comporte deux entrées : la première pour les degrés de liberté de la variance inter, la seconde pour les degrés de liberté de la variance intra. Plus les degrés de liberté sont élevés, plus il est possible de déclarer une différence significative entre les moyennes à partir d'une petite valeur de F supérieure à 1. Dans de telles circonstances, en effet, les estimations des variances inter et intra sont les plus précises.

3.6 LECTURE D'UN TABLEAU D'ANALYSE DE VARIANCE

La présentation des résultats d'une analyse de variance suit certaines conventions qui en facilitent l'interprétation. Les tableaux 4 à 6 vous fournissent des modèles.

Dans tous ces tableaux, les résultats des calculs sont présentés en indiquant dans chaque colonne les renseignements suivants :

1. la source (variance inter ou intra) ;
2. SC : la somme des carrés des écarts à la moyenne ;
3. dl : les degrés de liberté ;
4. MC : la moyenne des carrés ou variance. Elle est calculée en divisant la somme des carrés par le nombre de degrés de liberté ;
5. le rapport F ;
6. la probabilité associée à F ;
7. la valeur critique de F pour le niveau de signification choisi au préalable.

Dans le tableau de l'ANOVA, les sommes des carrés SC ne nous intéressent pas vraiment. Elles servent principalement au calcul des moyennes de carrés MC, ces estimations de la variance essentielles au calcul du rapport F. Pour interpréter ce rapport F, nous devons connaître sa probabilité pour les valeurs de degrés de liberté en présence. Si cette probabilité est tellement faible qu'il y a peu de chances qu'un tel rapport F se produise lorsque les moyennes ont été tirées au hasard de la même population, alors nous préférons accepter l'hypothèse alternative selon laquelle au moins une des moyennes n'est pas tirée de la même population. À partir d'ici, nous appliquons les mêmes principes de décision statistique que ceux que nous avons vus pour la comparaison de deux moyennes (loi *t de Student*).

Une autre façon d'évaluer F consiste, non pas à en connaître la probabilité exacte, mais à en comparer la valeur à une valeur seuil, appelée *valeur critique*, correspondant aux degrés de liberté et au niveau de signification (type I d'erreur) choisi au préalable. Dans le cas du tableau 5, la valeur critique de F pour un niveau de signification de 0,05 vaut 2,45. Toute valeur de F supérieure à 2,45 aura moins de 5 % des chances de s'être produite au hasard du fait de simples fluctuations d'échantillonnage. Dans ce cas-ci, la valeur calculée de F (3,58) étant supérieure à la valeur critique, nous choisirons de rejeter l'hypothèse nulle et d'accepter l'hypothèse qu'au moins une des moyennes est différente ou ne provient pas de la même population.

3.7 Puissance de l'ANOVA

L'analyse de variance est le test le plus puissant de comparaison de moyennes, lorsque les postulats sont respectés et que le modèle statistique employé convient bien au plan d'observation. Tout comme dans le cas du test t, il existe une probabilité plus ou moins grande de prendre la bonne décision, soit de rejeter l'hypothèse nulle lorsqu'elle est fausse, selon la précision avec laquelle nous estimons les moyennes et selon l'importance des effets expérimentaux.

Dans le cas des simulations précédentes, nous avons vu qu'une conjonction de circonstances particulières avait contribué, dans un cas (tableau 6 ; simulation #2, figure 3) à accepter l'hypothèse nulle, alors que dans un autre cas (tableau 5 ; simulation #3, figure 3), nous avions choisi de la rejeter, et ce pour des effets expérimentaux identiques. Dans un cas, les fluctuations d'échantillonnage se sont ajoutées aux effets expérimentaux pour accroître les différences entre les moyennes, alors que dans l'autre cas, elles ont contribué à les atténuer. Ces deux simulations décrivent une situation où la puissance statistique pourrait être qualifiée de relativement faible,

Tableau 7 — Valeurs et probabilités de F, ainsi que de η^2 pour les simulations 1 à 3 (tableaux 4 à 6)

	Tableau	F	Probabilité de F	η^2
Simulation 1 (H_0 vraie)	4	1,08	0,371	0,035
Simulation 3	6	3,58	0,009	0,107
Simulation 2	5	0,10	0,981	0,003

parce que la variation causée par les effets expérimentaux n'est pas beaucoup plus grande que les effets d'échantillonnage, du moins avec des échantillons de cette taille. Sans se livrer à des calculs importants, on peut dire que des effets de + 10 et – 15 pourraient difficilement passer inaperçus avec des échantillons de 25 sujets tirés de la population que nous avons définie au départ. Par contre, pour déceler des effets de + 3 ou – 2, il faudrait réduire considérablement la variance d'échantillonnage et le seul moyen de le faire serait d'accroître considérablement la taille des échantillons.

Pour avoir une idée exacte, non seulement de la probabilité d'une différence, mais aussi de son importance et de sa grandeur, de plus en plus de statisticiens calculent, en plus du rapport *F*, une valeur indiquant la grandeur de l'effet expérimental. Il existe plusieurs façons de calculer une telle valeur, mais nous nous limiterons à la plus simple, η^2 *(êta-carré),* calculée au moyen de l'équation suivante :

$$\eta^2 = \frac{SC_{total} - SC_{intra}}{SC_{total}} = \frac{SC_{inter}}{SC_{total}} \tag{A.18}$$

Si l'on calcule la valeur de η^2 pour les trois simulations et que nous les comparons aux valeurs et probabilités de *F*, nous obtenons les résultats présentés au tableau 7.

Ce tableau nous indique que même lorsque *F* est significatif, l'importance de l'effet expérimental ne dépasse guère 10 % de la somme totale des carrés. Il reviendra au chercheur de déterminer si un tel effet expérimental, même significatif, a une importance suffisante pour justifier de nouvelles recherches.

3.8 Autres considérations sur l'ANOVA

L'analyse de variance nous aura permis d'illustrer une autre facette de l'inférence statistique. En fait, l'ANOVA constitue une famille de tests statistiques qu'il serait impossible de décrire en un seul chapitre. Tout comme la loi *t* de Student permet de comparer deux moyennes tirées d'échantillons indépendants ou liés, la loi *F* de Fisher permet de mettre à l'épreuve des modèles expérimentaux beaucoup plus complexes que le plan simple que nous venons de décrire. Ici encore, plus le modèle expérimental est approprié, plus puissante est notre décision statistique.

De nombreuses considérations entourent l'utilisation appropriée de l'ANOVA. Les exemples présentés sont des simulations qui représentent des cas idéaux. La réalité est plus diversifiée. Les échantillons peuvent être de tailles inégales suite au désistement d'un ou plusieurs sujets. Les distributions des résultats peuvent s'écarter sensiblement d'une distribution normale. Chacun de ces cas particuliers requiert une solution que l'on pourra étudier dans les nombreux ouvrages traitant d'analyse de variance et d'inférence statistique (Howell, 2008).

Suite à une analyse de variance, le chercheur peut être intéressé à déterminer entre quelles moyennes les différences sont significatives. Des tests de comparaisons multiples des moyennes sont alors nécessaires pour tenir compte du taux d'erreur par famille. L'analyse de variance permet de déclarer s'il existe une ou plusieurs moyennes qui diffère des autres. Elle ne nous précise pas cependant entre quelles moyennes ces différences se produisent. C'est pourquoi des tests *post hoc* existent afin de préciser entre quelles moyennes les différences les plus significatives se sont produites. Lorsque le chercheur, de par la formulation de ses hypothèses de recherche, ne s'intéresse qu'à un nombre restreint de comparaisons bien déterminées, le recours à des tests plus puissants de comparaisons *a priori* est alors possible.

Il y aurait encore beaucoup à dire sur l'analyse de la variance. En mesure, elle joue un rôle particulier comme moyen de calculer l'importance de différentes sources de variation dans l'étude de la généralisabilité, une méthode de calcul de la fidélité pour des plans complexes d'observation. Cette introduction vise à vous permettre de mieux comprendre la section 7 du chapitre 3.

4. RELATIONS ENTRE VARIABLES : CORRÉLATION ET RÉGRESSION LINÉAIRE

4.1 DESCRIPTION DE LA RELATION ENTRE DEUX VARIABLES

Les constructeurs et les utilisateurs de tests sont intéressés par les relations qui existent entre les scores obtenus par les mêmes sujets sur différentes variables. Ces relations sont particulièrement importantes lorsque l'on étudie la validité d'un test ou d'un questionnaire et lorsque l'on désire réaliser des prédictions à partir des résultats d'une ou de plusieurs épreuves. Par exemple, on peut évaluer la relation entre les scores d'un test d'admission à l'université et les résultats académiques en fin de première année. On peut également apprécier la relation entre un questionnaire de dépression et les évaluations faites par des cliniciens. Ou encore, on peut mesurer la relation entre l'âge des enfants et leurs scores à un test de vocabulaire. Dans tous ces cas, on se demande dans quelle mesure les différences observées sur une

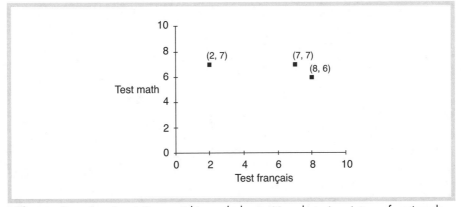

Figure 4 — Représentation graphique de la position de trois sujets en fonction de leurs scores à deux tests

des variables se reflètent sur l'autre. Deux moyens sont fréquemment utilisés dans ce but : le *coefficient de corrélation* et la *droite de régression*. Dans cette section, nous introduisons ces deux concepts. Nous insistons particulièrement sur les principes essentiels qui doivent guider l'interprétation des corrélations et des fonctions de régression linéaire.

La relation entre deux variables peut être représentée de manière graphique au moyen d'un *diagramme de dispersion*. Les résultats sur la première variable sont notés sur l'axe horizontal, appelé *abscisse*, et ceux sur la seconde variable sont notés sur l'axe vertical, appelé *ordonnée*. Chaque sujet possède ainsi deux coordonnées formées d'un couple de scores pour les deux variables en question. À partir de ces coordonnées, il est possible de situer un sujet sous forme d'un point dans l'espace bi-dimensionnel constitué par les deux axes d'un plan cartésien. Dans la figure 4, nous avons indiqué les points représentant la position de trois sujets sur base de leurs scores à un test de français et à un test de mathématiques.

Nous pouvons réaliser la même représentation graphique pour tous les sujets d'un échantillon. Nous obtiendrons ainsi un nuage de points appelé diagramme de dispersion dont la forme nous donne une première indication de la relation existant entre les deux variables étudiées. La figure 5 présente quatre nuages de points qui constituent autant de types de relation entre les variables. Le graphique (A) est l'exemple d'une relation positive entre variables. À une augmentation sur la variable X correspond une augmentation sur la variable Y. C'est le type de relation que l'on peut, par exemple, observer entre le QI et les résultats scolaires. Dans le cas présent, la relation n'est pas parfaite, ce qui n'est le cas que lorsque l'augmentation de Y est exactement proportionnelle à chaque augmentation de X. Toutefois, malgré la variabilité de la relation, nous pouvons constater que le nuage de points tend à prendre la forme d'une droite. Pour cette raison, la relation entre les deux variables est qualifiée

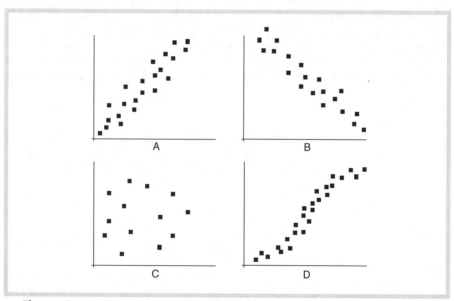

Figure 5 — Diagrammes cartésiens illustrant différents types de relations entre variables

de *linéaire*. Nous reviendrons plus loin sur cette notion lorsque nous expliquerons le concept de *régression*.

Le graphique (B) illustre une relation négative entre les variables. Dans ce cas, à une augmentation de X correspond une diminution de Y. Nous pouvons observer une telle relation lorsque, par exemple, nous comparons le vieillissement, représenté par l'âge du sujet, et les performances à un test de mémoire. Le graphique (C) est l'exemple d'une absence de relation entre les variables. Il n'y a aucune tendance systématique de Y à varier en même temps que X. Par conséquent, la valeur de X ne peut rien nous apprendre à propos de la valeur de Y. Enfin, le graphique (D) nous présente une relation non linéaire entre les variables. Il y a bien une relation entre X et Y, mais celle-ci ne prend pas la forme d'une ligne droite. Dans l'exemple présent, le nuage de points prend la forme en S de l'ogive normale. Nous verrons dans le chapitre 7 différentes illustrations de ce type de relation dans le cadre des Modèles de la Réponse aux Items.

4.2 Le coefficient de corrélation

En plus d'une représentation graphique, il est possible de quantifier la relation existant entre deux variables. Lorsque cette relation est fondamentalement linéaire et que les deux variables sont mesurées sur une échelle d'intervalle, on calcule habituellement le coefficient de corrélation de Bravais-Pearson. Celui-ci est égal à la covariance de X et de Y divisée par le produit des écarts types de X et de Y :

$$r_{XY} = \frac{cov_{XY}}{s_X s_Y} \tag{A.19}$$

Rappelons que la covariance de X et Y peut être calculée grâce à la formule suivante :

$$cov_{XY} = \frac{\sum (X - \bar{X})(Y - \bar{Y})}{n - 1} \tag{A.20}$$

Après développement, la formule permettant de calculer le coefficient de corrélation peut dès lors s'exprimer de la manière suivante :

$$r = \frac{n \sum XY - \left(\sum X\right)\left(\sum Y\right)}{\sqrt{\left(n \sum X^2 - \left(\sum X\right)^2\right)\left(n \sum Y^2 - \left(\sum Y\right)^2\right)}} \tag{A.21}$$

Lorsque les deux distributions sont exprimées en scores z, et qu'elles ont donc une même moyenne égale à 0 et un même écart type égal à 1, une formule beaucoup plus simple peut être utilisée :

$$r = \frac{\sum z_X z_Y}{n} \tag{A.22}$$

Le coefficient de corrélation peut varier de $-1{,}00$ à $+1{,}00$. Lorsqu'il est égal à $+1{,}00$, nous avons affaire à une corrélation positive parfaite entre les variables X et Y. Lorsqu'il est égal à $-1{,}00$, nous avons affaire à une corrélation négative parfaite entre ces deux variables. Lorsqu'il est égal à 0, les deux variables sont non corrélées ou indépendantes. Nous pouvons illustrer l'usage de cette formule avec les données

Tableau 8 — Résultats d'un test de calcul mental et d'un test de mémoire (N=92)

Sujets	Test de calcul	Test de mémoire
1	8	7
2	9	6
3	9	9
4	8	8
5	6	11
6	5	9
7	16	12
8	10	8
9	13	17
10	6	9
...	...	...

présentées dans le tableau 8. Il s'agit des résultats de deux tests passés par un échantillon de 92 enfants âgés de 8 ans et demi. Le premier test est une épreuve de calcul mental et le second évalue la mémoire de séries de chiffres. Pour des raisons de place, nous ne donnons ici qu'une partie des données. Par contre, nous présentons tous les résultats des calculs intermédiaires qui permettent ensuite de calculer le coefficient de corrélation.

$$\sum X = 934 \quad \sum X^2 = 10\,430 \quad \sum Y = 941 \quad \sum Y^2 = 10\,503 \quad \sum XY = 10\,046 \quad (A.23)$$

$$r = \frac{92 \times (10046) - (934 \times 941)}{\sqrt{(92 \times (10\,430) - 872356)(92 \times (10\,503) - 885\,481)}} = 0,54 \quad (A.24)$$

Il ne suffit pas de calculer correctement le coefficient de corrélation encore faut-il l'interpréter adéquatement. Que signifie en effet une corrélation de 0,54 entre deux tests ? Pour réaliser cette interprétation, un certain nombre de règles doivent être respectées.

Il faut tout d'abord tenir compte de la signification statistique du coefficient obtenu. Celui-ci est en effet calculé à partir des résultats d'un échantillon de la population. Il se peut qu'au sein de cette population la corrélation entre les variables soit nulle et que le coefficient observé soit différent de zéro du seul fait du hasard. Il est donc nécessaire de tester l'hypothèse selon laquelle la corrélation est effectivement nulle. Pour ce faire, on peut estimer le paramètre t à l'aide de la formule suivante :

$$t = \frac{r\sqrt{n-2}}{\sqrt{1-r^2}} \quad (A.25)$$

Le paramètre se distribue comme t avec $n-2$ degrés de liberté. Nous pouvons dès lors comparer la valeur obtenue avec les valeurs critiques de la distribution t de Student pour le nombre adéquat de degrés de liberté. Si la valeur obtenue est supérieure à la valeur critique, nous pourrons considérer que le coefficient de corrélation observé est significativement différent de zéro. Appliquons cette formule au cas du coefficient de corrélation calculé ci-dessus :

$$t = \frac{0{,}540\sqrt{92 - 2}}{\sqrt{1 - (0{,}540)^2}} = 6{,}09 \qquad (A.26)$$

Cette valeur est significative au seuil de 0,001. Par conséquent, nous pouvons affirmer qu'il existe bien une corrélation linéaire non nulle entre les performances au test de calcul mental et à celui de mémoire de chiffres pour les enfants de 8 ans et demi.

Mais une corrélation significative n'implique pas qu'il existe une relation étroite entre les variables considérées. Pour interpréter correctement la relation entre les variables, il est utile de calculer le coefficient de détermination *(r²)* qui est égal au carré du coefficient de corrélation. La valeur r^2 peut en effet être interprétée comme la proportion de variance d'une des mesures qui est liée à la variance de l'autre mesure. Par exemple, la corrélation de 0,540 entre les deux tests présentés plus haut signifie que 29 % (c'est-à-dire $0{,}54^2$) de la variance des scores à l'un des tests est liée à la variance des scores à l'autre test. Par conséquent, 71 % de la variance observée sur la première variable est sans relation linéaire avec la seconde variable. Pour illustrer d'une autre manière la même idée, nous pouvons dire que, connaissant les résultats au test de calcul mental, nous ne pouvons prédire que 29 % de la variance des scores au test de mémoire de chiffres. Cette manière d'aborder les coefficients de corrélation nous permet d'avoir une idée plus juste de leur importance. Souvent des coefficients sont significatifs, mais ne nous apportent que peu d'information. Par exemple, un coefficient de 0,25 signifie que seulement 6,25 % de la variance est partagée par les deux variables considérées.

Parlant des corrélations entre variables, nous avons utilisé des termes comme « liaison », « association », « prédiction » en évitant soigneusement d'inférer une relation de cause à effet entre les variables. En fait, l'explication de la relation observée entre deux variables est une question extérieure à la statistique. Cette interprétation doit se faire sur base d'un modèle théorique de la réalité étudiée. Dans l'exemple ci-dessus, nous pourrions interpréter la corrélation observée en nous appuyant sur un modèle théorique de la résolution de problèmes arithmétiques. Dans certains cas, nous pourrons avancer l'hypothèse d'une relation de cause à effet entre les variables. Mais, souvent, nous devrons postuler le rôle de variables sous-jacentes aux variables observées pour expliquer la liaison entre celles-ci. Par exemple, nous pourrions expliquer la corrélation entre les scores à un test d'arithmétique et à un test de langue maternelle par la variable « année d'étude » ou par la variable « intelligence » (ou encore par une interaction de ces deux variables). Parfois, certaines corrélations ne sont pas interprétables car elles sont le fruit du seul hasard. Par exemple, en Allemagne, après-guerre, on a observé une relation entre le nombre de cigognes et le nombre de naissances. Dans ce cas, aucune théorie sérieuse ne permettait d'expliquer cette association purement fortuite.

Dans certains cas, le coefficient de corrélation peut être sous-évalué du fait de la *réduction de l'étendue des scores* sur l'une des variables. En psychométrie, nous avons affaire à une réduction de l'étendue lorsque les résultats d'un groupe particulier se concentrent sur une zone étroite de l'étendue possible des scores. Cette situation se présente fréquemment lorsque l'on veut valider des tests de sélection en entreprise ou en éducation. Par exemple, il est logique de vouloir évaluer la validité prédictive d'un examen d'entrée dans l'enseignement supérieur en calculant la corrélation entre les scores à cet examen et la moyenne des résultats en fin de première année. Toutefois, en procédant de la sorte, on sous-évalue automatiquement la corrélation entre les deux variables concernées. En effet, seuls les meilleurs étudiants ont été sélectionnés sur base de leurs résultats à l'examen d'entrée. Par conséquent, les résultats des examens de fin de première année présentent une variabilité sensiblement réduite puisque les étudiants les plus faibles au test d'entrée n'ont pas eu l'opportunité de passer ces examens.

Une illustration graphique permet de comprendre aisément pourquoi la réduction de l'étendue des scores entraîne une sous-estimation du coefficient de corrélation. La figure 6 présente le diagramme cartésien pour deux séries de scores obtenus par un échantillon de sujets. Lorsque nous observons le nuage de points pour l'ensemble du groupe, nous remarquons la forme elliptique caractéristique d'une liaison positive d'intensité moyenne entre les deux variables (le coefficient de corrélation est ici égal à 0,60). Si, à présent, nous ne nous intéressons qu'aux sujets se situant dans le tiers supérieur de la distribution des scores de la variable X (partie encadrée), le nuage de points n'est plus du tout elliptique, ce qui indique une très faible corrélation entre les deux variables.

Dans certains cas, le coefficient de corrélation peut chuter dramatiquement lorsque l'étendue des scores est fortement réduite. Un exemple célèbre est donné par Thorndike (1949, pp. 170-171) concernant un programme de sélection de l'US Air Force. Une batterie de tests avait été constituée pour prédire le succès dans l'apprentissage du pilotage. Sur base des résultats à ces tests, seuls 13 % des candidats étaient suffisamment qualifiés pour être admis dans le programme d'apprentissage. Toutefois, dans un but expérimental, on décida d'admettre tous les candidats. À la fin de la période d'entraînement, on évalua les qualités de pilote de chacun et l'on calcula les corrélations entre ce critère et les résultats aux différents tests. Ces corrélations furent calculées pour l'ensemble du groupe (N = 1 036) et pour le groupe des meilleurs candidats (N=136). On constata ainsi que la corrélation entre le critère et le test de coordination complexe était de 0,40 pour l'ensemble du groupe et de – 0,03 pour le groupe restreint. De même, la corrélation entre le critère et le score composite d'aptitude était de 0,68 pour l'ensemble du groupe et de seulement 0,18 pour le groupe des meilleurs candidats. La valeur des prédictions réalisées à l'aide de la batterie de tests était donc très faible si l'on se basait sur les seuls résultats des candidats les plus brillants. Par contre, cette même qualité des prédictions était satisfaisante lorsque l'on évitait la réduction de l'étendue des scores en calculant les coefficients de corrélation à partir des résultats de l'ensemble du groupe.

Dans l'exemple que nous venons de citer, il a été possible d'évaluer correctement la corrélation entre les variables puisque les chercheurs possédaient les résultats pour l'ensemble du groupe. Malheureusement, cette information fait souvent défaut dans les études de validité. C'est ce qui se passe, par exemple, pour les tests d'admission. Dans ce cas, nous ne possédons les résultats au critère que pour les sujets qui ont été sélectionnés sur base du test initial. Il est toutefois possible de corriger le coefficient obtenu à partir de l'échantillon restreint et d'obtenir une meilleure estimation de la validité du test. Le coefficient corrigé n'est cependant qu'une approximation et doit être utilisé avec prudence.

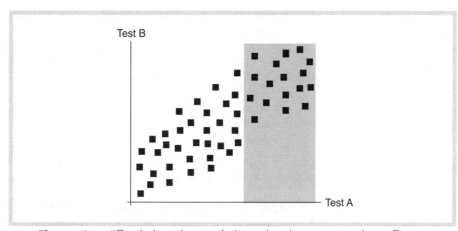

Figure 6 — Effet de la réduction de l'étendue des scores sur le coefficient de corrélation

4.3 LA DROITE DE RÉGRESSION

Lorsque la relation entre deux variables est assez étroite et linéaire, il est intéressant de représenter cette relation sous la forme d'une droite traversant le nuage de points. Cette ligne, appelée *droite de régression*, est la meilleure ligne droite représentant les points faisant partie du diagramme de disperson. La figure 7 présente la relation entre les résultats d'un échantillon de 100 sujets âgés de 65 à 69 ans aux épreuves d'information et de vocabulaire du test d'intelligence WAIS-R. La corrélation entre ces deux variables est égale à 0,869. Au centre du diagramme de dispersion est tracée la droite de régression.

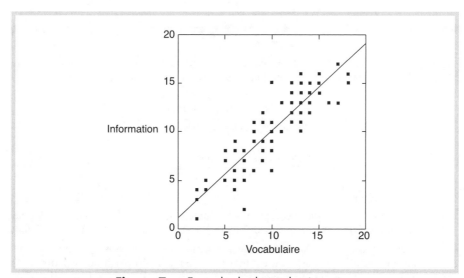

Figure 7 — Exemple de droite de régression

La droite de régression est très utile lorsque nous souhaitons prédire les résultats sur une variable à partir des scores sur l'autre variable. Cette technique est souvent utilisée avec les tests de sélection et d'orientation. Par exemple, sur base des performances à un test de mathématiques, on peut estimer les futurs résultats dans une section scientifique. Cette prédiction constitue une information intéressante pour aider les étudiants à s'orienter dans leurs études.

La droite de régression est définie par une équation de la forme $Y = bX + a$. Dans le cas présent, cette équation s'écrit :

$$\hat{Y} = bX + a \qquad \text{(A.27)}$$

$\hat{Y}$ = la valeur de Y prédite à partir de X (l'accent circonflexe sur Y indique que les valeurs de Y calculées à partir de X ne sont que des estimations des valeurs exactes de Y).

b = la pente de la droite de régression (elle correspond à la différence de valeur sur l'ordonnée associée à une différence d'une unité sur l'abscisse).

a = l'intersection de la droite avec l'ordonnée lorsque $X = 0$.

Pour déterminer la droite de régression la plus proche possible des valeurs effectives de Y, il nous faut trouver les valeurs de a et de b qui définissent la fonction linéaire qui s'ajuste le mieux aux données. En d'autres termes, nous devons déterminer les valeurs a et b qui minimisent l'erreur de prédiction de Y à partir de X. Cette erreur peut être évaluée à partir de la formule suivante :

$$\text{erreur de prédiction} = \sum (Y - \hat{Y})^2 \qquad \text{(A.28)}$$

Cette quantité, permettant de sélectionner la meilleure fonction linéaire, est appelée *le critère des moindres carrés*. Les valeurs de a et de b qui minimisent cette quantité peuvent être trouvées au moyen des formules suivantes :

$$b = \frac{cov_{XY}}{s_X^2} = \frac{N\sum XY - \sum X \sum Y}{N\sum X^2 - \left(\sum X\right)^2} \qquad \text{(A.29)}$$

$$a = \frac{\sum Y - b\sum X}{N} = \bar{Y} - b\bar{X} \qquad \text{(A.30)}$$

Appliquons ces formules à l'exemple ci-dessus, dont un extrait des données et le résultat de quelques calculs intermédiaires sont présentés dans le tableau 9 :

$$b = \frac{(100 \times 12\,106) - (1\,035 \times 1\,051)}{(100 \times 12\,081) - (1\,035)^2} = 0,897 \qquad \text{(A.31)}$$

$$a = \frac{1\,051 - (0,897 \times 1\,035)}{100} = 1,226 \qquad \text{(A.32)}$$

Dans ce cas, l'équation de régression peut s'écrire : $\hat{Y} = (0,897)X + 1,226$

Grâce à cette équation, nous pouvons maintenant estimer les valeurs de Y pour chaque valeur de X. Par exemple, si $X = 2$ alors $\hat{Y} = 3,02$ et si $X = 14$ alors $\hat{Y} = 13,784$.

Il est important de souligner que l'équation de régression que nous avons déterminée ci-dessus nous permet d'estimer les valeurs de Y à partir des valeurs de X, mais non l'inverse. Si nous voulons estimer X à partir de Y, il nous faut estimer les

Tableau 9 — Extrait des résultats aux tests de vocabulaire (X) et d'information (Y) (N=100)

sujets	test de vocabulaire	test d'information
1	15	12
2	11	8
3	8	7
4	6	7
5	7	5
6	16	15
7	7	7
8	13	16
9	12	14
10	15	13
...	...	...

$$\sum X = 1\,035 \quad \sum X^2 = 12\,081 \quad \sum Y = 1\,051 \quad \sum XY = 12\,106 \qquad \text{(A.33)}$$

paramètres qui minimisent $\sum (X - \hat{X})^2$, car les droites de régression de Y sur X et de X sur Y ne coïncident pas.

Par ailleurs, nous ne devons pas oublier que les valeurs de Y que nous calculons à l'aide de l'équation de régression ne sont que des estimations des valeurs réelles. Les coordonnées des valeurs de X et des estimations de Y forment une droite parfaite alors que les valeurs effectives de Y se dispersent autour de cette droite. En fait, les valeurs que nous obtiendrions si nous pouvions mesurer directement la variable Y se distribuent normalement autour des valeurs estimées. Les distributions de Y autour de

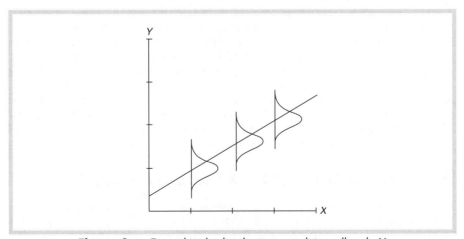

Figure 8 — Exemples de distributions conditionnelles de Y

chaque valeur estimée sont appelées les *distributions conditionnelles* de Y. La figure 8 permet de mieux comprendre ce que représentent ces distributions. Nous avons tracé la distribution de fréquences des valeurs effectives de Y pour trois estimations $\hat{Y}$. Nous pouvons constater que la moyenne de ces distributions correspond à la valeur estimée. Quant à l'écart type de ces distributions, il nous informe sur l'erreur de notre estimation. Plus cet écart type est important, plus notre estimation risque d'être éloignée de la valeur que nous aurions pu obtenir en mesurant directement Y.

Cette erreur d'estimation est très utile pour le praticien. À l'aide de cette erreur, celui-ci peut construire un intervalle de confiance autour de la valeur estimée. Il peut ainsi se faire une idée de l'approximation de son estimation de Y à partir de X. Ceci est important lorsque nous utilisons les résultats d'un test dans un but de prédiction. L'usage systématique de l'intervalle de confiance nous conduit en effet à une plus grande prudence dans nos décisions. L'erreur type d'estimation peut être calculée à l'aide de la formule suivante :

$$s_{Y.X} = \sqrt{\frac{\sum (Y - \hat{Y})^2}{N - 2}} \qquad (A.34)$$

Dans notre exemple, l'erreur type d'estimation est égale à 1,909. Cela signifie que, pour $X = 2$, la valeur estimée de Y étant égale à 3,017, nous pouvons en déduire qu'environ 68 % des valeurs effectives de Y sont incluses dans l'intervalle compris entre (3,017 – 1,909) et (3,017 + 1,909). Rappelons en effet que, si la distribution est normale, 68 % des valeurs observées se situent dans l'intervalle de moins un écart type et plus un écart type autour de la moyenne. Si nous souhaitons un intervalle incluant 95 % des valeurs autour de la moyenne, il nous suffit de prendre 1,96 écarts types autour de la valeur observée. Dans notre exemple, les bornes seront dès lors : (3,017 – 1,96(1,909)) et (3,017 + 1,96(1,909)), c'est-à-dire 0,724 et 6,759. Concrètement, cela signifie que, sur base d'un résultat égal à 2 au test de vocabulaire, nous pouvons prédire que le résultat au test d'information sera égal à 3. Mais les résultats que nous pourrons effectivement observer à ce test auront 95 % de chances de se situer entre – 1 et + 7 points. Une telle observation doit nous inciter à la prudence lorsque nous utilisons une valeur estimée pour prendre des décisions.

L'usage d'un intervalle de confiance unique, quelle que soit la valeur estimée, repose sur deux postulats : (1) les distributions conditionnelles de Y suivent la loi normale, (2) les variances de toutes ces distributions sont égales. Ce dernier postulat d'homogénéité de la variance (appelé aussi postulat d'*homoscédasticité*) est souvent difficile à satisfaire parfaitement avec des données réelles. Par conséquent, l'usage d'un intervalle de confiance unique peut conduire à des erreurs. Certains auteurs recommandent par conséquent de calculer l'erreur de mesure pour chaque estimation de Y (voir par exemple Howell, 2008, pp. 258-259, pour une description de ce calcul). Cette procédure, trop lourde pour un usage routinier, est cependant recommandée lorsque l'on définit des scores « seuils » dans un test de sélection ou d'admission.

5. LE CHOIX DE LA BONNE MÉTHODE STATISTIQUE

La grande variété des techniques statistiques disponibles rend complexe le choix de la méthode qui convient le mieux à un test d'hypothèse. Ce choix est d'autant plus important qu'il influence directement le type d'erreur et la puissance de nos décisions statistiques. Quoique ce chapitre et le chapitre 2 n'aient fait qu'introduire un petit nombre de techniques statistiques parmi les plus répandues et les plus souvent employées, il est important de bien les situer dans un contexte global ainsi que les unes par rapport aux autres.

Le tableau 10 propose d'organiser les principales techniques statistiques sous forme d'un tableau à double entrée. Les rangées distinguent entre *statistiques descriptives* et *statistiques inférentielles*. Les colonnes identifient les variables prises en considération par chacune des techniques.

Parmi les statistiques descriptives, nous retrouvons toutes les valeurs de distribution pour une seule variable dépendante abordées dans le chapitre 2 : moyenne, écart type, variance. Nous y retrouvons aussi la corrélation entre deux variables et un prolongement de cette technique à plusieurs variables dépendantes, l'analyse factorielle exploratoire. L'analyse factorielle exploratoire permet d'identifier à partir d'une *matrice de corrélations* les *traits latents* qui permettent de regrouper plusieurs variables dépendantes en un petit nombre de *facteurs* indépendants. Il en a été question au chapitre 4.

Bien souvent, cependant, nous sommes intéressés à aller au-delà de la description d'un échantillon. Nous voulons déduire certaines caractéristiques de la population à partir de celles de l'échantillon. C'est l'objet de l'ensemble des statistiques inférentielles vues dans cette annexe. Parmi les techniques impliquant une seule variable dépendante, nous retrouvons l'estimation de la moyenne de la population. Parmi les techniques impliquant une variable dépendante et une variable indépendante, on retrouve les tests de comparaison de moyennes (tests t de Student) et l'analyse de variance (ANOVA) qui peut impliquer plus d'une variable indépendante (chapitre 3). On retrouve également dans cette catégorie le test de signification d'une corrélation et toutes les techniques apparentées à l'*analyse de régression*, dont la *régression logistique* des *modèles de réponses aux items* (chapitre 7) constitue un cas particulier. Il existe aussi toute la famille des *statistiques multivariées* dont nous ne ferons pas état dans ce livre. Cette famille regroupe toutes les techniques statistiques permettant le test d'hypothèses portant sur plusieurs variables dépendantes : c'est le cas de l'*analyse de variance multivariée* et de l'*analyse discriminante*.

Tableau 10 — Synthèse des principales techniques statistiques

	Statistique univariée (1 variable dépendante)	Statistique univariée (1 variable dépendante, 1 variable indépendante ou plus)	Statistique multivariée (plusieurs variables dépendantes)
Statistiques descriptives	Moyenne, variance, écart type	Corrélation simple (de Pearson) Corrélation par rangs de Spearman	Analyse factorielle exploratoire
Statistiques inférentielles paramétriques	Estimation de la moyenne Estimation de la variance	Test t, ANOVA Test de signification sur la corrélation Analyse de covariance, analyse de régression	Analyse factorielle confirmatoire Analyse de variance multivariée
Statistiques inférentielles non paramétriques	Test du χ^2 pour un échantillon	Test du χ^2 pour deux échantillons Test de signification du W de Kendall, rho de Spearman	Analyse de correspondance *(dual scaling)*

Enfin, nous pourrions établir une distinction supplémentaire à l'intérieur de la catégorie des statistiques inférentielles. On peut différencier ces techniques statistiques selon qu'elles font appel à l'estimation des paramètres de la population ou non. Dans le premier cas, nous parlerons de *statistiques paramétriques* : c'est le cas de toutes les techniques que nous avons vues jusqu'à présent. Toutes reposent sur des échantillons dont les résultats se distribuent normalement. Toutes font appel au calcul des principaux paramètres de la distribution normale que sont la moyenne et la variance. Dans le second cas, nous parlerons de *statistiques non paramétriques*. Cette catégorie d'outils statistiques permet le test d'hypothèses en l'absence de postulats concernant la distribution de la population et ses principaux paramètres. C'est le cas des tests de comparaison de fréquences (chapitre 5 : *test du χ^2 – khi-carré)* ou des médianes. C'est le cas aussi des coefficients de corrélation par rangs tels que le *rho de Spearman* (chapitre 5) ou le *W de Kendall* (chapitre 4). Il existe plusieurs ouvrages discutant des propriétés de ces outils statistiques, particulièrement puissants avec des échantillons restreints *(n < 30)*. Pour une bonne introduction à l'ensemble de ces outils statistiques, nous recommandons l'ouvrage de Siegel et Castellan (1988).

Plusieurs techniques statistiques ont été expliquées dans cette annexe. Les théories de la mesure font appel à l'application de ces techniques à des problèmes particuliers de quantification. Au moyen de cette annexe, nous espérons avoir permis au lecteur d'assimiler les principaux éléments de *statistique théorique* pour lui permettre de bien suivre les chapitres du livre. Ceci étant dit, nous avons restreint au minimum ces aspects théoriques afin de pouvoir nous concentrer sur les problèmes de *statistique appliquée* que pose la mesure en psychologie et en éducation. Le lecteur qui souhaite approfondir les fondements théoriques des techniques abordées pourra faire appel aux nombreuses références à la fin de ce livre. Quant au lecteur déjà familier avec les statistiques, cette annexe constituera un rappel dont il pourra ou non se prévaloir.

TABLES STATISTIQUES

Table 1 : Points de pourcentage supérieurs de la distribution de χ^2.
Table 2 : Valeurs critiques de la distribution de F.
Table 3 : Points de pourcentage supérieurs de la distribution t.
Table 4 : La distribution normale (z).

Source : Toutes ces tables proviennent de l'ouvrage de David C. Howell, *Méthodes statistiques en sciences humaines,* publié en langue française par les éditions De Boeck (Bruxelles). Elles sont reproduites avec la permission des éditions De Boeck.

Table 1 — Points de pourcentage supérieurs de la distribution de χ^2.

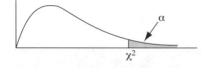

dl	.995	.990	.975	.950	.900	.750	.500	.250	.100	.050	.025	.010	.005
1	0.00	0.00	0.00	0.00	0.02	0.10	0.45	1.32	2.71	3.84	5.02	6.63	7.88
2	0.01	0.02	0.05	0.10	0.21	0.58	1.39	2.77	4.61	5.99	7.38	9.21	10.60
3	0.07	0.11	0.22	0.35	0.58	1.21	2.37	4.11	6.25	7.82	9.35	11.35	12.84
4	0.21	0.30	0.48	0.71	1.06	1.92	3.36	5.39	7.78	9.49	11.14	13.28	14.86
5	0.41	0.55	0.83	1.15	1.61	2.67	4.35	6.63	9.24	11.07	12.83	15.09	16.75
6	0.68	0.87	1.24	1.64	2.20	3.45	5.35	7.84	10.64	12.59	14.45	16.81	18.55
7	0.99	1.24	1.69	2.17	2.83	4.25	6.35	9.04	12.02	14.07	16.01	18.48	20.28
8	1.34	1.65	2.18	2.73	3.49	5.07	7.34	10.22	13.36	15.51	17.54	20.09	21.96
9	1.73	2.09	2.70	3.33	4.17	5.90	8.34	11.39	14.68	16.92	19.02	21.66	23.59
10	2.15	2.56	3.25	3.94	4.87	6.74	9.34	12.55	15.99	18.31	20.48	23.21	25.19
11	2.60	3.05	3.82	4.57	5.58	7.58	10.34	13.70	17.28	19.68	21.92	24.72	26.75
12	3.07	3.57	4.40	5.23	6.30	8.44	11.34	14.85	18.55	21.03	23.34	26.21	28.30
13	3.56	4.11	5.01	5.89	7.04	9.30	12.34	15.98	19.81	22.36	24.74	27.69	29.82
14	4.07	4.66	5.63	6.57	7.79	10.17	13.34	17.12	21.06	23.69	26.12	29.14	31.31
15	4.60	5.23	6.26	7.26	8.55	11.04	14.34	18.25	22.31	25.00	27.49	30.58	32.80
16	5.14	5.81	6.91	7.96	9.31	11.91	15.34	19.37	23.54	26.30	28.85	32.00	34.27
17	5.70	6.41	7.56	8.67	10.09	12.79	16.34	20.49	24.77	27.59	30.19	33.41	35.72
18	6.26	7.01	8.23	9.39	10.86	13.68	17.34	21.60	25.99	28.87	31.53	34.81	37.15
19	6.84	7.63	8.91	10.12	11.65	14.56	18.34	22.72	27.20	30.14	32.85	36.19	38.58
20	7.43	8.26	9.59	10.85	12.44	15.45	19.34	23.83	28.41	31.41	34.17	37.56	40.00
21	8.03	8.90	10.28	11.59	13.24	16.34	20.34	24.93	29.62	32.67	35.48	38.93	41.40
22	8.64	9.54	10.98	12.34	14.04	17.24	21.34	26.04	30.81	33.93	36.78	40.29	42.80
23	9.26	10.19	11.69	13.09	14.85	18.14	22.34	27.14	32.01	35.17	38.08	41.64	44.18
24	9.88	10.86	12.40	13.85	15.66	19.04	23.34	28.24	33.20	36.42	39.37	42.98	45.56
25	10.52	11.52	13.12	14.61	16.47	19.94	24.34	29.34	34.38	37.65	40.65	44.32	46.93
26	11.16	12.20	13.84	15.38	17.29	20.84	25.34	30.43	35.56	38.89	41.92	45.64	48.29
27	11.80	12.88	14.57	16.15	18.11	21.75	26.34	31.53	36.74	40.11	43.20	46.96	49.64
28	12.46	13.56	15.31	16.93	18.94	22.66	27.34	32.62	37.92	41.34	44.46	48.28	50.99
29	13.12	14.26	16.05	17.71	19.77	23.57	28.34	33.71	39.09	42.56	45.72	49.59	52.34
30	13.78	14.95	16.79	18.49	20.60	24.48	29.34	34.80	40.26	43.77	46.98	50.89	53.67
40	20.67	22.14	24.42	26.51	29.06	33.67	39.34	45.61	51.80	55.75	59.34	63.71	66.80
50	27.96	29.68	32.35	34.76	37.69	42.95	49.34	56.33	63.16	67.50	71.42	76.17	79.52
60	35.50	37.46	40.47	43.19	46.46	52.30	59.34	66.98	74.39	79.08	83.30	88.40	91.98
70	43.25	45.42	48.75	51.74	55.33	61.70	69.34	77.57	85.52	90.53	95.03	100.44	104.24
80	51.14	53.52	57.15	60.39	64.28	71.15	79.34	88.13	96.57	101.88	106.63	112.34	116.35
90	59.17	61.74	65.64	69.13	73.29	80.63	89.33	98.65	107.56	113.14	118.14	124.13	128.32
100	67.30	70.05	74.22	77.93	82.36	90.14	99.33	109.14	118.49	124.34	129.56	135.82	140.19

Table 2 — Valeurs critiques de la distribution de *F*.

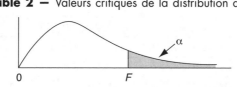

Table 2.1 — α = .05

	1	2	3	4	5	6	7	8	9	10	15	20	25	30	40	50
1	161.4	199.5	215.8	224.8	230.0	233.8	236.5	238.6	240.1	242.1	245.2	248.4	248.9	250.5	250.8	252.6
2	18.51	19.00	19.16	19.25	19.30	19.33	19.35	19.37	19.38	19.40	19.43	19.44	19.46	19.47	19.48	19.48
3	10.13	9.55	9.28	9.12	9.01	8.94	8.89	8.85	8.81	8.79	8.70	8.66	8.63	8.62	8.59	8.58
4	7.71	6.94	6.59	6.39	6.26	6.16	6.09	6.04	6.00	5.96	5.86	5.80	5.77	5.75	5.72	5.70
5	6.61	5.79	5.41	5.19	5.05	4.95	4.88	4.82	4.77	4.74	4.62	4.56	4.52	4.50	4.46	4.44
6	5.99	5.14	4.76	4.53	4.39	4.28	4.21	4.15	4.10	4.06	3.94	3.87	3.83	3.81	3.77	3.75
7	5.59	4.74	4.35	4.12	3.97	3.87	3.79	3.73	3.68	3.64	3.51	3.44	3.40	3.38	3.34	3.32
8	5.32	4.46	4.07	3.84	3.69	3.58	3.50	3.44	3.39	3.35	3.22	3.15	3.11	3.08	3.04	3.02
9	5.12	4.26	3.86	3.63	3.48	3.37	3.29	3.23	3.18	3.14	3.01	2.94	2.89	2.86	2.83	2.80
10	4.96	4.10	3.71	3.48	3.33	3.22	3.14	3.07	3.02	2.98	2.85	2.77	2.73	2.70	2.66	2.64
11	4.84	3.98	3.59	3.36	3.20	3.09	3.01	2.95	2.90	2.85	2.72	2.65	2.60	2.57	2.53	2.51
12	4.75	3.89	3.49	3.26	3.11	3.00	2.91	2.85	2.80	2.75	2.62	2.54	2.50	2.47	2.43	2.40
13	4.67	3.81	3.41	3.18	3.03	2.92	2.83	2.77	2.71	2.67	2.53	2.46	2.41	2.38	2.34	2.31
14	4.60	3.74	3.34	3.11	2.96	2.85	2.76	2.70	2.65	2.60	2.46	2.39	2.34	2.31	2.27	2.24
15	4.54	3.68	3.29	3.06	2.90	2.79	2.71	2.64	2.59	2.54	2.40	2.33	2.28	2.25	2.20	2.18
16	4.49	3.63	3.24	3.01	2.85	2.74	2.66	2.59	2.54	2.49	2.35	2.28	2.23	2.19	2.15	2.12
17	4.45	3.59	3.20	2.96	2.81	2.70	2.61	2.55	2.49	2.45	2.31	2.23	2.18	2.15	2.10	2.08
18	4.41	3.55	3.16	2.93	2.77	2.66	2.58	2.51	2.46	2.41	2.27	2.19	2.14	2.11	2.06	2.04
19	4.38	3.52	3.13	2.90	2.74	2.63	2.54	2.48	2.42	2.38	2.23	2.16	2.11	2.07	2.03	2.00
20	4.35	3.49	3.10	2.87	2.71	2.60	2.51	2.45	2.39	2.35	2.20	2.12	2.07	2.04	1.99	1.97
22	4.30	3.44	3.05	2.82	2.66	2.55	2.46	2.40	2.34	2.30	2.15	2.07	2.02	1.98	1.94	1.91
24	4.26	3.40	3.01	2.78	2.62	2.51	2.42	2.36	2.30	2.25	2.11	2.03	1.97	1.94	1.89	1.86
26	4.23	3.37	2.98	2.74	2.59	2.47	2.39	2.32	2.27	2.22	2.07	1.99	1.94	1.90	1.85	1.82
28	4.20	3.34	2.95	2.71	2.56	2.45	2.36	2.29	2.24	2.19	2.04	1.96	1.91	1.87	1.82	1.79
30	4.17	3.32	2.92	2.69	2.53	2.42	2.33	2.27	2.21	2.16	2.01	1.93	1.88	1.84	1.79	1.76
40	4.08	3.23	2.84	2.61	2.45	2.34	2.25	2.18	2.12	2.08	1.92	1.84	1.78	1.74	1.69	1.66
50	4.03	3.18	2.79	2.56	2.40	2.29	2.20	2.13	2.07	2.03	1.87	1.78	1.73	1.69	1.63	1.60
60	4.00	3.15	2.76	2.53	2.37	2.25	2.17	2.10	2.04	1.99	1.84	1.75	1.69	1.65	1.59	1.56
120	3.92	3.07	2.68	2.45	2.29	2.18	2.09	2.02	1.96	1.91	1.75	1.66	1.60	1.55	1.50	1.46
200	3.89	3.04	2.65	2.42	2.26	2.14	2.06	1.98	1.93	1.88	1.72	1.62	1.56	1.52	1.46	1.41
500	3.86	3.01	2.62	2.39	2.23	2.12	2.03	1.96	1.90	1.85	1.69	1.59	1.53	1.48	1.42	1.38
1 000	3.85	3.01	2.61	2.38	2.22	2.11	2.02	1.95	1.89	1.84	1.68	1.58	1.52	1.47	1.41	1.

Note : En ligne, les degrés de liberté pour le numérateur et, en colonne, les degrés de liberté pour le dénominateur.

Table 2.2 — α = .025

	1	2	3	4	5	6	7	8	9	10	15	20	25	30	40	50
1	647.8	799.5	864.2	899.6	921.8	937.1	948.2	956.7	963.3	968.6	984.9	993.1	998.1	1 001	1 006	1 008
2	38.51	39.00	39.17	39.25	39.30	39.33	39.36	39.37	39.39	39.40	39.43	39.45	39.46	39.46	39.47	39.48
3	17.44	16.04	15.44	15.10	14.89	14.73	14.62	14.54	14.47	14.42	14.25	14.17	14.12	14.08	14.04	14.01
4	12.22	10.65	9.98	9.60	9.36	9.20	9.07	8.98	8.90	8.84	8.66	8.56	8.50	8.46	8.41	8.38
5	10.01	8.43	7.76	7.39	7.15	6.98	6.85	6.76	6.68	6.62	6.43	6.33	6.27	6.23	6.18	6.14
6	8.81	7.26	6.60	6.23	5.99	5.82	5.70	5.60	5.52	5.46	5.27	5.17	5.11	5.07	5.01	4.98
7	8.07	6.54	5.89	5.52	5.29	5.12	4.99	4.90	4.82	4.76	4.57	4.47	4.40	4.36	4.31	4.28
8	7.57	6.06	5.42	5.05	4.82	4.65	4.53	4.43	4.36	4.30	4.10	4.00	3.94	3.89	3.84	3.81
9	7.21	5.71	5.08	4.72	4.48	4.32	4.20	4.10	4.03	3.96	3.77	3.67	3.60	3.56	3.51	3.47
10	6.94	5.46	4.83	4.47	4.24	4.07	3.95	3.85	3.78	3.72	3.52	3.42	3.35	3.31	3.26	3.22
11	6.72	5.26	4.63	4.28	4.04	3.88	3.76	3.66	3.59	3.53	3.33	3.23	3.16	3.12	3.06	3.03
12	6.55	5.10	4.47	4.12	3.89	3.73	3.61	3.51	3.44	3.37	3.18	3.07	3.01	2.96	2.91	2.87
13	6.41	4.97	4.35	4.00	3.77	3.60	3.48	3.39	3.31	3.25	3.05	2.95	2.88	2.84	2.78	2.74
14	6.30	4.86	4.24	3.89	3.66	3.50	3.38	3.29	3.21	3.15	2.95	2.84	2.78	2.73	2.67	2.64
15	6.20	4.77	4.15	3.80	3.58	3.41	3.29	3.20	3.12	3.06	2.86	2.76	2.69	2.64	2.59	2.55
16	6.12	4.69	4.08	3.73	3.50	3.34	3.22	3.12	3.05	2.99	2.79	2.68	2.61	2.57	2.51	2.47
17	6.04	4.62	4.01	3.66	3.44	3.28	3.16	3.06	2.98	2.92	2.72	2.62	2.55	2.50	2.44	2.41
18	5.98	4.56	3.95	3.61	3.38	3.22	3.10	3.01	2.93	2.87	2.67	2.56	2.49	2.44	2.38	2.35
19	5.92	4.51	3.90	3.56	3.33	3.17	3.05	2.96	2.88	2.82	2.62	2.51	2.44	2.39	2.33	2.30
20	5.87	4.46	3.86	3.51	3.29	3.13	3.01	2.91	2.84	2.77	2.57	2.46	2.40	2.35	2.29	2.25
22	5.79	4.38	3.78	3.44	3.22	3.05	2.93	2.84	2.76	2.70	2.50	2.39	2.32	2.27	2.21	2.17
24	5.72	4.32	3.72	3.38	3.15	2.99	2.87	2.78	2.70	2.64	2.44	2.33	2.26	2.21	2.15	2.11
26	5.66	4.27	3.67	3.33	3.10	2.94	2.82	2.73	2.65	2.59	2.39	2.28	2.21	2.16	2.09	2.05
28	5.61	4.22	3.63	3.29	3.06	2.90	2.78	2.69	2.61	2.55	2.34	2.23	2.16	2.11	2.05	2.01
30	5.57	4.18	3.59	3.25	3.03	2.87	2.75	2.65	2.57	2.51	2.31	2.20	2.12	2.07	2.01	1.97
40	5.42	4.05	3.46	3.13	2.90	2.74	2.62	2.53	2.45	2.39	2.18	2.07	1.99	1.94	1.88	1.83
50	5.34	3.97	3.39	3.05	2.83	2.67	2.55	2.46	2.38	2.32	2.11	1.99	1.92	1.87	1.80	1.75
60	5.29	3.93	3.34	3.01	2.79	2.63	2.51	2.41	2.33	2.27	2.06	1.94	1.87	1.82	1.74	1.70
120	5.15	3.80	3.23	2.89	2.67	2.52	2.39	2.30	2.22	2.16	1.94	1.82	1.75	1.69	1.61	1.56
200	5.10	3.76	3.18	2.85	2.63	2.47	2.35	2.26	2.18	2.11	1.90	1.78	1.70	1.64	1.56	1.51
500	5.05	3.72	3.14	2.81	2.59	2.43	2.31	2.22	2.14	2.07	1.86	1.74	1.65	1.60	1.52	1.46
1 000	5.04	3.70	3.13	2.80	2.58	2.42	2.30	2.20	2.13	2.06	1.85	1.72	1.64	1.58	1.50	1.45

Note : En ligne, les degrés de liberté pour le numérateur et, en colonne, les degrés de liberté pour le dénominateur.

Table 2.3 — α = .01

	1	2	3	4	5	6	7	8	9	10	15	20	25	30	40	50
1	4 048	4 993	5 377	5 577	5 668	5 924	5 992	6 096	6 132	6 168	6 079	6 168	6 214	6 355	6 168	6 213
2	98.50	99.01	99.15	99.23	99.30	99.33	99.35	99.39	99.40	99.43	99.38	99.48	99.43	99.37	99.44	99.59
3	34.12	30.82	29.46	28.71	28.24	27.91	27.67	27.49	27.34	27.23	26.87	26.69	26.58	26.51	26.41	26.36
4	21.20	18.00	16.69	15.98	15.52	15.21	14.98	14.80	14.66	14.55	14.20	14.02	13.91	13.84	13.75	13.69
5	16.26	13.27	12.06	11.39	10.97	10.67	10.46	10.29	10.16	10.05	9.72	9.55	9.45	9.38	9.29	9.24
6	13.75	10.92	9.78	9.15	8.75	8.47	8.26	8.10	7.98	7.87	7.56	7.40	7.30	7.23	7.14	7.09
7	12.25	9.55	8.45	7.85	7.46	7.19	6.99	6.84	6.72	6.62	6.31	6.16	6.06	5.99	5.91	5.86
8	11.26	8.65	7.59	7.01	6.63	6.37	6.18	6.03	5.91	5.81	5.52	5.36	5.26	5.20	5.12	5.07
9	10.56	8.02	6.99	6.42	6.06	5.80	5.61	5.47	5.35	5.26	4.96	4.81	4.71	4.65	4.57	4.52
10	10.04	7.56	6.55	5.99	5.64	5.39	5.20	5.06	4.94	4.85	4.56	4.41	4.31	4.25	4.17	4.12
11	9.65	7.21	6.22	5.67	5.32	5.07	4.89	4.74	4.63	4.54	4.25	4.10	4.01	3.94	3.86	3.81
12	9.33	6.93	5.95	5.41	5.06	4.82	4.64	4.50	4.39	4.30	4.01	3.86	3.76	3.70	3.62	3.57
13	9.07	6.70	5.74	5.21	4.86	4.62	4.44	4.30	4.19	4.10	3.82	3.66	3.57	3.51	3.43	3.38
14	8.86	6.51	5.56	5.04	4.69	4.46	4.28	4.14	4.03	3.94	3.66	3.51	3.41	3.35	3.27	3.22
15	8.68	6.36	5.42	4.89	4.56	4.32	4.14	4.00	3.89	3.80	3.52	3.37	3.28	3.21	3.13	3.08
16	8.53	6.23	5.29	4.77	4.44	4.20	4.03	3.89	3.78	3.69	3.41	3.26	3.16	3.10	3.02	2.97
17	8.40	6.11	5.18	4.67	4.34	4.10	3.93	3.79	3.68	3.59	3.31	3.16	3.07	3.00	2.92	2.87
18	8.29	6.01	5.09	4.58	4.25	4.01	3.84	3.71	3.60	3.51	3.23	3.08	2.98	2.92	2.84	2.78
19	8.18	5.93	5.01	4.50	4.17	3.94	3.77	3.63	3.52	3.43	3.15	3.00	2.91	2.84	2.76	2.71
20	8.10	5.85	4.94	4.43	4.10	3.87	3.70	3.56	3.46	3.37	3.09	2.94	2.84	2.78	2.69	2.64
22	7.95	5.72	4.82	4.31	3.99	3.76	3.59	3.45	3.35	3.26	2.98	2.83	2.73	2.67	2.58	2.53
24	7.82	5.61	4.72	4.22	3.90	3.67	3.50	3.36	3.26	3.17	2.89	2.74	2.64	2.58	2.49	2.44
26	7.72	5.53	4.64	4.14	3.82	3.59	3.42	3.29	3.18	3.09	2.81	2.66	2.57	2.50	2.42	2.36
28	7.64	5.45	4.57	4.07	3.75	3.53	3.36	3.23	3.12	3.03	2.75	2.60	2.51	2.44	2.35	2.30
30	7.56	5.39	4.51	4.02	3.70	3.47	3.30	3.17	3.07	2.98	2.70	2.55	2.45	2.39	2.30	2.25
40	7.31	5.18	4.31	3.83	3.51	3.29	3.12	2.99	2.89	2.80	2.52	2.37	2.27	2.20	2.11	2.06
50	7.17	5.06	4.20	3.72	3.41	3.19	3.02	2.89	2.78	2.70	2.42	2.27	2.17	2.10	2.01	1.95
60	7.08	4.98	4.13	3.65	3.34	3.12	2.95	2.82	2.72	2.63	2.35	2.20	2.10	2.03	1.94	1.88
120	6.85	4.79	3.95	3.48	3.17	2.96	2.79	2.66	2.56	2.47	2.19	2.03	1.93	1.86	1.76	1.70
200	6.76	4.71	3.88	3.41	3.11	2.89	2.73	2.60	2.50	2.41	2.13	1.97	1.87	1.79	1.69	1.63
500	6.69	4.65	3.82	3.36	3.05	2.84	2.68	2.55	2.44	2.36	2.07	1.92	1.81	1.74	1.63	1.57
1 000	6.67	4.63	3.80	3.34	3.04	2.82	2.66	2.53	2.43	2.34	2.06	1.90	1.79	1.72	1.61	1.54

Note : En ligne, les degrés de liberté pour le numérateur et, en colonne, les degrés de liberté pour le dénominateur.

Table 3 — Points de pourcentage supérieurs de la distribution *t*.

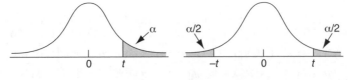

Seuil de signification pour le test unilatéral

dl	.25	.20	.15	.10	.05	.025	.01	.005	.0005

Seuil de signification pour le test bilatéral

dl	.50	.40	.30	.20	.10	.05	.02	.01	.001
1	1.000	1.376	1.963	3.078	6.314	12.706	31.821	63.657	636.620
2	0.816	1.061	1.386	1.886	2.920	4.303	6.965	9.925	31.599
3	0.765	0.978	1.250	1.638	2.353	3.182	4.541	5.841	12.924
4	0.741	0.941	1.190	1.533	2.132	2.776	3.747	4.604	8.610
5	0.727	0.920	1.156	1.476	2.015	2.571	3.365	4.032	6.869
6	0.718	0.906	1.134	1.440	1.943	2.447	3.143	3.707	5.959
7	0.711	0.896	1.119	1.415	1.895	2.365	2.998	3.499	5.408
8	0.706	0.889	1.108	1.397	1.860	2.306	2.896	3.355	5.041
9	0.703	0.883	1.100	1.383	1.833	2.262	2.821	3.250	4.781
10	0.700	0.879	1.093	1.372	1.812	2.228	2.764	3.169	4.587
11	0.697	0.876	1.088	1.363	1.796	2.201	2.718	3.106	4.437
12	0.695	0.873	1.083	1.356	1.782	2.179	2.681	3.055	4.318
13	0.694	0.870	1.079	1.350	1.771	2.160	2.650	3.012	4.221
14	0.692	0.868	1.076	1.345	1.761	2.145	2.624	2.977	4.140
15	0.691	0.866	1.074	1.341	1.753	2.131	2.602	2.947	4.073
16	0.690	0.865	1.071	1.337	1.746	2.120	2.583	2.921	4.015
17	0.689	0.863	1.069	1.333	1.740	2.110	2.567	2.898	3.965
18	0.688	0.862	1.067	1.330	1.734	2.101	2.552	2.878	3.922
19	0.688	0.861	1.066	1.328	1.729	2.093	2.539	2.861	3.883
20	0.687	0.860	1.064	1.325	1.725	2.086	2.528	2.845	3.850
21	0.686	0.859	1.063	1.323	1.721	2.080	2.518	2.831	3.819
22	0.686	0.858	1.061	1.321	1.717	2.074	2.508	2.819	3.792
23	0.685	0.858	1.060	1.319	1.714	2.069	2.500	2.807	3.768
24	0.685	0.857	1.059	1.318	1.711	2.064	2.492	2.797	3.745
25	0.684	0.856	1.058	1.316	1.708	2.060	2.485	2.787	3.725
26	0.684	0.856	1.058	1.315	1.706	2.056	2.479	2.779	3.707
27	0.684	0.855	1.057	1.314	1.703	2.052	2.473	2.771	3.690
28	0.683	0.855	1.056	1.313	1.701	2.048	2.467	2.763	3.674
29	0.683	0.854	1.055	1.311	1.699	2.045	2.462	2.756	3.659
30	0.683	0.854	1.055	1.310	1.697	2.042	2.457	2.750	3.646
40	0.681	0.851	1.050	1.303	1.684	2.021	2.423	2.704	3.551
50	0.679	0.849	1.047	1.299	1.676	2.009	2.403	2.678	3.496
100	0.677	0.845	1.042	1.290	1.660	1.984	2.364	2.626	3.390
∞	0.674	0.842	1.036	1.282	1.645	1.960	2.326	2.576	3.291

Table 4 — La distribution normale (z).

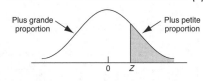

z	De la moyenne à z	Plus grande portion	Plus petite portion	y	z	De la moyenne à z	Plus grande portion	Plus petite portion	y
.00	.0000	.5000	.5000	.3989	.36	.1406	.6406	.3594	.3739
.01	.0040	.5040	.4960	.3989	.37	.1443	.6443	.3557	.3725
.02	.0080	.5080	.4920	.3989	.38	.1480	.6480	.3520	.3712
.03	.0120	.5120	.4880	.3988	.39	.1517	.6517	.3483	.3697
.04	.0160	.5160	.4840	.3986	.40	.1554	.6554	.3446	.3683
.05	.0199	.5199	.4801	.3984	.41	.1591	.6591	.3409	.3668
.06	.0239	.5239	.4761	.3982	.42	.1628	.6628	.3372	.3653
.07	.0279	.5279	.4721	.3980	.43	.1664	.6664	.3336	.3637
.08	.0319	.5319	.4681	.3977	.44	.1700	.6700	.3300	.3621
.09	.0359	.5359	.4641	.3973	.45	.1736	.6736	.3264	.3605
.10	.0398	.5398	.4602	.3970	.46	.1772	.6772	.3228	.3589
.11	.0438	.5438	.4562	.3965	.47	.1808	.6808	.3192	.3572
.12	.0478	.5478	.4522	.3961	.48	.1844	.6844	.3156	.3555
.13	.0517	.5517	.4483	.3956	.49	.1879	.6879	.3121	.3538
.14	.0557	.5557	.4443	.3951	.50	.1915	.6915	.3085	.3521
.15	.0596	.5596	.4404	.3945	.51	.1950	.6950	.3050	.3503
.16	.0636	.5636	.4364	.3939	.52	.1985	.6985	.3015	.3485
.17	.0675	.5675	.4325	.3932	.53	.2019	.7019	.2981	.3467
.18	.0714	.5714	.4286	.3925	.54	.2054	.7054	.2946	.3448
.19	.0753	.5753	.4247	.3918	.55	.2088	.7088	.2912	.3429
.20	.0793	.5793	.4207	.3910	.56	.2123	.7123	.2877	.3410
.21	.0832	.5832	.4168	.3902	.57	.2157	.7157	.2843	.3391
.22	.0871	.5871	.4129	.3894	.58	.2190	.7190	.2810	.3372
.23	.0910	.5910	.4090	.3885	.59	.2224	.7224	.2776	.3352
.24	.0948	.5948	.4052	.3876	.60	.2257	.7257	.2743	.3332
.25	.0987	.5987	.4013	.3867	.61	.2291	.7291	.2709	.3312
.26	.1026	.6026	.3974	.3857	.62	.2324	.7324	.2676	.3292
.27	.1064	.6064	.3936	.3847	.63	.2357	.7357	.2643	.3271
.28	.1103	.6103	.3897	.3836	.64	.2389	.7389	.2611	.3251
.29	.1141	.6141	.3859	.3825	.65	.2422	.7422	.2578	.3230
.30	.1179	.6179	.3821	.3814	.66	.2454	.7454	.2546	.3209
.31	.1217	.6217	.3783	.3802	.67	.2486	.7486	.2514	.3187
.32	.1255	.6255	.3745	.3790	.68	.2517	.7517	.2483	.3166
.33	.1293	.6293	.3707	.3778	.69	.2549	.7549	.2451	.3144
.34	.1331	.6331	.3669	.3765	.70	.2580	.7580	.2420	.3123
.35	.1368	.6368	.3632	.3752	.71	.2611	.7611	.2389	.3101

Table 4 — (suite)

z	De la moyenne à z	Plus grande portion	Plus petite portion	y	z	De la moyenne à z	Plus grande portion	Plus petite portion	y
.72	.2642	.7642	.2358	.3079	1.17	.3790	.8790	.1210	.2012
.73	.2673	.7673	.2327	.3056	1.18	.3810	.8810	.1190	.1989
.74	.2704	.7704	.2296	.3034	1.19	.3830	.8830	.1170	.1965
.75	.2734	.7734	.2266	.3011	1.20	.3849	.8849	.1151	.1942
.76	.2764	.7764	.2236	.2989	1.21	.3869	.8869	.1131	.1919
.77	.2794	.7794	.2206	.2966	1.22	.3888	.8888	.1112	.1895
.78	.2823	.7823	.2177	.2943	1.23	.3907	.8907	.1093	.1872
.79	.2852	.7852	.2148	.2920	1.24	.3925	.8925	.1075	.1849
.80	.2881	.7881	.2119	.2897	1.25	.3944	.8944	.1056	.1826
.81	.2910	.7910	.2090	.2874	1.26	.3962	.8 962	.1 038	.1 804
.82	.2 939	.7 939	.2 061	.2 850	1.27	.3 980	.8 980	.1 020	.1 781
.83	.2 967	.7 967	.2 033	.2 827	1.28	.3 997	.8 997	.1 003	.1 758
.84	.2 995	.7 995	.2 005	.2 803	1.29	.4 015	.9 015	.0985	.1 736
.85	.3 023	.8 023	.1 977	.2 780	1.30	.4 032	.9 032	.0968	.1 714
.86	.3 051	.8 051	.1 949	.2 756	1.31	.4 049	.9 049	.0951	.1 691
.87	.3 078	.8 078	.1 922	.2 732	1.32	.4 066	.9 066	.0934	.1 669
.88	.3 106	.8 106	.1 894	.2 709	1.33	.4 082	.9 082	.0918	.1 647
.89	.3 133	.8 133	.1 867	.2 685	1.34	.4 099	.9 099	.0901	.1 626
.90	.3 159	.8 159	.1 841	.2 661	1.35	.4 115	.9 115	.0885	.1 604
.91	.3 186	.8 186	.1 814	.2 637	1.36	.4 131	.9 131	.0869	.1 582
.92	.3 212	.8 212	.1 788	.2 613	1.37	.4 147	.9 147	.0853	.1 561
.93	.3 238	.8 238	.1 762	.2 589	1.38	.4 162	.9 162	.0838	.1 539
.94	.3 264	.8 264	.1 736	.2 565	1.39	.4 177	.9 177	.0823	.1 518
.95	.3 289	.8 289	.1 711	.2 541	1.40	.4 192	.9 192	.0808	.1 497
.96	.3 315	.8 315	.1 685	.2 516	1.41	.4 207	.9 207	.0793	.1 476
.97	.3 340	.8 340	.1 660	.2 492	1.42	.4 222	.9 222	.0778	.1 456
.98	.3 365	.8 365	.1 635	.2 468	1.43	.4 236	.9 236	.0764	.1 435
.99	.3 389	.8 389	.1 611	.2 444	1.44	.4 251	.9 251	.0749	.1 415
1.00	.3 413	.8 413	.1 587	.2 420	1.45	.4 265	.9 265	.0735	.1 394
1.01	.3 438	.8 438	.1 562	.2 396	1.46	.4 279	.9 279	.0721	.1 374
1.02	.3 461	.8 461	.1 539	.2 371	1.47	.4 292	.9 292	.0708	.1 354
1.03	.3 485	.8 485	.1 515	.2 347	1.48	.4 306	.9 306	.0694	.1 334
1.04	.3 508	.8 508	.1 492	.2 323	1.49	.4 319	.9 319	.0681	.1 315
1.05	.3 531	.8 531	.1 469	.2 299	1.50	.4 332	.9 332	.0668	.1 295
1.06	.3 554	.8 554	.1 446	.2 275	1.51	.4 345	.9 345	.0655	.1 276
1.07	.3 577	.8 577	.1 423	.2 251	1.52	.4 357	.9 357	.0643	.1 257
1.08	.3 599	.8 599	.1 401	.2 227	1.53	.4 370	.9 370	.0630	.1 238
1.09	.3 621	.8 621	.1 379	.2 203	1.54	.4 382	.9 382	.0618	.1 219
1.10	.3 643	.8 643	.1 357	.2 179	1.55	.4 394	.9 394	.0606	.1 200
1.11	.3 665	.8 665	.1 335	.2 155	1.56	.4 406	.9 406	.0594	.1 182
1.12	.3 686	.8 686	.1 314	.2 131	1.57	.4 418	.9 418	.0582	.1 163
1.13	.3 708	.8 708	.1 292	.2 107	1.58	.4 429	.9 429	.0571	.1 145
1.14	.3 729	.8 729	.1 271	.2 083	1.59	.4 441	.9 441	.0559	.1 127
1.15	.3 749	.8 749	.1 251	.2 059	1.60	.4 452	.9 452	.0548	.1 109
1.16	.3 770	.8 770	.1 230	.2 036	1.61	.4 463	.9 463	.0537	.1 092

Table 4 — (suite)

z	De la moyenne à z	Plus grande portion	Plus petite portion	y	z	De la moyenne à z	Plus grande portion	Plus petite portion	y
1.62	.4 474	.9 474	.0526	.1 074	2.07	.4 808	.9 808	.0192	.0468
1.63	.4 484	.9 484	.0516	.1 057	2.08	.4 812	.9 812	.0188	.0459
1.64	.4 495	.9 495	.0505	.1 040	2.09	.4 817	.9 817	.0183	.0449
1.65	.4 505	.9 505	.0495	.1 023	2.10	.4 821	.9 821	.0179	.0440
1.66	.4 515	.9 515	.0485	.1 006	2.11	.4 826	.9 826	.0174	.0431
1.67	.4 525	.9 525	.0475	.0989	2.12	.4 830	.9 830	.0170	.0422
1.68	.4 535	.9 535	.0465	.0973	2.13	.4 834	.9 834	.0166	.0413
1.69	.4 545	.9 545	.0455	.0957	2.14	.4 838	.9 838	.0162	.0404
1.70	.4 554	.9 554	.0446	.0940	2.15	.4 842	.9 842	.0158	.0396
1.71	.4 564	.9 564	.0436	.0925	2.16	.4 846	.9 846	.0154	.0387
1.72	.4 573	.9 573	.0427	.0909	2.17	.4 850	.9 850	.0150	.0379
1.73	.4 582	.9 582	.0418	.0893	2.18	.4 854	.9 854	.0146	.0371
1.74	.4 591	.9 591	.0409	.0878	2.19	.4 857	.9 857	.0143	.0363
1.75	.4 599	.9 599	.0401	.0863	2.20	.4 861	.9 861	.0139	.0355
1.76	.4 608	.9 608	.0392	.0848	2.21	.4 864	.9 864	.0136	.0347
1.77	.4 616	.9 616	.0384	.0833	2.22	.4 868	.9 868	.0132	.0339
1.78	.4 625	.9 625	.0375	.0818	2.23	.4 871	.9 871	.0129	.0332
1.79	.4 633	.9 633	.0367	.0804	2.24	.4 875	.9 875	.0125	.0325
1.80	.4 641	.9 641	.0359	.0790	2.25	.4 878	.9 878	.0122	.0317
1.81	.4 649	.9 649	.0351	.0775	2.26	.4 881	.9 881	.0119	.0310
1.82	.4 656	.9 656	.0344	.0761	2.27	.4 884	.9 884	.0116	.0303
1.83	.4 664	.9 664	.0336	.0748	2.28	.4 887	.9 887	.0113	.0297
1.84	.4 671	.9 671	.0329	.0734	2.29	.4 890	.9 890	.0110	.0290
1.85	.4 678	.9 678	.0322	.0721	2.30	.4 893	.9 893	.0107	.0283
1.86	.4 686	.9 686	.0314	.0707	2.31	.4 896	.9 896	.0104	.0277
1.87	.4 693	.9 693	.0307	.0694	2.32	.4 898	.9 898	.0102	.0270
1.88	.4 699	.9 699	.0301	.0681	2.33	.4 901	.9 901	.0099	.0264
1.89	.4 706	.9 706	.0294	.0669	2.34	.4 904	.9 904	.0096	.0258
1.90	.4 713	.9 713	.0287	.0656	2.35	.4 906	.9 906	.0094	.0252
1.91	.4 719	.9 719	.0281	.0644	2.36	.4 909	.9 909	.0091	.0246
1.92	.4 726	.9 726	.0274	.0632	2.37	.4 911	.9 911	.0089	.0241
1.93	.4 732	.9 732	.0268	.0620	2.38	.4 913	.9 913	.0087	.0235
1.94	.4 738	.9 738	.0262	.0608	2.39	.4 916	.9 916	.0084	.0229
1.95	.4 744	.9 744	.0256	.0596	2.40	.4 918	.9 918	.0082	.0224
1.96	.4 750	.9 750	.0250	.0584	2.41	.4 920	.9 920	.0080	.0219
1.97	.4 756	.9 756	.0244	.0573	2.42	.4 922	.9 922	.0078	.0213
1.98	.4 761	.9 761	.0239	.0562	2.43	.4 925	.9 925	.0075	.0208
1.99	.4 767	.9 767	.0233	.0551	2.44	.4 927	.9 927	.0073	.0203
2.00	.4 772	.9 772	.0228	.0540	2.45	.4 929	.9 929	.0071	.0198
2.01	.4 778	.9 778	.0222	.0529	2.46	.4 931	.9 931	.0069	.0194
2.02	.4 783	.9 783	.0217	.0519	2.47	.4 932	.9 932	.0068	.0189
2.03	.4 788	.9 788	.0212	.0508	2.48	.4 934	.9 934	.0066	.0184
2.04	.4 793	.9 793	.0207	.0498	2.49	.4 936	.9 936	.0064	.0180
2.05	.4 798	.9 798	.0202	.0488	2.50	.4 938	.9 938	.0062	.0175
2.06	.4 803	.9 803	.0197	.0478	2.51	.4 940	.9 940	.0060	.0171

Table 4 — (suite)

z	De la moyenne à z	Plus grande portion	Plus petite portion	y	z	De la moyenne à z	Plus grande portion	Plus petite portion	y
2.52	.4 941	.9 941	.0059	.0167	2.81	.4 975	.9 975	.0025	.0077
2.53	.4 943	.9 943	.0057	.0163	2.82	.4 976	.9 976	.0024	.0075
2.54	.4 945	.9 945	.0055	.0158	2.83	.4 977	.9 977	.0023	.0073
2.55	.4 946	.9 946	.0054	.0154	2.84	.4 977	.9 977	.0023	.0071
2.56	.4 948	.9 948	.0052	.0151	2.85	.4 978	.9 978	.0022	.0069
2.57	.4 949	.9 949	.0051	.0147	2.86	.4 979	.9 979	.0021	.0067
2.58	.4 951	.9 951	.0049	.0143	2.87	.4 979	.9 979	.0021	.0065
2.59	.4 952	.9 952	.0048	.0139	2.88	.4 980	.9 980	.0020	.0063
2.60	.4 953	.9 953	.0047	.0136	2.89	.4 981	.9 981	.0019	.0061
2.61	.4 955	.9 955	.0045	.0132	2.90	.4 981	.9 981	.0019	.0060
2.62	.4 956	.9 956	.0044	.0129	2.91	.4 982	.9 982	.0018	.0058
2.63	.4 957	.9 957	.0043	.0126	2.92	.4 982	.9 982	.0018	.0056
2.64	.4 959	.9 959	.0041	.0122	2.93	.4 983	.9 983	.0017	.0055
2.65	.4 960	.9 960	.0040	.0119	2.94	.4 984	.9 984	.0016	.0053
2.66	.4 961	.9 961	.0039	.0116	2.95	.4 984	.9 984	.0016	.0051
2.67	.4 962	.9 962	.0038	.0113	2.96	.4 985	.9 985	.0015	.0050
2.68	.4 963	.9 963	.0037	.0110	2.97	.4 985	.9 985	.0015	.0048
2.69	.4 964	.9 964	.0036	.0107	2.98	.4 986	.9 986	.0014	.0047
2.70	.4 965	.9 965	.0035	.0104	2.99	.4 986	.9 986	.0014	.0046
2.71	.4 966	.9 966	.0034	.0101	3.00	.4 987	.9 987	.0013	.0044
2.72	.4 967	.9 967	.0033	.0099	...	...	...	...	...
2.73	.4 968	.9 968	.0032	.0096	3.25	.4 994	.9 994	.0006	.0020
2.74	.4 969	.9 969	.0031	.0093	...	...	...	...	...
2.75	.4 970	.9 970	.0030	.0091	3.50	.4 998	.9 998	.0002	.0009
2.76	.4 971	.9 971	.0029	.0088	...	...	...	...	...
2.77	.4 972	.9 972	.0028	.0086	3.75	.4 999	.9 999	.0001	.0004
2.78	.4 973	.9 973	.0027	.0084	...	...	...	...	...
2.79	.4 974	.9 974	.0026	.0081	4.00	.5000	1.0000	.0000	.0001
2.80	.4 974	.9 974	.0026	.0079					

GLOSSAIRE DES PRINCIPAUX SYMBOLES

A	asymétrie
a_i	paramètre de discrimination de l'item (MRI)
α	lettre grecque *alpha* en minuscule
α	niveau de signification (erreur de type I)
	coefficient de cohérence interne (alpha de Cronbach)
b_i	paramètre de difficulté de l'item (MRI)
β	lettre grecque *bêta* en minuscule
β	erreur de type II
c_i	coefficient de pseudo-chance (MRI)
CCI	courbe caractéristique d'item
χ	lettre grecque *chi* en minuscule
χ^2	chi-carré
D_i	indice de discrimination de Findley
dl	degré de liberté
E	espérance mathématique
e	constante de Neper $\cong 2\ 718$
F	rapport de Fisher (ANOVA)
$f(x)$	fonction de x
ϕ	lettre grecque *phi* en minuscule
ϕ	coefficient de corrélation *phi*
FDI	fonctionnement différentiel d'item
I	Intervalle semi-interquartile
K	kurtose
KR_{20}	coefficient de Kuder-Richardson, formule 20
KR_{21}	coefficient de Kuder-Richardson, formule 21

MRI	modèle de réponse à l'item
m	moyenne de l'échantillon
μ	lettre *mu* grecque minuscule
μ	moyenne de la population
Md	Médiane
N	taille de la population
n	taille de l'échantillon
p_i	coefficient de difficulté
r	corrélation de Pearson (échantillon)
ρ	lettre grecque *rho* en minuscule
ρ	corrélation de Pearson (population)
s	écart type de l'échantillon
σ	lettre grecque *sigma* en minuscule
σ	écart type de la population
s_e	erreur type de l'échantillon
σ_E	erreur type de la population
s^2	variance de l'échantillon
$s_{Y \cdot X}$	erreur type d'estimation
s_E	erreur type de la différence
σ^2	variance de la population
s^2_{XY}	covariance de l'échantillon
σ^2_{XY}	covariance de la population
t	t de Student (comparaison de moyennes)
TCS	théorie classique des scores
θ	lettre grecque *thêta* en minuscule
θ	variable latente du niveau d'habileté (MRI)
X	score ou variable indépendante
$\overline{X}$	Moyenne des valeurs de X
Y	score ou variable dépendante
$\hat{Y}$	valeur prédite de Y
z	score centré réduit ou score standard

Opérateurs

$\lvert a \rvert$	valeur absolue de a
Σ	lettre grecque *sigma* en majuscule
Σ	sommation de toutes les valeurs
Π	lettre grecque *pi* en majuscule
Π	multiplication de toutes les valeurs
$<, \leq$	plus petit, plus petit ou égal
$>, \geq$	plus grand, plus grand ou égal
$\cong$	approximativement égal
$\neq$	différent, inégal
∞	infini

GLOSSAIRE DES TERMES TECHNIQUES ET TRADUCTION ANGLAISE

Français	Anglais
Aléatoire	Random
Analyse en composantes principales	Principal component analysis
Analyse factorielle	Factor Analysis
Apparier	Equate
Asymétrie	Asymetry
Asymétrie	Skewness
Biais	Bias
Bornes culturelles	Cultural reducedness
Carré moyen(CM)	Mean square (MS)
Choix aléatoire	Guessing
Choix au hasard	Guessing
Coefficient d'assurance	Index of dependability
Coefficient de détermination	Coefficient of determination
Coefficient de fidélité	Reliability coefficient
Cohérence de la décision	Decision consistency
Cohérence interne	Internal consistency
Composante de variance	Variance component
Concept hypothétique	Construct
Corrélation tétrachorique	Tetrachoric correlation
Cotation	Scoring
Courbe caractéristique de l'item	Item characteristic curve
Courbe caractéristique du test	Test characteristic curve
Courbe lissée	Smoothed curve

Covariance	Covariance
Critère	Criterion
Degré de liberté	Degree of Freedom
Diagramme en tiges et en feuilles	Stem and leaves histogram
Dichotomique	Dichotomous
Difficulté de l'item	Item difficulty
Dimension	Dimension
Dispositif	Design
Distracteur	Distractor
Distribution binomiale	Binomial distribution
Distribution normale	Normal distribution
Écart type	Standard deviation
Échantillonnage	Sampling
Échantillonnage par grappes	Cluster sampling
Échantillonnage par quota	Quota sampling
Échantillonnage stratifié	Stratified sampling
Échantillonnage systématique	Systematic sampling
Échantillons liés	Matched samples
Échantillons pairés	Matched samples
Échelle de cotation	Rating scale
Échelle de Guttman	Guttman scale
Échelle de rangs	Ordinal scale
Échelle de rapport	Ratio scale
Échelle en stanine	Stanine scale
Échelle nominale	Nominal scale
Échelle ordinale	Ordinal scale
Échelle proportionnelle	Ratio scale
Échelonnage	Scaling
Effectif (se dit surtout des sujets)	Frequency
Effet principal	Main effect
Erreur absolue	Absolute error
Erreur d'estimation	Estimation error
Erreur de mesure	Measurement error
Erreur de type I	Type I error
Erreur de type II	Type II error
Erreur relative	Relative error
Erreur type	Standard error
Erreur type de mesure	Standard error of measurement
Erreur type d'estimation	Standard error of estimate
Estimation du maximum de vraisemblance	Maximum likelihood estimation (MLE)
Étalonnage	Standardization

Étalonner	Standardize
Évaluation	Assessment
Facette	Facet
Fidélité	Reliability
Fonction caractéristique de l'item	Item characteristic function
Fonction d'information	Information function
Fonctionnement différentiel d'item	Differential Item Functioning
Fréquence	Frequency
Fréquence observée	Observed frequency
Fréquence théorique	Expected frequency
Généralisabilité	Generalizability
Graphique de dispersion	Scatterplot
Groupe de référence	Reference group
Groupe focal	Focal group
Incident critique	Critical incident
Indépendance locale	Local independence
Indice	Clue
Indice de difficulté	Difficulty index
Intervalle de confiance	Confidence interval
Intervalle semi-interquartile	Semi-quartile interval
Kurtose	Kurtosis
Leurre	Distractor
Liaison	Linking
Lissage	Smoothing
Matrice des variances-covariances	Variance-covariance matrix
Médiane	Median
Mesure	Measurement
Mesure du changement	Measurement of change
Méthode de bissection	Split-halves method
Méthode des moindres carrés	Least squares method (LSM)
Méthode du graphique Delta	Delta-plot method
Mise en équivalence	Equating
Mise en équivalence équipercentile	Equipercentile equating
Mise en équivalence linéaire	Linear equating
Modèle	Construct
Modèle binomial composite de l'erreur	Compound binomial error model
Modèle binomial de l'erreur	Binomial error model
Modèle de la réponse à l'item (MRI)	Item response model (IRM)
Modèle logistique à 1 paramètre	One-parameter logistic model
Moments	Moments
Monotone	Monotone

Moyenne	Average
Moyenne	Mean
Multidimensionnel	Multidimensional
Nichage	Nesting
Note de césure	Cut score
Paramètre de pseudo-chance	Pseudo-guessing parameter
Pente	Slope
Plan	Design
Polychotomique	Polychotomous
Pourcentage d'accord	Percentage of agreement
Prémisse	Premise
Prétest	Field-test
Puissance statistique	Statistical power
Qualité de l'ajustement	Goodness-of-fit
Question « vrai-faux »	Alternate choice item
Question à choix forcé	Forced-choice item
Question à choix multiple	Multiple-choice item
Question à réponse « vrai-faux »	True-false item
Question à réponse brève	Short-answer item
Question à réponse narrative	Essay item
Question d'appariement	Matching item
Question de performance	Performance item
Question fermée	Constructed-response item
Rang percentile	Percentile rank
Répartition de la variance	Partition of the variance
Réponse contrainte	Restricted response
Réponse étendue	Extended response
Résidu	Residual
Saturation factorielle	Factor loading
Score brut	Raw score
Score composite	Composite score
Score d'échelle	Scaled score
Score en niveau d'âge	Age-equivalent score
Score en niveau scolaire	Grade-equivalent score
Score pondéré	Weighted score
Score seuil	Cut score
Score vrai	True score
Score z normalisé	Normalized z-score
Somme des carrés(SC)	Sum of squares(SS)
Sous-score	Subscore
Spécification d'un test	Test specification

Standard	Standard
Standardiser	Standardize
Stanine	Stanine
Statistiques inférentielles	Inferential statistics
Taxonomie	Taxonomy
Test critérié	Criterion-referenced test
Test culturellement équitable	Culture-fair test
Test d'acquisition(s)	Achievement test
Test d'ancrage	Anchor test
Test d'aptitude	Aptitude test
Test de connaissances	Achievement test
Test de maîtrise	Mastery test
Test gradué	Scaled test
Test normé	Norm-referenced test
Test standardisé	Standardized test
Testing	Testing
Testing adaptatif	Adaptive testing
Testing sur mesure	Tailored testing
Tests parallèles	Parallel tests
Théorie des traits latents	Latent trait theory
Traduction bidirectionnelle	Backward translation
Traduction unidirectionnelle	Forward translation
Trait latent (θ)	Latent trait (θ)
Unidimensionnel	Unidimensional
Valeur attendue	Expected value
Valeur théorique	Expected value
Validité	Validity
Validité conceptuelle	Construct validity
Validité concomitante	Concurrent validity
Validité convergente	Convergent validity
Validité critérielle	Criterion validity
Validité de conséquence	Consequential validity
Validité de contenu	Content validity
Validité liée à un critère	Criterion validity
Validité prédictive	Predictive validity
Validité théorique	Construct validity
Variance	Variance
Variance d'erreur	Error variance

GLOSSAIRE DES TERMES TECHNIQUES ET TRADUCTION FRANÇAISE

Anglais	Français
Absolute error	*Erreur absolue*
Achievement test	*Test d'acquisition(s)*
Achievement test	*Test de connaissances*
Adaptive testing	*Testing adaptatif*
Age-equivalent score	*Score en niveau d'âge*
Alternate choice item	*Question « vrai-faux »*
Anchor test	*Test d'ancrage*
Aptitude test	*Test d'aptitude*
Assessment	*Évaluation*
Asymetry	*Asymétrie*
Average	*moyenne*
Backward translation	*Traduction unidirectionnelle*
Bias	*Biais*
Binomial distribution	*Distribution binomiale*
Binomial error model	*Modèle binomial de l'erreur*
Clue	*Indice*
Cluster sampling	*Échantillonnage par grappes*
Coefficient of determination	*Coefficient de détermination*
Composite score	*Score composite*
Compound binomial error model	*Modèle binomial composite de l'erreur*
Concurrent validity	*Validité concomitante*
Confidence interval	*Intervalle de confiance*
Consequential validity	*Validité de conséquence*

Construct	*Modèle*
Construct	*Concept hypothétique*
Construct validity	*Validité théorique*
Construct validity	*Validité conceptuelle*
Constructed-response item	*Question fermée*
Content validity	*Validité de contenu*
Convergent validity	*Validité convergente*
Covariance	*Covariance*
Criterion	*Critère*
Criterion validity	*Validité liée à un critère*
Criterion validity	*Validité critérielle*
Criterion-referenced test	*Test critérié*
Critical incident	*Incident critique*
Cultural reducedness	*Bornes culturelles*
Culture-fair test	*Test culturellement équitable*
Cut score	*Score seuil*
Cut score	*Note de césure*
Decision consistency	*Cohérence de la décision*
Degree of freedom	*Degré de liberté*
Delta-plot method	*Méthode du graphique Delta*
Design	*Dispositif*
Design	*Plan*
Dichotomous	*Dichotomique*
Differential Item Functioning	*Fonctionnement différentiel d'item*
Difficulty index	*Indice de difficulté*
Dimension	*Dimension*
Distractor	*Distracteur*
Distractor	*Leurre*
Equate	*Apparier*
Equating	*Mise en équivalence*
Equipercentile equating	*Mise en équivalence équipercentile*
Error variance	*Variance d'erreur*
Essay item	*Question à réponse narrative*
Estimation error	*Erreur d'estimation*
Expected frequency	*Fréquence théorique*
Expected value	*Valeur théorique*
Expected value	*Valeur attendue*
Extended response	*Réponse étendue*
Facet	*Facette*
Factor Analysis	*Analyse factorielle*
Factor loading	*Saturation factorielle*

Field-test	*Prétest*
Focal group	*Groupe focal*
Forced-choice item	*Question à choix forcé*
Forward translation	*Traduction unidirectionnelle*
Frequency	*Effectif (se dit surtout des sujets)*
Frequency	*Fréquence*
Generalizability	*Généralisabilité*
Goodness-of-fit	*Qualité de l'ajustement*
Grade-equivalent score	*Score en niveau scolaire*
Guessing	*Choix au hasard*
Guessing	*Choix aléatoire*
Guttman scale	*Échelle de Guttman*
Index of dependability	*Coefficient d'assurance*
Inferential statistics	*Statistiques inférentielles*
Information function	*Fonction d'information*
Internal consistency	*Cohérence interne*
Item characteristic curve	*Courbe caractéristique de l'item*
Item characteristic function	*Fonction caractéristique de l'item*
Item difficulty	*Difficulté de l'item*
Item response model (IRM)	*Modèle de la réponse à l'item*
Kurtosis	*Kurtose*
Latent trait (θ)	*Trait latent(θ)*
Latent trait theory	*Théorie des traits latents*
Least squares method (LSM)	*Méthode des moindres carrés*
Linear equating	*Mise en équivalence linéaire*
Linking	*Liaison*
Local independence	*Indépendance locale*
Main effect	*Effet principal*
Mastery test	*Test de maîtrise*
Matched samples	*Échantillons pairés*
Matched samples	*Échantillons liés*
Matching item	*Question d'appariement*
Maximum likelihood estimation (MLE)	*Estimation du maximum de vraisemblance*
Mean	*Moyenne*
Mean square (MS)	*Carré moyen(CM)*
Measurement	*Mesure*
Measurement error	*Erreur de mesure*
Measurement of change	*Mesure du changement*
Median	*Médiane*
Moments	*Moments*
Monotone	*Monotone*

Multidimensional	*Multidimensionnel*
Multiple-choice item	*Question à choix multiple*
Nesting	*Nichage*
Nominal scale	*Échelle nominale*
Normal distribution	*Distribution normale*
Normalized z-score	*Score z normalisé*
Norm-referenced test	*Test normé*
Observed frequency	*Fréquence observée*
One-parameter logistic model	*Modèle logistique à 1 paramètre*
Ordinal scale	*Échelle ordinale*
Ordinal scale	*Échelle de rangs*
Parallel tests	*Tests parallèles*
Partition of the variance	*Répartition de la variance*
Percentage of agreement	*Pourcentage d'accord*
Percentile rank	*Rang percentile*
Performance item	*Question de performance*
Polychotomous	*Polychotomique*
Predictive validity	*Validité prédictive*
Premise	*Prémisse*
Principal component analysis	*Analyse en composantes principales*
Pseudo-guessing parameter	*Paramètre de pseudo-chance*
Quota sampling	*Échantillonnage par quota*
Random	*Aléatoire*
Rating scale	*Échelle de cotation*
Ratio scale	*Échelle de rapport*
Ratio scale	*Échelle proportionnelle*
Raw score	*Score brut*
Reference group	*Groupe de référence*
Relative error	*Erreur relative*
Reliability	*Fidélité*
Reliability coefficient	*Coefficient de fidélité*
Residual	*Résidu*
Restricted response	*Réponse contrainte*
Sampling	*Échantillonnage*
Scaled score	*Score d'échelle*
Scaled test	*Test gradué*
Scaling	*Échelonnage*
Scatterplot	*Graphique de dispersion*
Scoring	*Cotation*
Short-answer item	*Question à réponse brève*
Semi-quartile interval	*Intervalle semi-interquartile*

Skewness	*Asymétrie*
Slope	*Pente*
Smoothed curve	*Courbe lissée*
Smoothing	*Lissage*
Split-halves method	*Méthode de bissection*
Standard	*Standard*
Standard deviation	*Écart type*
Standard error	*Erreur type*
Standard error of estimate	*Erreur type d'estimation*
Standard error of measurement	*Erreur type de mesure*
Standardization	*Étalonnage*
Standardize	*Standardiser*
Standardize	*Étalonner*
Standardized test	*Test standardisé*
Stanine	*Stanine*
Stanine scale	*Échelle en stanine*
Statistical power	*Puissance statistique*
Stem and leaves histogram	*Diagramme en tiges et en feuilles*
Stratified sampling	*Échantillonnage stratifié*
Subscore	*Sous-score*
Sum of squares(SS)	*Somme des carrés(SC)*
Systematic sampling	*Échantillonnage systématique*
Tailored testing	*Testing sur mesure*
Taxonomy	*Taxonomie*
Test characteristic curve	*Courbe caractéristique du test*
Test specification	*Spécification d'un test*
Testing	*Testing*
Tetrachoric correlation	*Corrélation tétrachorique*
True score	*Score vrai*
True-false item	*Question à réponse « vrai-faux »*
Type I error	*Erreur de type I*
Type II error	*Erreur de type II*
Unidimensional	*Unidimensionnel*
Validity	*Validité*
Variance	*Variance*
Variance component	*Composante de variance*
Variance-covariance matrix	*Matrice des variances-covariances*
Weighted score	*Score pondéré*

RÉFÉRENCES

Adams, R.J, Wu, M.L, and Wilson, M.R. (2 012). *ACER ConQuest 3.0.1.* Camberwell, Australia : Australian Council for Educational Research.

Allalouf, A., Hambleton, R.K. & Sireci, S.G. (1 999). Identifying the causes of DIF in translated verbal items. *Journal of Educational Mesasurement* (in print).

American Educational Research Association, American Psychological Association, National Council on Measurement in Education (1999). *Standards for educational and psychological testing.* Washington, DC : American Educational Research Association.

American Psychiatric Association (1994). *Diagnostic and statistical manual of mental disorders. DSM-IV.* Washington, DC : American Psychiatric Association.

American Psychological Association (1954). *Technical recommendations for psychological tests and diagnostic techniques.* Washington, DC : American Psychological Association.

American Psychological Association. (2001). *Publication Manual of the American Psychological Association, (5th Ed.).* Washington: auteur.

Anastasi, A. (1982). *Psychological testing (5th ed.).* New York : McMillan.

Anderson, L. W. & Krathwohl, D. R. (éd.). (2001). *A taxonomy for learning, teaching, and assessing: A revision of Bloom's Taxonomy of Educational Objectives.* New York : Longman.

Andrich, D., Sheridan, B. & Luo, G. (2012). *RUMM2030 : Rasch unidimensional models for measurement.* Perth, Australia: RUMM Laboratory.

Angoff, W.H. (1971). Scales, normes and equivalent scores. In R.L.Thorndike, *Educational measurement.* Washington : American Council on Education.

Angoff, W.H. (1988). Validity: An evolving concept. In H. Wainer & H.I. Braun, *Test validity.* Hillsdale, NJ: Lawrence Erlbaum.

Angoff, W.H. (1993). Perspectives on differential item functioning methodology. In P. Holland & H. Wainer (Eds). *Differential item functioning.* Hillsdale, NJ: Lawrence Erlbaum Associates.

Assessment Systems Corporation. (1992). *Rascal, version 3.5.* St. Paul, MN : Assessment Systems Corporation.

Auger, R. (1989). *Étude sur la praticabilité du testing adaptatif de maîtrise des apprentissages scolaires au Québec.* Thèse de doctorat présentée à l'Université du Québec à Montréal.

Auger, R. & Laveault, D. (1991). Le logiciel Micro CAT : points de vue critique en regard de sa praticabilité pour différentes clientèles. *Mesure et évaluation en éducation, 14(3),* 23-41.

Barker, D. & Ebel, R.L. (1981). A comparison of difficulty and discrimination values of selected true-false item types. *Contemporary Educational Psychology, 7,* 35-40.

Beller, M., Gafni, N. & Hanani, P. (1999). *Constructing, adapting, and validating admissions tests in multiple languages.* Washington, D.C. : Paper presented at the *International Conference on Test Adaptation,* Georgetown University Conference Center.

Bentler, P.M. (1989). *EQS, Structural Equations, Program Manual, Program Version 3.0.* Los Angeles : BMDP Statistical Software

Beuchert, A.K. & Mendoza, J.L. (1979). A Monte Carlo comparison of ten item discrimination indices. *Journal of Educational Measurement, 16,* 109-118.

Birnbaum, A. (1968). Somme latent trait models and their use in inferring an examinee's ability. In F.M. Lord & M.R.Novick, *Statistical theories of mental tets scores.* Reading, MA : Addison-Wesley.

Bloom, B.S. (1984). The search for methods of group instruction as effective as one-to-one tutoring. *Educational Leadership,* (5), 4-17.

Bloom, Engelhart, Furst, Hill, & Krathwohl, (1956). *Taxonomy of educational objectives: Handbook I, cognitive domaine.* New York : D. McKay.

Bloom, B. S., Hasting, J. T., & Madaus, G. F. (1971). *Handbook on formative and summative evaluation of student learning.* New York : McGraw-Hill.

Brennan, R.L. (1972). A generalized upper-lower item discrimination index. *Educational and Psychological Measurement, 32,* 289-303.

Burton, E. & Linn, R.L. (1994). *Comparability Across Assessments: Lessons From the Use of Moderation Procedures in England.* Los Angeles, CA : National Center for Research on Evaluation, Standards, and Student Testing (CRESST).

Byrne, B.M. (1989). *A primer of LISREL: Basic applications and programming for confirmatory factor analytic models.* New York : Springer.

Byrne, B.M. (1994). *Structural equation modelling with EQS and EQS/Windows: Basic concepts, applications and programming.* Thousand Oaks, CA : Sage.

Byrne, B.M. (2006). *Structural Equation Modeling with EQS: Basic applications and programming* (2nd ed.). Mahwah, NJ: Erlbaum.

Byrne, B.M., Shavelson, R.J. & Muthén, B. (1989). Testing for the equivalence of factor covariance and mean structures : The issue of partial measurement invariance. *Psychological Bulletin, 105,* 456-466.

Camilli, G. & Shepard, L.A. (1994). *Methods for identifying biased test items.* London : Sage.

Campbell, D.T. & Fiske, D.W. (1959). Convergent and discriminant validation by the multitrait-multimethod matrix. *Psychological Bulletin, 56*, 81-105.

Cardinet, J. & Tourneur, Y. (1985). *Assurer la mesure*. Berne : Peter Lang.

Cardinet, J., Johnson, S. & Pini, G. (2010). *Applying Generalizability Theory using EduG*. New York : Taylor & Francis.

Carlson, R. D. (1993-1994). Computer adaptaive testing: a shift in the evaluation paradigm. *Journal of Educational Technology Systems. 22(3)*, 213-224.

Carroll, J. B. (1993). *Human cognitive abilities*. Cambridge : Cambridge University Press.

Cattell, R.B. (1944). Psychological measurement, normative, ipsative, interactive. *Psychological Review, 51*, 292-303.

Cole, N.C. & Moss, P.A. (1989). Bias in test use. In R. Linn (Éd.). *Educational Measurement*. New York : American Council on Education & Macmillan.

Coltheart, M., Rastle K, Perry, C., Langdon, R., Ziegler, J. D. (2001). A dual route cascaded model of visual word recognition and reading aloud. *Psychological Review, 108*, 204-256.

Cortina, J.M. (1993). What is coefficient alpha ? An examination of theory and applications. *Journal of Applied Psychology, 78*(1), 98-104.

Cox, R.C. & Vargas, J.S. (1966). *A comparison of item selection techniques for norm-referenced and criterion-referenced tests*. Paper presented at the annual meeting of the National Council on Measurement in Education.

Crocker, L. & Algina, J. (1986). *Introduction to classical and modern test theory*. New York : Holt, Rinehart and Winston.

Cronbach, L.J. (1951). Coefficient alpha and the internal structure of tests. *Psychometrika, 16*, 297-234.

Cronbach, L.J. & Meehl, P.E. (1955). Construct validity in psychological tests. *Psychological Bulletin, 52*, 281-302.

Cronbach, L.J. & Shavelson, R.J. (2004). My current thoughts on coefficient alpha and successor procedures. *Educational and Psychological Measurement, 64*, 391-418.

Cronbach, L.J., Gleser, G.C. & Rajaratnam, N. (1963). Theory of generalizability. A liberalization of reliability theory. *British Journal of Mathematical and Statistical Psychology, 16*, 137-173.

Cronbach, L.J., Gleser, G.C., Nanda, H., & Rajaratnam, N. (1972). The dependability of behavioral measurements. New York : John Wiley.

Dane, F.C. (1990). *Research methods*. Pacific Grove, CA: Brooks/Cole.

DeAyala, R.J. (1992). The influence of dimensionality on CAT abilitiy estimation. *Educational and Psychological Measurement, 52(3)*, 513-528.

de Landsheere, V. (1988). *Faire réussir, faire échouer. La compétence minimale et son évaluation*. Paris : PUF.

de Partz, M.-P. (1994).L'évaluation de la lecture en neuropsychologie. In J. Grégoire & B. Piérart, *Évaluer les troubles de la lecture* (pp. 51-63). Bruxelles : De Boeck.

Dechef, H. & Laveault, D. (1993). Étude du fonctionnement différentiel des items à l'aide des méthodes du khi carré, de Mantel-Haenszel et logit. *Mesure et Évaluation en Éducation, 16*, 5-28.

Dechef, H. et Laveault, D. (1999). Le testing adaptatif sur ordinateur. *Psychologie et psychométrie, 20(2/3),* 151-179.

Deltour, J.-J. (1973). L'adaptation du WPPSI pour la Wallonie. *Bulletin de la FCPL,* 156-178.

Deno, S.L. & Jenkins, J.R. (1969). On the « behaviorality » of behavioral objectives. *Psychology in the school, 69,* 18-24.

Dorans, N.J. (1989). Two new approaches to assessing differential item functioning: Standardization and the Mantel-Haenszel. *Applied Psychological Measurement, 2,* 217-233.

Ebel, R.L. (1956). Obtaining and reporting evidence on content validity, *Educational and Psychological Measurement, 16,* 269-282.

Ebel, R.L. (1965). *Measuring educational achievement.* Englewood Cliffs, N.J. : Prentice-Hall.

Ebel, R.L. & Frisbie, D.A. (1991). *Essential of educational measurement.* Englewood Cliffs, NJ: Prentice Hall.

Englehart, M.D. (1965). A comparison of several item discrimination indices. *Journal of Educational Measurement, 2,* 69-76.

Ercikan, K. (1999, April). *Translation DIF in TIMSS.* Paper presented at the Annual Meeting of the National Council of Measurement in Education, Montreal, Canada.

Exner, J.E. (1974). *The Rorschach: A comprensive system.* New York : Wiley.

Exner, J.E. & Exner, D.E. (1972). How clinicians use the Rorschach. *Journal of Personnality Assessment, 36,* 403-408.

Felt, L.S. (1984). Some relationships between the binomial error model and classical test theory. *Educational and Psychological Measurement, 44,* 883-891.

Felt, L.S., Steffen, M. & Gupta, N.C. (1985). A comparison of five methods for estimating the standard error of measurement at specific score level. *Applied Psychological Measurement, 9,* 351-361.

Findley, W. G. (1956). A rationale for evaluation of item discrimination statistics. *Educational and Psychological Measurement, 16,* 175-180.

Flanagan, J.C. (1954). The critical incident technique. *Psychological Bulletin Psychology, 51,* 327-358.

Flaugher, R.L. (1978). The many definitions of test bias. *American Psychologist, 33,* 671-679.

Flynn, J.R. (1987). Massive gain in 14 nations : What IQ tests really measure. *Psychological Bulletin, 101,* 171-191.

Fraser, C. & McDonald, R.P. (1988). NOHARM : Least squares item factor analysis. *Multivariate Behavioral Research, 25,* 267-269.

Gallup, G. (1947). The quintamentional plan of question design. *Public Opinion Quarterly, 11,* 385-393.

Glutting, J.J., McDermott, P.A. & Stanley, J.C. (1987). Resolving differences among methods of establishing confidence limits for test scores. *Educational and Psychological Measurement, 47,* 607-614.

Goldstein, H. & Wood, R. (1989). Five decades of response modeling. *British Journal of Mathematical and Statistical Psychology, 42,* 139-167.

Gordon, L.V. (1951). Validities of the forced-choice and questionnaire methods of personnality measurement. *Journal of Applied Psychology, 35*, 407-412.

Gorsuch, R.L. (1983). *Factor analysis*. Philadelphia: Saunders.

Green, S.B., Lissitz, R.W. & Mulaik, S.A. (1977). Limitations of coefficient alpha as an index of test unidimensionality. *Educational and Psychological Measurement, 37*, 827-838.

Green, D.R. (1997). Consequential aspects of the validity of achievement tests : A publisher's point of vieuw. *Educational Measurement : Issues and practice, 17*, 16-19.

Grégoire, J. (1992). *Évaluer l'intelligence de l'enfant*. Liège : Mardaga.

Grégoire, J. (1995). Application de la méthode de Mantel-Haenszel à l'analyse du fonctionnement différentiel des items du K-ABC entre filles et garçons. *Revue Européenne de Psychologie Appliquée, 45*(2), 111-119

Grégoire, J. (2000). *L'évaluation clinique de l'intelligence de l'enfant*. Sprimont : Mardaga.

Grégoire, J. (2009). *L'examen clinique de l'intelligence de l'enfant* (2e édition revue et complétée). Liège : Mardaga.

Grégoire, J., Penhouet, C. & Boy, Th. (1996). L'adaptation française de l'échelle de Wechsler pour enfants, version III. *L'Orientation Scolaire et Professionnelle, 25*(4), 489-506.

Gronlund, N.E. (1991). *How to construct achievement tests*. Needham Heights, MA: Allyn and Bacon.

Gulliksen, H. (1950). *Theory of mental tests*. New York : Wiley.

Guttman, L. (1945). A basis for analyzing test-retest reliability. *Psychometrika, 10*, 255-282.

Guttman, L. (1950). The basis for scalogram analysis. In S.A. Stouffer (Ed.), *Measurement and prediction*. New York : Wiley .

Guttman, L. (1969). Integration of test design and analysis. In S.A. Stouffer (Ed.), *Measurement and prediction*. Princeton, NJ : Princeton University Press.

Guyer, R., & Thompson, N.A. (2011). *User's Manual for Xcalibre item response theory calibration software, version 4.1.3*. St. Paul MN : Assessment Systems Corporation.

Hadji, C. (2012). *Faut-il avoir peur de l'évaluation ?* Bruxelles, De Boeck.

Haladyna, T.M. (2004). *Developing and Validating Multiple-Choice Test Items, 3rd Edition*. Mahwah, New Jersey: Lawrence Erlbaum.

Hambleton, R.K. (1980). Test score validity and standard setting methods. In R.A. Berk (Ed.). *Criterion-referenced measurement: The state of the art*. Baltimore : Johns Hopkins University Press.

Hambleton, R.K. (1994a). Guidelines for adapting educational and psychological tests : A progress report. *European Journal of Psychological Assessment, 10*(3), 229-244.

Hambleton, R.K. (1994b). Item response theory: a broad psychometric framework for measurement advances. *Psicothema, 6,* 535-556.

Hambleton, R.K. (1999). *Issues, designs, and technical guidelines for adapting tests in multiple languages and cultures*. Washington, D.C. : Paper presented at the

International Conference on Test Adaptation, Georgetown University Conference Center.

Hambleton, R.K. & Jones, R. (1994). Comparison of empirical and judgemental procedures for detecting differential item functioning. *Educational Research Quarterly*, *18*(1), 21-36.

Hambleton, R.K. & Murray, L.N. (1983). Some goodness of fit investigations for item response models. In R.K. Hambleton (Ed.), *Applications of item response theory*. Vancouver, BC : Educational Research Institute of British Columbia.

Hambleton, R.K. & Rogers, H.J. (1989). Detecting potentially biaised test items: comparaison of IRT area and Mantel-Haenszel methods. *Applied Measurement in Education*, *2*, 313-334.

Hambleton, R. K., & Rovinelli, R. J. (1986). Assessing the dimensionality of a set of test items. *Applied Psychological Measurement, 10*, 287-302

Hambleton, R.K. & Swaminathan, H. (1985). *Item response theory: Principles and applications*. Dordrecht, the Netherlands: Kluwer.

Hambleton, R.K., Clauser, B.E., Mazor, K.M. & Jones, R.W. (1993). Advances in detection of differentially functioning test items. *European Journal of Psychological Assessment, 9*, 1-18.

Hambleton, R.K., Sireci, S.G. & Robin, F. (1999). *Adapting credentialing exams for use in multiple languages*. CLEAR Exam Review.

Hambleton, R.K., Swaminathan, H. & Rogers, H.J. (1991). *Fundamentals of item response theory*. Newbury Park, CA : Sage.

Harris, C.W. & Pearlman, A.P. (1977). Conventional significance tests and indices of agreement or association. In C.W. Harris, A.P. Pearlman, and R.R. Wilcox (Eds). *Achievement test items – Methods of study*. (CSE monograph serie in evaluation, no. 6). Los Angeles : Center for the Study of Evaluation, University of California.

Harnisch, D. L., & Linn, R. L. (1981). Analysis of item response patterns: Questionable test data and dissimilar curriculum practices. *Journal of Educational Measurement, 18*, 133-146.

Harrow, A.J. (Ed.). (1972). *A taxonomy of the psychomotor domain*. New York : D. McKay.

Hattie, J. (1985). Assessing Unidimensionality of tests and items. *Applied Psychological Measurement, 9*, 139-164.

Hattie, J., Krakowski, K., Rogers, H.J. & Swaminathan, H. (1996). An assessment of Stout's index of essential unidimensionality. *Applied Psychological Measurement, 20*, 1-14.

Haynes, S.N., Richard, D.C.S., Kubany & E.S.(1995). Content validity in psychological assessment: A functional approach to concepts and methods. *Psychological Assessment, 7*, 238-247.

Hicks, L.E. (1970). Some properties of ipsative, normative, and forced-choice normative measures. *Psychological Bulletin, 74*, 167-184.

Holland, P.W. & Thayer, D.T. (1988). Differential item performance and the Mantel-Haenszel procedure. In H. Wainer & H. Braun (Eds). *Test Validity*. Hillsdale, NJ: Lawrence Erlbaum Associates.

Horn, J.L. & Noll, J. (1997). Human cognitive capabilities: Gf-Gc theory. In D.P. Flanagan, J.L.Genshaft & P.L.Harrison (Eds), *Contemporary intellectual assessment*. New York : Guilford Press.

Hotelling, H. & Pabst, M.R. (1936). Rank correlation and tests of significance involving no assumption of normality. *Ann. Math. Statist.*, *7*, 29-43.

Howell, D.C. (2008). *Méthodes statistiques en sciences humaines*. [Traduction de la 6ᵉ édition américaine]. Bruxelles : De Boeck.

Hoyt, C.J. (1941). Test reliability estimated by analysis of variance. *Psychometrika*, *6*, 153-160.

Hu, L. & Bentler, P. M. (1999). Cutoff criteria for fit indexes in covariance structure analysis: Conventional criteria versus new alternatives. *Structural Equation Modeling, 6*, 1-55

Hulin, C.L., Lissak, R.I. & Drasgow, F. (1982). Recovery of two- and three-parameter logistic item characteristic curves: a Monte Carlo study. *Applied Psychological Measurement, 6*, 249-260.

Hunt, S.M. & McKenna, S.P. (1992). The QLDS: A scale for measurement of quality of life in depression. *Health Policy, 22*, 307-319.

International Test Commission (2010). *International Test Commission Guidelines for Translating and Adapting Tests*. [http://www.intestcom.org]

Jaeger, R.M. (1989). Certification of student competence. In R. Linn (Ed.) *Educational measurement*. New York : American Council on Education/MacMillan.

Jöreskog, K.G. (1971). Simultaneous factor analysis in several populations. *Psychometrika, 36*(4), 183-202.

Jöreskog, K.G., & Sörbom, D. (1993). *LISREL 8 user's reference guide*. Chicago : Scientific Software International.

Jöreskog, Karl G & Sörbom, Dag (1996). *LISREL 8 User's Reference Guide*. Scientific Software International.

Kane, M. (1994). Validating the performance standards associated with passing scores. *Review of Educational Research, 64*, 425-461.

Kaufman, A.S. (1975). Factor analysis fo the WISC-R at 11 age levels between 6 1/2 and 16 1/2. *Journal of Consulting and Clinical Psychology, 43*, 135-147.

Kaufman, A.S. & Kaufman, N.L. (2008). *KABC-II. Batterie pour l'examen psychologique de l'enfant, 2ᵉ édition*. Paris : Éditions du Centre de Psychologie Appliquée.

Keats, J.A. (1957). Estimation of error variances of test scores. *Psychometrika, 22*, 29-41.

Keats, J.A. & Lord, F.M. (1962). A theoretical distribution for mental test scores. *Psychometrika, 27*, 215-231.

Kelley, T.L. (1939). Selection of upper and lower groups for the validation of test items. *Journal of Educational Psychology, 30*, 17-24.

Kendall, M.G. (1938). A new measure of rank correlation. *Biometrika, 30*, 81-93.

Kendall, M.G. (1948). *Rank correlation methods*. London : Griffin.

Klein, S.P. & Kosecoff, J.P. (1975). *Determining how well a test measures your objectives*. (CSE Report No. 94). Los Angeles : Center for the Study of Evaluation, University of California.

Klopfer, W.G. & Taulbee, E.S. (1976). Projective tests. *Annual Review of Psychology,* *27*, 543-567.

Krathwohl, Bloom, & Masia (1964). *Taxonomy of educational objectives: Handbook II, affective domaine.* New York : D. McKay.

Kuder, G.F. & Richardson, M.W. (1937). The theory of the estimation of test reliability. *Psychometrika*, 2, 151-160.

Kurtz, A.K. & Mayo, S.T. (1979). *Statistical methods in education and psychology.* New York : Springer-Verlag.

Laveault, D. & Grégoire, J. (1997). *Introduction aux théories des tests en sciences humaines.* Bruxelles : De Boeck Université.

Leclercq, D. (1986). *La conception des questions à choix multiple.* Bruxelles : Labor.

Lee, R., Miller, K.J. & Graham, W.K. (1982). Corrections for restriction of range and attenuation in criterion-related validation studies. *Journal of Applied Psychology, 67*, 637-639.

Legendre, R. (1993). *Dictionnaire actuel de l'éducation* (2ᵉ édition). Montréal : Guérin.

Likert, R. (1932). A technique for the measurement of attitudes. *Archives of Psychology (*140), 1-55.

Livingstone, S.A. & Zieky, M.J. (1982). *Passing scores : A manual for setting standards on educational and occupational tests.* Princeton : Educational Testing Service.

Lord, F. M. (1977). Practical applications of item characteristic curve theory. *Journal of Educational Measurement, 14*, 117-138.

Lord, F.M. (1953a). An application of confidence intervals and maximum likelihood to the estimation of an examinee's ability. *Psychometrika, 18*, 57-75.

Lord, F.M. (1953b). The relation of test score to the trait underlying the test. *Educational and Psychological Measurement, 13*, 517-548.

Lord, F.M. (1953c). On the statistical treatment of numbers. *American Psychologist, 8*, 750-751.

Lord, F.M. (1955). Estimating test reliability. *Educational and Psychological Measurement, 15*, 325-326.

Lord, F.M. (1959). Test norms and sampling theory. *Journal of Experimental Education, 27*, 247-263.

Lord, F.M. (1965). A strong true-score theory with application. *Psychometrika, 30*, 239-270.

Lord, F.M. (1980). *Application of item response theory to practical testing problems.* Hillsdale, NJ: Lawrence Erlbaum.

Lord, F.M. & Novick, M.R. (1968). *Statistical theories of mental test scores.* Reading, Mass. : Addison-Wesley.

Lunz, M.E., Bergstrom, A. & Wright, B.D. (1992). The effect of review on student ability and test efficiency for computerized adaptive tests. *Applied Psychological Measurement, 16(1)*, 33-40.

Magnusson, D. (1967). *Test theory.* Boston : Addison-Wesley.

Matalon, B. (1965). *L'analyse hiérarchique.* Paris : Gauthier-Villars.

Mazor, K.M., Clauser, B.E. & Hambleton, R.K. (1992). The effect of sample size on the functioning of the Mantel-Haenszel statistic. *Educational and Psychological Measurement, 52,* 443-451.

McDonald, R. (1981). The dimensionality of tests and items. *British Journal of Mathematical and Statistical Psychology, 34,* 100-117.

Messick, S. (1988). The once and the future issues of validity: Assessing the meaning and consequences of measurement. In H. Wainer & H.I. Braun, *Test validity.* Hillsdale, NJ: Lawrence Erlbaum.

Messick, S. (1989). Validity. In R.L.Linn, *Educational measurement.* Washington : American Council on Education/McMillan.

Messick, S. (1995). Validity of psychological assessment. *American Psychologist, 50,* 741-749.

Ministère de l'éducation, du loisir et du sport (2011). *Sanction des études.* Québec : Gouvernement du Québec : MELS.

Morris, C.N. (1982). On the foundation of test equating. In P.W. Holland & D.B. Rubin (Eds) *Test equating.* New York : Academic Press.

Mousty, Ph., Leybaert, J., Alégria, J. Deltour. J.-J. & Skinkel, R. (1994). BELEC, une batterie d'évaluation du langage écrit et de ses troubles. In J. Grégoire & B. Piérart, *Évaluer les troubles de la lecture* (pp. 127-145). Bruxelles : De Boeck.

Nandakumar, R. (1993). Assessing essential unidimensionality of real data. *Applied Psychological Measurement, 17,* 29-38.

Nandakumar, R., Glutting, J.J. & Oakland, T. (1993). Mantel-Haenszel methodology for detecting item bias. *Journal of Psychoeducational Assessment,* 11, 108-119.

Nandakumar, R., Yu, F., Li, Hsin-Hung & Stout, W. (1998). Assessing unidimensionality of polytomous data. *Applied Psychological Measurement, 22,* 99-115.

Nedelsky, L. (1954). Absolute grading standards for objective tests. *Educational and Psychological Measurement, 14,* 3-19.

Nunnaly, J.C. & Bernstein, I.H. (1994). *Psychometric theory (3rd edition).* New York : McGraw-Hill.

Oosterhof, A.C. (1976). Similarity of various item discrimination indices. *Journal of Educational Measurement, 13,* 145-150.

Osterlind, S.J. (1989). *Test item bias.* Newbury Park, CA : Sage.

Penta, M., Arnould, C. & Decruynaere, C. (2005). *Développer et interpréter une échelle de mesure. Application du modèle de Rasch.* Sprimont : Mardaga.

Petersen, N.S., Kolen, M.J. & Hoover, H.D. (1988). Scaling, norming and equating. In R.L. Linn, *Educational measurement..* New York : American Council on Education/MacMillan.

Popham, W.J. (1980). Domain specification strategies. In R. A. Berk (Ed.). *Criterion-referenced measurement, the state of the art.* Baltimore : The John Hopkins University Press, pp. 15-31.

Ramsay, J. (1991). Kernel smoothing approaches to non parametric item characteristic curve estimation. *Psychometrika, 56,* 611-630.

Ramsay, J. (1993). *Tesgraf. A program for graphical analysis of multiple choice test and questionnaire data.* Montréal : McGill University.

Reckase, M.D. (1997a). Consequential validity from the test developer's perspective. *Educational Measurement : Issues and practice, 17,* 13-16.

Reckase, M.D. (1997b). The past and future of multidimensional item response theory. *Applied Psychological Measurement, 21,* 25-36.

Reckase, M. (2009). Multidimensional Item Response Theory. New York : Springer.

Reckase, M.D., Ackerman, T.A. & Carlson, J.E. (1988). Building a unidimensional test using multidimensional items. *Journal of Educational Measurement, 25,* 193-203.

Reschly, D.J. (1978). WISC-R factor structures among anglos, blacks, chicanos and native-american papagos. *Journal of Consulting and Clinical Psychology, 46,* 417-422.

Roid, G.H. & Haladyna, T.M. (1982). *A technology for test-item writing.* New York : Academic Press.

Rudner, L.M., Getson, P.R. & Knight, D.L. (1980). Biased item detection techniques. *Journal of Educational Statistics, 5,* 213-233.

Rulon, P.J. (1939). A simplified procedure for determining the reliability of a test by split-halves. *Harvard Educational Review, 9,* 99-103.

Sackett, P.R. & Yang, H. (2000). Correction for range restriction: An expanded typology. . *Journal of Applied Psychology, 85,* 112-118.

Sarrazin, G. (sous la direction de) (2003). *Normes de pratique du testing en psychologie et en éducation.* Montréal : Institut de Recherches Psychologiques.

Sato, T. (1975). *The construction and interpretation of S-P tables.* Tokyo : Meiji Tosho.

Sattler, J.M. (1988). *Assessment of children..* San Diego : Jerome M. Sattler Publisher.

Scallon, G. (1992). L'évaluation formative : entre la docimologie et la didactique. In D. Laveault (Éd.) *Les pratiques d'évaluation en éducation.* Montréal : Éditions de l'ADMÉÉ.

Scheuneman, J.C. & Bleinstein, C.A. (1989). A consumer's guide to statistics for differential item functioning. *Applied Measurement in Education, 2,* 255-275.

Schmidt, F.L., Hunter, J.E. & Urry, V.W. (1976). Statistical power in criterion-related validity studies. *Journal of Applied Psychology, 61,* 473-485.

Schmidt, F.L. & Hunter, J.E. (1998). The validity and utility of selection methods in personal psychology: Practical and theoretical implications of 85 of research findings. *Psychological Bulletin, 124,* 262-274.

Schmitt, N. (1996). Uses and abuses of coefficient alpha. *Psychological Assessment, 8*(4), 350-353.

Schumacker, R.E. & Lomax, R.G. (2004). A Beginner's Guide to structural equation modeling (2nd ed.). Mahwah, NJ: Erlbaum.

Shrout, P.E. & Fleiss, J.L. (1979). Intraclass correlations: Uses in assessing rater reliability. *Psychological Report, 86,* 420-428.

Siegel, S. & Castellan, N.J. (1988). *Nonparametric Statistics for the Behavioral Sciences (2nd edition).* New York : McGraw-Hill.

Sireci, S.G. (1997). Problems and issues in linking assessments across languages. *Educational Measurement : Issues and Practice, 16*(1), 12-19.

Spearman, C. (1907). Demonstration of formulae for true measurement of correlation. *American Journal of Psychology, 18*, 161-169.

Stanley, J.C. (1971). Reliability. In R.L.Thorndike, *Educational measurement*. Washington : American Council on Education.

Stevens, S. S. (1946). On the theory of scales of measurement. *Science, 103*, 677-680.

Stout, W. (1987). A nonparametric approach for assessing latent trait unidimensionality. *Psychometrika, 52*, 589-617.

Stout, W. (1990). A new item response theory modeling approach and applications to unidimensionality assessment and ability estimation. *Psychometrika, 55*, 293-325.

Swets, J.A. (1996). Signal detection theory and ROC analysis in psychology and diagnostic : collected papers. Mahwah, NJ : Lawrence Erlbaum.

Thissen, D. M. & Mislevy, D. (1990). Testing algorithms. In H. Wainer, *Computerized adaptative testing. A primer*. Hillsdale, NJ: Lawrence Erlbaum.

Thorndike, R.L. (1949). *Personnel selection : test and measurement techniques*. New York : Wiley.

Thorndike, R.L. (1971). Concepts of culture-fairness. *Journal of Educational Measurement, 8*, 63-70.

Thurstone, L.L. (1928). Attitudes can be measured. *American Journal of Sociology, 33*, 529-554.

Tukey, J.W. (1977). *Exploratory data anlysis*. Reading, MA : Addison-Wesley.

Urry, V.W. (1977). Tailored testing: A successful application of item response theory. *Journal of Educational Measurement, 14*, 181-196.

Vale, C.D. (1986). Linking item parameters onto a common scale. *Applied Psychological Measurement, 10*, 333-344.

Van de Vijver, F. & Tanzer, N.K. (1997). Bias and equivalence in cross-cultural assessment : An overview. *European Review of Applied Psychology, 47*(4), 263-279.

Van der Linden, W. (1986). The changing conception of measurement in education and psychology. *Applied Psychological Measurement, 10*, 325-332.

van der Linden, W. & Hambleton, R. (1997). *Handbook of modern item response theory*. New York : Springer.

Voyer, D. H., Voyer, S. & Bryden, M.P. (1995). Magnitude of sex differences in spatial abity: A meta-analysis and consideration of critical variables. *Psychological Bulletin, 117*, 250-270.

Wainer, H., Kiely, G.L. (1987). Item clusters and computerized adaptive testing. : A case for testlets. *Journal of Educational Measurement, 24(3)*, 185-201.

Wechsler, D. (1981). *Manuel de l'échelle de Wechsler pour enfants, forme révisée.* Paris : Éditions du Centre de Psychologie Appliquée.

Weiss, D. J. (1985). Adaptive Testing by Computer. *Journal of Counseling Psychology, 53(6)*, 774-789.

Wiersma, W. & Jurs, S.G. (1990). *Educational Measurement and Testing*. Boston : Allyn and Bacon.

Wiggins, G. (1989). *Educative assessment. Designing assessments to inform and improve student performance*. San Francisco : Jossey-Bass Publishers.

Wilmut, J. & Tuson, J. (2004). *Statistical moderation of teacher assessments. A report to the Qualifications and Curriculum Authority*. London, U.K.

Wilson, M. (2005). *Constructing Measures: An Item Response Modeling Approach*. Mahwah, NJ: Erlbaum.

Wright, B.D. & Stone, M.H. (1979). *Best test design*. Chicago : Mesa Press.

Wyatt-Smith, C., Klenowski, V. & Gunn, S. (2010). The centrality of teachers' judgement practice in assessment : A study of standards in moderation. *Assessment in Education : Principles, Policy & Practice, 17*(1), 59-75.

Zimowski, M., Muraki, E., Mislevy, R. J., & Bock, R. D. (2003). *BILOG-MG 3 : Item analysis and test scoring with binary logistic models*. Chicago, IL : Scientific Software.

INDEX

TABLE DES MATIÈRES